A Rosa da Meia-Noite

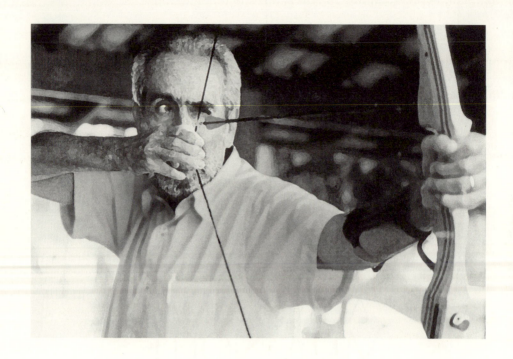

O Arqueiro

GERALDO JORDÃO PEREIRA (1938-2008) começou sua carreira aos 17 anos, quando foi trabalhar com seu pai, o célebre editor José Olympio, publicando obras marcantes como *O menino do dedo verde*, de Maurice Druon, e *Minha vida*, de Charles Chaplin.

Em 1976, fundou a Editora Salamandra com o propósito de formar uma nova geração de leitores e acabou criando um dos catálogos infantis mais premiados do Brasil. Em 1992, fugindo de sua linha editorial, lançou *Muitas vidas, muitos mestres*, de Brian Weiss, livro que deu origem à Editora Sextante.

Fã de histórias de suspense, Geraldo descobriu *O Código Da Vinci* antes mesmo de ele ser lançado nos Estados Unidos. A aposta em ficção, que não era o foco da Sextante, foi certeira: o título se transformou em um dos maiores fenômenos editoriais de todos os tempos.

Mas não foi só aos livros que se dedicou. Com seu desejo de ajudar o próximo, Geraldo desenvolveu diversos projetos sociais que se tornaram sua grande paixão.

Com a missão de publicar histórias empolgantes, tornar os livros cada vez mais acessíveis e despertar o amor pela leitura, a Editora Arqueiro é uma homenagem a esta figura extraordinária, capaz de enxergar mais além, mirar nas coisas verdadeiramente importantes e não perder o idealismo e a esperança diante dos desafios e contratempos da vida.

Lucinda Riley
A Rosa da Meia-Noite

Título original: *The Midnight Rose*

Copyright © 2014 por Lucinda Riley
Copyright da tradução © 2021 por Editora Arqueiro Ltda.

Todos os direitos reservados. Nenhuma parte deste livro pode ser utilizada ou reproduzida sob quaisquer meios existentes sem autorização por escrito dos editores.

tradução: Fernanda Abreu
preparo de originais: Mariana Gouvêa
revisão: Ana Grillo e Raphani Margiotta
diagramação: Abreu's System
capa: Duat Design
imagens de capa: Getty Images – Amir Ghasemi (alvorada no Taj Mahal); Shutterstock – Yury Taranik (Hawa Mahal), Andrey Khrobostov (Forte de Amber), Charcompix (céu em tons pastel) e Kurkul (decoração de entrada do Palácio de Jaipur)
impressão e acabamento: Lis Gráfica e Editora Ltda.

CIP-BRASIL. CATALOGAÇÃO NA PUBLICAÇÃO
SINDICATO NACIONAL DOS EDITORES DE LIVROS, RJ

R43r

Riley, Lucinda, 1966-
  A rosa da meia-noite / Lucinda Riley ; [tradução Fernanda Abreu]. – 1. ed. – São Paulo : Arqueiro, 2021.
  544 p. ; 23 cm.

  Tradução de : The midnight rose
  ISBN 978-65-5565-061-7

  1. Ficção irlandesa. I. Abreu, Fernanda. II. Título.

20-67479   CDD: 828.99153
                          CDU: 82-3(417)

Camila Donis Hartmann – Bibliotecária – CRB-7/6472

Todos os direitos reservados, no Brasil, por
Editora Arqueiro Ltda.
Rua Artur de Azevedo, 1.767 – Conj. 177 – Pinheiros
05404-014 – São Paulo – SP
Tel.: (11) 2894-4987
E-mail: atendimento@editoraarqueiro.com.br
www.editoraarqueiro.com.br

Para Leonora

Que meus pensamentos lhe venham depois que eu partir, como o brilho que resta do poente na borda do silêncio estrelado.

Rabindranath Tagore

Darjeeling, Índia

Fevereiro de 2000

Prólogo

Anahita

Hoje completo 100 anos. Não apenas consegui sobreviver a um século como vi um novo milênio chegar.

Enquanto vejo a aurora irromper e o sol começar a nascer atrás do monte Katchenjunga diante da minha janela, deitada sobre os travesseiros, sorrio por causa do absoluto ridículo dessa ideia. Se eu fosse um móvel, uma cadeira elegante, por exemplo, seria chamada de antiguidade. Seria encerada, restaurada e exibida com orgulho como uma bela peça. Infelizmente, não é o caso da minha estrutura humana, que, ao contrário de uma bela peça de mogno, não foi melhorando ao longo da vida. Em vez disso, meu corpo se deteriorou até virar um saco de juta flácido com uma coleção de ossos dentro.

Toda "beleza" que poderia ser considerada de valor em mim está escondida bem lá no fundo. Ela consiste na sabedoria adquirida ao longo de cem anos vividos nesta terra e num coração que bateu em ritmo constante para todas as emoções e comportamentos humanos que se pode imaginar.

Há cem anos, exatamente no dia de hoje, meus pais consultaram um astrólogo para conhecer o futuro de sua filhinha recém-nascida, como fazem todos os indianos. Acho que ainda tenho as previsões do vidente entre os poucos objetos que guardei da minha mãe. Lembro-me de meus pais me dizerem que eu teria uma vida longa, mas suponho que em 1900 eles tenham imaginado que isso significasse, com as bênçãos dos deuses, que eu viveria até os 50 e poucos anos.

Ouço batidas suaves à porta. É Keva, minha fiel empregada, munida de uma bandeja de chá English Breakfast e de uma jarrinha de leite frio. Tomar chá à moda dos ingleses é um hábito que nunca consegui abandonar, muito embora já viva na Índia – e em Darjeeling – há 78 anos.

Não atendo à batida de Keva, pois nesta manhã específica prefiro ficar sozinha mais um pouco com meus pensamentos. Ela sem dúvida vai querer conversar sobre os acontecimentos do dia e ficará ansiosa para me ajudar a levantar, tomar banho e me vestir antes de os meus parentes começarem a chegar.

Enquanto o sol começa a dissipar as nuvens que encobrem as montanhas encimadas de neve, vasculho o firmamento azul em busca da resposta à qual venho implorando aos céus todas as manhãs nos últimos 78 anos.

Hoje, por favor, imploro aos deuses, pois soube, a cada hora que passou desde a última vez que vi meu filho, que ele ainda respira em algum lugar deste planeta. Se tivesse morrido, eu teria sabido no ato, como aconteceu a cada vez que uma pessoa que amei na vida partiu.

Meus olhos ficam marejados e viro a cabeça para a mesa de cabeceira junto à cama para examinar a única fotografia que tenho dele, um menino de 2 anos sorridente e com cara de querubim sentado no meu colo. Foi minha amiga Indira quem me deu a foto, junto com o seu atestado de óbito, algumas semanas depois de eu ser informada sobre a morte do meu filho.

Em outra vida, penso eu. A verdade é que meu filho agora também é um velho. Vai comemorar seu octogésimo primeiro aniversário em outubro deste ano. No entanto, mesmo com a *minha* capacidade de imaginação, me é impossível vê-lo dessa forma.

Com determinação, tiro os olhos da imagem do meu filho, sabendo que neste dia mereço desfrutar a celebração que minha família planejou para mim. Por outro lado, nessas ocasiões em que vejo minha outra filha e os seus filhos, e os filhos dos seus filhos, a ausência do meu filho só faz alimentar a dor no meu coração e me lembrar que ele sempre faltou.

Eles acreditam, claro, e sempre acreditaram que meu filho morreu 78 anos atrás.

– Maaji, olhe aqui, você tem até o atestado de óbito dele! Deixe-o descansar – diria minha filha Muna, com um suspiro. – Aproveite seus familiares que estão vivos.

Depois de tantos anos, entendo que Muna se sinta frustrada comigo. E é claro que ela tem o direito de se frustrar. Ela quer ser suficiente, apenas ela. Mas um filho perdido é algo que nunca pode ser substituído no coração de uma mãe.

Então hoje tudo vai ser como a minha filha quer. Vou me sentar na minha poltrona e aproveitar a visão da dinastia que gerei. Não vou entediá-los com minhas histórias sobre a Índia. Quando eles chegarem em seus velozes jipes ocidentais, com seus filhos brincando em aparelhos movidos a bateria, não vou lhes lembrar como Indira e eu costumávamos subir a cavalo as íngremes colinas ao redor de Darjeeling, ou que eletricidade e água corrente em qualquer casa já foram uma raridade, ou como eu devorava qualquer livro caindo aos pedaços em que pusesse as mãos. Os jovens se irritam com histórias do passado; desejam viver apenas no presente, exatamente como eu fazia quando tinha a idade deles.

Imagino que a maior parte da minha família não está exatamente empolgada com a ideia de atravessar metade da Índia de avião para visitar a bisavó em seu centésimo aniversário, mas talvez eu esteja sendo dura com eles. Nos últimos anos venho pensando muito no motivo de os jovens parecerem pouco à vontade na companhia dos velhos; eles poderiam aprender muitas coisas que precisam saber conosco. E concluí que o desconforto vem do fato de que a nossa frágil presença os torna conscientes do que o futuro lhes reserva. Tudo que eles conseguem ver, na plena potência de sua força e beleza, é como um dia também acabarão diminuídos. Não sabem o que vão ganhar.

Como eles podem começar a ver dentro de nós? Entender como a alma deles vai se desenvolver, como a impetuosidade será domada e os pensamentos egoístas serão enfraquecidos pela experiência dos anos?

Mas aceito que assim é a natureza, em toda a sua gloriosa complexidade. Já não a questiono mais.

Quando Keva bate pela segunda vez à porta, eu a deixo entrar. Ela vai falando comigo depressa em híndi enquanto tomo meu chá e recito os nomes dos meus quatro netos e onze bisnetos. Aos 100 anos, a pessoa pelo menos quer provar que ainda está com a mente funcionando cem por cento.

Todos os quatro netos que minha filha me deu se tornaram pais e mães bem-sucedidos e amorosos. Eles prosperaram no novo mundo após a independência da Índia em relação à Inglaterra, e seus filhos levaram isso mais longe ainda. Até onde me lembro, pelo menos seis deles abriram os próprios negócios ou exercem alguma profissão. Egoísta que sou, gostaria que um de meus descendentes tivesse demonstrado interesse pela medicina e seguido meus passos, mas entendo que não posso ter tudo.

Enquanto Keva me ajuda a ir até o banheiro para tomar banho, penso que minha família teve a seu favor uma mistura de sorte, inteligência e vínculos familiares. E que minha amada Índia decerto ainda vai ter de esperar mais um século até que os milhões que ainda morrem de fome nas ruas consigam conquistar o mínimo de seus direitos humanos básicos. Dei o melhor de mim para ajudar ao longo dos anos, mas sei que meus esforços são apenas uma gota no oceano contra uma furiosa maré de pobreza e privação.

Sentada pacientemente enquanto Keva me veste um sári novo (presente de aniversário de minha filha, Muna), decido não ter esses pensamentos melancólicos no dia de hoje. Tentei o quanto pude melhorar a vida das pessoas com quem tive contato, e preciso me contentar com isso.

– A senhora está linda, madame Chavan.

Olho para meu reflexo no espelho e sei que ela está mentindo, mas a amo por isso. Meus dedos tocam as pérolas que há quase oitenta anos rodeiam meu pescoço. No meu testamento, eu as deixei para Muna.

– Sua filha vai chegar às onze, e o resto da família, ao meio-dia. Onde quer que eu deixe a senhora até lá?

Eu lhe sorrio e me sinto bem parecida com uma cadeira de mogno.

– Pode me deixar na janela. Quero olhar para as minhas montanhas – respondo.

Ela me ajuda a levantar, me guia com cuidado até a poltrona e me senta.

– Posso lhe trazer mais alguma coisa, madame?

– Não. Vá à cozinha e se certifique de que aquele nosso cozinheiro está com o cardápio do almoço sob controle.

– Sim, madame.

Ela pega minha sineta na mesa de cabeceira e a põe sobre a mesa ao meu lado, então se retira em silêncio.

Viro o rosto para o sol que está começando a entrar pelas grandes janelas retangulares da minha casa no alto do morro. Enquanto deixo ele me aquecer, como se eu fosse um gato, recordo os amigos que já partiram e que não estarão aqui hoje para comemorar. Indira, minha amiga mais amada, morreu faz mais de quinze anos. Confesso que foi uma das poucas vezes na vida em que desabei e chorei descontroladamente. Nem mesmo minha dedicada filha pôde igualar o amor e a amizade que Indira teve por mim. Autocentrada e inconstante até seu último suspiro, ela esteve a meu lado sempre que precisei dela.

Olho para a escrivaninha posicionada na alcova à minha frente, e não consigo evitar pensar no que está escondido dentro de sua gaveta trancada. É uma carta com mais de trezentas páginas. Ela foi escrita para o meu amado filho e conta a história da minha vida desde o início. Conforme os anos iam passando, comecei a ficar com medo de esquecer os detalhes, de que eles se tornassem um borrão indistinto na minha mente como a película de um filme mudo em preto e branco. Se, como até hoje acredito, meu filho estiver vivo e algum dia voltar para mim, quero poder lhe apresentar a história da sua mãe e do seu amor eterno pelo filho que perdeu. E os motivos pelos quais ela precisou deixá-lo...

Comecei a escrever a carta na meia-idade; na época, acreditava que poderia morrer a qualquer momento. E ali está ela há quase cinquenta anos, intocada e jamais lida, porque meu filho nunca veio ao meu encontro e eu ainda não o encontrei.

Nem minha filha conhece a história da minha vida antes da sua chegada neste mundo. Às vezes me sinto culpada por nunca ter lhe revelado a verdade. Mas acredito que baste o fato de ela ter conhecido meu amor, quando ao seu irmão este foi negado.

Olho para a escrivaninha, e na minha imaginação vejo a pilha de papel amarelado lá dentro. E peço aos deuses que me guiem. Quando eu morrer, o que com certeza acontecerá em breve, ficaria horrorizada se isso caísse nas mãos erradas. Avalio por alguns segundos se deveria acender uma fogueira e pedir a Keva que atire nela os papéis. Mas não, penso, balançando a cabeça instintivamente. Não posso fazer isso, só para o caso de talvez vir a encontrar meu filho. Ainda resta esperança. Afinal, eu vivi até os 100 anos; posso muito bem viver mais dez.

Mas a quem confiar o manuscrito até lá, só por garantia...?

Examino mentalmente os membros da minha família, geração por geração. A cada nome, paro e fico à escuta de uma orientação. E o nome que me detém é o de um de meus bisnetos.

Ari Malik, filho mais velho de meu neto mais velho, Vivek. Dou uma risadinha enquanto um arrepio sobe pela minha espinha – o sinal recebido daqueles lá de cima, que compreendem bem mais do que eu jamais compreenderei. Ari, o único de meus descendentes a ter sido abençoado com olhos azuis além do amado filho que perdi.

Concentro-me com esforço para recordar seus detalhes; são onze bisnetos, penso para me reconfortar, e até mesmo alguém com metade dos meus anos teria dificuldade para se lembrar. Além do mais, eles atualmente vivem espalhados por toda a Índia, e quase não os vejo.

De todos os meus netos, Vivek, pai de Ari, foi o mais bem-sucedido financeiramente. Ele sempre foi inteligente, ainda que um pouco sem sal. É engenheiro e ganhou dinheiro suficiente para proporcionar à esposa e aos três filhos uma vida muito confortável. Ari estudou na Inglaterra, se não me engano. Sempre foi um rapaz brilhante, embora me escape o que exatamente tem feito desde que concluiu os estudos. Hoje vou descobrir. Vou observá-lo. E tenho certeza de que saberei se minha intuição de agora está certa.

Com isso resolvido, e me sentindo mais calma agora que talvez haja uma solução para o meu dilema, fecho os olhos e me permito cochilar.

– Onde ele está? – sussurrou Samina Malik para o marido. – Ele me jurou que não ia chegar atrasado hoje.

Ela correu os olhos pelos outros membros da família estendida de Anahita, todos presentes. Eles rodeavam a velha senhora no elegante salão de sua casa, cobrindo-a de presentes e elogios.

– Não entre em pânico, Samina. Nosso filho vai chegar – disse Vivek tentando tranquilizar a mulher.

– Ari disse que nos encontraria na estação para podermos subir o morro todos juntos em família às dez da manhã... Eu juro a você, Vivek, esse menino não tem respeito pela família...

– Shh, *pyari*, ele é um rapaz ocupado. Além do mais, é um bom menino.

– Você acha? – perguntou Samina. – Eu não tenho tanta certeza. Toda vez que ligo para o apartamento dele atende uma voz de mulher diferente. Você sabe como é lá em Mumbai... cheio daquelas atrizes baratas de Bollywood – sussurrou ela, sem querer que nenhum outro membro da família escutasse a conversa.

– Sim, e nosso filho agora está com 25 anos e tem o próprio negócio. Ele pode cuidar de si – respondeu Vivek.

– Os garçons estão esperando que ele chegue para poderem trazer o champanhe e brindar. Keva está com medo de a sua avó ficar cansada se esperarmos demais. – Samina suspirou. – Se Ari não chegar em dez minutos vou dizer para continuar sem ele.

– Eu falei que você não precisava fazer isso – disse Vivek, abrindo um largo sorriso ao mesmo tempo que seu filho preferido adentrava o recinto. – Sua mãe estava em pânico, como sempre – confidenciou ele para Ari, sorrindo e o envolvendo num abraço caloroso.

– Você prometeu nos encontrar na estação. Nós esperamos uma hora! Onde você estava? – Samina franziu o cenho para seu belo filho, mas, como de costume, sabia que aquela era uma batalha perdida contra o seu charme.

– Me perdoe, Ma. – Ari abriu um sorriso irresistível para a mãe e tomou-lhe as mãos. – Eu me atrasei. Tentei ligar para o seu celular, mas estava desligado, para variar.

Ari e o pai trocaram um sorriso debochado. A incapacidade de Samina de usar o celular era uma piada na família.

– Enfim, agora estou aqui – disse ele, e correu os olhos pelo resto do seu clã. – Perdi alguma coisa?

– Não, sua bisavó ficou muito ocupada cumprimentando o resto da família, então vamos torcer para ela não ter reparado que você chegou tarde – respondeu Vivek.

Ari se virou e olhou por entre os parentes reunidos até encontrar a matriarca cujos genes haviam entremeado fios invisíveis unindo as várias gerações. Ao fazê-lo, viu os olhos brilhantes e curiosos de Anahita cravados nele.

– Ari! Até que enfim você resolveu se juntar a nós. – Ela sorriu. – Venha dar um beijo na sua bisavó.

– Ela pode estar fazendo 100 anos hoje, mas não deixa passar nada – sussurrou Samina para Vivek.

Quando Anahita abriu os braços frágeis para Ari, os parentes reunidos abriram espaço, e todos os olhos do recinto se voltaram para ele. Ari foi até ela, ajoelhou-se na sua frente, demonstrou respeito com um *pranaam* profundo e aguardou sua bênção.

– Nani – cumprimentou-a, usando o apelido afetuoso que todos os netos e bisnetos usavam para chamá-la. – Me perdoe o atraso. A viagem de Mumbai até aqui é longa – explicou ele.

Ao erguer os olhos, pôde ver os dela cravados nele do jeito singular que ela sempre fazia, como se estivesse lendo sua alma.

– Não faz mal – disse ela, e tocou sua bochecha com dedos emaciados que pareciam os de uma criança; era como o leve roçar de uma asa de borboleta. Ela baixou a voz para um sussurro de modo que apenas ele pudesse escutar:
– Mas eu sempre acho útil verificar na noite anterior se programei o alarme para a hora certa. – Ela lhe deu uma piscadela discreta, então indicou que ele podia se levantar. – Conversamos mais tarde. Vejo que Keva está ansiosa para dar início aos trabalhos.

– Sim, Nani, claro – assentiu Ari, e sentiu um rubor lhe subir às faces ao ficar em pé. – Parabéns.

Ao caminhar de volta em direção aos pais, Ari se perguntou como a bisavó sabia o motivo exato do seu atraso.

O dia avançou conforme previsto, e Vivek, o mais velho dos netos de Anahita, fez um discurso comovente sobre a vida notável da avó. Com o champanhe servido à larga, as línguas se soltaram e a tensão característica de uma família reunida após muito tempo sem se ver começou a se dissipar. O lado naturalmente competitivo dos irmãos se suavizou à medida que eles foram reassumindo seus lugares na hierarquia familiar, e os primos mais novos perderam a timidez e encontraram suas afinidades.

– Veja só seu filho! – comentou Muna, filha de Anahita, com Vivek. – As primas estão todas dando em cima dele. Daqui a pouco está na hora de ele começar a pensar em casamento – acrescentou ela.

– Duvido que ele queira – resmungou Samina para a sogra. – Hoje os rapazes só sossegam bem depois dos 30.

– Quer dizer que vocês não vão arrumar nada para ele? – perguntou Muna.

– Vamos, claro, mas eu duvido que ele vá aceitar – admitiu Vivek. – Ari pertence a uma nova geração, é dono do seu nariz. Tem a própria empresa e vive viajando pelo mundo. Os tempos mudaram, Ma, e Samina e eu precisamos dar aos nossos filhos certa liberdade para escolher seus parceiros.

– É mesmo? – Muna arqueou uma sobrancelha. – Que moderno da sua parte, Vivek. Afinal de contas, vocês dois não se deram tão mal assim juntos.

– Sim, Ma – concordou ele, segurando a mão da esposa. – Você escolheu bem por mim. – Ele sorriu.

– Mas nós estamos nadando contra uma maré impossível de vencer – disse Samina. – Os jovens de hoje só fazem o que querem e tomam as próprias decisões.

Querendo mudar de assunto, ela olhou para Anahita do outro lado da sala.

– Sua mãe parece estar gostando da comemoração – comentou com Muna.

– Ela é mesmo um milagre, um assombro da natureza.

– Sim, mas eu fico preocupada com ela aqui no alto das montanhas só com Keva para ajudar – desabafou Muna. – Faz muito frio no inverno, e isso pode não ser bom para os velhos ossos dela. Já a chamei muitas vezes para ir morar conosco em Guhagar, assim poderíamos cuidar dela. Mas ela se recusa. Diz que aqui em cima se sente mais próxima dos seus espíritos, e do seu passado também, claro.

– Do seu passado *misterioso*. – Vivek arqueou uma sobrancelha. – Ma, você acha que um dia vai conseguir convencê-la a lhe contar quem era o seu pai? Sei que ele morreu antes de você nascer, mas os detalhes para mim sempre foram meio nebulosos.

– Isso tinha importância quando eu era mais nova, e me lembro de bombardeá-la com perguntas, mas agora... – Muna deu de ombros. – Se ela quer guardar segredo, que guarde. Não poderia ter sido uma mãe mais amorosa comigo, e eu não quero chateá-la.

Ao olhar com ternura para a mãe, Anahita cruzou seu olhar e chamou a filha com um aceno.

– Sim, Maaji, o que foi? – perguntou ela ao chegar lá.

– Estou um pouco cansada. – Anahita disfarçou um bocejo. – Preciso descansar. E daqui a uma hora quero que você leve meu bisneto Ari para falar comigo.

– Claro. – Muna ajudou a mãe a se levantar e a caminhar entre os parentes. Atenta como sempre junto à patroa, Keva se adiantou. – Minha mãe quer descansar, Keva. Pode levá-la e acomodá-la?

– Com certeza. O dia foi longo.

Muna observou as duas se retirarem e voltou para junto de Vivek e Samina.

– Ela vai descansar um pouco, mas me perguntou se Ari pode ir falar com ela daqui a uma hora.

– É mesmo? – Vivek franziu o cenho. – Por que será?

– Quem pode saber o que passa na cabeça da minha mãe? – retrucou Muna com um suspiro.

– Bem, é melhor eu avisá-lo, pois ele estava falando em ir embora daqui a pouco. Tem uma reunião de trabalho em Mumbai amanhã cedo.

– Desta vez, para variar um pouco, a família vai vir em primeiro lugar – disse Samina com firmeza. – Vou atrás dele.

Conforme seu pai previra, quando Ari soube pela mãe que a bisavó desejava conversar com ele dali a uma hora, não ficou nada contente.

– Eu não posso perder esse voo – explicou. – Ma, você precisa entender que eu tenho uma empresa para administrar.

– Nesse caso vou pedir ao seu pai que avise à avó dele que, no seu aniversário de 100 anos, o neto mais velho não conseguiu atender seu pedido de ir falar com ela.

– Mas, Ma... – Ari viu a expressão triste de Samina e suspirou. – Tudo bem – assentiu. – Eu fico. Com licença, preciso achar sinal em algum lugar por aqui para dar um telefonema e adiar a reunião.

Samina ficou observando o filho se afastar dela encarando com atenção o celular. Ari tinha sido um menino decidido desde o dia em que nascera, e ela sem dúvida havia mimado seu primogênito, como qualquer outra mãe. Ele sempre fora especial, desde o instante em que abrira os olhos e ela encarara chocada sua cor azul. Vivek a havia provocado insistentemente por causa disso, questionando a fidelidade da esposa – até eles visitarem Anahita e ela lhes contar que o falecido pai de Muna tinha os olhos da mesma cor.

Ari tinha a pele mais clara que a dos outros irmãos e sua bela aparência sempre chamara atenção. Com todos os olhares que havia atraído ao longo de seus 25 anos, não restava dúvida de que havia nele certa arrogância. Mas sua salvação sempre fora sua personalidade doce. De todos os filhos de Samina, Ari sempre fora o mais amoroso com ela, indo ao seu encontro assim que surgia um problema. Até o dia em que partiu rumo a Mumbai e anunciou que estava abrindo uma empresa...

Nos últimos tempos, o Ari que visitava a família parecia mais duro, autocentrado, e, para ser bem sincera, Samina constatava que gostava cada vez menos dessa versão do filho. Ao caminhar de volta em direção ao marido, rezou para que aquilo fosse só uma fase.

– Meu bisneto pode entrar agora – anunciou Anahita enquanto Keva a ajudava a se sentar na cama e afofava os travesseiros atrás da sua cabeça.

– Sim, madame. Vou chamá-lo.

– E não quero que nos incomodem.

– Sim, madame.

– Boa tarde, Nani – disse Ari ao entrar no quarto com o passo acelerado poucos segundos depois. – Espero que esteja mais descansada.

– Sim. – Anahita apontou para a cadeira. – Sente-se, Ari, por favor. E me desculpe atrapalhar sua agenda de trabalho para amanhã.

– Imagine. – Ari sentiu o rosto corar pela segunda vez naquele dia. – Não

19

tem problema nenhum – disse ele, enquanto a observava fitando-o com seu olhar penetrante.

– Seu pai me disse que você está morando em Mumbai e tem uma empresa de sucesso.

– Bem, eu não a descreveria como uma empresa de sucesso neste momento – admitiu Ari. – Mas estou trabalhando muito duro para que venha a ter sucesso no futuro.

– Posso ver que você é um rapaz ambicioso. E tenho certeza de que um dia o seu negócio dará os frutos que você espera.

– Obrigado, Nani.

Ari observou a bisavó abrir um esboço de sorriso.

– É claro que isso talvez não lhe traga a felicidade que você acredita que trará. A vida é mais do que trabalho e riqueza. Mas isso cabe a você descobrir – acrescentou ela. – Ari, eu quero lhe dar uma coisa. Por favor, abra a escrivaninha com esta chave e pegue a pilha de papéis que está lá dentro.

Ari pegou a chave da mão da bisavó, girou-a na fechadura e tirou de dentro do móvel um manuscrito velho.

– O que é isto?

– É a história da vida da sua bisavó. Eu a escrevi para guardar um registro para o filho que perdi. Infelizmente nunca o encontrei.

Ari viu os olhos de Anahita ficarem marejados. Anos atrás, seu pai havia lhe contado sobre o filho da bisavó que morrera ainda pequeno na Inglaterra, quando ela estivera lá durante a Grande Guerra. Se não lhe falhava a memória, achava que ela fora obrigada a deixá-lo ao retornar para a Índia. Pelo visto Anahita se recusara a acreditar que o filho tivesse morrido.

– Mas eu pensei...

– Sim. Tenho certeza de que lhe falaram que eu recebi o atestado de óbito dele. E sou apenas uma mãe triste e quiçá louca que não consegue aceitar a morte do filho.

Ari se remexeu na cadeira, constrangido.

– É, eu escutei a história – admitiu.

– Eu sei o que a minha família acha, e o que você provavelmente também acha – disse Anahita com firmeza. – Mas acredite: existem mais coisas entre o céu e a terra do que se pode explicar com um documento criado pelo homem. Existe um coração de mãe, e a sua alma, que lhe dizem coisas impossíveis de ignorar. E posso lhe afirmar que o meu filho não morreu.

– Eu acredito em você, Nani.

– Entendo que não acredite. – Anahita deu de ombros. – Eu não me importo. Mas é em parte por minha culpa que minha família não acredita em mim. Eu nunca lhes expliquei o que aconteceu tantos anos atrás.

– Por quê?

– Porque... – Anahita olhou pela janela para suas amadas montanhas. Balançou de leve a cabeça. – Não posso contar para você agora. Está tudo escrito aí. – Ela apontou com um dedo para as folhas que Ari segurava. – Quando chegar a hora certa, e você vai saber quando for, talvez você leia a minha história. E então vai decidir por si mesmo se quer investigá-la ou não.

– Entendo – disse Ari, apesar de não estar entendendo.

– Tudo que lhe peço é que não revele o conteúdo para ninguém da nossa família até eu morrer. É a minha vida que eu estou lhe confiando, Ari. Como você sabe... – Anahita fez uma pausa. – Infelizmente meu tempo neste mundo está acabando.

Ari a encarou, sem saber ao certo o que a bisavó queria que ele fizesse.

– Você quer que eu leia isso e depois investigue o paradeiro do seu filho? – perguntou ele.

– Sim.

– Mas por onde eu iria começar?

– Pela Inglaterra, claro. – Anahita o encarou. – Você reconstituiria os meus passos. Tudo que precisa saber está na palma das suas mãos. Além do mais, seu pai me disse que você comanda algum tipo de empresa de informática. Você, mais do que ninguém, tem a teia à sua disposição.

– A rede, você quer dizer? – Ari conteve uma risadinha.

– Sim, a rede, então tenho certeza de que só demoraria alguns segundos para encontrar o lugar onde tudo começou – concluiu Anahita.

Ari acompanhou o olhar da bisavó em direção às montanhas do outro lado da janela.

– É uma vista linda – falou, na falta de algo melhor para dizer.

– Sim, e é por isso que eu fico aqui, mesmo que a minha filha não aprove. Um dia, em breve, viajarei lá para cima, muito além daqueles cumes, e ficarei feliz com isso. Lá vou encontrar muitas pessoas cujas mortes lamentei ao longo da vida. Menos, naturalmente... – O olhar de Anahita recaiu uma vez mais sobre o bisneto. – ... aquele que mais desejo ver.

– Como você sabe que ele ainda está vivo?

Os olhos de Anahita voltaram à paisagem, e ela então os fechou, cansada.

– Como eu disse, está tudo na minha história.

– Claro. – Ari compreendeu que estava dispensado. – Vou deixá-la descansar então, Nani.

Anahita aquiesceu. Ari se levantou, fez um *pranaam* e beijou a bisavó nas duas bochechas.

– Até logo. E tenho certeza de que vou vê-la em breve – falou, indo até a porta.

– Pode ser – respondeu ela.

Quando estava prestes a sair do quarto, Ari se virou de repente, por instinto.

– Por que eu, Nani? Por que não entregar esta história para a sua filha ou para o meu pai?

Anahita o encarou.

– Porque a história que você está segurando nas mãos pode ser o meu passado, Ari, mas também é o seu futuro.

Ari saiu do quarto sentindo-se exausto. Atravessou os cômodos da casa e foi direto para o cabide de casacos perto da porta principal, ao pé do qual tinha deixado sua pasta de trabalho. Guardou as folhas amareladas lá dentro e se encaminhou para o salão. Sua avó Muna o abordou na mesma hora.

– O que ela queria falar com você? – perguntou ela.

– Ah – respondeu Ari, vago. – Ela não acredita que o filho morreu e quer que eu vá à Inglaterra investigar. – Para dar ainda mais efeito, ele revirou os olhos.

– De novo não! – Muna revirou os próprios olhos de modo igualmente dramático. – Escute, eu posso lhe mostrar o atestado de óbito. O filho dela morreu quando tinha uns 3 anos. Ari, por favor... – Muna pousou uma das mãos no ombro do neto. – Não dê atenção à sua bisavó. Ela só fala nisso há anos. Infelizmente é apenas a ilusão de uma velha, e com certeza não vale a pena perder tempo com isso. Confie em mim. Eu venho escutando isso há muito mais tempo que você. – Sua avó sorriu. – Agora venha tomar uma última taça de champanhe com a sua família.

Ari embarcou no último avião de Bagdogra para Mumbai. Tentou se concentrar nos números à sua frente, mas o rosto de Anahita não parava de invadir seu campo de visão. Sua avó tinha razão ao dizer que a mãe estava iludida, certo? No entanto, algumas coisas que sua bisavó tinha dito quando os dois estavam a sós, coisas que ela não poderia ter sabido a seu respeito, o haviam deixado perturbado. Talvez houvesse alguma coisa na história dela... talvez ele tirasse um tempo para dar uma olhada no manuscrito quando chegasse em casa.

Embora passasse da meia-noite, Bambi, sua namorada atual, estava no setor de desembarque do aeroporto de Mumbai para recebê-lo. Ele desfrutou um resto de noite agradável em seu apartamento com vista para o mar da Arábia, saboreando os prazeres do jovem corpo esbelto da moça.

Pela manhã, já atrasado para a reunião, ele estava preparando a pasta com os documentos de que iria precisar quando retirou os papéis que Anahita lhe entregara.

Um dia vou ter tempo para ler isto, pensou, antes de enfiar o manuscrito na gaveta de baixo da mesa e sair às pressas do apartamento.

Um ano depois

... Eu me lembro, filho. Na calada da noite, a mais leve brisa era um alívio abençoado para o calor seco interminável de Jaipur. Muitas vezes, eu e as outras mulheres e crianças da zenana subíamos até os telhados do Palácio da Lua e lá fazíamos nossas camas.

E, ao me deitar lá, olhando para as estrelas, eu ouço o doce e puro som do canto. E sei então que alguém que amo está sendo levado desta terra e delicadamente transportado lá para cima...

Acordo sobressaltada e vejo que estou no meu quarto em Darjeeling, não nos telhados do palácio em Jaipur. Foi só um sonho, procuro me reconfortar, desorientada, pois o canto continua em meus ouvidos. Mas tenho certeza de que agora estou acordada.

Tento recuperar os sentidos e compreendo o que isso significa: se eu estou no presente, alguém que amo está morrendo neste exato momento. Com o coração batendo cada vez mais depressa, fecho os olhos e visualizo minha família, sabendo que meu sexto sentido vai me dizer quem é.

Pela primeira vez, nada me ocorre. Estranho, penso eu, pois os deuses nunca erraram antes.

Mas quem...?

Fecho os olhos e respiro fundo lentamente, atenta ao que ouço.

Então eu sei. Sei com certeza o que me está sendo dito.

Meu filho... meu filho amado. Sei que é ele quem finalmente está sendo levado lá para cima.

Meus olhos se enchem de lágrimas e me viro para a janela, erguendo o rosto para o céu em busca de conforto. Mas é noite alta, e lá fora há apenas escuridão.

Alguém bate de leve na porta. Em seguida, Keva entra, com um ar de preocupação.

– Madame? Ouvi a senhora chorando. Está se sentindo mal? – pergunta ela, atravessando o quarto e me encarando ao mesmo tempo que examina meu pulso para conferir os batimentos.

Balanço a cabeça em silêncio enquanto ela pega um lenço para secar as lágrimas que escorreram pelo meu rosto.

– Não – respondo, tranquilizando-a. – Não estou me sentindo mal.

– Então o que houve? A senhora teve um pesadelo?

– Não. – Ergo os olhos para ela, sabendo que ela não vai entender. – Acabo de perder um filho.

Keva me encara horrorizada.

– Mas como a senhora soube que madame Muna morreu?

– Minha filha não, Keva, quem morreu foi meu filho. Aquele que eu deixei na Inglaterra muito tempo atrás. Ele tinha 81 anos – murmuro. – Pelo menos teve uma vida longa.

Mais uma vez Keva me olha sem entender, e leva a mão à minha testa para ver se estou com febre.

– Mas, madame, o seu filho morreu faz muitos anos. A senhora devia estar sonhando – diz ela, tanto para convencer a si mesma quanto a mim.

– Pode ser – digo suavemente, sem querer alarmá-la. – Mas mesmo assim gostaria que você anotasse a hora e a data. É um momento que não quero esquecer. Pois a minha espera terminou, entende? – Abro-lhe um sorriso débil.

Ela faz o que eu peço: anota a hora, o dia da semana e a data num pedaço de papel e me entrega.

– Eu vou ficar bem agora, pode ir.

– Sim, madame – responde Keva com hesitação. – Tem certeza de que não está se sentindo mal?

– Tenho. Boa noite, Keva.

Quando ela sai do quarto, pego uma caneta na minha mesinha de cabeceira e escrevo uma breve carta para acompanhar a hora e a data da morte do meu filho. Também pego na gaveta seu atestado de óbito esfarelado. Amanhã pedirei a Keva que ponha tudo num envelope e envie para o advogado encarregado de fazer meu inventário depois que eu falecer. Pedirei a ele que me telefone para que eu lhe dê instruções sobre para quem ele deve mandar o envelope quando eu morrer.

    Fecho os olhos e desejo que o sono chegue, pois de repente me sinto desesperadamente sozinha nesta terra. Dou-me conta de que vinha esperando por esse momento. Agora que meu filho me deixou, enfim chegou a minha vez de segui-lo...

Três dias depois, de manhã, no horário habitual, Keva bateu à porta do quarto da patroa. Não ter resposta no começo era normal; ultimamente madame Chavan vinha dormindo até tarde. Keva passou mais meia hora cuidando da casa. Voltou e tornou a bater, e mais uma vez houve silêncio dentro do quarto. Como *aquilo* não era normal, Keva abriu a porta sem fazer barulho e viu que a patroa continuava em sono profundo. Só depois de abrir as cortinas enquanto tagarelava com ela sobre um assunto qualquer, como era o seu costume, percebeu que madame Chavan não estava reagindo.

O celular de Ari tocou enquanto ele dirigia no trânsito caótico de Mumbai. Ao ver que era seu pai, com quem não falava havia semanas, pressionou o botão do telefone para pôr a ligação no viva-voz.

    – Pai! – exclamou ele, animado. – Tudo bem?

    – Oi, Ari. Comigo tudo bem, mas...

    Ari notou o tom grave na voz do pai.

    – O que foi? – perguntou. – O que aconteceu?

    – Sua bisavó Anahita. Ela faleceu hoje de manhã cedo.

    – Ah, pai... Que notícia mais triste.

    – Estamos todos tristes. Ela era uma mulher maravilhosa e vai deixar muita saudade.

    – Sim. Pelo menos teve uma vida longa – disse Ari num tom consolador, ao mesmo tempo que desviava de um táxi que havia parado de repente na sua frente.

    – Teve, sim. O funeral vai ser daqui a quatro dias, para dar tempo de a família se reunir. Seu irmão e sua irmã vêm, e todo mundo vai estar lá. Inclusive você, espero – acrescentou Vivek.

– Sexta agora, você quer dizer? – perguntou Ari, sentindo um aperto no peito.

– Sim, ao meio-dia. Ela vai ser cremada no *ghaat* de Darjeeling numa cerimônia só para a família. Vamos organizar uma homenagem para ela depois, já que muitas pessoas vão querer comparecer para celebrar sua vida.

– Pai – grunhiu Ari. – Nessa sexta vai ser impossível para mim, sério. Um potencial cliente vem dos Estados Unidos para conversar sobre a assinatura do contrato de software dele. Isso tiraria a empresa do vermelho da noite para o dia. Nem com a melhor boa vontade do mundo eu conseguiria estar em Darjeeling na sexta.

Fez-se silêncio do outro lado da linha.

– Ari – falou seu pai por fim. – Até *eu* sei que há momentos em que o trabalho deve ficar em segundo plano em relação à família. Sua mãe nunca o perdoaria, sobretudo Anahita tendo deixado claro na comemoração do seu centenário no ano passado que você era especial para ela.

– Sinto muito, pai – disse Ari, firme. – Mas não há nada que eu possa fazer.

– Esta é a sua decisão final?

– É a minha decisão final.

Ari ouviu baterem o fone no gancho do outro lado.

Na noite de sexta-feira, Ari chegou em casa eufórico. A reunião com os americanos correra tão bem que eles haviam fechado negócio na hora. Ele ia levar Bambi para sair e comemorar, e tinha passado em casa antes para tomar um banho e se trocar. Pegou uma carta na caixa de correio na portaria e subiu de elevador até o décimo sexto andar. Dentro do apartamento, no caminho para o quarto, rasgou o envelope e leu o que havia lá dentro.

Khan & Chauhan Advogados
Chowrasta Square
Darjeeling
Bengala Ocidental
Índia

2 de março de 2001

Prezado senhor,

Segundo instruções de minha cliente Anahita Chavan, encaminho-lhe este envelope. Como o senhor já deve saber, madame Chavan faleceu alguns dias atrás.

Com minhas sinceras condolências,
Devak Khan
Sócio

Ari sentou-se na cama e se deu conta de que, por causa da reunião e dos preparativos que tivera de fazer com sua equipe, o funeral da bisavó tinha lhe escapado por completo dos pensamentos. Deu um suspiro profundo ao abrir o envelope que o advogado havia anexado à carta, duvidando que os pais algum dia fossem perdoá-lo por nem sequer ter entrado em contato nesse dia.

– Bem, paciência – falou para si mesmo com pesar, e desdobrou o pedaço de papel dentro do envelope para ler a carta anexa.

Meu querido Ari,

Quando você estiver lendo isto, eu já terei partido. Junto a esta carta seguem os detalhes da morte de meu filho Moh. A data e a hora exatas em que ele morreu. Segue também seu atestado de óbito original. Como você poderá ver, as datas não coincidem. Isso não deve significar nada para você agora, meu querido bisneto, mas no futuro, caso você decida investigar o que aconteceu com ele, talvez ambas as datas sejam relevantes.

Enquanto isso, até nos reencontrarmos em outro lugar, deixo-lhe o meu amor. Lembre-se sempre de que nós nunca somos realmente senhores de nosso destino. Use seus ouvidos para escutar, seus olhos para ver, e sei que você saberá o que fazer.

Sua bisavó que o ama,
Anahita

Ari suspirou. Realmente não estava com disposição nem para as superstições da bisavó, nem para pensar no quanto seus pais deviam estar bravos com ele agora. Não queria que nada atrapalhasse sua alegria naquela noite.

Ligou o chuveiro e o aparelho de CD ao lado da cama e se posicionou debaixo do jato d'água enquanto escutava a música bate-estaca.

Após vestir uma camisa e um de seus ternos feitos sob medida, desligou a música, e estava prestes a sair do quarto quando a carta de Anahita lhe chamou a atenção. Por instinto, tornou a dobrar as folhas de papel e a guardá-las dentro do envelope, que colocou na gaveta junto com o manuscrito amarelado. Então apagou as luzes e saiu.

Londres

Julho de 2011

1

Rebecca Bradley encostou o rosto na janela enquanto o avião descia em direção a Londres. A colcha de retalhos de diferentes tons de verde cintilava naquele lindo dia de verão como se estivesse coberta de orvalho. Conforme a cidade surgia lá embaixo, a visão do Big Ben e das sedes do Parlamento eram como Liliput em comparação com os exorbitantes arranha-céus de Manhattan.

– Srta. Bradley, vamos desembarcá-la primeiro – informou-lhe a comissária.

– Obrigada.

Rebecca retribuiu com um sorriso. Pegou na bolsa uns óculos escuros pretos bem grandes que torceu para conseguirem disfarçar sua exaustão, embora fosse improvável que houvesse fotógrafos à sua espera. Como ela precisara sair de Nova York depressa, telefonara para a companhia aérea e antecipara seu voo.

Sentiu certa satisfação com o fato de que ninguém, nem mesmo seu agente ou Jack, sabia onde ela estava. Jack tinha deixado seu apartamento naquela tarde para pegar o voo de volta para Los Angeles. Ela não conseguira lhe dar as respostas de que ele precisava e havia lhe dito que precisava de tempo para pensar.

Vasculhou mais um pouco a bolsa em busca da caixinha de veludo vermelho e a abriu. O anel que ele tinha lhe dado era mesmo impressionante, ainda que chamativo demais para o seu gosto. Mas Jack gostava de ostentar, fato condizente com seu status de um dos astros de cinema mais famosos e bem-pagos do mundo. E ele tampouco poderia ter lhe dado algo mais simples, considerando que, caso ela aceitasse o seu pedido, o anel estamparia notícias de jornais e revistas do mundo inteiro. Jack Heyward e Rebecca Bradley eram o casal mais badalado de Hollywood, e a mídia não se fartava deles.

Rebecca fechou a caixinha de veludo e ficou olhando pela janela em torpor enquanto o avião se preparava para pousar. Desde que ela e Jack tinham se conhecido um ano antes, no set de uma comédia romântica, sua sensação era ter virado refém daqueles que desejavam viver por intermédio não apenas dos filmes que ela estrelava, mas também da sua vida pessoal. A verdade – ela mordeu o lábio enquanto o avião continuava a descer – era que o relacionamento "de sonho" que o mundo imaginava entre os dois era tão fictício quanto os seus filmes.

Até mesmo seu empresário, Victor, a apoiava em seu relacionamento com Jack. Tinha perdido a conta de quantas vezes ele lhe dissera que aquilo só faria ajudar sua carreira de estrela internacional.

– Não tem nada que agrade mais ao público do que um genuíno casal de Hollywood, querida – dissera ele. – Mesmo se a sua carreira no cinema estiver indo mal, eles continuarão querendo tirar fotos dos seus filhos brincando no parquinho.

Rebecca pensou na quantidade de tempo que ela e Jack de fato haviam passado juntos no último ano. Ele morava em Hollywood; ela, em Nova York. Muitas vezes suas agendas loucas os obrigavam a passar semanas a fio sem se ver. E, quando eles *estavam* juntos, eram perseguidos aonde quer que fossem. No dia anterior mesmo, tinham ido almoçar num restaurantezinho italiano minúsculo e se viram cercados por clientes querendo tirar fotos e pedir autógrafos. Jack acabara levando-a para passear no Central Park para poder pedi-la em casamento em paz. Ela só torcia para que ninguém os tivesse visto lá...

A claustrofobia acachapante que sentira no táxi que os dois tinham pegado para voltar ao seu apartamento no SoHo, com Jack pressionando por uma resposta, resultara em sua decisão repentina de antecipar o voo para a Inglaterra. Ter o mundo inteiro vigiando cada movimento seu, ser perseguida diariamente por desconhecidos que de alguma forma sentiam-se donos de uma parte de você, tudo aquilo tinha se tornado insustentável. A falta de privacidade intrínseca a um relacionamento entre celebridades, sem falar no fato de ela não poder sequer comprar um *bagel* e um café com leite na cafeteria da esquina sem ser acossada, estavam aos poucos cobrando seu preço.

Seu médico tinha lhe receitado Valium algumas semanas antes, quando ela fora cercada em frente ao seu prédio e acabara indo se trancar no banheiro, agachando-se no chão e chorando histericamente. O remédio havia ajudado, mas Rebecca sabia que aquele era um caminho que não levava a lugar nenhum. O traiçoeiro caminho rumo à dependência para ajudá-la a suportar a pressão sob a qual vivia se assomava a sua frente. Como Jack sabia muito bem.

Nos primeiros dias apaixonados do seu romance, ele tinha lhe garantido que a cocaína que usava não era um hábito regular. Ele podia largar quando quisesse. O pó só servia para ajudá-lo a relaxar. Mas, à medida que Rebecca começara a conhecê-lo melhor, tinha descoberto que essa avaliação não estava correta. Jack passara a ficar na defensiva e irritado toda vez que ela questionava o seu uso frequente e a quantidade de álcool que ele bebia. Para alguém que não usava drogas e bebia muito raramente, Rebecca detestava quando ele ficava chapado.

No início do relacionamento, ela pensava que a sua vida não poderia ser mais perfeita. Uma carreira de enorme sucesso, e um parceiro bonito e talentoso com quem dividi-la. No entanto, com as drogas, as ausências e a lenta revelação da insegurança de Jack – que culminara com um ataque de raiva quando ela fora indicada a um Globo de Ouro sete meses antes e ele não –, o brilho tinha começado a enfraquecer.

A proposta de um ótimo papel num filme britânico chamado *Na calada da noite*, ambientado na década de 1920 numa família da aristocracia inglesa, não poderia ter chegado num momento mais oportuno. Não só era diferente dos papéis mais leves que ela havia interpretado até então, mas também uma grande honra ser escolhida pelo aclamado diretor britânico Robert Hope. Jack tinha conseguido jogar um balde de água fria até nisso, dizendo que eles precisavam dela para ter um "nome" de Hollywood no filme, de modo a satisfazer os produtores. E que a sua maior contribuição seria ficar linda nos vários figurinos de época que iria usar, e que ela não devia pensar que fora o seu talento que lhe valera o papel.

– Você é bonita demais para ser levada a sério, meu amor – concluíra ele, servindo-se de mais um pouco de vodca.

Após o avião pousar em Heathrow e taxiar pela pista até parar, Rebecca soltou o cinto na mesma hora em que as luzes da cabine se acenderam.

– Está pronta, Srta. Bradley? – perguntou a comissária.

– Sim, obrigada.

– Só deve demorar mais um ou dois minutos.

Rebecca passou um pente rapidamente pela cabeleira escura e a prendeu num coque baixo. Era seu visual "Audrey Hepburn", como dizia Jack, e de fato a mídia a comparava com frequência à emblemática estrela. Havia até boatos de que *Bonequinha de luxo* ganharia um remake no ano seguinte.

Ela não devia lhe dar ouvidos, não devia deixar sua confiança como atriz ser mais prejudicada ainda. Os últimos dois filmes de Jack foram um fracasso, e sua estrela já não brilhava tanto quanto antes. A dolorosa verdade era que ele tinha inveja do seu sucesso. Ela respirou fundo para se acalmar. Pouco importava o que Jack dissera; estava decidida a provar que era mais do que um rostinho bonito, e o roteiro do novo filme lhe proporcionava uma chance de fazer justamente isso.

Escondida numa locação na zona rural da Inglaterra, Rebecca ansiava por conseguir ter um pouco de paz e espaço para pensar. Por baixo de todos os problemas de Jack, sabia que existia o homem que ela amava. Mas a menos que ele estivesse disposto a tomar uma atitude em relação à sua dependência cada vez pior, ela sabia que não poderia aceitar o seu pedido de casamento.

– Vamos tirá-la da aeronave agora, Srta. Bradley – disse o segurança da companhia aérea de terno preto que havia se materializado ao seu lado.

Rebecca pôs os óculos escuros e saiu da cabine da primeira classe. Sentada na sala vip para aguardar sua bagagem ser trazida, refletiu que a história com Jack não tinha futuro a menos que ele reconhecesse os próprios problemas. E talvez, pensou enquanto tirava o celular da bolsa e encarava a tela, fosse exatamente isso que deveria lhe dizer.

– Srta. Bradley, sua bagagem está sendo levada até seu carro – disse o segurança. – Mas lamento dizer que tem um pelotão de fotógrafos à sua espera lá fora.

– Ah, não! – Ela o encarou consternada. – Quantos?

– *Muitos* – confirmou ele. – Não se preocupe, eu a farei passar em segurança.

Ele indicou que eles deveriam ir andando, e Rebecca se levantou.

– Por essa eu não esperava – comentou enquanto o acompanhava em direção ao setor de desembarque. – Peguei um voo diferente do planejado.

– Bem, a senhorita chegou a Londres bem na manhã em que a sua grande novidade foi revelada. Meus parabéns, aliás.

Rebecca estacou.

– "Novidade"? Que novidade? – perguntou ela, à queima-roupa.

– O seu... o seu noivado com Jack Heyward, Srta. Bradley.

– Eu... ai, meu Deus do céu – balbuciou ela.

– Saiu uma foto linda de vocês dois no Central Park com o Sr. Heyward colocando um anel no seu dedo. Está na primeira página de quase todos os jornais de hoje. Bem... – O segurança parou em frente às portas automáticas. – Preparada?

Por trás dos óculos escuros, lágrimas fizeram os olhos de Rebecca arderem, e ela aquiesceu com raiva.

– Ótimo, vamos conduzi-la o mais rápido possível.

Quinze minutos depois, enquanto o carro tentava sair do Heathrow, Rebecca ficou encarando, impotente, sua foto com Jack no lugar de honra da primeira página do *Daily Mail* junto com a manchete:

JACK E BECKS – AGORA É OFICIAL!

A imagem granulada mostrava Jack pondo o anel no seu dedo no Central Park. Ela o encarava com uma expressão que *sabia* ser de pânico mas que o jornalista havia descrito como de surpresa e felicidade. O pior de tudo era que havia uma declaração de Jack, obviamente feita depois de ele sair do seu apartamento na tarde do dia anterior. Pelo visto ele havia confirmado que pedira Rebecca em casamento, mas que eles ainda não tinham decidido a data.

Ela enfiou as mãos trêmulas na bolsa e tornou a pegar o celular. Ao ver que havia diversas mensagens de Jack, do seu empresário e de jornalistas, desligou o aparelho e o guardou de volta. Não tinha forças para responder a nenhum deles agora. Estava uma fera com Jack por ter aberto a boca sobre seu pedido no parque.

No dia seguinte, a mídia do mundo inteiro estaria discutindo quem iria assinar seu vestido de noiva, onde eles fariam a cerimônia e, provavelmente, se ela estava grávida.

Rebecca fechou os olhos e respirou fundo. Tinha 29 anos e, até a noite anterior, a perspectiva de um casamento e filhos fora apenas um pensamento passageiro, algo que talvez pudesse acontecer no futuro.

Jack, porém, estava com quase 40 anos, já tinha ido para a cama com a maioria das suas colegas de set e, conforme tinha lhe dito, achava que estava na hora de sossegar. Ao passo que, para ela, aquele era apenas seu segundo relacionamento sério, após muitos anos com um namoradinho de infância. Sua carreira nascente e posterior fama tinham destruído essa história de amor também.

– Infelizmente devemos levar umas boas horas para chegar a Devon, Srta. Bradley – disse o simpático motorista. – Meu nome é Graham, me avise se precisar parar no caminho por qualquer motivo.

– Aviso, sim – respondeu Rebecca, que nesse instante preferiria que o motorista a estivesse levando para um vasto deserto em algum lugar da África onde não houvesse fotógrafos, nem jornais, nem sinal de celular.

– Esse lugar para onde a senhorita está indo é bem isolado – comentou Graham, dando voz a seus pensamentos. – Dartmoor não é um lugar com muitas luzes ou lojas – prosseguiu ele. – Mas o casarão antigo onde a senhorita vai filmar é espetacular. É como voltar no tempo. Eu não imaginava que alguém ainda morasse em casarões grandiosos como aquele. Enfim, para mim a zona rural é uma mudança de cenário agradável, isso posso lhe garantir. Em geral só levo atores para estúdios nos engarrafamentos de Londres.

As palavras do motorista a reconfortaram um pouco. Talvez a mídia a deixasse em paz se ela estivesse no meio do nada.

– Parece que uma moto está nos seguindo – disse Graham, olhando pelo retrovisor e acabando abruptamente com suas esperanças de privacidade. – Não se preocupe, vamos despistá-la assim que entrarmos na autoestrada.

– Obrigada – falou Rebecca, tentando acalmar os nervos à flor da pele.

Tornou a afundar no assento, fechou os olhos e fez o possível para tentar dormir.

– Estamos chegando, Srta. Bradley.

Após quatro horas e meia no carro, dormindo e acordando várias vezes, Rebecca estava sentindo a desorientação da diferença de fuso horário. Olhou pela janela com os olhos avermelhados.

– Onde estamos? – perguntou ao deparar com a paisagem escarpada e vazia dos descampados em volta.

– Em Dartmoor. Isto aqui hoje até parece bonito com esse sol brilhando, mas aposto que no inverno deve ser bem soturno. Com licença, é o gerente de produção – disse ele ao ouvir o telefone tocar. – Vou encostar para atender.

Enquanto Graham atendia ao celular, Rebecca abriu a porta e pisou na grama do acostamento junto à estrada estreita. Inspirou fundo e sorveu o aroma fresco e delicioso do ar. Uma leve brisa soprava pela paisagem, e ao longe ela pôde ver grupos de rochas pontiagudas que se destacavam contra o céu. Não havia um só ser humano num raio de muitos quilômetros.

– Que paraíso! – exclamou, e nessa hora Graham deu a partida no motor e ela tornou a embarcar. – Que paz isto aqui.

– É – concordou ele. – Mas infelizmente o gerente de produção ligou para avisar que já há vários fotógrafos acampados em frente ao hotel em que o elenco está hospedado. Estão esperando a senhorita chegar. De modo que ele sugeriu que eu a levasse direto para Astbury Hall, onde vai ser a filmagem.

– Tudo bem.

Rebecca mordeu o lábio com um desespero ainda maior enquanto eles partiam.

– Lamento muito – disse Graham, solidário. – Vivo dizendo aos meus filhos que ser uma estrela de cinema rica e famosa não é tão glamoroso como parece. Deve ser difícil para a senhorita, sobretudo em momentos como este.

A solidariedade do motorista deixou Rebecca com um nó na garganta.

– Às vezes é mesmo – concordou ela.

– A boa notícia é que onde a senhorita vai filmar ninguém pode chegar perto. O terreno particular em volta da casa tem uns cem hectares, e da entrada até a casa em si é quase um quilômetro.

Rebecca viu que eles tinham chegado diante de um imenso portão de ferro forjado com um segurança logo ao lado. Graham lhe fez um sinal e o guarda abriu o portão. Maravilhada, ela ficou observando enquanto o carro atravessava um terreno com antiquíssimos carvalhos, castanheiros e bétulas de ambos os lados da estrada.

Mais adiante havia um imenso casarão, a bem da verdade mais um palacete, do tipo que ela só tinha visto em livros ou programas de história na televisão. Uma rebuscada construção de pedra talhada e colunas caneladas.

– Uau – murmurou ela, admirada.

– Espetacular, não? Mas não gosto nem de pensar na conta de luz, com tantos aquecedores – brincou Graham.

Quando eles chegaram mais perto e ela viu o enorme chafariz de mármore em frente à casa, desejou conhecer os termos arquitetônicos corretos para descrever a beleza diante de seus olhos. A graciosa simetria da construção a deixou sem fôlego, com duas alas elegantes separadas por um domo central.

A luz do sol se refletia nas janelas de proporções perfeitas com divisórias de metal cravejadas feito joias por toda a fachada, e as paredes de pedra entre elas eram ornamentadas com querubins e urnas esculpidos. Sob o imenso pórtico central sustentado por quatro grossas colunas ela pôde ver uma lindíssima porta dupla de carvalho.

– Digna de uma rainha, não? – comentou Graham enquanto eles davam a volta na casa até um pátio lateral ocupado por vans e caminhões. Havia um burburinho de pessoas carregando câmeras, luzes e cabos para dentro da casa. – Pelo que eu soube eles esperam estar prontos para começar a filmar amanhã – acrescentou ele antes de estacionar o carro.

– Obrigada – disse Rebecca. Ela desceu do carro, e Graham foi até o porta-malas para pegar sua bagagem.

– Só trouxe isso, Srta. Bradley? Estrelas de cinema como você em geral trazem um contêiner de malas – brincou ele, bem-humorado.

– Eu fiz as malas com pressa – admitiu ela, seguindo-o pelo pátio em direção à casa.

– Bem, não esqueça que eu estou de plantão durante toda a filmagem, de modo que se precisar ir a qualquer lugar é só me dizer, sim? Foi um prazer conhecê-la.

– Ah, você conseguiu chegar! – Um jovem esbelto se aproximou deles a passos largos e estendeu a mão para Rebecca. – Bem-vinda à Inglaterra, Rebecca. Sou Steve Campion, gerente de produção. Sinto muito você ter precisado enfrentar nossa terrível imprensa marrom hoje de manhã. Aqui pelo menos está a salvo deles.

– Obrigada. Sabe quando vou poder ir para o hotel? Preciso tomar um banho e dormir um pouco – falou Rebecca, que estava se sentindo amarfanhada e cansada por causa da viagem.

– Claro. Não quisemos que passasse por mais um calvário no hotel depois do aeroporto hoje de manhã – disse Steve. – Então por enquanto lorde Astbury fez a gentileza de lhe oferecer um quarto aqui na casa para você usar enquanto não encontramos outras acomodações. Como já deve ter reparado, ele tem alguns sobrando. – Steve apontou para o imenso casarão e sorriu. – Robert quer muito começar a filmar amanhã, e não queria prejudicar a sua concentração nem a dos outros atores hospedados no hotel.

– Sinto muito por estar dando esse trabalho todo – lamentou Rebecca, e uma súbita onda de culpa a fez enrubescer.

– Ora, imagine. É o preço de ter uma jovem atriz tão famosa no filme. Certo, a governanta disse para chamá-la quando você chegasse, e vai levá-la até seu quarto lá em cima. O elenco vai se reunir no salão hoje às cinco da tarde, o que lhe dá algumas horas para dormir.

– Obrigada – repetiu Rebecca, sem deixar passar a sutileza no tom de Steve. Sabia que já tinha sido classificada de "encrenca" e tinha certeza de que o elenco de talentosos atores britânicos, nenhum dos quais tinha fama ou potencial de bilheteria comparáveis aos seus, concordaria com ele.

– Espere aqui enquanto procuro a Sra. Trevathan – falou Steve, e deixou Rebecca plantada sem jeito no meio do pátio vendo a equipe de câmera passar com seus equipamentos.

Um minuto depois, uma mulher roliça de meia-idade, com cabelos grisalhos cacheados e pele rosada, surgiu afobada pela porta e veio na sua direção.

– Srta. Rebecca Bradley?

– Sim.

– Ora, mas é claro. – A mulher abriu um largo sorriso. – Eu a reconheci na hora. Tenho que dizer que a senhorita é ainda mais bonita ao vivo. Eu vi todos os seus filmes e é um prazer conhecê-la. Sou a Sra. Trevathan, governanta da casa. Venha comigo, vou levá-la até seu quarto. É bem longe, sinto dizer. Graham trará sua mala daqui a pouco – comentou ela ao ver Rebecca fazer menção de pegar a bagagem. – A senhorita não faz ideia de quantos quilômetros eu caminho todos os dias.

– Provavelmente não – concordou Rebecca, esforçando-se para entender o forte sotaque de Devon da mulher. – Que casa incrível.

– Menos incrível agora que somos só eu e alguns diaristas para cuidar dela. Eu vivo exausta. Muitos anos atrás éramos trinta pessoas trabalhando aqui em tempo integral, mas depois as coisas mudaram.

– É, imagino que sim – disse Rebecca.

A Sra. Trevathan a fez atravessar uma série de portas até uma imensa cozinha, onde uma mulher com uniforme de enfermeira tomava um café sentada à mesa.

– A escada dos empregados é o caminho mais rápido para ir da cozinha aos quartos – disse a Sra. Trevathan. Rebecca subiu atrás dela um lance íngreme e estreito. – Instalei a senhorita num quarto agradável nos fundos da casa. Tem uma bela vista para o jardim e para a charneca atrás. A senhorita tem muita sorte de lorde Astbury a ter deixado usar um quarto aqui. Ele não gosta de ter hóspedes em casa, o que é bem triste, uma vez que nesta casa já couberam confortavelmente quarenta pessoas, mas isso faz muito tempo.

Por fim, elas passaram por outra porta e chegaram a um largo patamar. Maravilhada, Rebecca ergueu os olhos para a magnífica cúpula abobadada acima dela, então acompanhou a Sra. Trevathan por um corredor comprido e escuro.

– É aqui – disse ela, abrindo a porta de um espaçoso quarto de pé-direito alto dominado por uma grande cama de casal. – Abri as janelas para arejar faz um tempinho, então está meio frio. Mas melhor isso do que cheiro de umidade. Há um aquecedor elétrico que a senhorita pode usar se ficar com frio.

– Obrigada. Onde fica o toalete? – perguntou ela.

– O banheiro? – A governanta sorriu. – Segunda porta à esquerda, do outro lado do corredor. Infelizmente ainda não temos suítes aqui. Agora vou deixá-la descansar.

– Seria possível eu tomar um copo d'água? – perguntou Rebecca, tímida.

A Sra. Trevathan parou antes de chegar na porta e se virou com uma expressão de profunda empatia.

– Mas claro, a senhorita deve estar exausta. Comeu alguma coisa?

– Não, não consegui tomar café da manhã no avião.

– Então que tal eu lhe trazer um bom bule de chá e umas torradas? A senhorita está mesmo bem abatida.

– Seria maravilhoso – agradeceu Rebecca, sentindo-se subitamente tonta e sentando-se de modo abrupto numa poltrona posicionada junto à lareira vazia.

– Está certo então, vou providenciar. – A Sra. Trevathan a encarou com um ar pensativo. – Por baixo desse glamour todo a senhorita é bem magrinha, não é, meu bem? Agora descanse, e nos vemos daqui a pouco. – Ela abriu um sorriso bondoso e se retirou.

Pouco depois, Rebecca saiu para o corredor e, após algumas tentativas frustradas que a fizeram dar numa rouparia e em outro quarto de dormir, encontrou um banheiro grande com o centro ocupado por uma banheira antiga de ferro fundido. Uma correntinha de metal enferrujada pendia da caixa da descarga acima da privada, e após beber um pouco de água da torneira ela voltou para o quarto. Foi até as janelas compridas e olhou para a vista lá embaixo. O jardim situado além do terraço que margeava os fundos da casa era visivelmente bem-cuidado. Plantas e arbustos floridos cresciam nos canteiros numa profusão impecável, e suas inflorescências multicoloridas suavizavam o verde do gramado central. Depois da sebe alta que rodeava o jardim formal ficavam as charnecas, cuja aridez contrastava bem com os gramados planos e bem-cortados logo abaixo. Ela tirou os sapatos, subiu na cama e sentiu o conforto do colchão amaciado por anos de uso.

Dez minutos depois, ao bater de leve na porta e entrar no quarto, a Sra. Trevathan viu que Rebecca estava dormindo profundamente. Pousou a bandeja na mesa junto à lareira, puxou a colcha da cama para cobri-la com cuidado e saiu sem fazer barulho.

2

– Senhoras e senhores, sejam todos muito bem-vindos a Astbury Hall; tenho certeza de que todos vão concordar que aqui é o cenário perfeito para filmar *Na calada da noite*. Eu me sinto honrado por ter a permissão de filmar numa das mansões antigas mais lindas da Inglaterra, e espero que a nossa temporada aqui juntos seja feliz e produtiva.

O diretor, Robert Hope, deu um sorriso afável para o seu elenco reunido.

– Acho que estas velhas paredes devem estar tremendo diante de tamanho talento e experiência que abrigam no momento. Muitos de vocês já se conhecem, mas eu gostaria de dar as boas-vindas especialmente a Rebecca Bradley, que saiu lá dos Estados Unidos para juntar-se a nós e acrescentar uma pitada do brilho de Hollywood a este nosso bolor britânico.

Todos os olhares no recinto se viraram para Rebecca, escondida num canto e intimidada diante da visão de tantos emblemáticos atores e atrizes britânicos.

– Olá – disse ela, enrubescendo e dando um sorriso para todos.

– Agora vou deixar vocês com Hugo Manners, cujo maravilhoso roteiro vai trazer à tona o melhor de cada um de vocês – continuou Robert. – Mais tarde vamos distribuir para todos a versão final recém-saída do forno. Steve, nosso gerente de produção, também vai distribuir a agenda de cada um. Então tudo que me resta a dizer é: que a filmagem de *Na calada da noite* corra às mil maravilhas. Agora, com vocês, Hugo.

Todos aplaudiram quando Hugo Manners, roteirista vencedor do Oscar, foi até a frente da sala. Rebecca mal conseguiu escutar o que ele tinha a dizer, pois estava se sentindo subitamente assoberbada com o tamanho do desafio que assumira. O que mais a preocupava era o sotaque; ela havia feito aulas de dicção e pronúncia em Nova York e dado o melhor de si nos últimos meses para falar como uma inglesa no dia a dia, mas sabia muito bem que, ao aceitar aquele papel, estaria exposta e poderia acabar se dando mal. A atividade preferida da mídia britânica era detonar o desempenho de qualquer atriz americana que interpretasse o papel de uma inglesa. Ainda mais uma atriz com tanto sucesso comercial quanto ela tinha.

O fato de ela ter estudado como bolsista na escola de dramaturgia Juilliard em Nova York e ganhado o prêmio de melhor atriz no seu ano pelo papel de Beatrice numa produção de *Muito barulho por nada*, de Shakespeare, parecia não valer de nada. Todas as atrizes hollywoodianas se consideravam "sérias", mesmo que tivessem vindo de uma carreira de modelo, o que com certeza não era o seu caso. Ela sabia que aquela era a sua chance de provar seu talento de atriz com formação clássica e de dar o salto rumo à aclamação da crítica.

Houve uma nova salva de palmas quando Hugo acabou de falar, e Steve começou a distribuir o roteiro novo e a agenda pessoal de cada um.

– Rebecca, você vai gostar de saber que não precisará estar no set amanhã. Vai passar a manhã com a figurinista e a equipe dela para experimentar roupas, e depois vai se reunir com a equipe de cabelo e maquiagem. Robert também sugeriu que passe uma horinha com o preparador vocal para repassar suas falas do primeiro dia de filmagem.

– Ótimo. Você tem alguma previsão de quando vou ser transferida para o hotel? Queria desfazer a mala e me instalar.

– Parece que os fotógrafos ainda estão à espreita lá fora. Então lorde Astbury concordou com Robert que você pode continuar com um quarto aqui esta noite enquanto tentamos encontrar algum lugar discreto para você ficar. Você tem sorte – acrescentou ele com um sorriso. – Aqui é um pouco mais luxuoso do que o quartinho em cima do pub do vilarejo em que me botaram. Além disso, aqui você vai poder entrar de verdade no clima do filme.

Um homem muito bonito e de traços esculpidos se aproximou e lhe estendeu a mão.

– Rebecca Bradley, certo? Eu sou James Waugh. Vou fazer o papel de Lawrence e acho que teremos algumas cenas, digamos, íntimas juntos.

Ele lhe deu uma piscadela, e Rebecca reparou no seu charme imediato e nos seus expressivos olhos azuis, que sem dúvida tinham ajudado a introduzi-lo à elite dos jovens atores de cinema britânicos.

– Prazer em conhecê-lo, James – disse ela, levantando-se para apertar sua mão.

– Coitada de você – disse ele, solidário. – Deve estar se sentindo meio atarantada, recém-chegada dos Estados Unidos e tendo de enfrentar o frenesi com a notícia do seu noivado com Jack Heyward.

– Pois é... – Rebecca não soube muito bem o que responder. – Acho que estou mesmo – concluiu sem ânimo.

– Meus parabéns, aliás. – James ainda estava segurando a sua mão. – Ele é um homem muito sortudo.

– Obrigada – respondeu ela, tensa.

– E se em algum momento você quiser passar nossas cenas juntos antes de filmarmos, não deixe de me avisar. Eu pessoalmente estou apavorado – confidenciou ele. – Trabalhar com todos esses medalhões do cinema e do teatro é bem intimidador.

– É verdade – concordou Rebecca, sentindo certa afinidade com ele.

– Bem, tenho certeza de que você vai se sair muito bem e, *se* quiser um pouco de companhia enquanto estivermos aqui presos no meio do nada, é só chamar.

– Eu chamo, sim, obrigada.

James lhe lançou um último olhar sugestivo, então soltou sua mão e se afastou.

Tímida demais para ir confraternizar com os outros atores, Rebecca tornou a se sentar e estudou sua agenda; ficou refletindo sobre como, num só fôlego, James tinha lhe parabenizado pelo noivado e em seguida deixado bem claro que gostaria de estar mais com ela.

– Rebecca, daqui a alguns minutos o elenco e a equipe vão voltar para jantar no hotel – falou Steve, aparecendo subitamente ao seu lado. – O serviço de bufê chega amanhã bem cedo, mas vou pedir à sua nova melhor amiga, a Sra. Trevathan, para preparar algo para você comer hoje. Ela gostou muito de você, disse que você precisa ser alimentada.

– Que gentil. Eu quero mesmo ler o roteiro novo – respondeu ela.

– Você está bem, Rebecca? – Os olhos de Steve expressavam preocupação.

– Estou. Talvez só um pouco zonza por causa do fuso, e para ser bem sincera estou meio intimidada por conhecer tantos atores incríveis. Tenho medo de não estar à altura – confessou ela.

– Eu entendo e, se servir de consolo, eu trabalho com Robert há muitos anos e ele nunca comete erros ao selecionar o elenco para seus filmes. Sei que ele reconhece a sua capacidade como atriz. Caso contrário, por mais famosa que seja, você não estaria aqui. Certo?

– Certo. Obrigada por dizer isso, Steve – respondeu ela, grata.

– Bem, então nos vemos amanhã. E aproveite a noite no seu palacete. Ninguém vai conseguir encontrar você aqui, isso é certo.

Ele se afastou e começou a guiar os atores para fora do salão. Depois de todo mundo sair, Rebecca se levantou e teve a primeira oportunidade de examinar de fato o local onde estava. O sol do mês de julho fazia entrar pelas imensas janelas uma luz brilhante que suavizava a mobília de mogno austera que ocupava o salão. Havia sofás e poltronas espalhados pelo recinto e, no centro, uma imensa lareira de mármore. Rebecca estremeceu ao sentir a súbita friagem da noite e desejou que ela estivesse acesa.

– Achei a senhorita. – A Sra. Trevathan apareceu na porta e atravessou o salão até ela. – Steve me disse que precisava jantar. Tenho um pedaço de empadão de carne feito em casa e umas batatas que sobraram do almoço de lorde Astbury.

– Não estou com muita fome, então quem sabe só uma salada?

– Entendi. – A Sra. Trevathan a estudou com os olhos estreitados. – Pelo seu aspecto, suponho que a senhorita viva de regime. Se me permite dizer, Srta. Rebecca, uma rajada de vento a derrubaria facilmente.

– Preciso tomar cuidado, mesmo – respondeu Rebecca, constrangida com a observação bem-intencionada da governanta.

– Como preferir, mas seria bem melhor fazer uma refeição de verdade. Quer que eu leve o jantar ao seu quarto?

– Seria muita gentileza sua, obrigada.

Depois de a mulher sair, Rebecca fez uma careta ao pensar em como ela havia captado instintivamente seus hábitos alimentares. Não havia como negar que ela vivia de dieta, mas o que podia fazer? Sua carreira dependia de um corpo esbelto.

Saiu do salão e adentrou o imenso saguão para subir a larga escadaria até seu quarto. Parou por um instante para admirar o magnífico domo lá em cima, cujos pequeninos painéis de vidro na borda projetavam fachos de luz no piso de mármore a seus pés.

– Boa noite.

Rebecca se sobressaltou ao escutar uma voz masculina grave e se virou. Encarou o homem em pé junto à porta da frente, vestido com um paletó de tweed antiquado e uma calça de veludo cotelê puída enfiada num par de galochas. Seus cabelos crespos e desgrenhados eram grisalhos e precisavam de um corte decente. Ela calculou que ele tivesse 50 e poucos anos.

– Olá – respondeu, hesitante.
– Eu sou Anthony, e você é...
– Rebecca. Rebecca Bradley.
– Ah. – Os olhos dele exibiram um lampejo de reconhecimento. – A estrela de cinema americana. Dizem que é muito famosa, mas preciso confessar que nunca ouvi falar de você. Não sou muito fã de cinema. Desculpe. – Ele deu de ombros.
– Por favor, não se desculpe. O senhor não tem motivo algum para ter ouvido falar de mim.
– É. Enfim, preciso ir andando. – O homem passou o peso de uma perna para a outra, obviamente sem graça. – Preciso fazer umas coisas lá fora enquanto está claro. – Ele lhe deu um breve meneio de cabeça e desapareceu pela porta da frente.

Rebecca atravessou o hall e subiu a escada, onde admirou os retratos a óleo das muitas gerações de Astbury que ocupavam as paredes. A Sra. Trevathan apareceu no topo da escadaria com uma bandeja e a acompanhou até o quarto.

– Aqui está, querida; arrumei um pouco de sopa e pão fresco com manteiga. Ah, e pus também um pedaço de torta que eu mesma fiz, com creme – acrescentou ela, retirando com um floreio a tigela que tampava a sobremesa.

– Obrigada.
– Precisa de mais alguma coisa?
– Não, obrigada. Esta casa é mesmo muito linda, não é?
– É, querida, é sim. E a senhorita nem imagina os sacrifícios que foram feitos para conservá-la. – A Sra. Trevathan deu um leve suspiro.
– Posso imaginar. Falando nisso, cruzei com o jardineiro lá embaixo – acrescentou Rebecca.
– Jardineiro? – A Sra. Trevathan ergueu uma sobrancelha. – Lá embaixo, *dentro* da casa?
– É.
– Bem, tem um rapaz que vem uma vez por semana cortar a grama. Ele devia estar procurando lorde Astbury. Certo, vou deixá-la jantar em paz. A que horas quer tomar o café da manhã?
– Eu na verdade não tomo café, mas um suco de fruta e um iogurte seriam ótimos.

47

– Hum, vou ver o que consigo. – A Sra. Trevathan deu um muxoxo de reprovação evidente enquanto caminhava em direção à porta, mas se virou para encarar a jovem com um sorriso reconfortante antes de sair. – Boa noite, meu bem. Durma bem.

– Boa noite.

Rebecca comeu a saborosa sopa de alho-poró com batatas e todo o pão de casca crocante coberto com uma generosa camada de manteiga. Mesmo assim ainda ficou com fome, então experimentou uma pequena colherada da estranha sobremesa que a Sra. Trevathan tinha lhe deixado. Achou uma delícia e devorou-a também, em seguida se jogou cheia de culpa na cama, sabendo que não devia adquirir o hábito de consumir a pesada comida inglesa, por mais saborosa que fosse.

Depois de fazer a digestão, rolou para fora da cama e apanhou a bolsa. Com hesitação, pegou o celular e ligou o aparelho. Acessou a caixa postal e levou-o até o ouvido para ouvir as mensagens. Não encontrou conexão e, quando verificou a tela, constatou que estava sem sinal. Pegou o iPad e viu que tampouco havia redes de internet disponíveis.

Um esboço de sorriso surgiu em seus lábios. Naquela manhã mesmo desejara estar num lugar onde ninguém pudesse encontrá-la nem entrar em contato com ela, e pelo visto ao menos nessa noite seria assim. Recostou-se na cama e ficou olhando pela janela, onde o crepúsculo se aproximava e o sol ia desaparecendo devagar atrás do horizonte nas charnecas para além do jardim. E deu-se conta de que tudo que conseguia escutar era silêncio.

Pegou o roteiro na mesa de cabeceira e começou a ler. Ia interpretar lady Elizabeth Sayers, a bela e jovem filha da família. O ano era 1922 e a Era do Jazz estava no auge. Seu pai estava decidido a arranjar um casamento para ela com um proprietário de terras vizinho, mas Elizabeth tinha outros planos. O filme era sobre a aristocracia britânica num mundo em transformação, um momento em que as mulheres davam pequenos passos rumo à emancipação e as classes trabalhadoras não aceitavam mais ficar subordinadas à aristocracia. Elizabeth se apaixonara por um poeta desajustado chamado Lawrence, que conhecera em um animado grupo de boêmios londrinos. A escolha que precisava fazer entre desonrar os pais e fazer o que seu coração mandava estava longe de ser uma história original. No entanto, com o roteiro inteligente porém comovente de Hugo Manners, aquele seria um papel especial.

Como sempre, o cronograma de filmagem não começava no início da história, e Rebecca teria de filmar sua primeira cena dali a dois dias com James Waugh, que interpretava o seu poeta inadequado. A cena seria filmada no jardim e incluía um beijo apaixonado. Rebecca suspirou. Por mais profissional que fosse como atriz, e apesar das muitas vezes em que já fora seduzida diante das câmeras, sempre ficava apreensiva antes de filmar cenas de amor com atores que mal conhecia.

Com o rabo do olho, captou um movimento fugidio no jardim lá embaixo. Foi até a janela e viu o jardineiro sentado num banco. Mesmo dali de cima pôde sentir que havia nele certa solidão, certa tristeza. Ficou observando o homem ali sentado, imóvel como uma estátua, encarando o crepúsculo que se adensava.

Após tomar um banho de banheira, entrou debaixo dos lençóis brancos engomados e ásperos. Enquanto estava deitada repassando suas falas e treinando o sotaque britânico da década de 1920, deu-se conta de que nessa noite aparentava estar de fato vivendo no mundo retratado no roteiro do filme. Poucas coisas pareciam ter mudado naquela casa desde aquela época antiga, de tal forma que chegava a ser perturbador.

Ao ver que passava das dez, e convencida de que não conseguiria pegar no sono por causa da diferença de fuso, Rebecca estendeu a mão para apagar a luz. Para sua surpresa, dormiu pesado a noite inteira e só acordou às oito da manhã, quando a Sra. Trevathan apareceu com uma bandeja de café da manhã.

Às dez, desceu e foi até o departamento de figurino provar as roupas. A figurinista escocesa, Jean, a encarou e disse:

– Querida, você nasceu para essa época. Até um rosto vintage você tem. E... eu tenho uma surpresa.

– Ah, é?

– Sim. Ontem estava falando com a governanta daqui, e ela me disse que tem uma grande coleção de vestidos de época dos anos 1920 num dos quartos de dormir lá de cima. Parece que foram usados por uma parente do atual lorde Astbury já falecida faz tempo, e ninguém tocou neles desde então. Perguntei se podia dar uma olhada, evidentemente por puro interesse pessoal e, é claro, para ver se tinha alguma coisa que pudesse servir em você. – Ela piscou para Rebecca. – Seria maravilhoso usá-los no filme.

– Seria mesmo – concordou Rebecca.

– Então... – Com um floreio, Jean retirou um pano de seda que cobria uma arara de roupas. – Dê só uma olhada nisto aqui.

Rebecca soltou um arquejo ao ver aparecer uma fileira de vestidos deslumbrantes.

– Uau – falou, num suspiro. – Que incríveis.

– E se acham em perfeito estado. Ninguém diria que têm 90 anos. Muitos são de estilistas franceses mais em voga na época: Lanvin, Vionnet, Patou. Que tesouro... – comentou Jean enquanto ambas percorriam a arara tocando e admirando os fabulosos vestidos. – Valeriam uma fortuna num leilão. Mal posso esperar para você experimentá-los e ver se cabem. Pelas suas medidas com certeza sim. Pelo visto a dona original tinha um tipo de corpo quase idêntico ao seu.

– Mas será que eu vou poder usar mesmo se eles couberem? – perguntou Rebecca.

– Quem sabe? A governanta pareceu muito reticente e disse que teria de consultar lorde Astbury. Mas a primeira coisa a fazer é experimentar, depois vemos como proceder. Então... – Jean tirou um vestido da arara. – Que tal este aqui para sua primeira cena com James Waugh amanhã? Acho que vai ficar perfeito.

Dez minutos depois, Rebecca estava se olhando no espelho. Não usava figurinos de época desde os tempos da Juilliard; seus papéis em Hollywood sempre tinham sido de jovens modernas, que basicamente usavam jeans e camiseta. O Lanvin que ela estava usando era de seda coberta por uma camada de chiffon toda bordada de miçangas costuradas à mão. A barra com pontas flutuava ao redor dos tornozelos quando ela andava.

– Pronto. Mesmo se tiver que me ajoelhar e implorar, vou convencer lorde Astbury a me deixar pegar emprestados alguns desses vestidos – disse Jean com firmeza. – Vamos experimentar o próximo.

Depois de Rebecca desfilar com uma sequência fabulosa de vestidos, todos os quais serviram nela feito uma luva, Jean lhe sorriu.

– Certo, acho que está bom assim. Vou falar com a governanta assim que der. Minha querida, você vai ficar um espetáculo – comentou ela enquanto ajudava Rebecca a tirar o último vestido. – E, depois de passar pela equipe de cabelo e maquiagem, você vai virar uma verdadeira beldade dos anos 1920! – Ela lhe deu uma piscadela cúmplice. – Eles ficam mais adiante neste mesmo corredor, à direita.

– Acho que preciso de um GPS nesta casa – disse Rebecca com um sorriso ao ir até a porta. – Eu me perco o tempo todo aqui.

Ela saiu do departamento de figurino e seguiu pelo corredor até encontrar o de cabelo e maquiagem. Quando se sentou numa cadeira em frente ao espelho, uma das cabeleireiras segurou com as duas mãos uma mecha brilhante de seus grossos cabelos escuros.

– Como está se sentindo em relação a ter que cortar e pintar este cabelo amanhã? – perguntou ela.

Esse tinha sido um ponto de atrito com seu empresário Victor na hora em que o contrato fora elaborado: a exigência era que Rebecca cortasse os cabelos curtinhos, ao estilo em voga nos anos 1920, e os tingisse de louro para combinar com a cor dos fios da atriz que interpretava sua mãe.

– Tudo bem, eu acho. – Rebecca deu de ombros. – Vai crescer de novo, não vai?

– É claro que vai. E quando a filmagem acabar podemos voltar para sua cor natural. Que bom que você não ficou reativa – comentou a cabeleireira num tom de aprovação. – Muitas atrizes resistem. Além do mais, talvez descubra que até gosta do corte; você tem traços delicados perfeitos para usar cabelo curto.

– Quem sabe se eu ficar loura ninguém me reconheça mais – filosofou Rebecca.

– Infelizmente acho que isso não vai ajudar – interrompeu a maquiadora, aproximando-se para se sentar em frente a Rebecca. – Esse seu rosto sempre vai entregá-la. Mas conte, como é Jack Heyward pessoalmente? Na tela ele é um deus grego. Ele é assim logo de manhã cedo? – brincou ela.

Rebecca pensou um pouco.

– Ele é bem bonitinho de manhã.

– Aposto que deve ser mesmo. – A maquiadora sorriu. – Com certeza você não consegue acreditar que vai mesmo se casar com ele.

– Sabe do que mais? Tem razão, eu não consigo *mesmo* acreditar. Nos vemos amanhã bem cedo para o corte! – despediu-se Rebecca, sorrindo para disfarçar a ironia das suas palavras. Em seguida se levantou, acenou para ambas e saiu. Verificou o relógio e viu que eram apenas três da tarde, ou seja, ainda tinha duas horas antes do encontro com o preparador vocal.

Uma das camareiras tinha lhe dito mais cedo que aparentemente dava para captar um sinal de celular andando em direção às charnecas, então ela subiu correndo para pegar seu telefone. A filmagem já tinha começado no salão, e ao sair para o terraço pelas portas de correr da sala de jantar ela sentiu um frio na barriga ao pensar que no dia seguinte seria a *sua vez* diante das câmeras.

Desceu os degraus de pedra gastos em direção ao jardim e o atravessou num passo acelerado. Sentada no banco em que tinha visto o jardineiro na véspera, tentou usar o celular, que oscilava entre um ponto de sinal e nenhum.

– Droga! – exclamou ela quando sua caixa postal mais uma vez não conectou.

– Tudo bem por aí?

A voz a fez se sobressaltar e ela olhou em direção aos canteiros de rosas, onde viu o jardineiro que havia conhecido na noite anterior segurando um podão.

– Tudo, sim, obrigada. É que estou sem sinal.

– Eu sinto muito. A cobertura aqui é péssima.

– Talvez não seja tão ruim assim ficar isolada. Na verdade eu bem que estou gostando – confidenciou ela. – O senhor gosta de trabalhar aqui? – perguntou, educada.

Ele a encarou com um olhar curioso, então assentiu.

– Nunca pensei nesse aspecto, mas acho que gosto, sim. De toda forma, não consigo me imaginar em nenhum outro lugar.

– Isto aqui deve ser o sonho de qualquer jardineiro. Que rosas deslumbrantes. Umas cores lindas… principalmente a que o senhor está podando. É um roxo tão escuro e aveludado que chega quase a ser preto.

– Sim. Ela se chama rosa da meia-noite e é uma planta bem misteriosa – concordou ele. – Está aqui há tanto tempo quanto eu, e deveria ter morrido muitos anos atrás. Mas a cada ano, sem falta, ela floresce como se tivesse acabado de ser plantada.

– No apartamento onde moro só tenho umas plantas de vaso – comentou Rebecca.

– Você gosta de jardinagem?

– Quando eu era pequena tinha o meu próprio canteirinho no jardim dos meus pais. Achava aquele lugar reconfortante.

– Com certeza há alguma coisa na atividade de mexer na terra que faz com que nos livremos das frustrações – disse o jardineiro, aquiescendo. – O que está achando daqui, em comparação com os Estados Unidos?

– É completamente diferente de qualquer lugar em que eu tenha estado antes, mas ontem tive minha melhor noite de sono em anos. Que paz este lugar... Pena que eles vão me transferir para um hotel hoje mais tarde. Acho que lorde Astbury não quer hóspedes na casa. Para ser sincera, eu queria poder ficar – confessou ela. – Sinto-me segura aqui.

– Bem, nunca se sabe. Lorde Astbury talvez mude de ideia. A propósito... – disse ele, apontando para o celular dela. – Se pedir à Sra. Trevathan, talvez você possa usar o fixo do escritório dele.

– Certo, obrigada, vou pedir a ela – falou Rebecca. Ela se levantou. – Até logo.

– Tome... – O jardineiro cortou o caule de uma rosa da meia-noite perfeita. – Para você admirar a beleza dela no seu quarto. O cheiro é maravilhoso.

– Obrigada – disse Rebecca, comovida com o presente. – Vou pôr na água agora mesmo.

Quando enfim encontrou a Sra. Trevathan na cozinha, ela explicou que precisava de um vaso para sua rosa e que o jardineiro tinha dito que havia um telefone no escritório. A Sra. Trevathan a conduziu até um cômodo pequeno e escuro, forrado de estantes de livros e com uma escrivaninha dominada por pilhas de papéis desorganizados.

– Pronto, mas não demore muito se for ligar para os Estados Unidos. Meu patrão já fica exasperado com a conta de telefone todo mês.

Quando a Sra. Trevathan se retirou, Rebecca pensou que o "patrão" devia ser um ogro.

Sentou-se, encontrou o número no celular e ergueu o fone do aparelho antiquíssimo, que tinha um disco circular com números escritos. Após finalmente entender o que precisava fazer, inseriu os dedos nos buracos um a um e girou o disco para ligar para Jack. Sentiu alívio misturado com culpa quando a ligação caiu direto na caixa postal.

– Oi, sou eu. Estou num lugar sem internet e sem sinal de celular. Vou para um hotel hoje mais tarde, ligo para você de lá. Está tudo bem, aliás. Há... – Rebecca fez uma pausa enquanto pensava no que dizer, mas o assunto era tão longo e complexo que não lhe ocorreu palavra alguma para abordá-lo. – Nos falamos em breve. Tchau.

Pegou de novo o fone, discou o número de seu empresário Victor e caiu mais uma vez na caixa postal, na qual deixou um recado semelhante.

Saiu do escritório e foi atrás de Steve, decidida a lhe dar uma prensa e descobrir onde exatamente ficaria hospedada durante a filmagem. Encontrou-o perto da van do bufê, montada no pátio lateral da casa.

– Eu sei, Rebecca, eu sei. Você quer saber onde vai ficar hospedada – disse Steve, visivelmente atarefado. – Na verdade eu estava mesmo indo procurá-la com o que espero ser uma boa notícia. Lorde Astbury veio falar comigo há cinco minutos e disse que tudo bem se você quiser ficar aqui durante a filmagem inteira. Estou meio surpreso, visto a sua antipatia de antes pela ideia – comentou ele. – Nós tínhamos encontrado uma pousadinha discreta num vilarejo aqui perto, mas para ser sincero é bem possível que as acomodações não estejam à altura dos seus padrões. E não há garantia alguma de que os paparazzi não vão acabar encontrando você lá de toda forma. Então a decisão é sua.

– Certo. Posso pensar um pouco? – Embora estivesse adorando a segurança e a tranquilidade das suas acomodações atuais, não tinha certeza de querer dividi-la com o ainda desconhecido lorde Astbury.

– Pode – disse Steve, e seu walkie talkie chiou. – Com licença, Rebecca, estão precisando de mim no set.

De volta ao seu quarto, Rebecca repassou suas falas para o encontro com o preparador vocal dali a meia hora. Levantou-se e olhou pelas janelas. Sentia-se de fato segura ali. Mais do que tudo, precisava de paz e tranquilidade para se concentrar por completo na sua atuação. Aquele papel seria decisivo para sua carreira no futuro.

Depois do encontro com o preparador de voz, Rebecca foi procurar Steve no terraço e disse que teria prazer em continuar hospedada em Astbury Hall.

– Nas suas atuais circunstâncias, acho que é a única coisa sensata a fazer – respondeu ele, aliviado com a resolução do problema. – E a Sra. Trevathan disse que providenciará seu jantar com todo o prazer. Ela parece tê-la escolhido como sua protegida. – Ele sorriu.

– Ah. Eu quase não como à noite, então...

– Olá – disse uma voz atrás deles.

Rebecca viu o jardineiro subindo os degraus do terraço em sua direção.

– Boa tarde, lorde Astbury. Rebecca disse que gostaria de ficar – afirmou Steve. – É mesmo uma gentileza enorme do senhor abrir uma exceção para ela.

– Por favor, me chame de Anthony – pediu o homem.

Chocada, Rebecca olhou primeiro para Steve e em seguida para Anthony.

– Quem sabe à noite, Srta. Bradley, depois de todo mundo ir embora, a senhorita possa ir me ajudar no jardim – disse ele com um brilho de ironia nos olhos.

– Eu... *o senhor* é lorde Astbury? – Ela mal conseguiu articular as palavras.

– Sim, embora, como acabei de dizer a Steve, todo mundo me chame de Anthony.

Rebecca sentiu um calor lhe subir às faces.

– Estou tão sem graça... não me dei conta de quem você era.

– Não, bem, talvez eu não corresponda exatamente à imagem que você tinha em mente – respondeu Anthony com calma. – Infelizmente hoje os aristocratas pobres e arruinados precisam fazer o próprio trabalho sujo. Nossos dias de fraque e smoking ficaram para trás. Agora com licença, preciso cuidar de uns laburnos.

Ele virou as costas e se encaminhou para a lateral da casa.

– Ah, Rebecca. – Steve jogou a cabeça para trás e riu. – Um clássico! Não sei como é nos Estados Unidos, mas aqui na Inglaterra a aristocracia moderna tende a ser o grupo mais esfarrapado da sociedade. Eles fazem questão de usar as roupas mais velhas possíveis e dirigir charangas antigas. Nenhum nobre que se dê ao respeito sequer cogitaria se vestir com elegância em casa. Isso simplesmente não acontece.

– Entendi – retrucou Rebecca, sentindo-se um tanto burra e estrangeira.

– Mas enfim, sua ignorância não parece ter lhe prejudicado – continuou Steve quando ela não falou mais nada. – E acabou lhe valendo um convite aberto para ficar hospedada aqui com ele.

James Waugh surgiu e veio saltitando na sua direção.

– Rebecca, eu estava justamente indo perguntar: você tem planos para hoje à noite? Pensei que talvez pudéssemos comer alguma coisa e nos conhecer um pouco melhor. Vamos ter nossa primeira cena amanhã de manhã e ela é bem... como dizer... íntima e pessoal. – Ele lhe abriu um sorriso atrevido.

– Na verdade eu estava pensando em me deitar cedo – respondeu ela.

– Tenho certeza de que Graham pode ir buscá-la depois, então ainda vai poder se deitar cedo.

– Eu... acho melhor não. A imprensa...

– Foram todos embora hoje de manhã – confirmou James. – E você não pode deixar essa história toda de celebridade atrapalhar sua atuação, não é?

– É. Tudo bem, então – aceitou ela por fim, sem querer parecer antipática.

– Ótimo. – James sorriu. – Nos vemos às oito no hotel. E não se preocupe, eu peço uma mesa discreta para nós dois.

Quando James foi embora, Steve a encarou com os olhos brilhando.

– Acho que você agradou aquele ali também. Cuidado: ele tem reputação de ser um cara safado.

– Pode deixar. Obrigada, Steve. – Ela se afastou de cabeça erguida.

De volta ao seu quarto no andar de cima, ouviu alguém bater à porta.

– Pode entrar.

Era a Sra. Trevathan.

– Desculpe incomodar, Rebecca, mas ouvi dizer que a senhorita conheceu lorde Astbury.

– Conheci, sim – murmurou Rebecca, enquanto pendurava suas poucas peças no velho guarda-roupa de mogno.

– Deixe que eu faço isso – disse a Sra. Trevathan.

– Não, tudo bem…

– Sente-se, e podemos conversar enquanto eu a ajudo.

Rebecca aceitou e sentou-se na beira da cama enquanto a Sra. Trevathan retirava o que ainda havia dentro da sua mala.

– A senhorita não trouxe mesmo muita coisa, não é, meu bem? – comentou ela. – Enfim, vim dizer que lorde Astbury a convidou para jantar hoje. Ele sempre janta às oito em ponto.

– Ah, que pena… infelizmente eu não vou poder. Tenho outro compromisso.

– Entendi. Bem, ele vai ficar decepcionado, depois de ter sido tão gentil ao deixá-la ficar aqui.

Rebecca captou a reprovação no tom de voz da governanta.

– Por favor, peça desculpas a ele e diga que terei prazer em jantar com ele em qualquer outra noite – falou, para aplacá-la.

– Vou dizer. Ele realmente não gosta de ter tanta gente assim dentro de casa. Lorde Astbury precisa de paz, e muita. Mas se não tem remédio, remediado está.

– Como assim?

– Quero dizer que ele precisa do dinheiro do filme para manter a casa – disse a Sra. Trevathan para esclarecer a frase anterior.

– Entendi. Lorde Anthony tem família? – perguntou ela com cautela.

– Não.

– Quer dizer que ele mora sozinho aqui?

– Mora. Certo, então, nos vemos de manhã. Bem cedinho, pelo que eu soube. Não chegue muito tarde em casa hoje, sim, meu bem? Você precisa estar bem-disposta amanhã.

– Não vou chegar tarde, prometo. Obrigada, Sra. Trevathan.

Rebecca sabia que aquela senhora a estava tratando como se fosse sua mãe, e isso a reconfortava.

Sua primeira infância não era uma época que gostasse de revisitar. Muito pouca gente, nem mesmo seu agente, sabia sobre o seu passado. Mas numa noite, quando Jack e ela passavam uns dias de férias em Nantucket durante um outono ventoso, ela tinha lhe contado a verdade.

Ele a havia abraçado enquanto ela chorava, e carinhosamente secado as lágrimas de seus olhos.

Rebecca balançou a cabeça e suspirou. Tinha se sentido amada de verdade por Jack naquele dia. Levantou-se e pôs-se a andar de um lado para o outro sobre as tábuas que rangiam, de tão contrastante que era essa lembrança com os tempos mais recentes em que ele vivia drogado, instável e agressivo. Desejou com todo o coração, e não era a primeira vez, que eles fossem apenas um casal normal como qualquer outro, como haviam sido naquele fim de semana, encasacados por causa do frio e irreconhecíveis. Apenas um rapaz e uma moça apaixonados.

Mas a realidade não era essa, e ela sabia que de nada adiantava querer que fosse assim.

Afastou esses pensamentos e se deu conta de que faltava menos de uma hora para encontrar seu par romântico para jantar.

3

– Boa noite – disse James quando Rebecca entrou na saleta anexa ao seu quarto de hotel, onde uma mesa tinha sido posta para o jantar. Ele lhe deu dois beijos no rosto e a conduziu até lá. – Achei que você talvez preferisse comer aqui em cima, considerando as circunstâncias.

– Sim, obrigada – concordou ela.

Sentia-se grata por ter sido preservada dos olhares curiosos de clientes do restaurante, mas ao mesmo tempo estava preocupada com possíveis fofocas entre os funcionários do hotel. Ser vista entrando à noite na suíte de seu par romântico bonitão era, sob muitos aspectos, pior do que ser vista com ele em público no restaurante do hotel.

– E não se preocupe se os funcionários vão dizer alguma coisa. – James pareceu ler seus pensamentos enquanto puxava a cadeira para ela se sentar. – Robert me disse que o hotel assinou uma cláusula de confidencialidade enquanto estivermos todos hospedados aqui. Se uma palavra sequer sobre as atividades do elenco vazar para a imprensa, os advogados da produtora vão processá-los sem pena.

– Tudo bem – assentiu Rebecca.

– Que loucura isso, né? – disse James com um suspiro, sentando-se ao seu lado. – Enfim, a sopa já chegou, então coma antes que esfrie. Quer vinho? – Ele ergueu uma garrafa.

– Não, obrigada – respondeu Rebecca. – Preciso estar disposta para amanhã.

– Mas então, como é que você foi "descoberta"? – perguntou James enquanto servia uma generosa dose de vinho na própria taça.

Rebecca mexeu na tigela de sopa rala e comum enquanto refletia sobre como responder, pensando que o papo da Sra. Trevathan era muito melhor do que o dele.

– Na verdade eu não sinto que *fui* descoberta. Simplesmente consegui um papel numa série de TV aos 20 anos, e a partir daí os papéis foram crescendo cada vez mais. – Ela deu de ombros.

– Nunca fui a Hollywood – disse James. – O assédio da imprensa aqui no Reino Unido já é bem ruim, mas, pelo que ouvi dizer de Los Angeles, lá é um pesadelo.

– Ah, é – concordou Rebecca. – Por isso eu não moro lá. Tenho um apartamento em Nova York.

– Que bom. Você é sensata. Tenho um amigo que viajou para fazer um filme em LA uns dois anos atrás, e ele disse que a maioria das estrelas de cinema praticamente não sai de casa. Elas se trancam em casa nas colinas atrás de seus muros com segurança reforçada e câmeras. Isso não combina nem um pouco comigo – concluiu ele com um sorriso.

– Seu amigo tem razão, e também não combina comigo. Nova York é bem mais tranquila nesse aspecto.

– A não ser em momentos como agora, quando eles perseguem você até mesmo nos cafundós de Devon. – James arqueou as sobrancelhas.

– É, agora está um inferno. – Rebecca desistiu da sopa e pousou a colher no prato ao lado.

– Sempre achei uma ironia que o objetivo de todo jovem ator fosse a fama e a fortuna que você tem – ponderou James. – Só que o preço disso é alto. Eu não estou no seu nível, claro, mas até as coisas que *eu* faço acabam saindo no jornal.

– Acho que o jeito é se acostumar. – Rebecca deu um suspiro. – Isso se torna normal. O que me abala são as mentiras que eles contam.

– Mas esse noivado não é uma mentira, é?

Rebecca parou por um momento e pensou em como responder enquanto James terminava sua sopa e pegava dois pratos no *réchaud* providenciado pelo serviço de quarto.

– Eu diria que o anúncio foi meio... prematuro. Mas sim, Jack me pediu em casamento.

– E você aceitou.

– Mais ou menos. Mas, enfim, que tal falarmos sobre o filme? – disse ela, abruptamente.

– Claro. – James entendeu a indireta. – Então, Srta. Bradley, quer dizer que amanhã eu vou poder beijar uma das mulheres mais lindas do planeta, né? Estou nas nuvens. – Ele ergueu os olhos para o céu e deu um suspiro dramático. – Sério, atuar é a profissão mais ridícula do mundo. E Rebecca, se me permite dizer, você é mesmo uma criatura deslumbrante. – Ele se inclinou para a frente de modo a estudar seus traços. – Não consigo detectar um pingo sequer de maquiagem nesse seu rosto. Nem mesmo um batom.

– Então não vai me reconhecer amanhã. Eles vão me cobrir de maquiagem. Com certeza vou ficar igual a uma boneca pintada.

– Bem, o filme vai retratar exatamente a época desse tipo de visual – disse James, calmo. – Mas, tirando Jack, você já se apaixonou por algum par romântico antes?

– Não – respondeu ela com honestidade. – Você já?

James tomou um gole do vinho.

– Eu não diria que a minha reputação é exatamente ilibada – admitiu ele com um brilho travesso nos olhos. – Eu me comportei um pouco feito uma criança numa loja de doces, já que trabalho com tantas mulheres lindas. Mas, para ser sincero, não fui muito diferente de qualquer outro rapaz de 20 e poucos anos; a diferença foi que fiz isso sob os holofotes da mídia. Agora, mudando de assunto... – Ele sorriu. – O que está achando da Inglaterra até esse momento?

Durante o jantar, Rebecca se pegou simpatizando com James. Para um ator conhecido, ele sabia zombar de si mesmo e tinha um senso de humor afiado. Ela gostou do fato de ele não levar tão a sério nem ele próprio nem a sua carreira; via a profissão de ator como um emprego, em grande medida. Em comparação com Jack e com seu preciosismo em relação ao próprio talento e à falta de chances de demonstrar sua capacidade nos papéis que havia recebido, a atitude de James era uma grata novidade.

– Vamos encarar os fatos – disse ele enquanto ela tomava um chá de hortelã e ele um café com conhaque. – Se nós dois fôssemos feios de doer, duvido que estaríamos interpretando Elizabeth e Lawrence. É assim que as coisas são.

Rebecca sorriu.

– Eu preciso ir andando agora – falou ao ver que já passava das dez.

– Claro. E eu vou me recolher aqui do lado, no meu quarto de dormir que parece mais um armário de vassouras, enquanto você vai dormir feito uma princesa na sua torre. Vou lhe dar boa noite aqui, tá? – Ele sorriu. – Não quero nenhum fotógrafo à espreita lá fora pensando besteira.

– Sim, obrigada – disse Rebecca, levantando-se. – Nos vemos amanhã no set.

James a beijou delicadamente nas duas bochechas.

– E sério, Rebecca, se algum dia você precisar conversar, estou aqui.

– Obrigada. Boa noite – sussurrou ela, e deixou o quarto.

Desceu a escada, preferindo isso a ser vista saindo do elevador, então saiu apressada pela porta do hotel. Ao ver Graham aguardando na Mercedes do lado de fora, entrou rapidamente no banco de trás.

Quinze minutos depois, abriu a porta de seu quarto, entrou e tornou a fechá-la. A Sra. Trevathan havia acendido o abajur da cabeceira e feito a cama para ela. Ao se despir e se deitar debaixo dos lençóis, Rebecca concordou que de fato se sentia como a princesa descrita por James.

Em algum momento durante a noite, ela acordou com um sobressalto, certa de ter escutado um barulho no quarto. Após acender a luz, viu que não havia nada. Farejou o ar, que lhe pareceu tomado por um perfume floral forte. Agradável, porém estranhamente forte. Deu de ombros, apagou a luz, e depois de algum tempo tornou a pegar no sono.

– Sua gravação começa em cinco minutos, Srta. Bradley – disse o produtor de platô ao entrar na sala de maquiagem.

– E ela está prontinha – afirmou a maquiadora Chrissie, dando uma última pincelada de pó na sua testa. – Pronto – concluiu ela, tirando o avental protetor dos seus ombros.

– Uau – disse o platô quando Rebecca ficou de pé e se virou. – Você está um espetáculo – falou ele, em tom de admiração.

– Não é? – concordou Chrissie.

– Obrigada – disse Rebecca, ainda tentando se acostumar com os cabelos curtos e recém-tingidos de louro, os olhos muito maquiados, a pele branca como alabastro e o batom vermelho-escuro. Quase não parecia ela mesma.

Foi seguindo o platô pelo corredor e, quando chegou ao hall de entrada, viu Anthony descendo a escadaria de mármore na sua direção.

Ela sorriu.

– Bom dia.

Ao vê-la, Anthony parou na escada com uma expressão de choque.

– Meu Deus do céu – disse ele entre dentes.

– O que foi?

Ele não respondeu, apenas continuou a encarando.

– É melhor irmos andando, Srta. Bradley – apressou o platô.

– Tchau – despediu-se Rebecca, sem jeito, do homem imóvel na escada, deixando o hall atrás do platô.

James estava esperando no salão enquanto a equipe posicionava as câmeras no terraço.

– Adorei o cabelo, querida – disse ele com um sorriso largo. – E é você mesma por baixo dessa maquiagem toda?

– Lá embaixo, sim – brincou ela também.

Nessa hora, os dois foram chamados no set.

– Bem, tenho certeza de que todo mundo já disse que você está deslumbrante. Mas eu, pessoalmente, prefiro você sem nada… sem maquiagem, claro – sussurrou James, atrevido.

Ele lhe estendeu a mão e os dois saíram.

O diretor se aproximou e passou um braço em volta dos ombros de Rebecca num gesto de aprovação.

– Ficou perfeito. Está pronta?

– Como nunca – respondeu ela num suspiro, nervosa.

– Você vai arrasar, prometo – tranquilizou ele. – Então, vocês dois, vamos repassar a cena desde o início.

Duas horas depois, Rebecca tornou a entrar no salão com James. Deixou-se cair numa poltrona, exausta de tanta tensão.

– Nossa, que bom que acabou.

– Você foi ótima, de verdade – comentou James, acendendo um cigarro junto à porta aberta e lhe sorrindo. – Seu sotaque saiu perfeito.

– Obrigada. Você me ajudou a ficar à vontade.

– Acho que a gente forma uma boa dupla, não é? E adorei o beijo – acrescentou ele com uma piscadela.

Rebecca ficou vermelha e se levantou.

– Vou atrás de uma bebida gelada. Até mais.

Ela saiu da sala antes que ele pudesse segui-la, para não incentivá-lo a pensar que seu relacionamento na ficção tinha alguma chance de virar realidade. Já tinha visto aquela expressão no rosto de vários pares românticos. James era um cara bacana, mas ela precisava dele como amigo, não como namorado.

– Rebecca. -- Steve a interceptou quando ela estava a caminho da van do bufê. – A produtora acabou de receber um telefonema furioso do seu empresário dizendo que o seu noivo entrou em contato com ele. Os dois querem saber onde você está. Pode retornar para eles?

– Mas eu até deixei um recado para os dois dizendo que estava bem – retrucou Rebecca. – Só que meu celular não pega aqui.

– Eu sei. Isso está causando problemas para todo mundo, então pedimos a lorde Astbury para usar a linha fixa dele. Vamos pagar a conta, claro, assim fique à vontade para telefonar. Não queremos a imprensa aparecendo com nenhuma história de terror dizendo que você foi raptada, certo? – concluiu ele, afastando-se rapidamente.

Com um suspiro, Rebecca começou a subir a escada até o quarto para pegar o celular e ver os números.

– Rebecca?

Ela se virou e olhou para baixo. Anthony estava parado no hall.

– Olá – disse ele, hesitante.

Mais uma vez a estava encarando, e ela se sentiu pouco à vontade sob aquele olhar penetrante.

– Você tem uns minutinhos? – perguntou ele. – Queria lhe mostrar uma coisa.

– Claro – respondeu ela. Não tinha como dizer não.

Anthony estendeu a mão para indicar que ela deveria descer a escada na sua direção. Sorriu-lhe quando ela chegou perto, sem tirar os olhos de seu rosto.

– Venha comigo. – Ele a conduziu pelo corredor que ia dar nos cômodos formais com vista para o jardim nos fundos da casa. Parou diante da porta de um deles e se virou para ela. – Prepare-se para uma surpresa.

– Tá bom – respondeu Rebecca.

Ele abriu a porta e os dois adentraram uma espaçosa biblioteca. Anthony a levou até o meio do cômodo, pousou as duas mãos nos seus ombros e a virou de frente para a lareira.

– Olhe para o quadro aí em cima.

Rebecca se viu diante do retrato de uma moça loura vestida de modo parecido com ela, com uma faixa incrustada de joias ao redor da cabeça. Mas não foi apenas o que a mulher estava usando que a surpreendeu: foi seu rosto.

– Ela... – Rebecca demorou a conseguir falar. – Ela se parece comigo.

– Eu sei. A semelhança é... – Anthony fez uma pausa. – ...impressionante. Quando vi você hoje de manhã, com os cabelos pintados de louro e vestida como está, pensei que estivesse vendo um fantasma.

Rebecca ainda estava absorvendo os imensos olhos castanhos, o rosto em formato de coração tão pálido quanto o seu, o pequeno nariz arrebitado e os lábios carnudos.

– Quem é?

– Minha avó Violet. E o mais estranho é que ela era americana. Casou-se com meu avô Donald em 1920 e veio morar aqui em Astbury. Era considerada uma das grandes beldades da sua época tanto na Inglaterra quanto nos Estados Unidos. Infelizmente eu não a conheci, já que ela morreu muito jovem. E meu avô morreu apenas um mês depois. – Anthony fez uma pausa, então suspirou fundo. – Pode-se dizer que foi o início do fim para a família Astbury.

– Como ela morreu? – perguntou Rebecca com delicadeza.

– Teve o destino de muitas mulheres da sua época: morreu no parto... – A voz de Anthony se apagou em um tom triste.

– Eu lamento muito – falou Rebecca, sem saber o que dizer.

Anthony se recuperou e voltou a falar.

– Por consequência, minha mãe cresceu órfã, coitada, e foi criada pela avó. É esta aqui a minha mãe. – Ele apontou para outro retrato de uma mulher de meia-idade e lábios austeros. – Desculpe-me soar tão tristonho, mas os Astbury de alguma forma foram amaldiçoados desde a morte de Violet. – De repente, ele desviou sua atenção do quadro para Rebecca. – Você por acaso não teria parentesco com a família Drumner de Nova York, teria? Eles eram um clã muito rico e poderoso no início do século XX. Na verdade foi o dote de Violet que salvou esta propriedade da falência.

Anthony a encarou à espera de uma resposta. Seu passado não era algo que Rebecca desejasse revelar a ninguém, muito menos a um desconhecido.

– Não. Minha família é de Chicago, e eu nunca ouvi falar no sobrenome Drumner. A semelhança deve ser apenas uma coincidência.

– Mesmo assim... – Anthony lhe ofereceu um sorriso tenso. – É estranho você estar aqui em Astbury interpretando uma personagem da época em que Violet viveu. E se parecer tanto com ela.

– É mesmo, mas posso lhe garantir que não existe nenhum vínculo familiar – repetiu Rebecca, firme.

– Bem, é isso. Como você pode imaginar, foi um choque imenso vê-la no hall hoje de manhã. Por favor, queira me desculpar.

– Claro.

– Não vou mais prendê-la, mas senti que precisava lhe mostrar o retrato de Violet. E quem sabe você me daria a honra de jantar comigo hoje à noite? – acrescentou ele.

– Obrigada, eu adoraria. Mas agora preciso mesmo ir. Tenho que estar de volta ao set daqui a uma hora.

– Claro.

Anthony foi até a porta, abriu-a, e deixou Rebecca sair na sua frente. Eles voltaram para o hall em silêncio. Rebecca lhe deu um sorriso de despedida e voltou a subir a escada para pegar o celular. Fechou a porta ao chegar em seu quarto e de repente sentiu as pernas fracas. Sentou-se rapidamente na poltrona junto à lareira, segurou a cabeça entre as mãos e respirou fundo algumas vezes.

Tinha mentido para Anthony. A única coisa que sabia sobre os pais era o nome da mãe, Jenny Bradley. E que Jenny a tinha entregado para uma família adotiva temporária quando Rebecca tinha 5 anos.

As pessoas que ela considerava seus pais eram Bob e Margaret, um casal bondoso que a acolhera aos 6 anos. Ao longo do tempo, eles tinham tentado entrar com pedidos de adoção, mas sua mãe sempre se recusara a assinar os papéis, imaginando que um dia ficaria bem o bastante para cuidar da filha.

Emocionalmente fora uma situação difícil para ela; a estabilidade e a segurança pelas quais ela tanto ansiava não existiam. Quando ela era pequena, muitas de suas noites tinham sido dominadas pelo medo de sua mãe aparecer para levá-la embora, de volta à vida que tivera antes de sua família adotiva e da qual tinha pouquíssimas lembranças.

Por fim, quando Rebecca tinha 19 anos, Bob e Margaret tinham lhe contado com todo o cuidado que a sua mãe morrera de overdose.

Ela nunca soube quem era seu pai. Tampouco fazia ideia se Jenny sabia. Imaginava que a mãe provavelmente tinha engravidado enquanto se prostituía para comprar bebida e drogas.

Encarou desanimada o outro lado do quarto. Quem poderia saber se o seu pai *tinha* algum parentesco com Violet Drumner? Era uma possibilidade como qualquer outra. Mas como a sua certidão de nascimento não tinha o nome do pai, ela nunca poderia investigar.

Ansiou pela primeira vez, desde que ali chegara, pelo conhecido reconforto dos braços de Jack. Pegou o celular com seu número de telefone e desceu até o escritório de Anthony para lhe telefonar.

Mais uma vez a ligação caiu na caixa postal, mas ela sabia que, por motivos de segurança, Jack nunca atendia ligações de números desconhecidos.

– Oi, amor, sou eu. Aqui não tem sinal, então estou usando o telefone fixo outra vez. Tento de novo mais tarde. Volto a gravar em uma hora. Espero que esteja tudo bem com você. Tchau.

Encerrou a ligação e digitou o número de Victor; dessa vez ele atendeu.

– Como vai, querida? Já estava quase mandando a CIA atrás de você.

– Está tudo bem. Estamos filmando num casarão antigo incrível, e por causa de todo o alvoroço da mídia, o dono, lorde Astbury, me deixou ficar hospedada aqui. Não precisa se preocupar mesmo, Victor, estou totalmente segura – tranquilizou ela.

– Ótimo. Mas então, que história é essa de você e Jack noivarem? Você poderia ter conversado comigo antes de dizer sim.

– Sério? Eu achava que a decisão de com quem vou me casar era minha, Victor, você não acha? – Rebecca tamborilou os dedos na mesa com irritação.

– Você sabe que não foi isso que eu quis dizer, querida – apaziguou ele. – Só estou dizendo que poderia ter sido mais fácil se você tivesse me dito que ia dar a notícia. Nós poderíamos ter planejado isso junto com você.

– Na verdade, cá entre nós, eu ainda não disse sim – confidenciou ela.

Houve uma pausa momentânea do outro lado da linha.

– Como assim? Está de brincadeira comigo?

– Não estou, não. – Ela notou o pânico na voz de Victor e sentiu vontade de rir. – Eu disse a Jack que precisava de tempo para pensar. E de fato preciso – enfatizou ela. – Não é culpa minha ele ter resolvido se adiantar e confirmar a notícia antes de eu dar minha resposta.

– Meu Deus, Rebecca. O mundo inteiro está atrás de mim querendo uma declaração sua. Você não pode se retratar agora; isso faria um exército de fãs de Jack começar a mandar e-mails raivosos e a boicotar seus filmes.

Rebecca pôde sentir o coração bater ainda mais rápido.

– Victor, eu preciso de tempo para pensar, tudo bem? – declarou ela com firmeza.

– Bem, dessa vez será que eu posso ser a segunda pessoa para quem você vai contar sua decisão? E espero que a resposta seja sim. Olhe, menina, você pode se divorciar dele se as coisas não derem certo – acrescentou ele, baixando a voz. – Este é um momento crucial na sua carreira, e eu não quero que você o comprometa com nenhuma atenção negativa. – Houve outra pausa na linha antes de ele perguntar. – Não tem nenhuma outra pessoa na área, tem?

– Meu Deus do céu, Victor! É claro que não. – Rebecca sentiu que estava perdendo a paciência com ele.

– Já é alguma coisa, eu acho. Só não vá se engraçar com esse jovem ator britânico que está fazendo seu par romântico. A reputação dele com as mulheres é péssima.

– Acabou o sermão? – perguntou Rebecca, abrupta. – Quer saber como foi a filmagem hoje ou não?

– Escute, querida, podemos falar outra hora? Preciso sair, tenho um café da manhã de trabalho.

– Claro.

– Assim é que se fala. Liga para mim mais tarde?

– Ligo, sim. Tchau, Victor.

Rebecca desligou e encarou, desconsolada, os belos sapatos de seda que calçava. Ela sabia que Victor tinha boas intenções; era um ótimo agente e havia construído uma carreira sólida para ela. Mas às vezes era superprotetor. Ele não era seu dono, nem seu pai.

Rebecca encarou a coleção de fotos antigas em porta-retratos prateados sobre a escrivaninha de Anthony e sentiu inveja dele por ter a estabilidade de uma família de verdade, cuja origem podia ser identificada desde várias gerações anteriores. As fotos eram todas em preto e branco, e ela reconheceu na mesma hora a mãe de Anthony do quadro. Na imagem, ela estava de mãos dadas com uma menina bonita de cachinhos louros. A semelhança com Anthony era grande, e Rebecca supôs que a menina devesse ser irmã dele. Levantou-se da mesa, olhou para o velho despertador de viagem e viu que agora só restavam vinte minutos para comer alguma coisa antes da filmagem da tarde.

4

Às 19h45, Rebecca ouviu baterem de leve na porta.
– Pode entrar.
Estava arrependida de ter aceitado o convite de Anthony para jantar. O primeiro dia de filmagem a deixara exausta.
– Está pronta? – perguntou a Sra. Trevathan, espiando pela porta com uma expressão animada.
– Vou descer daqui a alguns minutos.
Ela tirou o roupão de banho, vestiu uma calça jeans e uma camisa e secou com a mão mesmo os cabelos curtos, que ainda lhe causavam estranheza. Em pé diante do espelho, examinou o rosto. Sem maquiagem, achou que a nova cor de cabelo lhe dava um ar abatido. Quase se sentia outra pessoa.
Enquanto saía do quarto e descia a escada principal, ficou pensando na dedicação da Sra. Trevathan a lorde Anthony. Como tudo o mais naquela casa, aquele relacionamento entre patrão e empregada pertencia a outra época. Era como se o tempo houvesse esquecido Astbury Hall e seus moradores. Ela parou em frente à sala de jantar e bateu na porta.
– Entre.
Rebecca abriu a porta e deparou com Anthony já sentado na cabeceira de uma comprida e elegante mesa de mogno. O fato de ele estar sozinho naquele cômodo grandioso e formal, diante de uma mesa feita para acomodar muitas pessoas, só fazia acentuar sua solidão.
– Olá.
Ele lhe sorriu e apontou para o lugar posto à sua esquerda na mesa. Quando ela se aproximou da cadeira, Anthony levantou-se e a puxou.
– Obrigada – murmurou ela enquanto ele retornava para seu lugar.
– Vinho? – ofereceu ele, erguendo o decânter com líquido cor de rubi de cima de uma salva de prata sobre a mesa. – Vamos comer carne, e este tinto é o acompanhamento perfeito.

– Só uma tacinha – falou Rebecca, para não ser grosseira.

Ela raramente bebia. E, quando bebia, sua preferência não era o vinho tinto. Assim como tampouco teria optado por comer carne.

– Minha mãe tinha um mordomo para decantar e servir isto aqui – disse Anthony ao encher a taça dela. – Infelizmente, quando ele se aposentou não tínhamos dinheiro para contratar outro.

– Não faço ideia de quanto deve custar manter esta casa – comentou Rebecca.

– É, nem queira imaginar – disse Anthony com um suspiro. Bem nessa hora a Sra. Trevathan entrou com uma bandeja e serviu um prato de sopa diante de cada um. – Mas sempre damos um jeito não se sabe como, não é, Sra. Trevathan? – Ele encarou a governanta com um sorriso afetuoso.

– Sim, milorde, damos, sim – concordou ela com um meneio de cabeça antes de se retirar.

– A Sra. Trevathan mantém isto aqui funcionando praticamente sozinha. Se ela algum dia resolver ir embora, não vou saber o que fazer. Por favor... – Ele apontou para a sopa. – Vamos começar.

– Ela trabalhou a vida inteira aqui?

– Sim, e seus antepassados também. Na verdade a mãe dela, Mabel, cuidou de mim quando eu era criança.

– Deve ser maravilhoso ter anos de história familiar, conhecer exatamente a sua origem – comentou Rebecca, tomando uma colherada de sopa.

– Por um lado, sim. – Anthony deu um suspiro. – Mas como contei mais cedo, quando Violet morreu foi como se uma mortalha tivesse caído sobre esta casa. Sabia que o vestido que a senhorita usou mais cedo era dela?

Rebecca o encarou e sentiu um arrepio repentino lhe subir pela espinha.

– Sério?

– Sim. E a filha de Violet, Daisy, minha mãe, guardou todos os vestidos dela, mantendo-os em perfeito estado. E embora ela nunca tenha conhecido a mãe, já que Violet morreu no parto dela, ela a idolatrava, ou pelo menos a ideia de quem sua mãe tinha sido. Como eu idolatrava a *minha* – disse Anthony com tristeza.

– Quanto tempo faz que sua mãe morreu? – perguntou Rebecca com delicadeza.

– Já faz 25 anos. Para dizer a verdade, ainda sinto saudades. Éramos muito próximos.

– É, perder a mãe é a pior coisa do mundo – concordou Rebecca.
– Éramos só nós dois, sabe? Ela era tudo para mim.
– E o seu pai?
O rosto marcado de Anthony ficou sombrio.
– Ele não era um homem bom. A pobre da minha mãe sofreu horrores na mão dele. Para começar, ele nunca gostou de Astbury e passava a maior parte do tempo em Londres. Minha mãe não chegou a ficar exatamente triste quando ele morreu em um bordel imundo do East End. Parece que bebeu tanto que caiu e quebrou o pescoço.

Rebecca viu a lembrança fazer Anthony estremecer. Compreendia bem o que ele sentia. Um impulso a fez querer lhe dizer que ela também conhecia essa dor, mas não estava pronta para dividir seu segredo com alguém que praticamente não conhecia.

– Eu sinto muito. Deve ter sido difícil para você – conseguiu dizer.
– Obrigado. Eu tinha pouco mais de 3 anos na época, então mal me lembro dele. E não senti sua falta enquanto ia crescendo. Enfim, não vamos mais falar no passado. – Ele pousou a colher de sopa junto à tigela vazia. – Me conte sobre você – pediu, enquanto a Sra. Trevathan levava embora as tigelas e punha um grande pedaço de bife em frente a cada um.

– Ah, acho que eu sou só uma moça americana normal de Chicago – respondeu ela.

– "Normal" nada – discordou Anthony. – Todo mundo diz que estou jantando com uma das mulheres mais conhecidas e mais lindas do mundo. Exatamente como minha avó Violet costumava ser descrita na sua época.

Rebecca corou, encabulada com o elogio à sua aparência.

– Eu tive muita sorte e aproveitei as oportunidades. Muitas jovens atrizes não conseguem.

– Tenho certeza de que o seu talento teve algo a ver com isso – continuou Anthony. – Embora eu não tenha visto nenhum dos seus filmes, como já disse. Mas eu diria também que muitas mulheres são lindas, mas muito poucas têm o magnetismo pessoal que as leva a se destacar. Você tem, e pelo que todo mundo me diz, Violet também tinha. Ela foi a sensação das altas-rodas de Londres e Nova York e recebia a nata da sociedade aqui em Astbury Hall. Bons tempos – acrescentou ele com nostalgia. – Às vezes eu penso que nasci na época errada. Mas chega desse assunto.

Seguiu-se um silêncio, durante o qual Anthony comeu toda a carne macia de seu prato, enquanto Rebecca só fez brincar com a sua. Por fim, ele perguntou:

– Já está satisfeita?

– Sim. – Rebecca encarou cheia de culpa o prato ainda pela metade. – Me desculpe, eu realmente não tenho muito apetite.

– Estou vendo. Quer dizer que nem adianta eu lhe oferecer uma provinha do *crumble* de maçã e amora da Sra. Trevathan?

– Não, obrigada. – Ela disfarçou um bocejo, e Anthony pousou a mão sobre a dela.

– Você está cansada.

– Um pouco. Acordei bem cedo hoje para fazer o cabelo e a maquiagem.

– Claro. E tenho certeza de que a última coisa que você quer é morrer de tédio com um velho rabugento como eu. Que tal subir, e eu peço para a Sra. Trevathan levar um pouco de leite quente? Pode parecer antiquado, mas o leite tem propriedades soporíferas.

– Tem certeza de que não se importa?

– É claro que não. Mas talvez eu solicite de novo o prazer da sua companhia. Apesar de em geral preferir ficar sozinho, gostei muito do nosso jantar hoje. Ah, Sra. Trevathan... – Anthony ergueu os olhos. – Rebecca vai se recolher, e eu disse que a senhora poderia levar um leite quente para ela no quarto.

– Claro, milorde.

– Bem, minha cara. – Anthony se levantou junto com Rebecca, segurou sua mão e a beijou. – Foi um prazer. Durma bem.

– Pode deixar. E muito obrigada mesmo pelo jantar.

Deitada na cama, com um copo de leite morno ao lado e admirando um denso crepúsculo que ainda parecia relutar em se render por completo à noite, Rebecca rememorou a conversa com Anthony. Com seus bons modos perfeitos e seu jeito peculiar de falar, ele era, tanto quanto a casa em si, uma relíquia do passado. Mas morando ali, em meio a todos aqueles hectares gloriosos porém vazios, num casarão intocado pelo presente, era fácil imaginar como devia ser a vida cem anos antes. Sem o elenco e a equipe, quando a casa retomava seu ritmo habitual, ela própria também sentia a realidade moderna ir se dissipando aos poucos.

Rebecca se sacudiu; no dia seguinte precisava se obrigar a retornar ao presente, o presente que existia fora do mundo encantado de Astbury, e fazer um esforço para entrar em contato com Jack. Ela apagou a luz e se acomodou para dormir.

Mais uma vez, em algum momento das horas vagarosas que antecediam a aurora, sentiu um forte cheiro de flores que encheu suas narinas e a fez sonhar com lugares exóticos que ela ansiava por conhecer, mas que nunca tinha visitado. Então teve certeza de escutar alguém cantando, um som agudo que a tirou do sono. Levantou-se da cama e, desorientada, ainda com o som ecoando nos ouvidos, caminhou até a porta e a abriu. O corredor lá fora estava escuro, e o som cessou abruptamente.

Tinha sido um sonho, convenceu-se Rebecca. Voltou para a cama e tornou a se deitar. O silêncio agora reinava outra vez, mas o som da voz aguda e melodiosa permaneceu com ela e a ninou até que ela adormecesse de novo.

5

Mumbai, Índia

Ari sentiu-se feliz por estar em casa. Tinha tido um dia longo no trabalho, ao fim de uma semana difícil. Abriu a porta do seu duplex e foi direto até a cozinha se servir uma dose generosa de gim-tônica na esperança de que a bebida ajudasse a acalmar os nervos à flor da pele. E na torcida também de que Lali não começasse a reclamar que ele bebia demais. Em comparação com alguns de seus colegas de trabalho ocidentais, seu consumo de álcool não era nada. Foi até a sala e, ao encontrá-la vazia, concluiu que Lali devia estar tomando banho lá embaixo. Jogou-se no sofá e tomou um gole da bebida.

Perguntou-se por que andava tão nervoso nos últimos tempos, uma vez que a sua empresa estava indo de vento em popa. Sobretudo com a crise global forçando os Estados Unidos e a Europa a olharem para a Índia e suas possibilidades de baixos custos. Eles agora tinham trabalho além da conta, e isso era parte do problema, concluiu ele com um suspiro. Tentar encontrar gerentes capazes e confiáveis para ajudá-lo a lidar com a demanda estava se revelando um pesadelo. Consequentemente, ele estava executando o trabalho de dez funcionários.

Lali vivia insistindo para ele tirar umas férias, mostrando-lhe folhetos de resorts relaxantes na praia. Ela não parecia entender que aquilo era impossível de cogitar no momento.

– Quando eu encontrar uma equipe na qual possa confiar, nós vamos, prometo.

– Ari, meu amor, já faz três anos que você diz isso – respondia ela com tristeza, pegando os folhetos das suas mãos e os jogando no cesto de lixo.

Depois desses desabafos, Ari sentia-se culpado e sempre chegava em casa com alguma joia escolhida por sua secretária, ou então com um vestido de um dos estilistas preferidos de Lali. Desculpava-se profusamente por deixá-la em segundo plano e esforçava-se para chegar a tempo de levá-la para jantar. Nos dias seguintes, os dois conversavam sobre formas de passar mais tempo juntos, mas na semana seguinte Ari já voltava para seu ritmo de trabalho habitual de dezoito horas.

Enquanto secava o gim-tônica e ia se servir outro, ele admitiu para si mesmo que, por frustração, às vezes gritava com ela.

– De que outro jeito vamos conseguir dinheiro para pagar a hipoteca deste duplex? Ou para comprar todas as roupas que você tem no armário?

A resposta dela era sempre a mesma:

– Eu não ligo para onde moro ou o que visto. Quem dá valor a isso é *você*, Ari, não eu.

Claro que aquilo não era verdade, pensou ele ao entrar na varanda do apartamento e olhar para o mar da Arábia, para além da praia. Ela gosta de pensar que não sentiria falta disso tudo, mas sentiria, sim.

Além dos seus horários de trabalho, Ari sabia que havia um problema muito maior entre os dois. Lali estava com quase 30 anos e ansiosa para se casar. Ele não a culpava por isso; ela mesma tinha aceitado um meio-termo e, contrariando a vontade da própria família, havia ido morar com ele quatro anos antes, confiando que ele em breve a pediria em casamento. No entanto, por mais que tentasse, Ari nunca conseguia se convencer a dizer as palavras que ela queria escutar. Não sabia muito bem por que isso acontecia, já que não restavam dúvidas de que amava Lali. Ela era linda, e sua índole doce e temperamento calmo eram um contraponto perfeito à personalidade dele, mais explosiva. Como seus amigos tinham tantas vezes dito, ela era o seu par perfeito.

Então o que ele estava esperando? Já tinha 36 anos, e antes de Lali havia aproveitado a vida com uma porção de mulheres lindas. Por algum motivo, porém, um instinto dentro dele o impedia de dar o derradeiro salto.

Nas últimas duas semanas, tinha reparado que ela se afastara dele, e muitas vezes não estava em casa para lhe servir o jantar e acolhê-lo após seu longo dia de trabalho. Dizia que estava passando mais tempo na academia, ou então saindo com as amigas. E quem podia culpá-la? Muitas vezes, quando estava trabalhando de casa, ele mal reparava em sua presença.

Ari voltou para dentro e pôs-se a procurá-la pelo grande apartamento. Nessa noite estava sentindo falta dela, e pelo visto ela sequer lhe deixara um bilhete ou lhe mandara uma mensagem de texto dizendo onde estava. Ele tomou uma chuveirada, depois foi até a geladeira procurar algo para comer. Esquentou no micro-ondas os restos da noite anterior, serviu-se uma taça de vinho e foi para a sala. Ligou a imensa televisão e ficou zapeando até encontrar uma partida de futebol inglês. Tinha trabalho a fazer, como sempre, mas nessa noite estava se sentindo exausto demais para cogitar produzir qualquer coisa.

A única boa notícia no horizonte era que um jovem vendedor, que ele havia contratado dois anos antes, estava tendo um desempenho muito superior ao dos colegas. Ari tornara a entrevistá-lo quinze dias antes e lhe oferecera uma promoção para assumir a liderança da divisão indiana no negócio, que também vinha crescendo à medida que a economia aquecia. Se Dhiren mostrasse serviço nos seis meses seguintes, Ari achava que ele tinha potencial para virar diretor.

Dali a três semanas ele iria viajar para conhecer potenciais clientes em Londres. Precisava de alguém para tocar o barco enquanto estivesse viajando, e esse seria um bom teste.

Quem sabe não devesse convidar Lali para acompanhá-lo, pensou. Embora fosse sobrar pouco tempo para passear com ela, talvez ela gostasse de ver as atrações turísticas. Sim, decidiu, iria sugerir isso quando ela chegasse.

Às onze e meia, ele apagou as luzes da sala e desceu para o quarto. Lali não costumava ficar fora até tão tarde, quanto mais sem lhe dizer onde estava. Sua cabeça começou a latejar. Ele tentou ligar para o celular dela, mas a ligação caiu direto na caixa postal. Deve estar emburrada, pensou, recordando as várias ocasiões em que ela já tinha ameaçado terminar com ele. Mas ele sempre conseguia convencê-la a ficar com seu poder de persuasão. Dessa vez conseguiria de novo.

Às oito horas da manhã seguinte, quando estava engolindo um café antes de sair para o trabalho, Ari ouviu a chave girar na fechadura. Lali entrou na cozinha com uma cara pálida e abatida. Sem a maquiagem perfeita de todo dia, ela parecia uma criança pequenina e cansada. Ficou parada junto à porta da cozinha, e Ari se deu conta de que ela estava nervosa.

– Onde você estava, posso saber? – perguntou ele.

– Dormi na casa dos meus pais.

– Ah, é? Pensei que você não falasse mais com eles – disse ele, espantado.

– Eu não falava. Sabia que você não gostava deles.

– Alto lá – rebateu Ari. – Se bem me lembro, quando você contou que estava vindo morar comigo, eles disseram para nunca mais pôr os pés na casa deles. Pensei que você também não gostasse tanto assim deles.

Ela o encarou, e seus imensos olhos escuros ficaram marejados.

– Ari, eles são meus pais. Todos os dias senti falta deles e culpa por tê-los decepcionado.

– Decepcionado? – Ari a encarou. – Como assim? Você tomou uma decisão com a qual eles não concordaram, só isso.

– Eu... – Ela suspirou e balançou a cabeça. – Ari, eu acho que você é muito diferente de mim.

– Como assim?

– Agora não tem importância. – Ela deu de ombros com tristeza. – Eu não quero brigar.

– Lali, que história é essa? Vamos lá, desembuche.

Ela fez uma pausa, então se preparou, respirando fundo.

– Ari, eu vou voltar para a casa dos meus pais. Só vim aqui buscar minhas coisas.

– Certo. E esse novo esquema é por uma noite? Por um mês? Ou para sempre?

– Para sempre. Eu sinto muito.

– Então na verdade o que você está tentando me dizer é que está me deixando? – quis confirmar ele, entendendo por fim.

– É. Eu não quero briga nem conversa. Só quero pegar minhas coisas e ir embora.

Ari pôde ver que ela estava tremendo de nervosismo. Aquiesceu devagar.

– Está bem. Tem certeza de que não quer conversar?

– Tenho. Não há nada mais a dizer. Vou começar a fazer as malas.

Ele ficou olhando enquanto ela lhe dava as costas e saía da cozinha. Não estava tão preocupado assim: os dois já tinham passado por essa situação antes. No entanto, a perspectiva de ela voltar para a casa dos pais, que nunca tinham gostado dele, não era nada favorável. Ele se levantou da mesa e desceu até o quarto atrás dela.

– Lali, *pyari*, dá para ver que você está muito chateada, mas eu realmente acho que a gente deveria conversar. Na verdade eu ia sugerir que você fosse comigo à Europa. Tem razão, a gente precisa descansar um pouco, passar um tempo juntos.

– Esse tempo não vai existir, Ari, nunca existe. Você vai passar o dia inteiro em reunião e eu esperando você no hotel. E quando chegar vai estar cansado demais para fazer qualquer coisa além de dormir. – Lali tirou uma mala da parte de baixo do guarda-roupa, pôs em cima da cama e foi até a cômoda. Começou a jogar coisas dentro da mala.

– Lali. – Ele se aproximou para abraçá-la. – Eu...

– Não toque em mim! – gritou ela, esquivando-se do abraço e voltando ao guarda-roupa para tirar as roupas dos cabides.

– Lali, por que você está com tanta raiva? Por favor me diga. Eu te amo, *pyari*, você sabe disso. Não quero que vá embora.

– Pois é. – Ela então ergueu os olhos para ele, e sua expressão estava triste. – Eu acredito em você. Mas preciso ir, por mim. – Lali baixou a cabeça e seus olhos se encheram de lágrimas.

– Mas por quê? Eu achei que estivesse tudo bem entre a gente, e as coisas têm andado bem ultimamente. Eu...

– Eu sei que você acha que estava tudo bem – disse ela, fechando a mala e então pegando uma bolsa de lona e começando a pôr lá dentro os produtos de beleza da penteadeira. – Ari, não é culpa sua. É assim que as coisas são e pronto.

– Meu amor, não estou entendendo o que você querendo dizer. Se a culpa não é minha, de quem é?

Lali parou o que estava fazendo, deu um longo suspiro e deixou o olhar se perder ao longe.

– Nós queremos coisas diferentes na vida, só isso. Eu quero um casamento, filhos, e um marido que consiga tirar um tempo no dia para aproveitar minha companhia. – Seu olhar se moveu na direção dele e ela deu um sorriso fraco. – Tudo que você quer é sucesso e dinheiro. Espero que isso lhe traga a felicidade que você pensa que vai trazer. – Lali fechou a bolsa de lona e puxou a mala de cima da cama. – Agora preciso ir, meu pai está me esperando lá embaixo. – Ela levou a mão ao bolso da calça jeans e tirou um molho de chaves. – Aqui estão as chaves do apartamento e do carro. – Depositou-o em cima da penteadeira e o encarou. – Adeus, Ari. Vou continuar amando você e torcendo pela sua felicidade.

Ari ficou parado, atônito, enquanto Lali tirava as malas do quarto e as arrastava escada acima. Ouviu a porta da frente se fechar atrás dela, e só então conseguiu se mexer. Saiu correndo do apartamento e viu as portas do elevador se fecharem com ela dentro.

– Lali! – Ele esmurrou o botão para fazer as portas se abrirem de novo, mas o elevador já tinha começado a descer. Voltou devagar para dentro do apartamento, fechou a porta e se apoiou nela. Ela não podia estar falando sério, podia? Talvez aquilo fosse apenas um estratagema para fazê-lo se casar com ela. Bem, se fosse, não iria funcionar. Ele não cedia a chantagem, pensou ele, decidido.

Além do mais, duvidava que ela fosse aguentar dois minutos no barraco dos pais. Lá não havia nem água encanada, pelo amor de Deus, e ela era obrigada a dividir um quarto com quatro irmãos e irmãs mais novos. Depois da vida à qual havia se acostumado com ele, não iria gostar nem um pouco disso.

O choque agora estava se transformando em raiva, à medida que ele lembrava o que tinha feito por ela. Lali sempre afirmara não ligar para bens materiais. Dizia que se eles estivessem acampados numa barraca ilegal na praia vendendo feno grego em troca de umas poucas rupias por dia, isso pouco importaria, pois o que ela amava era *ele*.

– Bem – disse ele em voz alta para o apartamento silencioso. – Vamos ver se isso é verdade quando ela tiver passado um tempo na casa dos pais.

Com um tom de desafio renovado, e percebendo que já estava atrasado, Ari pegou as chaves do carro e saiu para trabalhar.

Uma semana depois, não estava mais se sentindo tão seguro de si. Lali não tinha feito contato algum desde que saíra de casa, e ele, apesar de achar que fosse gostar de aproveitar esse tempo para adiantar o trabalho sem ninguém para interrompê-lo, havia passado a maior parte dele observando pelas imensas janelas do apartamento as famílias na praia lotada lá embaixo gritarem de alegria ao entrar no mar agitado.

A verdade era que estava sentindo a sua falta. Mais do que jamais poderia ter imaginado. Várias vezes tinha pegado o celular e digitado o número de Lali, mas então o orgulho se recusara a deixar a ligação se completar. Fora *ela* quem *o* havia abandonado, dizia. E era ela quem devia fazer o primeiro contato. Ele não iria criar caso, pensou. Iria ouvir suas desculpas, aceitá-la de volta sem dizer nada, e então, no seu tempo, pedi-la em casamento. Iria deixá-la vencer...

Com o passar dos dias, porém, sua segurança começara a fraquejar. Nessa noite, sentado sozinho no seu imenso e vazio apartamento, ele desejou ter alguém com quem conversar, com quem se aconselhar sobre o seu dilema. Mas, por mais que pensasse, não lhe ocorria ninguém de quem fosse próximo o bastante para escutá-lo. Ele havia passado os últimos anos ocupado demais para procurar manter contato com os amigos de infância, e desde que decidira não comparecer ao funeral de Anahita, dez anos antes, seu relacionamento com os pais e irmãos havia degringolado. Agora, ele ligava para casa no máximo uma vez por mês e falava com quem atendesse, perguntava sobre a sua saúde e se havia alguma novidade. Mesmo sua mãe, quando atendia, soava fria e distante. E ninguém da sua família nunca mais lhe telefonara espontaneamente.

Eles desistiram de mim, pensou ele com um suspiro, descendo até o andar de baixo e subindo na cama grande e vazia. Entrou debaixo do lençol e ficou deitado ali com as mãos atrás da cabeça, perguntando-se como antes de Lali ir embora nunca parecia haver tempo suficiente para nada. Agora que ela não estava mais ali, porém, as horas da noite se arrastavam como uma névoa vagarosa.

Na manhã seguinte, com um fim de semana longo e vazio pela frente, Ari se decidiu. Precisava engolir o orgulho e ir atrás dela. Tomou coragem, digitou seu número de celular, e pela primeira vez esperou a ligação se completar sem desligar. Em vez de ouvir a voz alegre de Lali pedindo para deixar recado, porém, escutou uma gravação genérica indicando que o número não existia.

Pela primeira vez desde que ela fora embora, sentiu uma pontada de medo lhe apertar o coração. Até então tivera certeza de que aquilo era apenas uma batalha de egos que ele estava disposto a perder com elegância. Não lhe ocorrera sequer por um segundo que Lali pudesse estar falando sério quanto a encerrar o relacionamento deles.

Tentou ligar para o celular dela outra vez, mas ouviu a mesma gravação. À medida que seu pânico crescia, começou a pensar em como poderia encontrá-la. Só sabia que os seus pais moravam em algum lugar no meio das ruas labirínticas de Dharavi – tinha ido lá uma vez, mas não fazia ideia de como reencontrar o caminho. Então vasculhou a mente em busca de amigas dela que conhecia. Lali havia mantido sua vida social para si, pois muitas das meninas com as quais fora criada eram de famílias pobres como ela. Entendia que as amigas não eram o tipo de mulher sofisticada que se pudesse convidar para um jantar em casais no Indigo Café. Ari não fazia a menor ideia de como encontrar qualquer uma delas.

Perguntou-se como era possível ter morado debaixo do mesmo teto de Lali nos últimos quatro anos sem saber quase nada sobre a sua vida fora do apartamento. *Será que eu sou o responsável por isso?*, foi a pergunta brutal que se fez enquanto andava de um lado para o outro pela varanda banhada de sol.

É claro que sim, reconheceu afinal. Com certeza, no que dizia respeito aos pais dela, deixara bem claro não ter interesse algum em se aproximar. E não fizera a menor questão de tentar, nem mesmo por ela. Os pais não eram más pessoas... eram pobres, sim, mas trabalhadores e hinduístas devotos, e haviam criado os filhos de acordo com sólidos valores morais e lutado para lhes proporcionar a melhor educação que seus escassos recursos permitiam.

Ari desabou exausto numa cadeira e se inclinou para a frente com a cabeça nas mãos. Deu-se conta de ter sido arrogante não só com eles, mas também com o que eles representavam – a fé cega em seus deuses, a humildade e a aceitação da própria condição, era isso que desprezava. Os pais de Lali eram a "velha Índia", iguaizinhos aos seus, cuja índole servil fora forjada ao longo de cem anos de domínio britânico.

A geração mais antiga não parecia entender que o poder tinha mudado, que não havia mais por que ser subserviente. A geração na qual ele nascera estava chegando à maioridade, nada os segurava, e o céu era o limite.

Ele tentara fugir dos antigos valores que, segundo julgava, acabavam limitando quem acreditava neles. Sentado ali, olhando para o nada, percebeu que estava com raiva. Mas por quê?

De repente, fez algo que proibira a si mesmo de fazer por muitos anos. Segurou a cabeça entre as mãos e chorou.

À medida que deparava com aquilo em que havia se transformado e por quê, Ari soube que não esqueceria tão cedo as horas sombrias daquele fim de semana. Não tinha certeza se estava chorando a perda de Lali, ou por causa de si mesmo e da pessoa solitária, obcecada por si mesma e irritadiça que havia se tornado. Enquanto a dor gritava dentro dele, pensou se estaria tendo algum tipo de colapso nervoso, talvez o resultado de quinze anos se esfalfando, dia após dia, sem trégua.

Deu-se conta de que, sim, havia construído uma empresa de sucesso e colhido os benefícios financeiros disso. Mas, ao fim desse processo, perdera a si mesmo.

Tentou destrinchar os motivos da sua raiva e, mais assustador ainda, o fato de ter deixado de lado qualquer emoção e compaixão que um dia tivera dentro de si. Relembrou a época no colégio interno na Inglaterra e o modo como os meninos o desprezavam simplesmente por ele ser indiano. A independência da Índia podia ter acontecido sessenta anos antes, mas na época os britânicos de classe alta ainda não tinham aberto mão da crença na própria superioridade empírica.

Para piorar, seus pais tinham sentido um orgulho enorme do filho. Apesar de *sua* opinião sobre as inúmeras e terríveis consequências do domínio britânico para o povo indiano, a cultura e a tradição dos governantes tinham sido impressas de modo indelével em sua gente. Para seus pais, o fato de um menino indiano frequentar um colégio interno britânico era a verdadeira glória.

Mas Ari sabia que, embora seus cinco anos na Inglaterra tivessem contribuído para sua necessidade de provar que era tão digno e inteligente quanto qualquer garoto inglês, a motivação para alcançar o sucesso viera de dentro dele mesmo. E também entendia que, ao se esquivar de todas as qualidades que tornavam seu povo único, ele havia se tornado tão imperialista quanto aqueles que um dia tinham dominado o seu país. Havia perdido sua alma indiana.

No domingo à noite, Ari saiu do seu prédio e perguntou à primeira pessoa que encontrou na Juhu Tara Road como chegar ao templo mais próximo. Constrangido, explicou que não conhecia Mumbai.

Uma vez no templo, tirou os sapatos e se entregou aos rituais de adoração e prece que anos antes eram tão naturais para ele quanto respirar, mas que agora lhe pareciam estranhos e desconhecidos. Fez oferendas de *puja* não para Lakshmi, deusa da riqueza, como tinha feito nos últimos anos em suas raras visitas, mas sim para Parvati, deusa do amor, e para Vishnu, o todo-poderoso deus preservador e protetor. Pediu-lhes perdão, principalmente pelo modo como havia se distanciado de seus pais. E implorou para que Lali voltasse.

Logo que chegou em casa, já mais calmo, Ari ligou para os pais. E quem atendeu foi a mãe.

– Oi, Ma. Hã...

– O que houve, *beta*?

Ela havia percebido na mesma hora que havia algo errado, e ele desabou a chorar. Suplicou pelo seu perdão e também pelo do pai e dos irmãos.

– Me perdoa, Ma, me perdoa – falou, aos prantos.

– Meu filho, escutar você assim me parte o coração. Quem partiu o seu, foi Lali?

Ari fez uma pausa.

– Como você sabe, Ma?

– Ela não lhe disse que veio nos ver duas semanas atrás?

– Não, não disse nada.

– Entendi.

– O que ela falou, Ma?

– Ela falou... – Ari ouviu Samina suspirar. – Ela falou que não podia mais esperar até você resolver se comprometer com ela. Que agora tinha certeza de que era porque você não a amava o suficiente e que o melhor era deixar você livre. Você sabia que ela queria muito uma família, *pyari*.

– Sim. Sim, é claro que eu sabia. E ainda sei. Ma, por favor, acredite em mim, eu a amo. Sinto falta dela... e quero que ela volte para casa. Se você souber onde ela está, diga que eu falei isso. Eu... – Ari não conseguiu continuar.

– Ah, meu filho, eu sinto muito, mas ela não vai voltar para você.

– Por que não?

Ari percebeu que estava falando como um menino mimado de 3 anos perguntando por que não podia brincar com seu brinquedo predileto.

– Sinto muito ter que ser eu a lhe contar isso, mas talvez seja melhor você saber. Com certeza se lembra de que os pais de Lali tinham arranjado um casamento para ela, que ela recusou quando conheceu você.

– Sim. – Ari se lembrava vagamente. – Algum primo perto de Kolkata, se bem me lembro. Ele era agricultor e bem mais velho do que ela. Lali disse que o detestou desde a primeira vez que o viu.

– Bem, pode ser que tenha detestado, ou pode ser que não – falou Samina, em dúvida. – Mas ela se casou com ele ontem.

O choque fez Ari emudecer.

– Ari, você está aí?

– Estou. – Ele conseguiu recuperar a voz. – Por quê? Eu não entendo...

– Eu entendo – respondeu a mãe, com suavidade. – Lali já está com quase 30 anos, Ari. Ela não tem nenhum ofício ou profissão com a qual ganhar a vida e os pais não têm meios para lhe dar um dote. Ela disse que pelo menos com esse homem mais velho teria uma vida tranquila e financeiramente segura.

– O quê?! – Ele mal conseguia acreditar no que a mãe estava dizendo.
– Mas, Ma, ela estava tranquila e segura aqui comigo! Eu posso não ter dedicado tempo suficiente a ela, mas financeiramente dei tudo que podia.
– Sim, mas deixou de dar a única coisa de que ela precisava. Aquilo que toda mulher gostaria de ter, especialmente na Índia.
– Casamento, você quer dizer? – grunhiu Ari.
– Claro. Como a própria Lali disse, se você em algum momento se cansasse dela, poderia jogá-la na rua sem um tostão no bolso. Não sendo sua esposa, ela não tinha nenhum direito, nenhum status, nenhum bem... são coisas muito importantes, você precisa entender.
– Queria tanto que ela tivesse falado comigo sobre isso...
– Eu acho que ela falou, muitas vezes, até que desistiu. – Samina suspirou. – Ela disse que você não escutava. Tudo que Lali tinha a seu favor eram a juventude e a beleza. E o tempo estava se esgotando.
– Eu... eu não entendo isso. De verdade, Ma, acredite em mim.
– E é claro que ela era orgulhosa demais para implorar isso a você.
– Ma, o que eu faço? – perguntou ele, em desespero.
– Recomece – sugeriu Samina. – E quem sabe aprenda uma lição também. Mas Lali foi embora para sempre.
– Eu... eu preciso desligar agora, tenho que trabalhar.
– Mantenha contato – ele ouviu a mãe dizer, e sem poder ouvir mais nada, apertou o botão para encerrar a ligação.

Pela primeira vez na vida, Ari não foi trabalhar no dia seguinte. Ligou para Dhiren, seu novo gerente de vendas, e avisou que estava doente e com febre. Passou os dias seguintes dormindo como um animal em hibernação. Só saía da cama para comer, beber e ir ao banheiro. Sua famosa energia parecia tê-lo abandonado, e quando ele viu o próprio reflexo no espelho constatou que estava, de alguma forma, menor, além de pálido, como se uma parte sua houvesse sumido; o que de certa maneira era verdade, pensou, arrasado.

Nos raros momentos em que estava acordado, ficava deitado encarando o teto, perguntando-se como a centelha de determinação que o havia impulsionado todos os dias nos últimos quinze anos podia ter desaparecido. Quando alguém telefonava do escritório, ele não atendia. Simplesmente não conseguia encarar aquilo.

Na terça-feira à noite, ao cambalear até a claridade da varanda e se debruçar no parapeito para observar o mundo que seguia lá embaixo, pensou no próprio futuro. E ali estava ele bem na sua frente, escancarado como um imenso e escuro vazio. Ele segurou a cabeça entre as mãos.

– Lali, eu sinto tanto, mas tanto... – suspirou.

Lá dentro, ouviu o interfone tocar. Correu em direção a ele e, torcendo para ser ela, agarrou o fone.

– Alô?

– *Beta*, sou eu, sua mãe.

– Pode subir – disse ele, sentindo a decepção dominá-lo por não ser Lali. Estava surpreso também: seus pais moravam a cinco horas de carro de Mumbai.

– Meu filho. – Samina estendeu os braços amorosos para o filho quando ele abriu a porta para que ela entrasse.

Nessa hora, toda a tensão e amargura dos últimos dez anos se dissolveram, e Ari ficou ali, aninhado no abraço da mãe, soluçando feito uma criança.

– Eu sinto muito, Ma, me perdoe...

– Ari... – Samina afastou seus cabelos dos olhos e lhe sorriu. – Você voltou para junto da sua família e isso é tudo que importa. Agora que tal fazer um chá para sua velha mãe? Ela dirigiu por muitas horas.

Naquela noite, Ari conversou com a mãe e lhe revelou os pensamentos que o vinham atormentando nos últimos dias e seu pessimismo em relação ao próprio futuro.

– Bem, pelo menos agora o que você me diz vem do coração, não dessa sua cabeça dura – falou Samina para tentar reconfortá-lo. – Passei esse tempo todo me perguntando onde tinha ido parar meu filho, e se ele algum dia voltaria para mim. Esse é um bom começo. Você aprendeu uma lição muito importante, Ari: que a felicidade vem de muitas coisas diferentes, não apenas de uma. Dinheiro e sucesso nunca poderão fazer você feliz se o seu coração estiver fechado.

– Anahita me disse quase a mesma coisa na última vez que a vi – refletiu Ari. – E disse que um dia eu iria perceber isso.

– Sua bisavó era uma mulher muito sábia.

– Sim, e sinto vergonha por não ter estado lá para me despedir dela.

– Bem, se você, como ela, acredita nos espíritos, eu tenho certeza de que ela está aqui conosco lhe dando o seu perdão. Mas agora... – Ela bocejou. – Estou cansada da viagem, preciso dormir um pouco.

– Claro – respondeu Ari, e a levou até um dos quartos de dormir lindamente mobiliados do andar de baixo.

– Quanto espaço só para você – comentou Samina enquanto Ari colocava sua mala de viagem no chão. – E uma noite inteira sem seu pai roncando no meu ouvido. Acho que não vou querer ir embora nunca mais!

– Fique o quanto quiser, Ma – disse Ari, surpreso por estar sendo de fato sincero e envergonhado por nunca a ter convidado antes para vir à sua casa. – E obrigado por ter vindo – concluiu ele, dando-lhe um beijo de boa-noite.

– Você é meu filho, e eu estava preocupada. Por maior que seja o seu apartamento ou por mais rico que você seja, continua sendo meu amado primogênito. – Samina acariciou afetuosamente o seu rosto.

Meia hora depois, ao ir para a cama, Ari se sentiu estranhamente reconfortado com o fato de a mãe estar dormindo a poucos metros dele. Sentia-se agradecido por ela não julgá-lo apesar de seu antigo comportamento e pelo fato de ela ter vindo vê-lo imediatamente quando soube que ele estava em dificuldades. Então pensou em Anahita e no modo como ela havia se recusado a acreditar durante todos aqueles anos que o *seu* primogênito estava morto.

Será que existia *mesmo* um sexto sentido de mãe em relação a um filho?

Os olhos de Ari foram atraídos para a penteadeira. Lá dentro estava guardada a história de sua bisavó, intocada durante onze anos. Apesar de estar sozinho, ele sentiu um rubor lhe subir à face, da mesma forma que tinha acontecido da última vez que ele estivera na sua presença.

Se ela *estivesse* ali agora, Ari torceu para que pudesse escutar o quanto ele se arrependia de ter ignorado aquilo que ela lhe confiara. Saiu da cama, abriu a gaveta e pegou as folhas amareladas. Ao observar a caligrafia impecável, constatou que o texto estava escrito numa letra miúda e em um inglês correto.

Podia sentir as pálpebras pesadas. Agora não era o momento de tentar decifrar aquelas palavras, mas ele prometeu a si mesmo que começaria a ler no dia seguinte.

No dia seguinte, Ari levou a mãe para tomar café da manhã na rua antes de ela iniciar a longa viagem de volta para casa.

– Vai voltar ao trabalho amanhã? – perguntou Samina. – Deveria. Vai ajudar a distrair sua cabeça, em vez de ficar zanzando sozinho por aquele apartamento sem alma.

– Francamente, Ma – disse Ari, rindo. – Num minuto você me repreende por trabalhar demais, e no seguinte está me empurrando de volta para o escritório!

– Na vida deve sempre haver um equilíbrio, e você precisa achá-lo na sua. Aí talvez encontre a felicidade que está buscando. Ah, e antes que eu me esqueça. – Samina enfiou a mão na bolsa e tirou de lá um exemplar surrado do livro de poemas de Rudyard Kipling chamado *Recompensas e fadas*, que lhe entregou. – Seu pai mandou para você. Disse que você deveria ler o poema "Se", e mandou dizer que é um dos seus preferidos.

– Sim. – Ari sorriu. – Eu conheço, mas não leio desde os tempos da escola.

Depois de a mãe partir, não sem antes conseguir uma promessa sua de visitar a família assim que voltasse de viagem, Ari pegou o carro e foi até o escritório.

Chamou Dhiren à sua sala e disse que lhe confiaria a empresa enquanto estivesse em Londres, e que talvez passasse mais tempo fora do que havia previsto anteriormente.

Vinte e quatro horas depois, embarcou no voo noturno para Heathrow. Ignorando as opções de filmes, releu o poema de Rudyard Kipling que o pai tinha lhe mandado e abriu um sorriso de ironia. Tinha entendido o recado. Então pediu uma taça de vinho e tirou da pasta a pilha de folhas amareladas da bisavó.

Jaipur, India

1911

6

Anahita

Eu me lembro, filho. Na calada da noite, a mais leve brisa era um alívio abençoado para o calor seco interminável de Jaipur. Muitas vezes, eu e as outras mulheres e crianças da zenana subíamos até os telhados do Palácio da Lua e lá fazíamos nossas camas.

A cidade de Jaipur fica numa planície, cercada por montanhas desertas e marrons. Quando eu era criança, achava que devia morar no lugar mais lindo da terra, pois a cidade em si tinha um quê de conto de fadas. As construções eram todas pintadas no tom de rosa mais bonito que se pode imaginar. As ruas largas eram ocupadas por casas com cúpulas, treliças intrincadamente trabalhadas e varandas de colunas elegantes. E, naturalmente, o Palácio da Lua em si tinha a melhor localização de todas – cercado por jardins luxuriantes, era uma cidade em si. O interior era um labirinto onde arcos de borda trabalhada conduziam a pátios internos, que por sua vez tinham os próprios segredos para revelar.

E até os moradores de Jaipur eram muito coloridos: os homens usavam turbantes em vivos tons de amarelo, magenta e vermelho-rubi. Eu às vezes ficava olhando para eles de um dos altos terraços do palácio de onde se via a cidade, e pensava como eles pareciam centenas de formigas brilhantes permanentemente atarefadas.

No meu palácio no centro da cidade mágica, onde eu vivia em meio à nata da região, era fácil me sentir uma princesa, como de fato o eram muitas de minhas companheiras de brincadeiras.

Mas é claro que eu não era uma princesa.

Até os 9 anos, tinha morado no meio do povo das ruas que via lá embaixo.

Tira, minha mãe, vinha de uma longa linhagem de *baidh*, palavra indiana usada para se referir a videntes e curandeiras. Desde que eu era bem nova, ela me fazia sentar ao seu lado enquanto as pessoas da cidade vinham consultá-la para pedir ajuda para seus problemas. Em nosso pequeno jardim dos fundos, cultivava muitas ervas perfumadas usadas para confeccionar suas poções ayurvédicas, e eu a vi inúmeras vezes moer o *guggulu*, o *manjishtha* ou o *gokhru* no seu *shil noda* para preparar algum remédio. O cliente parecia tranquilizado e ia embora com o coração mais feliz, pensando que iria conquistar o seu verdadeiro amor, que o seu tumor maligno iria sumir, ou então que dali a um mês iria engravidar.

Às vezes, quando alguma cliente do sexo feminino ia à sua casa, minha mãe pedia à empregada que me levasse para passear por uma ou duas horas. Comecei a reparar que, quando ela pedia isso, a mulher estava sempre sentada nas almofadas da nossa sala dos fundos com uma expressão tensa e apavorada no rosto.

É claro que eu na época não sabia *como* minha mãe ajudava essas mulheres, mas hoje sei. Ela as ajudava a se livrar de bebês indesejados.

Meu filho, você talvez pense que esse ato é um pecado contra os deuses. Em geral acontecia porque a mulher já tinha meia dúzia de filhos ou mais – naquela época não havia modos de impedir a gravidez na Índia – e a família era tão pobre que simplesmente não podia ter mais uma boca para alimentar. Por outro lado, ela também ajudava as mães quando um bebê *queria* vir ao mundo. E conforme eu fui crescendo começou a me levar junto para ajudar. Na primeira vez que vi um bebê nascer, confesso que tapei os olhos, mas como acontece com qualquer outra coisa, sobretudo no que tange à natureza, nós nos acostumamos à visão e começamos a enxergar aquilo como o milagre que de fato é.

Às vezes minha mãe e eu saíamos no pônei que meu pai mantinha num estábulo fora da cidade, e íamos visitar os vilarejos ao redor de Jaipur. E foi então que eu comecei a entender que nem todo mundo vivia numa cidade cor-de-rosa de contos de fadas, com pais amorosos e comida na mesa todos os dias. Vi coisas terríveis naquelas visitas: miséria, doença, fome e todo o sofrimento que os seres humanos podem vivenciar. Aprendi muito jovem que a vida não é justa. Foi uma lição da qual me lembraria pelo resto dos meus dias.

Como todo hindu, minha mãe era extremamente supersticiosa, embora meu pai costumasse brincar com ela dizendo que no seu caso isso atingia píncaros nunca dantes visitados. Certa vez, quando eu tinha 6 anos, estávamos nos preparando para viajar e ir visitar parentes a mais de trezentos quilômetros de distância para o Holi, um alegre festival no qual cada um joga o máximo que consegue de terra colorida nos outros. No final do dia, todo mundo fica coberto da cabeça aos pés com todos os tons do arco-íris.

Nesse dia, saímos de casa e começamos a percorrer a estrada até a estação de trem de modo a iniciar a primeira parte da viagem. De repente, uma coruja branca passou voando bem na nossa frente, e minha mãe estacou de repente, com uma expressão consternada.

– Não podemos ir – disse ela a meu pai e eu. – Precisamos voltar.

Meu pai, acostumado com as superstições da minha mãe e com vontade de visitar os parentes para o Holi, sorriu e balançou a cabeça.

– Não, minha *pyari*, foi apenas uma linda criatura que passou voando por nós. Não significa nada.

Mas minha mãe já tinha girado nos calcanhares e estava caminhando de volta em direção à nossa casa. Apesar dos protestos do meu pai, recusou-se terminantemente a mudar de ideia. Assim, nesse fim de semana, ficamos os três ali sentados, meu pai e eu emburradíssimos pensando em todos os primos, tios e tias que estavam aproveitando juntos a diversão do Holi a centenas de quilômetros dali.

No dia seguinte, porém, ficamos sabendo que a região tinha sido devastada por enchentes. E que justamente o trem no qual teríamos embarcado havia atravessado uma ponte e a feito desabar com o seu peso. O trem e os passageiros tinham caído nas águas revoltas de lama vermelha. Cem almas da nossa cidade não voltaram para casa.

Depois disso, até mesmo o meu pai começou a levar mais a sério as intuições da minha mãe. Conforme fui ficando mais velha, ela começou a me ensinar remédios simples para tosse, resfriados e corações partidos. Fui instruída a observar e aprender o calendário lunar – de modo que os remédios eram mais potentes se fabricados em determinadas épocas do mês e não em outras. Ela me disse que a lua conferia a nós, mulheres, o poder feminino. E que a natureza, que os deuses haviam criado para os seres humanos a fim de prover tudo que necessitávamos, era a força mais poderosa do planeta.

– Um dia, Anni, você vai ouvir os espíritos cantando para você – disse-me ela ao me colocar para dormir. – Então vamos saber com certeza que o dom foi transmitido para você.

Na época não entendi o que ela quis dizer, mas mesmo assim concordei com um meneio de cabeça.

– Sim, Maaji – falei quando ela me deu um beijo de boa-noite.

Eu sabia que, para a família da minha mãe, ela havia se casado com um homem inferior. Minha mãe nasceu numa casta alta. Era prima da marani de Jaipur, embora na realidade eu sempre tenha tido a impressão de que todo mundo que eu conhecia na Índia era primo nosso ou de algum conhecido. Desde os 2 anos, minha mãe estava prometida em casamento a um primo rico de Bengala, que por falta de sorte havia contraído malária aos 16 e morrido. Enquanto os pais da minha mãe procuravam outro pretendente, ela conheceu meu pai no festival de Navratri e eles iniciaram um relacionamento secreto composto inteiramente por cartas clandestinas.

Quando meus avós lhe anunciaram que tinham encontrado um marido de casta alta porém mais velho, de 50 anos, que desejava fazer da minha mãe sua terceira esposa, ela ameaçou fugir a menos que eles lhe permitissem desposar meu jovem e bonito pai. Não sei que aventuras meus pais viveram para conseguirem se ver – quando eu nasci as histórias já tinham entrado para o seu folclore pessoal – mas meus avós depois de relutarem acabaram concordando com o enlace.

– Eu disse aos seus avós que não podia dar à sua filha rubis, pérolas e um palácio para morar, mas que poderia sempre abrigá-la no amor – dissera-me meu pai. – E minha *beti*, você também precisa se lembrar que amar e ser amada vale mais do que todos os tesouros do reino de um marajá.

Kamalesh, meu pai, era o total oposto da minha mãe. Filósofo, poeta e escritor, seguia a ideologia de Rabindranath Tagore, o famoso poeta e ativista brâmane. Ganhava uma miséria publicando um panfleto sobre seus pensamentos radicais, principalmente sobre a ocupação britânica da Índia. Havia aprendido sozinho um inglês perfeito, e por ironia, considerando suas opiniões políticas, bancava seus escritos dando aulas a indianos de alta casta que desejavam aprender o idioma para poderem conversar com seus conhecidos britânicos.

Ele também ensinou a mim, sua filha, não apenas inglês, mas toda uma gama de assuntos, de história a ciência. Enquanto as outras meninas indianas aprendiam a arte do bordado e das preces que era preciso fazer a Shiva para arrumar um marido bom e gentil, eu lia *A origem das espécies* de Darwin e estudava matemática. Também já sabia montar a cavalo sem sela aos 8 anos e galopava pelas planícies chapadas e desertas nos arredores da cidade, enquanto meu pai me instigava a ir mais depressa até alcançá-lo. Eu o adorava, como todas as menininhas adoram os pais, e dava o melhor de mim para agradá-lo.

Assim, entre meu pai radical, que considerava tudo de um ponto de vista lógico, e minha mãe, que certa vez viu um morcego no quarto deles e mandou chamar uma *ojha* para tirar os maus espíritos da casa, eu cresci com uma visão de mundo mais variada do que o normal. Havia muito de cada um dos dois dentro de mim, mas também algo que era singularmente meu.

Certo dia, enquanto meu pai me consolava no colo depois de eu ver um grupo de meninos espancando um cachorro quase morto de fome na rua, ele ergueu meu queixo para eu poder encará-lo enquanto enxugava minhas lágrimas.

– Anni, você tem um coração sensível que bate mais forte do que cem tablas. Assim como seu pai, odeia a injustiça e defende a igualdade. Mas cuidado, minha Anni, pois os seres humanos são complexos, e a alma deles muitas vezes é cinza, não preta e branca. Onde você acha que vai encontrar bondade, pode encontrar maldade também. E onde só consegue ver maldade, talvez também haja alguma bondade.

Quando eu tinha 9 anos, meu pai morreu inesperadamente durante uma epidemia de febre tifoide que estava assolando a nossa cidade na época da monção. Nem mesmo as poções do considerável repertório de minha mãe conseguiram salvá-lo.

– Estava na hora dele, *pyari*, e eu sabia disso – minha mãe me disse.

Esforcei-me para compreender sua calma aceitação da morte do meu pai. Enquanto eu uivava feito uma possuída junto ao seu corpo sem vida, ela ficou sentada ao seu lado sem chorar, tranquila e parada.

– Anni, quando a sua hora chega e você é chamada, precisa ir – disse ela, para me reconfortar. – Não tem jeito.

Sua resposta não me agradou nem um pouco. Eu esperneei, gritei e me recusei a sair de junto do meu pai quando seu corpo foi posto na pira crematória. Lembro-me de ser arrastada à força enquanto o *swami* começava a entoar o cântico, e a palha sob o corpo era acesa. Quando uma fumaça acre começou a subir, eu me virei e me escondi na saia da minha mãe.

Depois que meu pai morreu, nosso sustento ficou escasso. A marani de Jaipur, por ser prima da minha mãe, nos convidou para morar com ela, então nos mudamos, as duas, de nossa bela casa na cidade para o Palácio da Lua e para a zenana.

A zenana era onde as mulheres do palácio viviam, todas juntas, separadas dos homens. Porque a lógica, naquela época, era que, a partir do momento que a puberdade começava, todas as mulheres abraçassem a tradição do *purdah*. Homem nenhum podia ver nosso rosto, com exceção do marido ou de parentes próximos. Mesmo que uma de nós adoecesse, o médico era obrigado a fazer o diagnóstico por trás de um biombo. E quando saíamos em público, nosso rosto e nosso corpo ficavam cobertos por inteiro. Hoje tenho dificuldade para acreditar que era assim, mas nenhuma de nós nunca tinha conhecido nada diferente, e aquilo simplesmente fazia parte do nosso dia a dia.

Assim que cheguei, demorei a me acostumar ao barulho e à agitação da zenana. Em casa tínhamos uma empregada e um menino para cuidar do jardim. Depois de eles irem embora no fim do dia, porém, ficávamos só nós três, e podíamos fechar a porta da frente se quiséssemos nos isolar do mundo lá fora. A vida no palácio era bem diferente. Nós vivíamos, comíamos e dormíamos coletivamente. Às vezes eu ansiava pela paz e privacidade da minha antiga casa, onde podia fechar a porta do quarto e me perder num livro sem ser incomodada.

Mas a vida em comunidade tinha suas vantagens. Nunca me faltava companhia para brincar, pois na zenana viviam muitas meninas da minha idade. Sempre havia alguém por perto para jogar comigo uma partida de gamão ou para tocar o instrumento de cordas *veena* enquanto eu cantava.

Minhas companheiras de brincadeira eram todas filhas da casta nobre da cidade, bem-educadas e com modos refinados. Mas a única coisa de que eu sentia uma falta terrível eram minhas aulas. Foi só depois de ir morar na zenana que me dei conta do quão progressista meu pai era por ter começado a me instruir.

Foi ele quem me deu o apelido de "Anni"; meu nome inteiro, Anahita, significa "cheia de graça". Sempre senti que ele não combinava comigo. Eu podia ter uma mente estudiosa (além de ser capaz de correr mais depressa do que qualquer um de meus contemporâneos no lombo de um cavalo), mas em se tratando de "graças" femininas me sentia mal servida. Muitas vezes, na zenana, ficava observando as outras mulheres se arrumarem e se exibirem diante do espelho, e passarem horas escolhendo a blusa da cor certa para vestir com uma saia – os sáris em estilo tradicional não eram usados na província do Rajastão.

Todas as princesas e muitas de suas primas nobres já estavam prometidas a homens considerados adequados por seus pais. Eu, porém, vinha de uma família de casta alta, mas pobre. Meu pai tinha deixado poucos bens materiais, e minha mãe não tinha dote para oferecer por mim. Eu não era um "bom partido" para nenhum pretendente, e ela não parava de examinar nossa árvore genealógica em busca de alguém que pudesse me querer. Eu não ficava nem decepcionada nem preocupada com isso; apenas me lembrava das palavras de meu pai para meus avós maternos ao lhes pedir sua filha em casamento.

Eu queria encontrar o amor.

Quando estava com 11 anos, mais de um ano depois de chegar à zenana, a educação que recebera e meus dotes de amazona começaram a render frutos. Fui escolhida pela marani para me tornar a acompanhante de sua filha mais velha, a princesa Jameera.

Embora o fato de ser acompanhante da princesa me proporcionasse um novo leque de privilégios e uma porta aberta para vários tipos de atividades novas e empolgantes, como acompanhá-la numa das muitas caçadas ou ter acesso a partes do palácio até então proibidas para mim, não me lembro dessa fase como uma época feliz.

Jameera era mimada e difícil. Se estivéssemos jogando um jogo e ela perdesse, corria para a mãe aos prantos e reclamava que eu tinha trapaceado. Quando eu falava com ela em inglês, como sua mãe me pedira que fizesse, ela tapava as orelhas com as mãos e se recusava a escutar. E se alguma vez eu me atrevesse a correr mais depressa do que ela em nossa cavalgada matinal, ela uivava de raiva e me ignorava pelo resto do dia.

Ambas sabíamos qual era o problema: embora a princesa fosse ela, eu tinha sido abençoada com determinados talentos e habilidades naturais que ela não tinha. Pior ainda: apesar de não ter a mínima inclinação para me exibir e me enfeitar, todos comentavam sobre meu corpo esbelto e minha boa estrutura óssea. Ao passo que Jameera não tinha sido abençoada com nenhuma das duas coisas.

– Maaji, Jameera me odeia! – eu costumava dizer, chorando abraçada com a minha mãe enquanto ela enxugava minhas lágrimas.

– Ela é mesmo uma menina difícil. Mas veja, *pyari*, não há nada que nós possamos fazer, não é? Não podemos dizer à mãe dela, a própria marani, que você não gosta da sua filha mais velha! Você precisa fazer o melhor que puder – aconselhou minha mãe. – Tem a honra de ter sido escolhida por ela, e tenho certeza de que um dia vai colher os frutos disso.

Minha mãe tinha razão, como sempre. Em 1911, todos os principados da Índia estavam em polvorosa. O imperador Eduardo VII tinha morrido um ano antes. Seu filho Jorge V havia se tornado rei, e sua coroação oficial aconteceria em junho na Inglaterra. Depois disso, em dezembro, haveria uma grande comemoração da coroação em Délhi, um durbar, ao qual todos os príncipes da Índia tinham sido convidados. E, como acompanhante da princesa Jameera, eu fazia parte da imensa comitiva que o pai dela, o marajá de Jaipur, levaria consigo.

Minha mãe mal cabia em si de tanta animação.

– Anni – disse ela, segurando meu rosto com as duas mãos e baixando os olhos para mim. – Quando você nasceu, como manda a tradição, eu consultei um astrólogo para fazer seu mapa astral. E sabe o que o mapa dizia?

Fiz que não com a cabeça.

– Não, Maaji. O que o mapa dizia?

– Que aos 11 anos algo extraordinário iria lhe acontecer. Você iria conhecer alguém que mudaria o rumo da sua vida.

– Isso é mesmo incrível – respondi, respeitosa.

Só hoje, ao escrever estas palavras, posso olhar para trás e ver como o astrólogo estava certo.

7

Seria impossível descrever o esplendor e a majestade do durbar da coroação. Conforme nos aproximávamos da planície onde fora montado o Parque da Coroação, uma cidade toda feita de tendas nos arredores de Délhi, a sensação era de que a Índia inteira estava a caminho do mesmo destino.

Sentadas em nosso *howdah* de *purdah* no lombo de um dos enormes elefantes da comitiva da marani, Jameera, as princesas mais novas e eu espiávamos por entre as cortinas para dar uma olhada lá fora. As estradas poeirentas estavam abarrotadas com todo tipo de meio de transporte imaginável: bicicletas, carroças encimadas por altas pilhas de pertences e puxadas por bois brilhando de suor, automóveis, elefantes, todos disputando espaço. Tanto os ricos quanto os pobres estavam a caminho do Parque da Coroação.

Cada marajá tinha o próprio acampamento, e cada um deles era um vilarejo em si, com água e energia elétrica. Quando chegamos ao nosso, olhei assombrada para os aposentos ricamente decorados das mulheres.

– Tem até uma banheira – falei para Jameera, admirada com os milagres modernos capazes de arranjar tudo de que pudéssemos precisar para morar ali para sempre se quiséssemos.

Jameera não ficou tão impressionada. A viagem fora longa, e ela não tinha gostado muito de viajar.

– Onde está minha caixa de *puja*? – ladrou ela para as criadas ocupadas em esvaziar os incontáveis baús que tinham trazido consigo do palácio para as mulheres da realeza. – Estes lençóis são ásperos – falou, emburrada, tocando a roupa de cama com os dedinhos gordos. – Troquem para mim!

Eu não iria me deixar abater pelo mau humor de Jameera. Depois de ajudar suas criadas a desfazerem suas malas e deixá-la na segurança da sala de banho sendo atendida, saí para explorar. Lá fora, nos lindos e impecáveis jardins ao redor do nosso acampamento, as luzes do imenso parque iluminavam o céu noturno. Ao longe, vi uma súbita explosão de fogos de artifício que fez rodopiarem redemoinhos de cor, e misturou ao aroma de incenso que dominava o ambiente um cheiro pungente de fumaça. Ouvi elefantes barrindo ao longe, e o som melodioso de cítaras.

Experimentei um instante de pura e total alegria. Todos os principados da Índia estavam reunidos naqueles poucos quilômetros quadrados. Entre os muitos milhares de pessoas que agora ocupavam o parque estavam as mais respeitadas, poderosas e cultas do país. E eu, Anahita Chavan, fazia parte daquilo.

Vasculhei o céu e chamei meu pai.

– Eu estou aqui, pai, estou aqui – disse-lhe eu, exultante.

Nem é preciso dizer que um encontro como esse, entre os mais poderosos de um país de forma tão próxima, cria um certo espírito de competição. Cada marajá queria que o seu acampamento fosse o mais suntuosamente mobiliado, ou tivesse uma comitiva maior ou mais elefantes do que os dos vizinhos. As festas e os jantares promovidos por cada príncipe tentavam ser mais lautos do que os anteriores. Os rubis, diamantes, esmeraldas e pérolas que enfeitavam os corpos dos grandes príncipes e de suas esposas com certeza poderiam ter comprado o resto do mundo, pensei enquanto corria para ajudar Jameera a se vestir para o primeiro banquete que seu pai e sua mãe dariam em nosso acampamento. Estavam todos animadíssimos.

– Dezoito príncipes e suas maranis vão vir hoje à noite! – comentou Jameera enquanto tentava forçar um bracelete de ouro a passar pelos dedos roliços até o pulso. – Maaji me disse que o pai do príncipe a quem estou prometida vai estar presente. Você precisa me ajudar a ficar o mais bonita possível.

– Claro – respondi.

Por fim, as quatro esposas do marajá e suas principais damas de companhia saíram para se sentar atrás de um biombo de *purdah* e observar os maridos e convidados homens na grande recepção anterior ao banquete. O restante de nós suspirou aliviado por todo mundo ter partido de bom humor, e se preparou para receber na nossa zenana as mulheres e crianças que iriam jantar conosco, separadas dos homens.

Mais tarde naquela noite, a área de recepção de nossos aposentos estava abarrotada de convidadas e seus filhos. Assisti assombrada às esposas dos marajás serem recebidas por nossas próprias maranis. Para uma criança de 11 anos, aquelas mulheres eram dignas de contos de fadas: besuntadas de óleo, perfumadas e delicadamente tatuadas com henna, enfeitadas com pérolas do tamanho de ovos de pássaro ao redor do pescoço, com tiaras reluzentes cravejadas de rubis e esmeraldas, e diamantes de valor incalculável no nariz. Seus filhos estavam vestidos com o mesmo esplendor: meninos e meninas a partir de 3 anos usando joias de ouro maciço, tornozeleiras e colares com pedras preciosas de formatos intrincados de exímia fabricação.

Lembro que essas imagens tanto me impressionaram quanto me deixaram perturbada. Fiquei chocada com o fato de tanta riqueza caber num lugar só sem que aqueles que a ostentavam prestassem atenção nisso, quando eu tinha visto em nosso país tanta miséria e tanta fome.

Mesmo assim, não pude evitar ficar fascinada com o espetáculo.

E seria nessa festa que a previsão que o astrólogo fez no meu nascimento iria se realizar. Talvez nós nunca cheguemos a reparar exatamente quando um instante auspicioso e decisivo ocorre em nossa vida. Como em geral acontece com essas coisas, tudo ocorreu sem fanfarra.

Eu estava sentada quietinha num canto da área de recepção da zenana, observando o esplendor que ocorria à minha volta. A essa altura, já entediada e com calor, levantei-me e fui discretamente até uma abertura na tenda para tomar um pouco de ar. Ergui a borda da tenda, espiei lá fora e senti uma brisa fresca tocar meu rosto. Lembro-me de ter olhado para cima em direção às incontáveis estrelas quando escutei uma voz junto de mim.

– Está entediada?

Virei-me e dei com uma menina ao meu lado. Pelas fieiras de pérolas que davam várias voltas ao redor de seu pescoço e pela minúscula tiara reluzente que enfeitava seus cabelos fartos e ondulados, percebi que se tratava de uma menina rica e influente.

– Não, é claro que não – respondi depressa.

– Está, sim! Dá para ver que está, porque eu também estou.

Com timidez, forcei meus olhos a encararem os seus. Passamos alguns segundos nos encarando como se estivéssemos absorvendo a estrutura interna de cada uma.

– Vamos lá fora explorar? – perguntou ela.

– Não podemos fazer isso! – respondi, horrorizada.

– Por que não? Há tantas mulheres aqui que ninguém vai nem reparar que saímos. – Ela me desafiou com seus olhos castanhos extraordinários, cujas íris eram salpicadas de âmbar.

Respirei fundo, pois antevia o tamanho da encrenca que arranjaria caso alguém descobrisse que eu tinha sumido. Mesmo sabendo que não deveria fazer isso, assenti.

– Precisamos andar pelo escuro, senão com certeza vão nos ver – sussurrou ela. – Venha.

E ela então me pegou pela mão.

Ainda me lembro do modo como seus dedos compridos e finos se estenderam para segurar os meus. Encarei-a nos olhos e vi a centelha de travessura que brilhava ali. Meus dedos se fecharam ao redor dos seus, e a palma de nossas mãos se tocaram.

Lá fora, minha nova amiga apontou para o outro lado do acampamento.

– Está vendo? É lá que os marajás estão jantando.

O espaço em volta da tenda central do durbar estava aceso com milhares de velas em suportes de vidro, que iluminavam as silhuetas escuras das árvores e plantas nos exóticos jardins.

Peguei-me sendo puxada para lá e senti a grama macia fazer cócegas nas solas dos meus pés descalços. A menina parecia saber exatamente aonde ir, e em pouco tempo chegamos à imensa tenda. Ela correu até um dos lados, voltando a se abrigar nas sombras onde ninguém podia nos ver. Então se ajoelhou no chão e ergueu a pesada lona. Inclinou-se para a frente e aproximou o olho da pequena brecha.

– Por favor, tome cuidado. Alguém pode ver – pedi.

– Ninguém vai estar olhando para o chão – disse ela, rindo e erguendo mais ainda a lona. – Venha, vou lhe mostrar meu pai. Acho que ele é o mais bonito de todos os marajás.

Ela abriu espaço para eu me ajoelhar no mesmo ponto, então segurei entre os dedos a lona grossa e olhei pelo buraco.

Lá dentro pude ver uma porção de pés masculinos grandes e enfeitados, e nada mais. Mas não quis decepcionar minha nova amiga.

– Sim! – falei. – É mesmo um espetáculo impressionante.

– Se você olhar para a esquerda vai ver meu pai.

– Sim, sim – falei, espiando a fileira de tornozelos. – Estou vendo.

– Acho ele bem mais bonito do que o seu! – Os olhos dela brilharam para mim.

Compreendi então que aquela menina pensava que eu também fosse uma princesa e que o marajá de Jaipur fosse meu pai. Balancei a cabeça com tristeza.

– Meu pai já morreu. Ele não está aqui.

Mais uma vez a mão morena e cálida cobriu a minha.

– Eu sinto muito.

– Obrigada.

– Como você se chama? – perguntou ela.

– Meu nome é Anahita, mas todo mundo me chama de Anni.

– E o meu é Indira, mas a minha família me chama de Indy. – Ela sorriu. Indira então se deitou de bruços no chão e levantou a cabeça com o auxílio das mãos. – Então quem você é? – perguntou. Seus olhos me observaram atentamente, como os de uma tigresa curiosa. – É bem mais bonita do que as outras princesas de Jaipur.

– Ah, não, eu não sou uma das princesas – corrigi. – Minha mãe é prima em primeiro grau da marani de Jaipur. Meu pai morreu faz dois anos, então nós moramos na zenana, no Palácio da Lua.

– Para a minha infelicidade, *eu* sou uma princesa – disse ela, arqueando as sobrancelhas. – Sou a filha caçula do marajá de Cooch Behar.

– Você não gosta de ser princesa? – perguntei.

– Na verdade, não. – De repente, Indira rolou graciosamente de costas, levou as mãos até atrás da cabeça e pôs-se a fitar as estrelas. – Acho que preferiria ser domadora de tigres num circo.

Eu ri.

– Não ria – repreendeu-me ela. – Estou falando sério. Ma diz que eu sou uma péssima princesa. Vivo me sujando e me metendo em enrascadas. Ela está pensando em me mandar estudar num colégio interno na Inglaterra, para ver se eu aprendo a ter bons modos. Eu falei que iria fugir se ela fizesse isso.

– Por quê? Eu adoraria conhecer a Inglaterra. Nunca viajei para lugar nenhum – comentei, sonhadora.

– Que sorte a sua. Nós vivemos nos mudando. Ma é muito sociável, entende, e nos arrasta com ela em todas as temporadas aqui e na Europa. Eu queria poder ficar o tempo todo em nosso belo palácio e cuidar de nossos animais. Se não puder ser domadora de tigres, gostaria de virar *mahout* e viver com um elefante. De todo modo, você iria odiar a Inglaterra. Lá é cinza, frio e enevoado, e todo mundo na nossa família sempre acaba pegando resfriados terríveis, principalmente Pa. – Indira suspirou. – Estou preocupada com a saúde dele, muito mesmo. Você fala inglês? – perguntou ela para mim.

Comecei a me dar conta de que o cérebro dela vivia passando de um assunto para outro feito uma borboleta.

– Falo, sim.

Indira na mesma hora sentou-se de joelhos no chão e estendeu a mão para mim.

– Como vai a senhora? – disse ela, imitando com perfeição um sotaque inglês bem marcado. – É um imenso prazer conhecê-la.

Estendi-lhe a mão, e nossas palmas tornaram a se tocar.

– O prazer é todo meu – respondi enquanto nos encarávamos, ainda sacudindo a mão uma da outra. Então caímos as duas deitadas na grama, contorcendo-nos de tanto rir. Quando nos acalmamos, dei-me conta de que precisávamos voltar para a zenana antes de alguém dar pela nossa falta. Levantei-me.

– Para onde você vai? – perguntou ela.

– De volta para a nossa tenda. Nós duas vamos ter problemas se eles descobrirem que fugimos.

– Ah – retrucou Indira, distraída. – Estou acostumada a me meter em enrascadas. Acho que na verdade esperam isso de mim.

Eu quis dizer que, como eu não era princesa, mas na verdade fazia jus à casa e à comida como acompanhante de uma, provavelmente não seria perdoada com tanta facilidade assim.

– Só mais cinco minutos – implorou ela. – Está tão quente e chato lá na tenda… Mas então, com quem eles vão casar você? – continuou ela.

– Ainda não foi combinado – respondi, estoicamente.

– Que sorte a sua também. Eu conheci meu futuro marido há poucos dias aqui, e ele é velho e feio.

– Você vai se casar com ele? Mesmo ele sendo velho e feio?

– Nunca! Eu quero encontrar um belo príncipe, que me ame *e* que me deixe criar tigres – disse ela com um sorriso.

– Eu também quero encontrar meu príncipe – falei baixinho.

Ali estávamos nós, então, duas menininhas olhando as estrelas, sonhando com nossos belos príncipes. Há quem diga desejar ver o próprio futuro. Mas quando repenso nesse instante de pura inocência infantil, e em Indira e eu deitadas na grama com a vida toda pela frente, fico feliz que não tenhamos podido ver o nosso.

8

Nas três semanas seguintes, à medida que as comemorações prosseguiam no Parque da Coroação antes da grande apresentação de todos os príncipes ao rei Jorge, Indira e eu nos tornamos inseparáveis. Não sei ao certo como ela conseguia escapar com tanta frequência, mas o fato é que chegava ao nosso ponto de encontro previamente combinado na hora marcada, e juntas saíamos para explorar. O acampamento se tornou nosso terreno de brincadeiras, um jardim das delícias para duas menininhas curiosas. Havia barracas vendendo uma profusão de comidas de aroma delicioso, como *panipuris* e *samosas* recheadas com legumes temperados e fritos até ficarem bem dourados. Também havia lojas de bugigangas com todo tipo de estatuetas de barro e madeira. Indira, que sempre parecia ter várias rupias, comprou-me um tigre de barro de que eu havia gostado e me deu de presente.

– Quando não estivermos juntas, basta você olhar nos olhos desse tigre e saberá que estou pensando em você – disse ela.

Por sorte, a princesa Jameera com frequência tinha outros compromissos, em geral visitas aos acampamentos dos diversos marajás com os pais, e nesses casos a minha presença não era necessária. Perguntei a Indira por que ela raramente parecia ser requisitada pela família nessas ocasiões.

– Ah, é porque eu sou a caçula – explicou ela, distraída. – Ninguém se interessa por mim.

Eu sabia que isso não era bem verdade, e havia determinadas ocasiões em que Indira não podia me encontrar e depois reclamava de ter que passar horas sentada em tendas calorentas enquanto seus pais socializavam. Mas, em geral, conseguíamos nos ver todos os dias.

Certa manhã, quando nosso tempo juntas estava acabando e eu já estava apreensiva por ter de retornar ao ambiente restritivo do Palácio da Lua em Jaipur, ela chegou com os olhos iluminados.

– Venha – falou, e começou a me puxar e a serpentear com desenvoltura entre as tendas.

– Para onde estamos indo? – perguntei.

– Você vai ver – respondeu ela, misteriosa.

Alguns minutos depois, chegamos ao que eu sabia ser o acampamento do marajá de Cooch Behar, uma vez que Indira já o tinha apontado para mim antes.

– A primeira coisa, e a mais importante, é que eu vou levá-la para conhecer minha elefanta preferida – disse Indira. – Ela ainda é um bebê, nasceu faz dois anos. Não deveria nem estar aqui, pois ainda não foi treinada para fazer parte do cortejo, mas mesmo assim insisti para que ela viesse. Ela teria sofrido muito sem mim e sem a mãe.

Quando entramos no *pilkhana*, minhas narinas arderam com o cheiro forte de estrume. Devia ter pelo menos quarenta elefantes naquele espaço, pensei enquanto Indira me guiava pelas baias dando bom-dia a todos eles e chamando-os pelo nome ao passar. Fomos direto até o fim das baias, e na última delas havia um elefante bebê. Quando chegamos perto, o animal ouviu nossos passos e deu um barrido ao reconhecer Indira.

– Como vai, Preema, minha belezinha? – disse Indira, encostando o rosto na elefanta. – Eu vi você nascer, não foi, querida? – A elefanta enrolou a tromba em volta da cintura da minha amiga. Indira se virou para mim enquanto pegava dois cachos de banana numa pilha.

– O seu *mahout* Ditti me deixou batizar você, não foi? – continuou ela, dando comida ao bebê elefante. – Decidi chamá-la de Preema, que em latim se escreve *prima* e significa "primeira". Porque ela foi o primeiro elefante que eu vi nascer. – Os olhos de Indira cintilaram para mim. – Agora só a chamo de "Belezinha", porque ela é mesmo uma belezinha, não acha?

Encarei os olhos suaves e confiantes da elefanta, e senti uma ridícula pontada de ciúme ao ver o quanto Indira a amava.

– Sim, ela é muito linda – respondi.

Um indiano bem baixinho e moreno surgiu do nada.

– Minha Belezinha está se comportando, Ditti?

– Sim, Vossa Alteza Real, embora eu saiba que ela vai ficar feliz em voltar para casa.

– Assim como todos nós – concordou Indira.

O velho *mahout* inclinou a cabeça respeitosamente quando saímos da baia. Dei-me conta de que era a primeira vez que eu via minha amiga ser tratada como a princesa que de fato era. Uma súbita onda de desespero me assomou enquanto eu saía do *pilkhana* atrás de Indira. A menina com quem eu tinha rido, brincado e conversado como se fosse minha irmã pertencia a outro mundo, em algum lugar do outro lado da Índia. E em breve ela seria tirada de mim e devolvida para lá.

A sensação das lágrimas começando a brotar me fez piscar o mais depressa que pude para contê-las. Indira tinha se tornado o centro do meu universo, mas dei-me conta de que eu ocupava apenas a periferia do seu. No melhor dos casos, a havia entretido por algumas semanas. No entanto, como a borboleta que era, ela com certeza sairia voando e encontraria novas diversões em outro lugar.

Tentei conter esses pensamentos e pelo menos sentir gratidão pelo tempo que havíamos passado juntas. Minha mãe passara minha infância inteira me repreendendo por meus súbitos acessos de pessimismo, dizendo que eu por algum motivo tinha uma tendência a me deixar engolir pela tristeza. "Você tem o dom da felicidade, mas tem também capacidade para um desespero repentino", dissera-me ela certa vez.

– Venha, depressa. Vou levá-la para conhecer uma pessoa – falou Indira.

Consegui escapar do meu devaneio, e fui buscar lá no fundo um sorriso para lhe dar.

– O que é dessa vez? Animal, mineral ou humano?

Era uma brincadeira que fazíamos sempre, e Indira sorriu ao ouvir isso.

– Humano, com certeza. Vou levá-la para conhecer minha mãe.

Quando ouvi isso, meu coração disparou. Falara-se muito na zenana de Jaipur sobre a linda Ayesha, marani de Cooch Behar. Eu tinha ouvido Jameera e a mãe comentarem com desdém que, só porque Ayesha havia conhecido a imperatriz da Índia, a rainha Victoria em pessoa, no Palácio de Buckingham, parecia se sentir de alguma forma superior às outras maranis.

– Ela fala inglês e usa roupas ocidentais na Europa! – exclamara a mãe de Jameera. – Mas mesmo as suas roupas tendo sido feitas por costureiros franceses e ela estando coberta pelas joias que o marido lhe dá aos montes, isso não faz dela uma esposa indiana melhor nem uma rainha!

Eu sabia que nenhuma dessas coisas era o verdadeiro motivo pelo qual Jameera e a mãe tentavam diminuir a mãe de Indira. Era porque o pai de Jameera havia participado de um encontro informal no acampamento de Cooch Behar quatro dias antes e voltado para a sua tenda anunciando que a marani de Cooch Behar era a mulher mais linda que ele já tinha visto.

Meu filho, desde então compreendi que a inveja entre as mulheres raramente é causada pela inteligência ou posição social de alguma delas, ou por quantas joias ela pode ter guardadas num cofre. Não: o que mais desperta a inveja feminina é a capacidade que uma mulher tem de seduzir os homens.

– Ma! – chamou Indira quando entramos na ala das mulheres do acampamento de Cooch Behar. – Onde você está?

– Aqui fora, querida – respondeu uma voz suave.

Indira foi me puxando por uma sucessão de tendas e depois para uma bela varanda protegida do sol por pés de jacarandá ondulantes. No centro do pátio havia um pequeno chafariz.

– Trouxe minha amiga Anni para conhecê-la. Podemos entrar e dar um oi?

– Claro. Eu estava terminando de tomar café.

A mãe de Indira estava recostada sobre uma pilha de almofadas de seda, com uma bandeja de café da manhã no colo. Ela a colocou de lado na mesma hora, levantou-se e veio até nós duas com os braços abertos para acolher a filha.

Isso por si só já era um gesto incomum: toda vez que eu chegava diante das minhas próprias maranis na zenana, precisava sempre avançar muito curvada num *pranaam* até receber permissão para me levantar.

– E por onde você andou, minha menina levada? – perguntou a marani com um sorriso ao mesmo tempo que envolvia a filha num abraço.

Enquanto ela o fazia, demorei-me alguns instantes estudando aquela mulher, alvo de tantas fofocas no acampamento. A mãe de Indira não estava enfeitada com adornos ou maquiagem de nenhum tipo. Seu corpo esguio estava envolto numa túnica de seda simples, e seus longos cabelos escuros encaracolados flutuavam livremente ao redor dos ombros. Enquanto estava ali parada, senti seus imensos e inteligentes olhos cor de âmbar – muito parecidos com os da filha – relancearem na minha direção e me avaliarem. Concordei com o pai de Jameera: ela era, sem dúvida alguma, a mulher mais linda que eu já tinha visto.

– Fui mostrar meu bebê elefante para Anni, Ma, só isso.

A marani sorriu e beijou a filha no alto da cabeça.

– Bem, nesse caso então é melhor me apresentar à sua nova amiga.

– Sim, claro. Anni, esta é minha mãe, Ayesha. Ma, esta é Anahita Chavan.

— Olá, Anahita. — A marani me abriu um sorriso caloroso de boas-vindas, e seus lábios perfeitamente delineados deixaram à mostra dentes brancos e fortes. Fiquei parada na sua frente sentindo-me intimidada e sem conseguir falar. Sua informalidade sem precedentes, tanto comigo quanto com a filha, só faziam aumentar seu charme. Por fim, uni as mãos e inclinei a cabeça no costumeiro *pranaam*.

— É uma honra conhecê-la — consegui dizer, e percebi que estava corando de vergonha até a raiz dos cabelos.

— Venham se sentar comigo, as duas, e tomar um pouco de chá.

Ayesha nos conduziu até as almofadas e gesticulou para nos sentarmos uma de cada lado seu. Não tive certeza se deveria fazê-lo, já que uma marani ficar na mesma altura de seus súditos era algo nunca visto. Na nossa zenana, nós ficaríamos no chão e nossas maranis sentadas em cadeiras acima de nós.

Quando Indira se ajoelhou ao lado da mãe nas almofadas, eu a imitei e tentei parecer o mais baixa e apequenada possível. Ayesha bateu uma palma, e uma criada emergiu na mesma hora de dentro da tenda.

— *Chai* — pediu ela, e a criada fez uma mesura e tornou a desaparecer lá dentro. — Anahita — disse ela, voltando a atenção para mim. — Indira praticamente não fala em outra coisa que não seja sua nova amiga. Ela me disse que você também fala um ótimo inglês. Onde aprendeu?

— Com meu pai, Alteza. Ele era estudioso e professor — consegui responder, sem ar.

— Então você é uma menina de sorte por ter recebido o presente da educação. É lamentável que muitos pais ainda acreditem que não vale a pena encher a cabeça das filhas de conhecimento. Quem sabe você consegue ensinar um pouco mais de disciplina à minha filha com relação às suas aulas? — disse ela, bagunçando carinhosamente os cabelos de Indira. — Ela é uma menina inteligente, e é bem possível que seja mais do que os irmãos, mas no momento não tem paciência para estudar.

— Ma, você sabe que eu quero ser domadora de tigres, não professora! — protestou Indira.

Mais uma vez me espantei com a descontração e a franqueza com a qual mãe e filha conversavam.

— Indira também me disse que você mora no Palácio da Lua em Jaipur, é isso? — continuou a marani.

– Moro, sim.

– Jaipur é mesmo uma cidade linda. – Ela sorriu.

O chá chegou, e quando ele foi servido tomei um golinho, quase não acreditando que estava dividindo um *chai* e uma pilha de almofadas de seda com a linda e famosa marani de Cooch Behar.

– Ma, eu não posso deixar minha nova melhor amiga para trás quando formos embora – declarou Indira de repente. – Então quero que ela vá morar conosco no palácio em Cooch Behar.

Mais uma vez, meu rosto corou e olhei para baixo, envergonhada.

A marani arqueou uma das sobrancelhas de formato perfeito.

– É mesmo? – Seu olhar lânguido recaiu sobre mim. – E Indira conversou sobre isso com você, Anahita?

– Eu... bem... Não, Alteza – gaguejei.

– Indira, eu não acho que Anahita vá querer abandonar sua família, sua casa e seus amigos para ir morar conosco. Você está sendo egoísta outra vez. Peço desculpas pela minha filha, Anahita. Ela às vezes fala sem pensar.

– Mas, Ma, eu me sinto muito sozinha no palácio agora que meus irmãos e irmãs estão no colégio interno. E você já disse que Anni talvez consiga me incentivar a ler meus livros e me ajudar com o inglês – pediu Indira. – Ela hoje é acompanhante da princesa Jameera, com quem faz exatamente a mesma coisa.

– Então é mais um motivo para Anahita não querer se mudar. Tenho certeza de que a pobre princesa Jameera sentiria a sua falta. Você não pode roubar pessoas, minha querida Indira, por mais que queira.

Nessa hora eu queria abrir a boca e dizer que nada me daria mais prazer do que ser "roubada" pela minha maravilhosa nova amiga. Como minha língua simplesmente não conseguiu formar as palavras, porém, fiquei ali sentada, infeliz, enquanto a marani continuava a repreender a filha por seu egoísmo.

– Mas, Ma, você não está entendendo... Nós somos inseparáveis! Se Anni não puder ir, eu talvez definhe sem ela – insistiu Indira.

– Nesse caso tenho certeza de que podemos convidar Anni para nos visitar – reconfortou a marani. – Posso chamá-la de Anni também? – perguntou ela a mim.

– Claro, Alteza – respondi depressa. – E sim, eu gostaria muito disso.

– Então vamos organizar a visita, querida. Agora preciso levantar e me vestir. Vamos almoçar com o vice-rei. – A marani se levantou, e eu também me pus de pé, afobada. Ela tornou a me sorrir. – Foi um prazer conhecê-la, Anni. Espero que vá nos visitar em Cooch Behar muito em breve.

Como Indira também precisava comparecer ao almoço, voltei sozinha para o meu acampamento me arrastando, repreendendo a mim mesma com tristeza por não ter falado quando tivera oportunidade. Eu deveria ter lhes dito que me mudaria para a Lua se isso significasse que podia estar junto da minha nova melhor amiga.

À medida que as comemorações do durbar foram chegando ao fim, passei a ver Indira com menos frequência. Nosso acampamento estava sendo desmontado e empacotado para a longa viagem de volta até Jaipur.

– O que você tem hoje? – perguntou Jameera. – Parece um gato com o rabo pisado. Não achou maravilhoso esse tempo que passamos aqui?

– Sim, claro.

– Então deveria estar agradecida por ter vindo comigo.

– Estou muito agradecida, Jameera.

Vi-a franzir os lábios e me virar as costas. Sabia que eu não tinha lhe demonstrado o grau de gratidão e respeito que ela exigia, mas eu não me importava. Com Indira e sua mãe eu tinha me sentido querida e valorizada. Era uma sensação nova e maravilhosa.

Na última noite em Délhi, fui para a cama na tenda que dividia com Jameera e fiquei ali deitada piscando os olhos para conter as lágrimas. Sabia que iríamos embora cedo no dia seguinte, e que não haveria oportunidade de me despedir de Indira. Senti um ardor nos olhos por causa das lágrimas e deixei que elas escorressem pelo meu rosto. Nós nem sequer tínhamos pensado em trocar endereços, e me perguntei se uma carta endereçada apenas à "Princesa Indira, Palácio de Cooch Behar" chegaria às suas mãos.

Além do mais, pensei, arrasada, ela iria voltar para sua vida encantada de princesa, e provavelmente me esqueceria por completo. Depois de algum tempo, adormeci num sono inquieto ao som dos roncos de Jameera.

Pensei estar sonhando quando escutei a voz de Indira sussurrando meu nome.

– Anni! Acorde, acorde!

Abri os olhos e dei com ela a me encarar. Acordei na mesma hora e me levantei com um pulo.

– Como você entrou aqui? – sussurrei, espantada. Jameera se mexeu na cama ao meu lado.

Indira levou o dedo aos lábios e estendeu a mão para me puxar da cama. Ambas de camisola branca, parecendo duas fadas, saímos correndo do quarto e atravessamos o acampamento adormecido até encontrarmos uma tenda com a aba solta e entrarmos. Indira me puxou para o espaço entre duas tendas de modo que ninguém nos visse.

– Eu vim me despedir – falou.

Todos os pensamentos negros e terríveis que eu tinha tido sobre ela me esquecer desapareceram. Indira tinha atravessado a noite para me encontrar antes de ir embora, e senti-me culpada por ter duvidado dela. Meus olhos tornaram a marejar. Espontaneamente, estendi-lhe os braços, e ela veio até mim e me abraçou com força.

– Vou sentir tanto a sua falta – disse, chorando em seu ombro.

– Eu também – respondeu ela, também chorosa. – Mas não se preocupe, Anni, eu vou dar um jeito. Você vai vir morar comigo em Cooch Behar e nós vamos estar sempre juntas.

– Indy, eu não consigo ver nenhum jeito de...

– Sempre existe um jeito, confie em mim – sussurrou ela. – Agora preciso voltar antes que me descubram, mas... – Ela tirou do pescoço o pequeno pingente de Ganesha e o pôs em volta do meu. – Isto aqui é para você nunca me esquecer. Adeus, irmã, amo você. E prometo que não vai demorar muito para estarmos juntas outra vez.

Com um último lampejo travesso no olhar, Indira saiu correndo pela noite como um pequeno fantasma.

Durante a longa viagem de volta para Jaipur, ergui a mão cem vezes para tocar a gola da roupa. Por baixo estava escondido o colar de Indira; eu não me atrevia a deixar Jameera vê-lo – a joia era tão cara que ela pensaria na mesma hora que eu a tinha roubado.

Uma vez de volta ao Palácio da Lua, todos à minha volta pareceram retornar rapidamente à rotina. Por mais que eu tentasse, não conseguia. Fiquei esperando para ver que plano Indira ia bolar. Ela havia jurado que não me abandonaria.

Ao adentrarmos 1912, porém, várias semanas transcorreram sem qualquer notícia sua, muito embora eu encarasse meu tigre de barro com força e implorasse para que ela se lembrasse de mim.

No final de janeiro, justo quando eu tinha começado a perder as esperanças, fui convocada às pressas pela mãe de Jameera aos seus aposentos.

– Venha – disse minha mãe, lavando meu rosto bruscamente com um pano e penteando meus cabelos. – A marani quer vê-la, e você precisa estar com a sua melhor aparência.

Fui conduzida até os aposentos da marani e fiz meu respeitoso *pranaam* habitual.

– Sente-se, por favor, criança, e você também, Tira – disse a marani.

Sentamo-nos as duas de pernas cruzadas no chão à sua frente.

– Hoje de manhã recebi uma carta de Ayesha, marani de Cooch Behar. Ela me disse que sua filha Indira se tornou próxima de você, Anahita, quando vocês duas se conheceram no durbar da coroação. É verdade?

Ponderei sobre a pergunta, sem saber como responder. Ela poderia considerar minha amizade com outra princesa uma ofensa contra a própria filha. Examinei seu rosto em busca de pistas, mas, como sempre, ele estava impassível e quase sem expressão.

Então decidi que eu precisava contar a verdade.

– Sim, Alteza, nós nos tornamos próximas.

– Tão próximas, na verdade, que a marani escreveu que a princesa Indira pelo visto está se recusando a comer enquanto você não puder ir visitá-la. Segundo sua mãe, ela está bastante adoentada.

Não pude ter certeza se a marani acreditava nisso ou não.

– Ela está muito doente? – perguntei, ansiosa.

– Com certeza doente o bastante para a mãe me pedir pessoalmente que você parta sem demora rumo a Cooch Behar para visitar a princesa Indira.

Virei os olhos para minha mãe, cujo semblante estava igualmente impassível.

– O que você acha disso, menina? – perguntou a marani.

Esforcei-me ao máximo para parecer grave e preocupada, pois concluí que não seria pertinente lhe dizer que a fogueira que vinha se apagando na minha alma fora subitamente reacendida como mil fogos de artifício.

– Eu ficaria honrada em ajudar a princesa Indira se ela estiver precisando de mim – respondi, com a cabeça tão baixa que nenhuma das duas mulheres pôde ver o brilho que eu estava certa de que havia nos meus olhos.

– E você, Tira? – perguntou a marani. – Está preparada para deixar sua filha viajar para longe por tantas semanas?

Minha mãe, sendo minha mãe, já sabia o que meu coração desejava e qual era a sua decisão. Ela assentiu.

– Como Anahita, sinto-me honrada em fazer o que Sua Alteza pede.

– Já falei com a princesa Jameera, e ela também concorda que Anahita deve ir – acrescentou a marani.

Contive-me para não erguer os olhos aos céus em agradecimento. Não era nenhuma surpresa Jameera não ter resistido para me manter junto de si. Ela precisava de uma companheira bem mais maleável do que eu.

– Então, Anahita, já que estamos todas de acordo, a marani de Cooch Behar tomará as providências necessárias para você viajar até lá.

– Obrigada, Alteza – falei, tornando a curvar a cabeça. – Quando vou partir? – emendei, sem conseguir me conter.

– Assim que as providências forem tomadas.

Minha mãe e eu nos retiramos de costas, em reverência. Assim que saímos do campo de visão da marani, ela me tomou nos braços. Ergueu meu queixo na sua direção e me encarou fundo.

– É isso que você quer? – perguntou-me.

– Mais do que qualquer outra coisa, Maaji.

9

E isso, meu filho querido, conforme previra o astrólogo, de fato deu início a um novo capítulo na minha vida. Um ajudante foi enviado para me acompanhar de Jaipur até Cooch Behar. Quando desembarquei do trem, que corria num trilho único construído para acessar Cooch Behar, a província situada mais a nordeste da Índia, ergui os olhos e vi ao longe o contorno das grandes montanhas do Himalaia desenhadas contra o céu. Com um carregador levando a mala surrada outrora pertencente ao meu pai, vi que uma *tonga* puxada a cavalo fora enviada para me receber.

Antes de partir de Jaipur, eu tinha lido o que pudera sobre a distante província em que Indira vivia. É difícil para alguém que nunca esteve na Índia imaginar como um país pode conter uma quantidade tão grande de climas e paisagens diferentes. A Índia é uma terra de contrastes, e cada um de seus estados abriga uma profusão de culturas, idiomas e pessoas distintas. Muito embora sejamos com frequência condensados num só país, tudo em nossa grande nação é dramático e variado.

Quando o condutor me ajudou a embarcar na *tonga*, minhas roupas na mesma hora grudaram na pele úmida. O clima ali era quente e úmido, muito diferente do calor seco e sufocante de Jaipur.

Enquanto atravessávamos a cidade, reparei que as casas eram simples, feitas de bambu e sapê, com os telhados cobertos por frondosos galhos de hibisco. Para protegê-las das grandes enchentes da monção, eram construídas sobre palafitas. Ninguém desperdiçava dinheiro construindo sólidas casas de pedra como em Jaipur, capazes de durar duzentos ou trezentos anos. Em Cooch Behar, os proprietários sabiam muito bem que talvez viesse alguma enchente ou terremoto que varreria suas casas sem deixar vestígio.

Enquanto o cavalo estalava os cascos pelas estradas vermelhas poeirentas, fiquei olhando pela janela, ansiosa para ter minha primeira visão do palácio. Já estávamos um pouco fora da cidade quando o vi. Ele me pareceu imenso, com duas enormes alas ladeando uma imensa cúpula central. Começamos a percorrer o terreno, cujos gramados luxuriantes e bem-cuidados se estendiam a perder de vista de um lado e outro. Ouvi barridos de elefantes vindos do *pilkhana*, e vi um lago a margear todo o comprimento do palácio.

Mesmo naquela ocasião, com os olhos pouco treinados, não achei que o palácio tinha um aspecto tradicionalmente indiano, e mais tarde viria a descobrir que o seu exterior tivera por modelo um casarão inglês. Vistos de fora, pelo menos, a sólida construção de tijolos e a falta das delicadas treliças indianas nas janelas o faziam parecer austero em comparação com o Palácio da Lua em Jaipur.

Sempre achei curioso o contraste de atmosfera entre o exterior e o interior dos palácios indianos: para quem observa de fora, eles parecem desertos, porque quase todas as atividades ocorrem dentro dos muitos pátios abrigados, projetados especialmente para proteger seus ocupantes do sol inclemente da Índia. Ao escrever isso, ocorre-me que talvez essa também seja uma boa metáfora para os seres humanos: muitas vezes seu exterior silencioso e sereno não revela o espírito cheio de energia que existe dentro deles.

E com certeza foi assim quando cheguei ao palácio de Cooch Behar. Quando minha *tonga* parou e a porta foi aberta para que eu saltasse, dei-me conta de que não tinha visto vivalma desde que entráramos na propriedade.

Enquanto o condutor descarregava minha pequena mala, ouvi uma voz atrás de mim.

– Surpresa!

Indira pulou nas minhas costas feito um macaco, e enlaçou meu pescoço com os braços esguios e morenos.

– Ai! – exclamei, pois meus cabelos ficaram presos no seu bracelete. Ela na mesma hora desceu e me virou de frente para si.

– Você veio! Eu disse que daria um jeito!

– Sim, eu vim – concordei, sentindo-me exausta por causa da longa viagem e subitamente tímida e sem graça após tantas semanas longe dela.

Procurei na mesma hora os sinais da doença descrita de modo tão vívido na carta de sua mãe. Mas os olhos de Indira cintilavam, seus fartos cabelos negros brilhavam azulados sob o sol, e sua figura forte não parecia mais magra do que na última vez que eu a vira.

– Pensei que você estivesse muito doente – repreendi-a. – Quase não dormi desde que soube, de tão preocupada.

Ela levou as mãos aos quadris estreitos e revirou os olhos para mim.

– Bem, eu estava – contou ela. – Na verdade fiquei tão doente que não consegui comer por semanas. Ma mandou chamar vários médicos para tentar descobrir qual era o meu problema. Todos concordaram que eu devia estar definhando por causa de alguma coisa. Ou de *alguém*. Então, depois de Ma concordar com a sua vinda, eu saí da cama e de repente tive fome e me senti bem. Não é um milagre? – Indira gesticulou expressivamente para o céu com as duas mãos. – Desde então tenho comido como um cavalo. – Seu olhar pousou em mim e se fez sério. – Senti tanto a sua falta, Anni; acho que poderia ter morrido se você não tivesse vindo.

Fiquei estupefata com o estratagema armado por ela para garantir a minha vinda. Minha desconfiança, sobretudo em se tratando de famílias reais e princesas, deve ter transparecido na minha expressão.

– Anni, você duvidou de mim, não foi?

Baixei a cabeça em silêncio e olhei para ela, então estendi as duas mãos em direção às suas e as segurei.

– Duvidei, sim, me desculpe. Mas nunca mais vou duvidar de você.

Minhas primeiras semanas em Cooch Behar com Indira foram repletas de experiências novas e maravilhosas. A vida no palácio e minha rotina cotidiana não poderiam ser mais diferentes daquilo com que eu estava acostumada em Jaipur. Eu fora alertada incontáveis vezes pelas mulheres da minha antiga zenana de que a marani de Cooch Behar não administrava sua corte feminina de um modo condizente com o hinduísmo. Além de não aderir ao *purdah* dentro dos muros do palácio, Ayesha tinha cruzado o mar e saído da Índia com a família muitas vezes. Isso, segundo uma interpretação mais estrita da religião hindu, significava que a família real inteira tinha violado as regras.

As senhoras de Jaipur também tinham me dito, com uma expressão grave, que a marani parecia mais ocidental do que indiana. E que seu palácio vivia cheio de convidados estrangeiros, entre eles aristocratas europeus e atores americanos. Eu tinha respondido meneando a cabeça com a mesma gravidade ao escutar sua litania de críticas. Elas não poderiam imaginar que essas descrições despertavam em mim uma empolgação inconcebível.

Conforme descobri depois, quase tudo daquilo que elas tinham dito parecia verdade. De fato a marani administrava seu palácio e sua família de um modo moderno. Todas as manhãs, Indira e eu acordávamos com a aurora e íamos até os estábulos, onde dois cavalos perfeitamente cuidados e selados nos aguardavam. No início tive de me esforçar para acompanhar Indira, que se revelou uma excelente amazona. Ao galopar numa velocidade estonteante pela propriedade, rindo e gritando enquanto o vento batia no meu rosto, lembro de me sentir viva e livre, e mais feliz do que jamais me sentira.

Levei muitas semanas para ultrapassá-la no galope, mas quando o fiz Indira vibrou com a minha vitória.

Depois do café da manhã, nos dias de semana, nós íamos para um cômodo grande onde tínhamos aulas com um preceptor. Indira tinha a capacidade de concentração de um mosquito, e era preciso empregar todos os meus poderes de persuasão para fazê-la se concentrar nos estudos. Eu a via olhando para fora com um ar sonhador, à espera do instante em que seria liberada para ir visitar sua querida elefanta Belezinha, dar um breve passeio montada nela, ou jogar tênis na quadra primorosamente bem-cuidada.

Eu, de minha parte, valorizava muito a oportunidade de seguir expandindo minha educação. Nosso preceptor britânico era professor de inglês, e incentivou meu antigo amor pelos livros. Hoje, quando penso nisso, acho que ele se sentia tão contente por me ter como sua aluna quanto eu. Meu vocabulário em inglês melhorou muito, e fiz o melhor que pude, como a marani me pedira, para conversar com sua filha nesse idioma o máximo que conseguisse.

A marani também havia contratado uma governanta inglesa para cuidar das necessidades da sua caçula. A Srta. Reid era uma mulher afável, que obviamente tinha poucas esperanças de transformar sua rebelde pupila numa dama.

Em inúmeras ocasiões, Indira desobedecia suas súplicas para não se atrasar para o almoço, ou para ir se sentar quietinha depois com um livro na sala de aula. Bastava a Srta. Reid virar as costas para que Indira piscasse os olhos para mim e saíssemos para mais uma aventura lá fora.

Um de meus lugares preferidos do palácio era a imensa biblioteca, que continha primeiras edições de valor incalculável escritas por romancistas famosos do mundo inteiro. Os armários de porta de vidro que abrigavam os livros permaneciam sempre trancados; eram apenas um ornamento vistoso, mais uma peça decorativa, e eu duvidava que algum daqueles títulos tivesse sido pego e lido durante todos os anos que haviam permanecido ali.

Muitas vezes tinha olhado para as prateleiras e sentido os dedos coçarem de tanta vontade de pegar e segurar um deles. Tivera de me contentar com os exemplares surrados de O morro dos ventos uivantes, Oliver Twist e Hamlet que meu preceptor trouxera consigo da Inglaterra. Durante as tardes longas e tranquilas, lera e relera esses livros várias vezes.

Muitas outras tardes eu passava descansando no lindo e arejado quarto de dormir que eu dividia com Indira. Eu ficava deitada na cama, encarando as paredes azul-celeste pintadas à mão decoradas com margaridas do Himalaia, e agradecia imensamente aos deuses por terem me levado até ali. Indira, decerto por gastar tanta energia enquanto acordada, adormecia na hora, enquanto eu ficava matutando sobre os acontecimentos do dia até então.

Conforme o crepúsculo ia se aproximando, o palácio ganhava vida outra vez. Esse era o horário do dia de que eu mais gostava; a sensação de expectativa da noite próxima nos dominava a todos. Sempre havia diversos convidados exóticos do mundo inteiro para o jantar. Indira e eu costumávamos ficar observando os empregados porem a mesa no imenso salão de jantar com aparadores de ouro maciço, pesadas facas e garfos cravejados de pedras preciosas, e imensos vasos cheios de magníficas flores. O ar tinha o perfume do incenso que um criado espalhava pelos cômodos do térreo num *dhuan* de prata.

Na minha primeira noite no palácio, depois de jantarmos, o ritual seguinte havia começado. Quando Indira me disse para onde estávamos indo, fiquei chocada.

– Por que vamos assistir à sua mãe se vestir e se preparar para a noite? – perguntara eu.

– Não sei. Ela gosta de ter todas nós reunidas lá, só isso – respondera Indira, dando de ombros.

Enquanto atravessávamos o imenso salão de durbar abobadado, que ocupava o centro do palácio e tinha uma entrada alta o suficiente para permitir a um elefante adulto entrar carregando um marajá num *howdah*, pensei como *eu* detestaria ter uma plateia enquanto estivesse me vestindo.

Quando adentramos os aposentos particulares da marani, mal consegui acreditar na multidão de gente reunida no seu boudoir. O recinto estava tomado por criadas, parentes, amigas em visita, e por nós crianças. E ali, no meio do burburinho, sentada diante da sua penteadeira de madrepérola delicadamente entalhada, estava a marani em pessoa.

Indira tinha me puxado direto pelo meio das pessoas até sua mãe.

– Anni chegou, Ma. Ela veio! – exclamara a princesa, felicíssima.

– Estou vendo. – A marani abriu para nós duas um sorriso afetuoso. – E espero que agora sua saúde e seu apetite voltem por completo, minha Indira. – Ela me olhou de relance, e compartilhamos um olhar de compreensão e diversão mútua. – Bem-vinda, Anni. Espero que seja feliz aqui no palácio conosco.

– Obrigada – respondi. – Tenho certeza de que serei.

Nessa primeira noite, confesso que mal consegui prestar atenção no que ela dizia. Estava hipnotizada por seu rosto, os olhos contornados de *kohl*, os lábios que iam ficando vermelhos à medida que ela os pintava cuidadosamente com um pincel que mergulhava num pequeno frasco de pigmento. O cheiro do perfume francês preferido da marani dominava o ar conforme ela dava um jeito de se aprontar ao mesmo tempo que entretinha seu séquito, revezando-se com desenvoltura entre o híndi, o inglês e o bengali, dependendo de com quem estivesse falando.

– Venha, vou lhe mostrar os outros aposentos de Ma – disse Indira.

Ela me puxou até um banheiro equipado com uma banheira em estilo ocidental; nós meninas nos sentávamos num banco de madeira duro enquanto a água era despejada de grandes urnas de prata sem a menor cerimônia à nossa volta. E no quarto de dormir branco e dourado de pé-direito alto da marani havia uma imensa cama de mármore. Toda a extensão de seus aposentos era margeada por uma varanda sombreada que dava para um pátio cheio de jacarandás, hibiscos e jasmins.

Se algum dia existiu uma rainha de conto de fadas na vida real, meu filho, uma rainha jovem, bela e bondosa que morava num palácio suntuoso, essa mulher era Ayesha, marani de Cooch Behar. E eu fui inteiramente enfeitiçada por ela, assim como todo mundo.

Mais tarde, quando a marani enfim ficou pronta para receber seus convidados – estontente num sári verde-esmeralda bordado com esmero –, Indira e eu voltamos para o nosso quarto, onde a Srta. Reid nos fez vestir as camisolas e ir para a cama.

– Você não acha que Ma é a mulher mais linda do mundo? – perguntou-me Indira.

– Sim, a mais linda de todas – respondi sem hesitar.

– E o melhor de tudo é que os meus pais são muito apaixonados um pelo outro – disse ela sonolenta, dando um bocejo. – Meu pai a adora. E ele é o homem mais bonito do mundo. Mal posso esperar para você conhecê-lo.

Sua mão se esgueirou das sombras na minha direção, e eu também estendi a minha.

– Boa noite, Anni – falou ela com um suspiro satisfeito. – Estou muito feliz por você estar aqui.

10

Certa manhã, ao receber uma carta da minha mãe, me dei conta de que já estava em Cooch Behar havia dois meses. No início havíamos combinado que eu passaria apenas algumas semanas com Indira. Envergonha-me dizer que eu fora inteiramente absorvida por aquela nova vida e que perdera a noção do tempo. Na carta, minha mãe me perguntava quando eu iria voltar. A súbita compreensão de que minha vida ali era apenas temporária me atingiu feito um raio.

Àquela altura, Indira e eu éramos praticamente gêmeas siamesas, e ela notou na hora a minha expressão.

– O que foi?

Ergui os olhos da carta.

– Minha mãe está perguntando quando eu vou voltar.

– Para onde? – Indira não parecia estar entendendo.

– Para Jaipur, claro.

– Mas é claro que você não pode ir embora – retrucou ela. – Você agora mora aqui comigo. Quem sabe podemos organizar uma visita da sua mãe?

– Duvido que ela vá gostar muito da viagem.

– Vou falar com Ma e ver o que ela sugere.

Fiquei com o coração na boca enquanto Indira saía correndo à procura da mãe. E se a marani estivesse ocupada demais para reparar que eu ainda não tinha voltado para casa? E se – estremeci de pavor – eu precisasse voltar para sempre para a zenana de Jaipur?

Indira voltou dali a meia hora e meneou a cabeça, satisfeita.

– Não se preocupe, Anni. Ma vai dar um jeito. Ela sempre dá.

Nessa noite, quando nos reunimos como de costume no boudoir da marani, ela acenou para que eu fosse até seu espelho.

– Indira disse que a sua mãe está com saudades e deseja vê-la.

– Sim, foi o que ela escreveu na carta – respondi, nervosa.

– Compreendo totalmente. Mãe nenhuma deseja ser privada da visão e da companhia dos filhos. Então precisamos combinar de ela vir visitá-la.

– Obrigada, Alteza.

Fiz-lhe uma mesura respeitosa. Na verdade, minha gratidão era tanta que eu queria mesmo era cobrir seu belo rosto de beijos.

– Vou escrever à sua mãe agora mesmo. Na verdade já vinha querendo fazer isso, pois tenho outro assunto para discutir com ela.

Meu coração suspirou de alívio. Ela não estava considerando me enviar de volta para casa.

Alguns dias depois, a marani apareceu no quarto que Indira e eu dividíamos. Não era com a filha que desejava falar, mas comigo.

– Venha comigo, Anni – falou, apontando para as portas que iam dar na varanda.

– Posso ir também, Ma? – pediu Indira, chorosa.

– Não – foi a resposta firme. – Quero falar com Anni em particular.

Segui a marani até um banco situado na sombra fresca lá fora. Mesmo vestida com a túnica e a calça simples de todo dia, que usava quando não havia nenhum convidado, a marani estava resplandecente.

– Anni, eu tenho um motivo para querer falar com você sem minha filha presente.

– Pois não, Alteza.

– Está gostando da sua vida aqui?

– Muito, Alteza – garanti-lhe entusiasmada.

– Gostaria de ficar mais tempo conosco?

– Ah, quero, sim, por favor. Eu adoro isto aqui! – A ênfase que empreguei não podia lhe dar motivo algum para dúvidas.

A marani tirou os olhos de mim e os deixou se perderem ao longe.

– Queria ouvir as palavras da sua boca. Sei muito bem que Indira é teimosa e foi mimada pela vida que tem. Sei também que, por ser a caçula e adulada pelos irmãos mais velhos, ela teve mais liberdade do que deveria. Assumo a responsabilidade por isso. Ela sente falta dos irmãos e irmãs e estava se sentindo sozinha antes de você chegar. Mesmo assim, ela não pode esperar que todas as suas exigências sejam atendidas, sobretudo quando essa exigência envolve outra pessoa.

– Eu a amo – falei. Eram as palavras mais simples e mais verdadeiras que eu conhecia.

A marani tornou a se virar para mim e sorriu.

– Eu sei, Anni. Vejo isso no seu rosto. E a verdadeira amizade, que envolve amor, lealdade e confiança, é algo muito precioso e raro. Espero tanto para o seu bem quanto para o bem da minha filha que essa amizade acompanhe vocês no futuro. No entanto... – A marani segurou minhas mãos e as fechou dentro das suas com uma expressão subitamente séria. – Você também tem os próprios pensamentos e desejos. E precisa me prometer nunca ter medo de expressá-los. Indira tem um temperamento forte. – A marani fez uma pausa e tornou a sorrir. – Sinto dizer que vejo muito de mim nela. Não a deixe mandar em você, sim? Seria ruim para você e ruim para a minha filha.

– Sim, Alteza – respondi, profundamente tocada por ela me considerar digna de receber um conselho.

Nesse instante entendi por que Ayesha, a famosa marani de Cooch Behar, era adorada por quase todos que tinham a sorte de conhecê-la: ela compreendia a natureza humana.

– Sua mãe chega mais ou menos daqui a uma semana. Vou conversar com ela na ocasião.

– Obrigada, Alteza.

– Sou eu quem deveria lhe agradecer, Anni. – Ela soltou minhas mãos e as afagou suavemente com os dedos longos e frescos antes de se levantar. – Acho que a minha filha tem muita sorte de ter você como amiga.

Quinze dias depois, minha mãe chegou ao palácio de Cooch Behar.

– Anni, como você cresceu! – exclamou ela quando a recebi, para em seguida levá-la para um tour pelo palácio.

Pude ver que ela ficou impressionada com os cômodos intermináveis mobiliados com tesouros de valor incalculável pinçados pela marani do mundo inteiro. Eu já tinha me acostumado com o ambiente suntuoso no qual agora vivia.

– Onde fica a zenana? – perguntou-me ela, nervosa.

– Ah. – Acenei distraidamente numa direção genérica. – Em algum lugar por ali.

– Mas a marani com certeza vive com as outras mulheres na zenana, não?

– Não, Maaji. Ela tem os próprios aposentos.

Pude sentir o desconforto da minha mãe conforme eu a conduzia pelas

121

áreas comuns do palácio. Diversos ajudantes e criados do sexo masculino passavam para lá e para cá sem reparar em nós. Embora, em comparação com outras mulheres da mesma idade, sua vida de curandeira e a crença do meu pai de que as mulheres tinham direito à instrução a tivessem preparado melhor para o modo relaxado como as coisas aconteciam ali, ainda assim pude ver que ela estava pouco à vontade. Minha mãe nunca tinha ficado sem véu na frente de outro homem que não fosse meu pai.

– Você e a princesa Indira estão se aproximando do momento de virarem mulheres. Quando isso acontecer, vão adotar o *purdah* e ir morar na zenana?

– Eu não sei, Maaji – respondi com sinceridade enquanto tomávamos uma xícara de chá no pequeno pátio anexo ao nosso quarto. – Eu teria de perguntar. Ou talvez você possa perguntar. Sei que tanto o marajá quanto a marani são grandes amigos de Rabindranath Tagore, que como você sabe papai admirava muito. Ele não aprova o *purdah* – argumentei, tentando tornar a questão mais palatável fazendo-a recordar seu amado marido.

Ainda recordo a aflição no rosto da minha mãe durante esse embate entre o antigo e o novo.

– Eu agora gostaria de descansar – disse ela por fim. – A viagem foi longa.

Eu sabia que mais tarde naquela noite minha mãe seria levada até o boudoir da marani para ser apresentada a ela. Meu coração deu um pinote quando pensei no que ela veria lá. Os aposentos de Ayesha eram um altar em homenagem aos costumes modernos, e sua suma-sacerdotisa, com seu perfume francês e seus apetrechos ocidentais, só faria aumentar a consternação de minha mãe.

E se ela achasse que eu não estava sendo criada de maneira hinduísta adequada? Teria todo o direito de me levar na hora de volta consigo para Jaipur.

Eu não precisava ter me preocupado, é claro. Quando Indira e eu adentramos o boudoir com minha mãe, Ayesha em pessoa se levantou e abriu caminho entre um grupo de mulheres para vir cumprimentá-la. Já estava vestida com um sári dourado cintilante, com diamantes ao redor do pescoço e um imenso adorno de nariz de rubi que capturava a luz do lustre de cristal Baccarat acima dela.

– É uma honra conhecê-la, Alteza – disse minha mãe, quase curvada ao meio de tanto assombro. Ao observar as duas mulheres, dei-me conta de que o contraste entre elas não poderia ser maior. Uma de uma beleza estonteante, rica e independente, a outra vergada pelas dificuldades da vida desde a morte do meu pai.

– Não, a honra é toda minha – respondeu a marani. – A senhora deu à luz uma filha muito especial que temos a sorte de ter entre nós. Agora venha ver meu quarto de oração, e vamos fazer um *puja* para Brahma por ele ter nos abençoado com filhas assim.

Ao dizer isso, ela conduziu minha mãe pelo meio das observadoras espantadas e desapareceu no cômodo ao lado, fechando a porta atrás de si.

Quinze minutos depois, ao voltarem, as duas estavam conversando como velhas conhecidas. O nervosismo da minha mãe tinha desaparecido por completo, e eu também agradeci aos deuses pelo fato de a marani ter sabido exatamente o que fazer para deixá-la à vontade.

Nessa noite, como acontecia com todo mundo, minha mãe também sucumbiu ao doce feitiço da marani. Teceu elogios ao gosto de Sua Alteza em matéria de mobília e roupas, e a seu grande conhecimento sobre filosofia, poesia e o mundo em geral. Elas compartilharam opiniões sobre a medicina ayurvédica, e a marani ficou fascinada ao saber sobre o dom especial de vidência da minha mãe.

– Você "viu" para ela, Maaji? – perguntei ansiosa certa tarde ao vê-la sair dos aposentos da marani.

– Como você sabe muito bem, Anni, isso é um assunto pessoal entre a marani e eu – respondeu minha mãe.

Ao final da primeira semana, ela já estava à vontade o suficiente para dar um passeio comigo pelos jardins bem na frente dos residentes homens do palácio. Ainda não queria tirar o *ghoonghat* da frente do rosto, e eu respeitava isso. Mas sob todos os outros aspectos havia ficado tão fascinada por Cooch Behar e seus habitantes quanto eu.

Na véspera do dia em que minha mãe voltaria para casa, a marani a chamou aos seus aposentos para uma reunião particular. Eu sabia do que elas iriam falar, e Indira e eu ficamos esperando nervosas do lado de fora.

– E se a minha mãe quiser que eu volte com ela? Acho que eu iria morrer! – sussurrei, aflita.

Ao meu lado, muito calma, Indira segurava minha mão.

– Ela não vai pedir para você voltar, Anni, eu prometo.

E Indira tinha razão, claro. Minha mãe saiu pela porta sorrindo e me levou até meu quarto para conversarmos a sós.

– A marani me perguntou se eu estaria disposta a deixar você ficar aqui com a família dela de modo permanente. Ela propôs também educá-la junto com Indira, o que é exatamente o que o seu pai teria desejado para você.

– Sim, Maaji – balbuciei.

– Ela disse também que entende que seja difícil para mim ficar sem você, então sugeriu que eu passasse parte do ano aqui com você quando a família estiver morando no palácio. Então, minha filha, você quer ficar aqui quando eu voltar para Jaipur?

– Ah, Maaji... – Uma lágrima brotou do meu olho. – Eu acho que sim. Embora vá passar parte do ano longe de você e sentir muita saudade. Mas sei que papai ficaria muito feliz de ver que estou dando continuidade à minha educação. E eu não posso fazer isso na zenana de Jaipur.

– Concordo que as oportunidades que você tem aqui são bem melhores. E você sempre foi especial, minha *pyari*. – Ela sorriu e tocou meu rosto com a mão. – Vai me escrever toda semana quando estivermos longe uma da outra?

– Claro, Maaji. Todo dia, se você quiser.

– Uma vez por semana está bom, minha menina. E eu voltarei para cá depois da monção, daqui a quatro meses. Prometo que não vai parecer muito tempo.

– Vou ficar com saudades.

– Eu também. – Ela me abriu os braços. – Lembre-se, eu estarei sempre com você.

– Eu sei, Maaji – respondi, dando-lhe um abraço apertado.

Até hoje me lembro que nessa hora ela me olhou com tamanha tristeza nos olhos que fui impelida a dizer:

– Talvez no fim das contas eu deva voltar para Jaipur com você.

– Não, Anni. – Ela ergueu os olhos para o céu. – Eu sei que o seu destino é ficar aqui.

Assim, minha mãe voltou para Jaipur, coberta de presentes da marani. E embora eu tenha conseguido o que queria e pudesse agora considerar o palácio de Cooch Behar meu lar permanente, não pude evitar sentir uma pontada de desconforto com o fato de a minha mãe, por mais espiritualmente evoluída e sábia que fosse, ter sido convencida de modo tão sutil a abrir mão de sua preciosa filha.

Naquele verão, quando a estação da monção chegou e a terra quente fazia até mesmo a sola endurecida dos nossos pés arder como se picadas por mil abelhas, a família real se mudou juntamente com o restante da classe privilegiada da Índia para as cidades mais altas, de modo a respirar um ar mais puro e fresco. Fomos para Darjeeling, uma região de montanhas magnífica situada a mais de dois mil metros de altitude e famosa pelas fazendas de chá, cujas plantações desciam pelas colinas verdejantes até onde os olhos alcançavam.

Esse verão foi o início de minha história de amor eterno com a cidade; a visão distante do estonteante Himalaia bastava para fazer meu espírito alçar voo. Os britânicos também tinham aprendido tempos antes a fugir para Darjeeling, e haviam feito daquela a sua cidade. Fileiras de casas brancas batizadas em homenagem a lugares na Inglaterra ocupavam as encostas dos morros, e a cidade tinha uma ordem e uma disposição impecáveis, ao contrário de nossos vilarejos indianos caóticos. Eu sonhava um dia poder visitar a *verdadeira* Inglaterra.

Foi em Darjeeling que conheci os irmãos de Indira. Todos os três estavam de férias do colégio interno na Inglaterra. Com 17, 16 e 15 anos, eles cobriam a irmã caçula de atenção, mas, como eram muito mais velhos do que ela, pude entender por que Indira se sentia filha única. Minty, sua irmã de 15 anos, parecia muito adulta e sofisticada. Eu a escutava, fascinada, falar sobre a vida na Inglaterra durante o jantar. Aprendi a jogar croqué nos gramados imaculados e também me tornei boa em vários truques de cartas graças ao sociável irmão do meio de Indira, Abivanth. Fiquei impressionada em particular com Raj, o mais velho dos irmãos e príncipe herdeiro, cuja beleza e charme me deixavam literalmente sem palavras na sua presença.

Como a casa em que ficávamos era minúscula se comparada ao palácio de Cooch Behar, nós vivíamos muito mais como uma família. Situado bem no alto das montanhas e acessível apenas a cavalo ou de riquixá, aquele era um lugar de privacidade e paz.

Muitas vezes o belo marajá, que eu raramente via em Cooch Behar graças aos seus compromissos oficiais, juntava-se ao restante da família para um almoço simples ao ar livre no jardim. No ambiente informal de Darjeeling, eu vi o que desejava para minha própria vida futura: um amor estável e verdadeiro entre marido e mulher. Vi isso no modo como eles às vezes se entreolhavam durante o jantar e compartilhavam um sorriso secreto, ou então no modo como eu com frequência via a mão dele enlaçar discretamente a cintura da marani. Aquele era o tipo de afeto genuíno que eu recordava do casamento dos meus próprios pais.

Muito embora eles governassem um reino juntos e o tempo de ambos fosse submetido a uma demanda cruel, percebi que a sua verdadeira força vinha da admiração e da confiança que eles tinham um no outro.

Nesse verão, Indira e eu gostávamos de acordar bem cedo e subir as trilhas íngremes até Tiger Hill para ver o sol nascer atrás do monte Everest. Ambas adorávamos visitar a praça do mercado no centro de Darjeeling, onde vendedores tibetanos e butaneses usando imensos chapéus de pele vendiam suas mercadorias. Eu era sem dúvida mais feliz do que jamais fora, e me sentia completamente acolhida e aceita pela família de Indira.

Mas, muito embora já tivesse passado por maus bocados, eu era jovem demais para compreender por completo que a balança da vida pode se desequilibrar num segundo. E que uma grande felicidade num instante não garante necessariamente a mesma coisa no instante seguinte.

Encurralados bem lá embaixo do nosso paraíso nas montanhas, os menos afortunados da Índia não tiveram tanta sorte naquela estação. As tempestades de areia rodopiavam nas planícies, a tudo cobrindo diariamente com uma fina camada; até mesmo uma ínfima rachadura numa janela fechada podia fazer o interior amanhecer imundo. As chuvas da monção faziam os rios transbordar e projetavam a terra vermelha para fora de seus canais naturais, destruindo tudo pelo caminho.

Era também a temporada da peste na Índia – a época do ano em que toda mãe temia pelos filhos. Ao passear pelo cemitério de Darjeeling, espantei-me ao constatar que até mesmo um grande número de bebês britânicos tinha morrido ali. Todo ano, a febre tifoide, a malária e a febre amarela varriam e dizimavam a população. Aquele verão foi particularmente duro, e ouvimos notícias sobre surtos por todo o país.

Certa noite do mês de agosto, tive uma série de sonhos estranhos e acordei suada e tomada por uma terrível apreensão da qual não consegui me livrar. Uma semana depois, senti o coração subir pela garganta quando a marani me chamou à sua saleta. Nunca havia acreditado quando minha mãe me dissera que eu havia herdado o seu dom. No entanto, ao me aproximar da marani com uma sensação de mau presságio a me apertar o coração, eu já sabia o que ela iria me dizer.

Ayesha estava segurando uma carta. Acenou para que eu me aproximasse e deu uns tapinhas no assento da espreguiçadeira ao seu lado.

– Ah, minha *pyari*. Lamento dizer que tenho uma notícia muito ruim para lhe dar.

– Como a minha mãe morreu?

Foi a única vez na minha vida em que eu vi a marani sem palavras.

– Hã... Alguém contou para você? Eu só recebi a carta hoje de manhã.

– Não... Eu simplesmente senti – falei, tentando conter as lágrimas.

– Muitos dizem que nós sentimos quando alguém que amamos vai embora – disse ela, superada a surpresa. – E você demonstra ser muito sensível a essas coisas, Anni. É com muita tristeza que lhe digo que você tem razão. Sua mãe estava hospedada com sua tia e seu tio nas colinas para fugir do calor de Jaipur. Infelizmente veio uma monção muito forte que causou um deslizamento de terra na montanha durante a noite. Ninguém no vilarejo sobreviveu. Eu sinto muitíssimo, minha querida Anni. Pelo visto você perdeu não apenas sua mãe, mas também sua tia, seu tio e cinco primos.

Fiquei sentada ao seu lado, sentindo a sua mão macia dentro da minha mão pequena e fria. Pensei na minha mãe, na sua irmã e cunhado e nos meus primos, alguns ainda crianças pequenas, e não consegui aceitar a ideia de que eles não estavam mais entre nós.

– Se houver alguma coisa que nós possamos fazer por você, Anni, é só falar.

Fiz que não com a cabeça, triste e chocada demais para falar.

– Faz mais de uma semana que aconteceu. Eles ainda estão... – Os olhos da marani também ficaram marejados. – Ainda estão procurando os corpos. Se forem encontrados, você deverá voltar a Jaipur para o funeral, claro.

– Sim – respondi.

Mas ambas sabíamos que nenhum corpo seria encontrado. Minha pobre mãe permaneceria pelo resto da eternidade debaixo da terra vermelha ressecada e endurecida pelo sol.

– Tenho certeza de que você vai querer ir ao templo oferecer suas preces. Também encontrei isto aqui para você. – Ela me entregou uma túnica branca de seda muito macia. – Sempre achei um reconforto os indianos usarem branco, não preto, para prantear a perda de uma pessoa amada. A tristeza nessa época já é suficiente sem isso. E Anni querida, você não deve temer por seu futuro. Fui eu quem a tirei da sua família, e sou eu quem agora vou me responsabilizar por cuidar de você. Entende isso?

Naquele momento eu não estava entendendo nada, mas aquiesci.

– Lembre-se: ainda que não possamos vê-los, aqueles que nós amamos estão sempre conosco – acrescentou ela suavemente.

Levantei-me, sem conseguir encontrar consolo nas suas palavras.

Depois de eu vestir a túnica branca, um ajudante foi chamado para me levar de riquixá até o pequeno templo hinduísta na cidade. Sozinha, fiz as oferendas de *puja* e as preces costumeiras para encomendar os mortos. Em seguida fiquei sentada na frente dos deuses, com a cabeça curvada sobre os joelhos. Embora quisesse acreditar e *sentir* que minha mãe ainda estava comigo, à medida que a dura realidade começava a se impor, pensei também em mim mesma. Eu agora era órfã, sem nenhum dinheiro ou bem que me pertencesse, inteiramente dependente da magnanimidade da família real. Era pouco provável algum dia vir a me casar – sem família, quanto mais dote, eu não era um bom partido para homem algum. Muito embora fosse continuar recebendo uma educação, era improvável que pudesse escolher meu futuro caminho na vida.

Naquele dia, junto com as lágrimas que derramei por minha família perdida, também chorei pela perda do futuro que meu pai desejara para mim – uma vida na qual eu pudesse usar esta mente inteligente e curiosa que ele tão assiduamente havia alimentado e cuidado. A vida que tinha sido interrompida de forma tão cruel.

Senti a mão de alguém apertar meu ombro, mas não me mexi.

– Anni, Ma me contou. Eu sinto muito, muito mesmo. – A voz de Indira penetrou meus pensamentos. – Estou aqui com você, Anni, para sempre, eu juro. Eu vou cuidar de você. Eu a amo.

A mão dela buscou a minha e a apertou com força. Agarrei-me àquela mão como se fosse uma boia salva-vidas.

Ela então me abraçou, e seu corpo magro e rijo abrigou o meu enquanto chorei. Não sei quanto tempo passamos ali até eu por fim me levantar e dar um último adeus à minha família. Então saí do templo devagar, de braços dados com a única pessoa restante no mundo que sentia de fato se importar comigo.

Mais tarde naquela noite, sem conseguir dormir, desvencilhei-me do corpo cálido de Indira, que me envolvia de forma a proteger o meu na cama, e aventurei-me a sair para a varanda anexa ao nosso quarto. O ar da noite estava maravilhosamente fresco, e as estrelas brilhavam intensas no céu.

– Maaji – sussurrei. – Eu deveria estar com você aí em cima, não aqui embaixo sozinha! – Em meio à minha tristeza, eu não havia deixado de pensar que, caso ainda estivesse morando em Jaipur com minha mãe, também não estaria mais caminhando por esta terra.

Foi então que escutei um som repentino e agudo. Virei-me para um lado e outro tentando ver quem estava cantando de maneira tão melodiosa e nítida. Mas a varanda e suas cercanias estavam totalmente desertas. O canto não cessou, porém prosseguiu suave, tranquilizando-me e reconfortando-me, fazendo-me recordar as canções de ninar que minha mãe cantava para mim quando eu era bebê.

De repente recordei as palavras de minha mãe tempos antes. E percebi que, como ela tinha dito que aconteceria, eu havia escutado o canto pela primeira vez. Ali parada, senti minha mãe bem próxima, dizendo-me que o seu dom me estava sendo transmitido. Que ainda não era a minha hora, e que eu tinha mais coisas a fazer.

Um mês depois, quando as chuvas já tinham quase cessado e o ar de setembro já estava mais fresco, retornamos ao palácio. Uma velha senhora que eu só conhecia de vista da zenana veio me procurar.

– Anahita, eu trouxe uma coisa para você.

Olhei-a com surpresa enquanto ela me conduzia até um canto tranquilo e me fazia sentar.

– Você sabe quem eu sou? – perguntou ela.

– Não.

– Meu nome é Zeena e eu sou *baidh*. Exerço o mesmo papel aqui no palácio que a sua mãe exercia em Jaipur.

Seus olhos negros me encararam fundo, e quando entendi pisquei os meus.

– A senhora é curandeira?

– Sim. E quando sua mãe esteve aqui visitando você, talvez tenha tido uma premonição sobre a própria morte, pois me confiou uma coisa. Disse que eu deveria lhe entregar caso algo acontecesse a ela. – Zeena pegou um pequeno embrulho de tecido amarrado com um pedaço de barbante e me entregou. – Não olhei o que há dentro, mas sugiro que você vá para algum lugar onde não seja incomodada e o abra.

– Farei isso. Obrigada por me entregar, o que quer que isto seja. – Curvei-me num agradecimento e me levantei.

– Ela me disse que você também tem o dom da cura e me perguntou se eu poderia ajudá-la. – Ela me observou com atenção. – E acredito que você tenha mesmo esse dom. Se quiser, posso lhe ensinar tudo que eu sei.

– Quando eu era pequena, minha mãe me disse que o seu dom seria transmitido para mim – respondi, dominada pela emoção. – Eu soube que minha mãe tinha morrido antes de a marani confirmar.

– É claro que sim. – Zeena me sorriu e beijou de leve a minha testa. – Venha me procurar quando estiver pronta para começar.

– Obrigada, Zeena.

Saí depressa em direção ao meu local favorito no palácio. Era um pequeno pavilhão escondido no meio de um arvoredo dedicado a Durga, deusa da potência feminina, onde eu muitas vezes ia me refugiar para ler e pensar. Sentei-me de pernas cruzadas e, impaciente, comecei a tentar desatar o barbante preso com um nó apertado. Sabia que aquele embrulho continha os últimos presentes terrenos da minha mãe, e não fazia ideia do que iria encontrar lá dentro.

Com todo o cuidado, removi os três itens que o embrulho continha e os pousei no chão duro à minha frente. Havia um envelope endereçado a mim, um caderninho com capa de couro e um segundo saquinho menor de juta também amarrado com barbante. Decidi abrir primeiro a carta.

Minha querida Anni,

Pyari, tomara que eu esteja errada, mas na véspera do dia em que eu deveria deixar o palácio de Cooch Behar e você, minha filha amada, os espíritos cantaram para mim e me disseram que eu deveria me preparar. No momento em que escrevo, não tenho certeza de quando vai acontecer. E como nunca devemos viver a vida temerosos do que possa vir a ser, fico feliz por não saber. Anahita, minha filha, sei que se você estiver lendo estas palavras eu já terei partido desta terra. Mas, como você aprenderá na vida, aqueles que a amaram de verdade nunca estarão distantes de você.

Você é uma menina especial. Sei que todos os pais pensam isso dos filhos, mas você foi posta neste mundo por um motivo. Sua jornada não será fácil, e você precisa se lembrar de que o destino pode nos apresentar muitas situações difíceis. Mas sempre que estiver em dúvida quanto ao caminho certo a seguir, imploro-lhe que use seu dom da intuição. Ele nunca vai decepcioná-la.

Talvez você tenha escutado os espíritos cantarem quando eu parti – foi o que aconteceu comigo quando minha mãe me deixou. Tenho certeza de que ao ler isto está se sentindo sozinha. Não se sinta assim, Anni, pois você não foi abandonada. Sua vida é exatamente como o destino quis que fosse, conforme determinaram os poderes superiores. Nunca se esqueça: nossos destinos são controlados por eles. Talvez, pyari, *enquanto você está lendo isso, eu agora esteja sentada com eles e começando a entender.*

O dom que você herdou é ao mesmo tempo uma bênção e uma maldição. Pode fazê-la mergulhar num abismo de escuridão quando você prevê a morte de alguém que ama, mas pode também levá-la até as estrelas quando seus poderes únicos conseguem ajudar a curar os outros.

Conforme você vai aprender na sua jornada de vida agora, filha minha, todos os poderes podem ser usados para o bem e para o mal. Sei que você vai usar seu dom com sabedoria.

Deixei duas coisas com Zeena, em quem confio sem reservas e em quem você também deve confiar. Permita que ela lhe ensine tudo que sabe – ela entende quem você é. A primeira coisa é meu livro de fórmulas ayurvédicas, as receitas dos meus remédios. Ele passou por muitas gerações até ser transmitido para mim e é muito antigo e valioso. Espero que seu conteúdo a ajude em sua jornada de vida. Cuide bem dele, pois esse livro traz o conhecimento e a sabedoria das suas ancestrais, mulheres de capacidade extraordinária.

A segunda coisa é o que o seu pai sempre chamava de nosso "seguro". No pior dos casos, seu conteúdo vai lhe proporcionar uma pequena segurança. Seu pai só me revelou a existência dele na noite em que morreu; desconheço seu valor ou como ele as obteve. Talvez ele pretendesse oferecê-las como dote para você um dia. Se julgar que esse é um uso adequado para elas, cabe a você decidir.

Minha filha querida, não permita que a tristeza e o desespero em relação à sua sorte atual a impeçam de levar a vida que tanto seu pai quanto eu desejamos para você. Talvez você sinta que nós a decepcionamos por não estarmos mais ao seu lado, mas posso lhe garantir que, no instante em que estiver lendo estas palavras, estaremos os dois juntos, observando e amando você.

Como dizia o seu pai, tente sempre ser verdadeira consigo mesma. Seja uma boa menina em tudo que fizer.

Amo você.
Sua carinhosa mãe.

Li a carta repetidas vezes, pois nas primeiras não consegui distinguir as palavras por causa das lágrimas que me embaçavam os olhos. Então, com os dedos trêmulos, abri a bolsinha de juta. Dessa vez, o nó se desfez com facilidade, e eu despejei o conteúdo do saquinho no chão.

Dentro dela havia três pedras. Pareceram-me iguais a qualquer torrão de terra que eu poderia catar no chão em qualquer lugar da Índia. Segurei nas mãos a maior delas e me perguntei por que meu pai as havia qualificado de "seguro". Sem entender, tornei a guardá-las na bolsinha, levantei-me e voltei desconsolada para o palácio.

Foi só algumas semanas depois que descobri seu verdadeiro valor; a marani tinha recebido uma entrega do fornecedor de pedras preciosas da região para que escolhesse um novo colar, presente do marido. As pedras – pedaços de terra iguaizinhos aos meus – foram dispostas em cima de um prato, e o joalheiro usou um instrumento especial para começar a retirar cuidadosamente a terra delas. Quando ele enfim revelou um brilho vermelho escuro escondido lá embaixo, entendi o que meu pai tinha me deixado: três rubis.

Acabei decidindo levar a bolsinha de juta de volta para o pavilhão, e lá cavei com as próprias mãos um pequeno buraco junto aos alicerces e a enterrei bem fundo. Minha mãe tinha razão: embora eu não fizesse muita ideia do verdadeiro valor das pedras, pelo menos me sentia um pouco mais segura por ter algo a que pudesse recorrer num momento de necessidade. E foi com o coração um pouco mais leve que me afastei do pavilhão.

Daquele momento em diante, sempre que Indira estava ocupada na função de princesa em eventos oficiais ou jantares, eu passava o máximo possível de horas no jardim com Zeena, decidida a aprender com ela tudo que pudesse. Embora na época tivesse pouca intenção de me tornar curandeira, ou de pôr em prática as preparações listadas no caderno de couro da minha mãe, sentia-me na obrigação de aprender o que ela havia desejado que eu soubesse.

Depois de Zeena ter lido o caderno de minha mãe, e de acompanhar as suas receitas com seus dedos nodosos de compridas unhas amarelas, achei que ela passou a me olhar com um respeito renovado.

– Você vem de uma linhagem poderosa de *baidh*. Há poções aqui que poucas pessoas conhecem. – Ela foi virando as páginas até chegar a uma parte específica. – Veja, aqui estão listadas algumas capazes de matar uma pessoa na hora! – disse ela, baixando a voz.

Perguntei-lhe se ela já havia usado uma poção para fazer mal a alguém. Ela me encarou enquanto refletia sobre como responder.

– Anahita, eu sou curandeira. Só os deuses me dizem que poção devo usar.

Eu escondia muito poucas coisas de Indira, mas não comentei com ela sobre minhas aulas com Zeena, nem sobre os rubis enterrados. Eram dois segredos que minha intuição me dizia para guardar para mim.

11

Um ano depois

Indira entrou correndo no quarto, atirou-se no colchão e começou a socar o travesseiro com os punhos fechados.

– Eu não vou! Não posso ir! Não vou! – Fiquei vendo consternada minha amiga de 13 anos uivar e espernear feito uma criancinha. – Eles não podem me obrigar! Eu vou fugir! Me recuso a ir!

Nos últimos meses, eu tinha visto essas explosões muitas vezes quando Indira não conseguia o que queria. Fiquei sentada sem dizer nada, observando-a até ela se acalmar. Então perguntei:

– O que foi, Indy? O que aconteceu?

– Meus pais querem que eu faça como meus irmãos e minha irmã e vá estudar num colégio interno na Inglaterra. Eu *odeio* a Inglaterra! É um lugar triste e sem graça, e eu sempre fico resfriada.

Fiquei sentada ali a encará-la tomada por um terror abjeto. Se eles a mandassem estudar fora, pensei, egoísta, o que seria de mim?

– Mas eles não podem obrigar você a ir, podem?

– É o meu pai quem quer que eu vá. E ele é "Deus", o seu desejo é uma ordem para todo mundo. Inclusive para mim. Eu vou morrer, juro! – concluiu ela, dramática.

Para mim, claro, a perspectiva de conhecer a Inglaterra, o famoso lar daqueles que nos governavam ali na Índia, era uma aventura pela qual eu sempre havia ansiado. Imaginei-me admirando os narcisos de Wordsworth, visitando as desoladas charnecas de Yorkshire onde as irmãs Brontë tinham escrito suas fascinantes histórias, e é claro, Londres, a Capital do Mundo. Mas sabia que esses não eram pensamentos adequados para consolar minha abalada amiga.

– Quando você teria de ir?

– Eu saio de navio em agosto e chego para o início do ano letivo em setembro. Disse a Ma que nunca vou ser boa aluna, que não nasci para ficar sentada quieta... além do mais, sei que vou definhar feito uma margarida congelada naquele lugar frio e escuro.

– Ah, Indy, eu vou morrer de saudades!

– Não, Anni. Não sou só eu que eles querem mandar, você vai também.

– Eu?

– Claro! Nem mesmo eles seriam tão cruéis a ponto de me mandar sozinha. Você vai comigo, a menos que eu consiga pensar num jeito de convencê-los a nos deixar ficar aqui. Mas Ma adora a Inglaterra e a estação de lá, portanto não está nem um pouco do nosso lado. E Belezinha? – lamentou Indira. – Ela vai murchar de tristeza sem mim, eu sei que vai!

Tentei manter a expressão tão preocupada e triste quanto antes de Indira me dizer que eu também estava incluída naquela viagem para além-mar.

– É mesmo tão ruim assim? – perguntei. – Sua mãe e seu pai parecem adorar a cidade, assim como seus irmãos e sua irmã. Eles dizem que Londres é um lugar lindo, onde as ruas têm luz elétrica e as mulheres podem passear livremente, até mesmo com os tornozelos à mostra!

– Nós não ficaríamos nem perto de Londres. – Indira deixou a cabeça pender. – Eles vão nos mandar para onde minha irmã estudou, alguma escola horrível na beira do mar gelado da Inglaterra. Ah, Anni, o que vamos fazer?

– Pelo menos teremos uma à outra – falei suavemente, levantando-me e indo me sentar na cama ao seu lado. Segurei suas mãos dentro das minhas. – Por favor, Indy, não chore mais. Contanto que estejamos juntas, nada mais importa, não é?

Com os olhos baixos, Indira deu de ombros em silêncio. Por baixo de toda a bravata, ela sabia que dessa vez tinha sido derrotada.

– Eu vou cuidar de você, prometo.

Ao longo de nossos últimos três meses na Índia, Indira não perdeu a expressão emburrada, e eu fui me animando mais a cada dia. Durante o verão, mudamo-nos outra vez para a residência de veraneio da família real em Darjeeling.

– Este clima mais ameno é uma preparação para quando você for para além-mar – disse-lhe seu pai, o marajá, numa noite quente, quando estávamos sentados na varanda após o jantar.

– Pa, *nada* vai me preparar para a Inglaterra – grunhiu Indira, mal-humorada. – Você sabe que eu detesto aquilo lá.

– Assim como eu detesto ter de lidar com as inúmeras obrigações de Estado e nunca ter um dia só para mim – repreendeu seu pai. – Indira, você precisa mesmo aprender que a vida não é só prazer.

Voltamos de Darjeeling para Cooch Behar mais cedo do que de costume, de modo a nos prepararmos para a viagem. A família inteira partiria para a Inglaterra de navio, o que envolvia organizar imensos baús e caixotes – a marani fazia questão de levar consigo um pedacinho da sua casa aonde quer que fosse. Indira adentrou um estado de pessimismo do qual nem mesmo eu consegui tirá-la. Insistia para passar as noites dormindo com a elefanta Belezinha no *pilkhana*, e por mais que eu tentasse convencê-la, não era capaz de trazê-la de volta para dentro de casa.

– Não sei nem se vou estar em casa no Natal – dizia ela enquanto corria os olhos pelos baús já parcialmente cheios no chão do quarto, as lágrimas rolando pelas faces. – Não dá tempo de fazer a viagem de volta. Vou passar quase um ano sem ver Belezinha!

Empacotei meus parcos pertences: o caderno de remédios da minha mãe, seu *shil noda* e uma pequena seleção de ervas secas caso alguma doença me acometesse na Inglaterra. Após muito pensar, decidi deixar meus rubis enterrados debaixo do pavilhão de Durga, acreditando que ali estariam mais seguros do que no meu baú ou na minha mala de viagem.

Quatro dias depois, vi-me parada no convés do maior e mais magnífico navio que já vira na vida conforme ele se afastava das docas de Calcutá. Mal sabia eu que passaríamos bem mais tempo fora do que qualquer uma de nós duas poderia ter imaginado.

O grupo real foi acomodado numa sequência de cabines luxuosas localizadas acima do convés do navio. Indira e eu tínhamos nosso próprio compartimento no corredor reservado para a família e para os ajudantes – mordomos, criadas e funcionários em geral que faziam parte do grupo. Acostumada com apenas poucas rupias, pensei que para manter aquele estilo de vida sua riqueza devia ser suficiente para comprar o mundo inteiro duas vezes.

Até mesmo Indira conseguiu abrir um sorriso quando começamos a examinar todos os equipamentos modernos de nosso quarto. Agora que estávamos com quase 14 anos, nós também já tínhamos permissão para nos juntar ao restante da família nas festas que os pais de Indira davam a bordo nos seus grandiosos aposentos. Assim como Indira, eu fora equipada com um guarda-roupa adequado ao estilo ocidental: túnicas de formato estranho feitas de musselina e suéteres de lã que pinicavam e dos quais tinham me dito que eu precisaria quando chegasse ao litoral gelado da Inglaterra.

Enquanto me esforçava para fechar os minúsculos botões de madrepérola de uma blusa desconfortavelmente justa, olhei para o espelho e reparei no meu corpo que começava a tomar forma. Fora um constrangimento horrível quando a Srta. Reid me sugerira que talvez estivesse na hora de começar a usar um sutiã. Ela também tinha me dado alguns paninhos para o que chamava de minhas "visitas mensais". Minhas novas formas mais curvilíneas se tornavam ainda mais perceptíveis diante do fato de que o corpo de Indira não parecia ter mudado em nada. Ela havia crescido somente para cima, não para os lados, e era agora quase dez centímetros mais alta do que eu. Eu me sentia como uma romã ao lado de uma banana.

– Estão prontas, meninas? – perguntou a Srta. Reid enquanto a criada acabava de pentear os lustrosos cabelos cor de ébano de Indira.

– Sim, Srta. Reid – respondi por nós duas.

– Tenho certeza de que vai ser uma chatice – disse Indira, arqueando as sobrancelhas, enquanto saíamos da cabine e descíamos o corredor em direção ao salão. Podíamos ouvir a banda tocando e um *crooner* cantando uma música ocidental, e adentramos o imenso recinto profusamente decorado. As joias cintilantes que enfeitavam as convidadas capturavam os reflexos dos lustres. Todas estavam vestidas à moda ocidental, inclusive a marani, que usava um esplendoroso vestido de noite azul-safira. Nunca consegui decidir se a preferia de sári ou vestido de festa: Ayesha era um verdadeiro camaleão e conseguia se adaptar a ambos com perfeição.

– Fique perto de mim, sim? – pediu Indira, puxando-me pelo meio dos convivas em direção a um garçom.

– Aceita uma bebida, senhora? – Um lacaio de uniforme branco alinhado estendeu uma bandeja.

Indira piscou para mim e escolheu duas taças de champanhe entre as bebidas oferecidas. O garçom a encarou com um ar de dúvida, mas antes que ele dissesse qualquer coisa, ela já tinha desaparecido no meio das pessoas, e eu, atrás dela.

– Vamos, prove – disse ela, entregando-me uma das taças. – Eu gostei bastante. As bolhas sobem pelo nariz. – Ela ergueu a taça até a boca.

– Você acha mesmo que deveríamos? – Olhei em volta, nervosa. – Isso tem álcool, Indy. Tenho certeza de que vamos arrumar uma encrenca séria se alguém nos vir.

– Quem vai ligar, Anni? Além do mais, já somos quase adultas. Vamos – incentivou ela.

Então levei a taça de champanhe aos lábios e dei um gole. Quando as bolhas subiram pelo meu nariz, engasguei e cuspi, enquanto Indira me olhava e ria.

– Minha nossa, já estão bebendo champanhe, meninas? Nessa idade?!

Eu morri de vergonha quando Raj, o irmão mais velho de Indira, me encarou achando graça enquanto meus olhos lacrimejavam.

– Tome, Anahita, pegue o meu lenço.

– Obrigada – falei, enxugando os olhos, assoando o nariz e amaldiçoando aquele momento. Ao longo do último ano, eu havia desenvolvido uma paixonite por Raj; ele fora passar o verão em Darjeeling logo após sair de Harrow, uma escola na Inglaterra que recebia os filhos da aristocracia britânica e estrangeira. Parecia inacreditavelmente adulto e sofisticado com suas roupas ocidentais, e era o rapaz mais bonito que eu já vira.

– Permitam-me apresentar meu amigo, príncipe Varun de Patna. Ele e eu vamos entrar juntos em Oxford neste semestre. Vamos ensinar àqueles lá umas coisinhas sobre críquete, não é? – Raj fez o gesto de lançar uma bola.

– Com certeza – concordou o príncipe Varun. – Então, meninas, estão gostando da viagem até agora?

Virei-me para Indira, que em geral respondia por nós duas nessas situações. Mas ela estava encarando o príncipe Varun, aparentemente sem conseguir falar.

– Sim, é a primeira vez que saio da Índia – respondi depressa.

– Então se prepare para ficar maravilhada com a Inglaterra e horrorizada com o clima – brincou Raj. – E espero que tenha posto na mala muitas roupas de lã e sulfato de magnésio. E estejam prontas para os banhos de mostarda caso fiquem resfriadas no colégio. É diferente de tudo que poderiam imaginar.

Como Indira continuava em silêncio encarando Varun, respondi:

– Sim, acho que estamos preparadas.

– Que bom, que bom. Então vamos deixá-las em paz, meninas. – Raj me fez uma mesura, então olhou para a irmã. – Você está muito calada, Indira. Está tudo bem?

– Sim. – Indira tirou os olhos sonhadores do príncipe Varun. – Muitíssimo bem.

Ao contrário do aviso inicial de Indira de que iria querer sair da festa "chata" assim que possível, ela insistiu para nos sentarmos no canto e observarmos os convidados. Depois de algum tempo, até eu estava começando a bocejar e a ansiar pela minha cama. Por fim, levantei-me.

– Vamos, Indy. Estou cansada.

– Só mais cinco minutos – falou Indira, e acompanhei seu olhar até onde Raj e Varun conversavam animados com duas moças inglesas.

Finalmente consegui arrastá-la para fora do salão e pelo corredor até o quarto. Trocamos de roupa e fomos para a cama.

– Você estava muito calada hoje, Indy. O que houve?

De olhos fechados, Indira deu um pequeno suspiro.

– Estou perfeitamente bem. É que acabei de conhecer o homem com quem vou me casar, só isso.

– O quê?!

– Sim. Eu o vi e simplesmente soube.

– Está falando de Varun?

– Claro.

– Mas Indy, ele é um príncipe! Isso quer dizer que os pais dele já decidiram com quem ele vai se casar.

– Assim como os meus já decidiram com quem eu vou me casar. – Ela abriu os olhos de repente e lançou-me um de seus olhares profundos e sábios. – Eu prometo a você, Anni, ele um dia vai ser meu marido.

Nas semanas seguintes, a vida a bordo do navio se transformou numa brincadeira de gato e rato, com Indira insistindo para que perseguíssemos Raj e Varun de modo que ela pudesse ver mais um pouco seu "futuro marido". Isso significava ficar esperando discretamente do lado de fora da cabine até que eles saíssem para o café da manhã ou o almoço, para uma partida de bilhar, ou para jogar croqué num dos conveses. Em seguida tínhamos de aparentar a maior casualidade possível, como se fosse uma coincidência os termos encontrado, e ficar sentadas assistindo a qualquer que fosse o jogo que eles estivessem jogando.

De repente, a menina que nunca tinha dado a mínima para sua aparência começou a se angustiar pensando no que deveria usar para jantar à noite, a roubar perfumes da penteadeira da mãe e batons da irmã.

Eu achava aquilo tudo ridículo e um tanto irritante. Indira estava apenas vivendo o seu primeiro amor, e eu sabia que isso logo iria passar. Indy, porém, estava abraçando a nova paixão com o mesmo arrebatamento que dedicava a qualquer outra coisa.

Na última noite antes de atracarmos em Southampton, o grupo real foi convidado para jantar na mesa do comandante. As emoções de Indira oscilavam sem parar entre que vestido ela iria usar e o fato de que aquela seria a última vez que ela veria o príncipe Varun. Enquanto durou a paixão de minha amiga, procurei ser diplomática e evitei ressaltar que, por mais que ela estivesse usando roupa nenhuma, ainda assim era provável que Varun a tivesse visto como o que ela ainda era: uma menina.

– Olhe, Minty me emprestou um dos seus vestidos! – Indira irrompeu porta adentro trazendo no braço um vestido de noite de chiffon cor de pêssego. – E ficou perfeito em mim!

– Você não vai se atrever a usar isso, vai? – alertei, pensando nos recatados vestidos de musselina e calicô abotoados até o pescoço condizentes com nosso status ainda infantil.

– Vou, sim! Anni, você não entende? Eu preciso fazer alguma coisa para que Varun repare em mim!

– Você nunca vai conseguir. A Srta. Reid jamais a deixaria aparecer em público usando *isso daí*! Além do mais, o que sua mãe diria?

– Eu faço 14 anos daqui a quatro meses. Com essa idade muitas meninas na Índia já estão casadas – argumentou Indira, fazendo beicinho. – Anni, você precisa me ajudar. Vou me vestir normalmente com você, e então, depois que a Srta. Reid nos levar até a sala de jantar, vou dizer que esqueci uma coisa, descer correndo e pôr o vestido. Que tal?

O horror transpareceu no meu rosto.

– Indy, por favor, e o seu pai? Por acaso você quer desgraçá-lo?

– Sério, Anni! – Indira encostou o vestido no corpo. – Eu não vou chegar lá de corpete e calcinha. É só uma versão mais adulta do que as roupas que em geral usamos.

E de fato pude ver que pelo menos o vestido era razoavelmente pudico, com um decote quadrado, o corpete ajustado logo abaixo do peito, e a saia se abrindo dali para baixo num corte império em suaves ondas de chiffon que desciam até os pés.

– Minty usou este vestido no seu aniversário de 16 anos. Então não há de ser tão ruim, não é?

Suspirei ao me dar conta de que eu podia pensar o que quisesse, mas aquilo era um *fait accompli*.

Mais tarde naquela noite, enquanto a Srta. Reid nos conduzia pela grandiosa escadaria principal do navio até a porta da sala de jantar lá em cima, Indira levou a mão à boca.

– Ah, Srta. Reid! Prometi que iria emprestar um livro para lady Alice Carruthers e fiquei de trazê-lo no jantar de hoje. Amanhã tudo deve ficar confuso demais quando o navio atracar.

– Quer que eu desça e pegue para você, querida? – perguntou a Srta. Reid.

– Não, não se incomode. Eu mesma vou. Sei exatamente onde ele está.

Indira se virou e desceu correndo a escada antes de alguém conseguir detê-la, deixando a Srta. Reid e eu postadas em frente às portas da sala de jantar.

Sentei-me numa das cadeiras douradas do corredor.

– Fique à vontade, Srta. Reid, vou esperar por ela aqui. Sei que a senhorita ainda não comeu, e amanhã o dia vai ser longo. Ficarei bem aqui, de verdade.

– Se você tem certeza, querida – disse ela, concordando. – Conhecendo Indira e a bagunça em que ela deixa seus pertences, ela poderia muito bem demorar uns quinze minutos para voltar, e tenho muita coisa para empacotar hoje depois da ceia.

– Sério, não se incomode – falei, aliviada por ter conseguido convencê-la a descer até a cantina debaixo do convés onde os empregados faziam suas refeições. – Prometo não sair daqui até ela voltar.

– Está bem, querida, obrigada. Volto para buscar vocês às dez.

Ao vê-la descer a escada, eu soube que o fato de ela me considerar a mais confiável das duas tinha ajudado. Era raro eu dar um passo em falso na sua presença. Enquanto esperava Indira, fiquei observando os convidados elegantes entrarem no salão. Eles falavam com seus sotaques britânicos bem marcados, e tive de me esforçar para entender grande parte do que diziam. Ocorreu-me que aprender inglês na Índia talvez fosse bem diferente da realidade de compreender e me fazer compreender no seu país.

Por fim, alguns minutos depois de os últimos convidados passarem por mim e entrarem no salão, eu estava começando a perder as esperanças de Indira chegar antes da oração de graças – uma prece que os ingleses faziam antes de toda refeição – quando uma aparição vestida de chiffon amarelo-pêssego flutuou escada acima na minha direção.

Pisquei os olhos, quase sem acreditar na mudança ocorrida na minha amiga, que tinha o jeito de um menino travesso. O vestido caía com perfeição no seu corpo alto e esbelto, e ela dera um jeito de prender os cabelos no alto da cabeça com grampos e pôr uma rosa-chá de cada lado. Estava deslumbrante, na verdade uma versão mais jovem da mãe.

– Como estou? – sussurrou ela, nervosa.

– Está linda. Vamos! – Levantei-me e fui em direção às portas da sala de jantar. Empurramos as portas bem na hora em que o mestre de cerimônias bateu palmas e disse:

– Senhoras e senhores, queiram fazer silêncio para o comandante.

Todas as cabeças se viraram para o comandante do navio que, por azar, estava sentado no centro do recinto a poucos metros das imensas portas pelas quais Indira e eu tentávamos entrar despercebidas. Todos os olhos se moveram em nossa direção, e eu me senti como um coelho surpreendido pelos faróis de um carro, e fiquei da mesma cor do batom vermelho que realçava os lábios de Indira.

O comandante olhou na mesma direção dos outros convidados.

– Senhoras... – Ele fez um gesto para nós. – Queiram por favor se sentar antes de eu iniciar a oração de graças.

Absolutamente impassível, Indira caminhou em direção à mesa do comandante de cabeça erguida, com um porte de rainha e sem dar o menor sinal de constrangimento por ser o centro das atenções. Pela primeira vez, eu a vi como uma princesa de verdade. Fomos ocupar os dois lugares reservados para nós no fim da mesa, mas ao segui-la até lá por acaso meu olhar recaiu sobre o príncipe Varun. E não havia dúvida de que ele a estava vendo com uma expressão diferente nos olhos.

Ao longo da noite continuei observando Indira, a quem o vestido cor de pêssego parecia conferir uma maturidade, uma elegância e um charme inteiramente novos. Até mesmo seus pais, que devem ter ficado chocados quando a filha entrou, agora a olhavam com aprovação.

Mais uma vez, pensei eu, sentada com meu vestido de musselina sentindo-

-me gorducha e desconfortável, a beleza havia operado sua magia sobre todos que a viam. Longe de ficarem bravos, todos tinham aprovado Indira. E quando a banda começou a tocar, o marajá em pessoa conduziu sua caçula até a pista de dança. Depois disso seu irmão Raj o substituiu, e por fim o príncipe Varun. Quando a Srta. Reid apareceu ao meu lado às dez da noite e perguntou onde estava Indira, indiquei com um gesto a pista de dança.

Observei os olhos da governanta procurarem sua pupila.

– Onde?

– De vestido cor de pêssego, dançando com o príncipe Varun.

Fiquei assistindo a seu rosto enquanto ela caía em si. Uma de suas mãos foi até a boca num gesto horrorizado, e ela olhou nervosa na direção da marani.

– Eu provavelmente vou perder o emprego por causa disso. Você sabia desse plano dela?

– Sabia – respondi. – Mas o que eu podia fazer?

– O que qualquer uma de nós podia fazer? – A Srta. Reid suspirou fundo. – Ela é uma princesa.

Naquela noite, fiquei deitada na cama escutando repetidamente os detalhes sobre o triunfo de Indira, que tinha culminado na dança com o príncipe Varun. Ao que parecia, ele havia sussurrado no final que ela estava se transformando numa linda jovem, igualzinha à mãe. E surgiu algo dentro de mim – não mais do que uma minúscula fissura – que começou a abalar os alicerces da minha crença de que Indira e eu estaríamos sempre juntas. Ela estava crescendo diante dos meus olhos, e um dia, pensei, mordendo o lábio com força para conter as lágrimas, apenas a minha amizade não bastaria mais. Ela iria querer o amor de um homem.

Acordei no dia seguinte tomada de apreensão, esperando as repercussões da exibição de Indira na noite anterior. Para minha surpresa, porém, não houve nenhuma. Pelo contrário: enquanto todos corriam pelo navio para se despedir dos amigos que fizeram a bordo, tudo que escutei foi como Indira estava deslumbrante. O patinho feio parecia ter virado cisne, e ninguém se mostrou incomodado com o seu descaso pelas regras da sociedade.

Enquanto Indira ia de cabine em cabine para se despedir dos novos amigos, fui até o convés para ver surgir o país do qual tanto ouvira falar.

Embora fosse agosto, que tinham me dito ser um dos meses mais quentes na Inglaterra, estremeci sob minha fina blusa de algodão. Era cedo ainda, e uma névoa baixa pairava acima do porto de Southampton. Sorvi pela primeira vez o ar da Inglaterra e achei-o notável por sua falta de cheiro. Nada se sobressaía a não ser um vento limpo e salgado.

Tentei dissipar minha disposição sombria pensando que estava a menos de uma hora ou algo assim de pisar na célebre terra verde e aprazível que tinha inspirado alguns dos maiores escritores do mundo a produzirem suas melhores obras.

Só que não consegui.

Procurei me reconfortar julgando que talvez estivesse apenas exausta por conta do estresse emocional da véspera, mas sabia que era algo mais profundo. Ainda desacostumada às novas e estranhas sensações dentro de mim que tinham chegado junto com o som do canto, permaneci ali parada enquanto um arrepio me subia pela espinha, minha pele se eriçava, e os finos pelos do meu braço ficavam em pé. Desde então, aprendi que aquela sensação era um aviso de perigo. Mas nesse dia, ainda me esforçando para entender o que aquilo significava, tive apenas a impressão de que todos os meus sentidos estavam em alerta total.

A sirene do navio rugiu uma derradeira e estrondosa vez quando atracamos, e o cais tinha uma alegria que lembrava um carnaval. Nas docas, pude ver figuras pequeninas acenando com bandeiras da Inglaterra, esperando para pousar os olhos pela primeira vez nas pessoas amadas que estavam retornando.

Quando todo mundo desapareceu nas suas respectivas cabines para recolher seus pertences e se preparar para desembarcar, o convés esvaziou e eu me vi sozinha. Tornei a estremecer, tanto por causa do sentimento de solidão e medo quanto pela friagem. Quando levei a mão ao bolso à procura de um lenço, um par de braços quentes e morenos enlaçou minha cintura por trás.

– O que está fazendo aqui sozinha? Eu estava procurando você por toda parte. – Indira me abraçou com força, e seu hálito perfumado derreteu o gelo que vinha se formando em minhas veias.

– Eu estava olhando para a Inglaterra.

Ela me virou de frente para si e me estudou.

– Você estava chorando, Anni. Por quê?

– Não sei bem – respondi, sincera.

Ela estendeu sua mão, e com um dedo fino, secou uma lágrima da minha face.

– Não chore, Anni, e por favor não tenha medo. Eu estou aqui, lembra? – Indira me abraçou e me puxou para si. – E sempre vou estar.

12

Passamos as duas semanas seguintes instalados, todos nós, numa linda casa vitoriana na Pont Street, no bairro de Knightsbridge. Embora ela fosse do tamanho de uma toca de coelho em comparação com o palácio ao qual estávamos acostumados, por algum motivo isso pouco importou, pois havia muito para se ver e fazer na rua. Contrariando suas reclamações sobre odiar a Inglaterra, Indira na mesma hora tomou posse do motorista da família e decidiu me mostrar os encantos de Londres. Fomos ao The Mall ver o Palácio de Buckingham e a troca da guarda. Visitamos a Torre de Londres, onde ela se divertiu narrando-me os detalhes escabrosos de como o rei Henrique VIII certa vez havia mandado cortar a cabeça de duas de suas esposas porque vivia querendo se casar com outra.

– Que bobagem eles só poderem se casar com uma mulher por vez e terem de matá-la se quiserem outra pessoa! – Ela riu. – Você sabe que Pa poderia ter até oito esposas, se desejasse.

Fomos à Trafalgar Square dar comida aos pombos que se agitavam ao redor da coluna de Nelson, e pegamos um barco para passear pelo rio Tâmisa. Mas na verdade o lugar preferido de Indira em Londres ficava a apenas poucos metros de nossa casa na Pont Street.

Ao fazer-me entrar pelas portas, ela me informou que acabáramos de pisar na loja mais famosa do mundo.

– Eu amo a Harrods; aqui se vende de tudo, de uma chave nova para uma fechadura quebrada a queijos, roupas... até elefantes indianos! E além disso Ma tem conta aqui, então qualquer coisa que você quiser é só dizer – acrescentou ela enquanto subíamos no elevador.

De fato, a loja Harrods, ou loja de departamentos como ela dizia, era uma caverna de Aladim. Às vezes Indira brincava com um dos vendedores de semblante sério perguntando se eles vendiam periquitos ou pés de jacarandá.

– Bem, a senhorita vai encontrar os periquitos no departamento de animais de estimação, e as árvores, no departamento de jardinagem. Se lá não tiver o que deseja, tenho certeza de que a Harrods poderá encomendar – respondia o vendedor.

– Ah, Indy, não os provoque, por favor! – implorava eu enquanto ela se afastava aos risinhos e eu me contorcia de tão constrangida.

Ela me levou até um dos andares de cima, ao espetacular departamento de brinquedos, onde os vendedores a receberam como se ela fosse uma amiga de longa data.

– Quando eu era bem pequena costumava me esgueirar da nossa casa e vir aqui encomendar o que quisesse. Punha tudo na conta de Ma e ela levava séculos para notar. – Indira riu e tornou a me fazer descer a espantosa escada que se movimentava sozinha, que chamava de escada rolante.

– Não vai comprar nada aqui hoje?

– Não. Acho que já estou meio grandinha para brinquedos, não acha? Vamos ao departamento de moda feminina: eu nunca experimentei um vestido pronto. Vai ser divertido!

Após arregimentar uma multidão de vendedoras para que lhe trouxessem uma coleção de lindos vestidos, Indira foi até o provador para experimentá-los e eu a segui. Depois de passarmos duas horas lá dentro, minha paciência começou a se esgotar.

– Tem certeza de que a sua mãe não vai achar ruim? – perguntei, enquanto ela rodopiava em mais um vestido esplendoroso e dizia à vendedora para acrescentá-lo à sua pilha já enorme.

– Só quando receber a conta daqui a algumas semanas. – Ela riu.

Na descida de volta até a entrada principal, passamos pelo departamento de livros e parei por um instante, fascinada. Indira percebeu, e, talvez sentindo-se culpada por ter me obrigado a esperar tanto tempo enquanto experimentava os vestidos, sugeriu que fôssemos dar uma olhada.

E foi ali que eu me vi no meu próprio país das maravilhas.

Na minha frente, na Harrods, havia fileiras e mais fileiras dos mesmos livros que eu costumava cobiçar por trás das portas de vidro da biblioteca do palácio em Cooch Behar. E eles estavam disponíveis para que eu os retirasse livremente das estantes. Fui pegando um exemplar depois do outro e acariciando os títulos gravados em dourado.

– Pode escolher o que quiser, Anni – falou Indira, tão impaciente ali ao meu lado quanto eu havia ficado no departamento de moda feminina.

Pela primeira vez não fiz cerimônia, e escolhi três livros: *A casa soturna*, de Charles Dickens; *Jane Eyre*, de Charlotte Brontë; e *Orgulho e preconceito*, de Jane Austen. Agarrei-me a eles enquanto saíamos da loja, quase sem acreditar que eram meus e eu nunca precisaria devolvê-los.

No quarto que Indira e eu dividíamos no último andar da casa da Pont Street, abri espaço numa estante e orgulhosamente arrumei ali meus três livros. Jurei, naquele momento, que um dia ganharia dinheiro suficiente para ter todos os livros que quisesse.

Embora as novas imagens e sons da Inglaterra me deixassem assombrada, a estadia em Londres aumentou minha sensação de dependência em relação à família real de Cooch Behar. No palácio, minhas necessidades eram pequenas e eu era apenas uma entre centenas de pessoas a receber comida e cuidado. Mas ali em Londres tornei-me muito consciente dessa situação. Embora Indira sempre tivesse dinheiro de sobra e fosse extremamente generosa, eu não gostava de lhe pedir nada. No pequeno quarto de oração que fora montado num dos cômodos mais tranquilos nos fundos da casa, eu me sentava sobre os joelhos e fazia *puja* para Lakshmi, deusa da riqueza, na esperança de um dia encontrar um jeito de ser financeiramente independente.

Alguns dias depois, em nossa segunda visita à Harrods, Indira e eu, sob o olhar atento da Srta. Reid, fomos a um departamento bem diferente: o de uniformes escolares.

– Nós temos de usar gravata... igual aos homens! – exclamou Indira enquanto a governanta lhe mostrava como dar o nó em volta do pescoço. – Argh! – Ela levou as mãos à garganta com uma expressão de pânico fingido. – Parece que estou sendo estrangulada!

Seguiu-se uma escolha de blusas, jardineiras e suéteres que pinicavam tanto que era como se houvesse milhares de pulgas pulando na minha pele.

– E isto aqui é para as meninas usarem nos esportes, como o *netball* e o hóquei – disse a vendedora. Ela exibiu uma túnica marrom sem forma e uma calça folgada feita do mesmo material.

– *Netball*? Hóquei? Eu não quero aprender a jogar isso – disse Indira, altiva.

– Tenho certeza de que vai adorar quando tiver experimentado, querida – disse a Srta. Reid, fonte inesgotável de paciência. – E você é tão boa em atividades ao ar livre. Vai se sentir em casa nos jogos ingleses com bola.

– Tenho certeza absoluta de que não – retrucou Indira, mal-humorada.

A governanta e eu trocamos um olhar enquanto ela se encaminhava até os provadores batendo o pé para experimentar a horrenda túnica.

Uma semana depois, fomos levadas de carro até Eastbourne, na região de Sussex. Indira viajou sentada ao meu lado no banco de trás do luxuoso Rolls-Royce, olhando desanimada para a verdejante zona rural da Inglaterra, que eu achei linda. O outono havia começado a dar o ar de sua graça; as folhas estavam ficando douradas, e a suavidade das brumas matinais teve sobre mim um efeito soporífero. A Srta. Reid nos acompanhou no trajeto sentada no banco da frente, conversando com o chofer. Por fim, chegamos diante de uma construção cinza austera que me fez pensar, de modo talvez injusto, em Dotheboys Hall, a escola onde o jovem Nicholas Nickleby consegue um cargo de professor assistente na história de Charles Dickens.

O chofer tirou nossos baús do porta-malas na dianteira do carro, e Indira se recusou a saltar do banco de trás. A Srta. Reid e eu descemos e examinamos a escola.

– Não fique nervosa, querida. Tenho certeza de que os seus momentos aqui vão ser de grande valia. Além do mais, é a primeira vez que Indira vai ficar sem a sua criada – acrescentou ela após alguns instantes, baixando a voz. – Enquanto estiver aqui ela vai ter de *fazer* as coisas sozinha. Lembre-se, você pode não ser uma princesa, mas é uma jovem refinada prima de uma marani, o que não é pouca coisa. Não deixe ela tratar *você* como criada, sim?

– Tenho certeza de que ela não vai fazer isso – retruquei, leal.

A Srta. Reid não teve tempo de dizer mais nada, pois uma petulante Indira tinha finalmente descido do carro atrás de nós e estava agora sentada de pernas cruzadas no chão de cascalho.

– Levante-se, mocinha! – ralhou a governanta. – E comece a se comportar como a jovem em que quis se transformar tão depressa nas últimas semanas.

Indira não se mexeu. Apenas cruzou os braços com mais força como para reiterar seu protesto. Sem dizer nada, tinha o olhar perdido ao longe.

Dei a volta pela lateral do carro e agachei-me ao seu lado.

– Vamos, Indy. As outras meninas podem vê-la e achar você infantil. Além do mais, acho que vai ser divertido – acrescentei.

– Estou detestando – rosnou Indira, e vi que seus olhos estavam molhados. – Ninguém na minha família se importa que eu tenha ido embora.

Pa estava ocupado demais até para se despedir. Eles só queriam se livrar de mim.

– Você sabe que isso não é verdade. Todos eles amam você, e seu pai é quem mais quer que você o deixe orgulhoso. Escute, você tem dinheiro de sobra, não tem? – sussurrei, improvisando.

Ela assentiu.

– Certo. – Usei a última arma do meu arsenal. – Então, se não gostarmos, podemos simplesmente fugir e pegar o primeiro navio de volta para a Índia. Que tal?

Ao ouvir isso, ela se virou para mim, e seus olhos se acenderam ao pensar numa aventura daquelas.

– Sim – disse ela, finalmente se levantando e limpando da saia o pó branco do cascalho. – Isso os deixaria arrependidos, não é?

– É, sim. Está pronta? – perguntei.

– Estou.

E, segurando com força a mão uma da outra, subimos os degraus e entramos na escola.

A Srta. Reid já tinha nos avisado que seríamos objeto de fascínio para as outras alunas. Ainda era muito raro haver meninas indianas em colégios internos ingleses. Durante a primeira semana, aguentamos resignadas os olhares e sussurros causados por nossa presença, bem como as risadinhas que escutávamos quando nos serviam frango em vez de carne no refeitório. Quanto mais as meninas nos esnobavam, mais nos aproximávamos uma da outra em busca de apoio. Sobretudo à noite, no dormitório para dez alunas assolado por um vento constante, quando Indira ia para a minha cama para podermos nos abraçar e trocar calor e reconforto.

– Eu quero ir para casa – chorava ela, molhando minha camisola com suas lágrimas. – Por favor, Anni, vamos fazer o que você propôs e fugir.

– Faremos isso em breve, eu juro. Mas precisamos ficar tempo suficiente para que seus pais vejam que você se esforçou de verdade.

Indira não era a única a se sentir infeliz. Eu também estava achando aquela nova vida aterrorizante. Detestava o frio das madrugadas inglesas, quando meus ossos congelavam e a pele do meu corpo inteiro se arrepiava de modo involuntário e só voltava ao normal quando o corpo cálido de

Indira se enroscava no meu durante a noite. A comida inglesa insossa, que parecia ter sido preparada em água de louça suja e sem qualquer tempero, me dava náuseas. E, embora eu antes achasse que o meu domínio e a minha compreensão do idioma fossem bons, tinha de me esforçar muito para entender o que diziam as funcionárias e alunas, que falavam depressa e pronunciavam de modo diferente até mesmo as palavras que eu conhecia. Quando elas me perguntavam alguma coisa, eu ficava parada sem conseguir dizer nada, e só depois entendia o que tinham dito. Os jogos ao ar livre com bastões de madeira em campos molhados e cheios de lama, com um conjunto de regras tão confusas quanto ridículas, eram demais para mim. Como nunca fui boa em jogos de bola, essas eram as horas do dia que eu mais detestava.

Por causa da chuva incessante, tudo tinha cheiro de umidade. À noite, nenhum incenso pairava no ar como no palácio de Cooch Behar; tudo que brilhava lá em cima era a luz agressiva de uma lâmpada elétrica descoberta.

Passadas as duas primeiras semanas, quem queria fugir era *eu*.

Então o professor de história, que pelo visto estava de licença graças a uma temporada no exterior, apareceu certa manhã para nos dar aula em nossa sala gélida. Era mais jovem do que os outros professores que tivéramos até então, e tinha a pele muito morena.

– Bom dia, meninas – disse ele ao entrar. Obedientes, todas nos levantamos e entoamos "Bom dia, professor."

– Bem, espero que todas tenham aproveitado as férias de verão. Eu aproveitei bastante. Fui visitar meus pais na Índia.

As outras alunas pareceram entediadas, mas tanto Indira quanto eu ficamos imediatamente alertas.

– E parece que temos duas novas alunas vindas de lá. Creio que uma de vocês é uma princesa. – Seu olhar recaiu sobre Indira e eu. – Qual das duas seria?

Sussurros repentinos e animados percorreram a sala de aula, e todas as meninas se viraram para nos encarar tentando adivinhar quem era. Indira ergueu a mão devagar.

– Sou eu, professor.

– Sua Alteza, Princesa Indira de Cooch Behar. – O professor deu um sorriso cúmplice. – Estive em Cooch Behar quando fui à Índia dois anos atrás, e vi o maravilhoso palácio no qual sua família mora.

Isso provocou uma nova rodada de murmúrios empolgados e muitos olhares fixos das alunas.

– Sim, professor. – Indira baixou os olhos.

– Talvez em algum momento, Indira, você queira nos contar a história da sua família e como vocês vivem. Acho que todas as meninas aqui aprenderiam muito com você.

– Sim, professor.

– E você? – indagou ele, olhando para mim. – Onde você mora?

– Moro no palácio também, professor.

– Entendi. Mas não é princesa?

– Não, professor, não sou.

– Anni é minha melhor amiga – disse Indira, galante. – E minha companheira.

– Muito bem, muito bem. Bem, meninas, espero que vocês estejam ajudando a princesa Indira e a Srta. Chavan a se sentirem em casa. Vou lhes contar o que vi nas minhas viagens pela Índia britânica.

Terminada a aula, fizeram-nos sair para pegar nossa garrafa de leite já amarelado para a "colação das onze", como diziam as meninas, e para uma lufada do revigorante ar marinho que os britânicos pareciam considerar tão essencial. Em geral Indira e eu ficávamos num canto do pátio, onde despejávamos discretamente nosso leite nos arbustos. Naquele dia foi diferente. As meninas foram atrás de nós.

– Você é mesmo uma princesa?

– Você mora num palácio?

– Lá tem muitos criados?

– Você já andou de elefante?

– Você usa coroa quando está em casa?

As meninas animadas rodearam Indira enquanto eu permanecia afastada e a observava sorrir graciosamente e responder ao máximo de perguntas que conseguia. Mais tarde, quando a sineta do almoço tocou e entramos no refeitório, uma menina chamada Celestria, a pessoa que todo mundo na nossa turma queria conhecer, aproximou-se de Indira e de mim.

– Quer vir almoçar conosco, princesa Indira?

– Claro.

Fiquei olhando Indira se afastar conversando com Celestria. Ela então se virou e acenou para mim.

– Anni também precisa vir.

Celestria aquiesceu, mas quando chegamos à comprida mesa de cavalete, as meninas se apertaram nos bancos de modo a abrir espaço no centro somente para Indira e Celestria. A mim restou me equilibrar na pontinha do banco.

Naquele momento, vi Indira se iluminar com toda a atenção e admiração que recebeu. Não pude culpá-la por isso. Ela havia passado a vida inteira cercada de pessoas que lhe demonstravam subserviência e atendiam a todos os seus caprichos. Tinha nascido "especial". E eu, Anahita, não.

Sempre me lembrarei daquele primeiro e rigoroso inverno inglês como um dos períodos mais desalentadores da minha vida. Conforme Indira ganhava confiança, sua personalidade exuberante começou a se afirmar, e todas as meninas passaram a competir por sua atenção. Ela foi subindo depressa na escala de prestígio para ocupar seu lugar de direito como abelha-rainha de modo tão natural quanto o sol brilha de manhã. Embora Indira se esforçasse ao máximo para me incluir, as outras meninas deixavam bem claro que não estavam interessadas numa simples acompanhante que não irradiava o mesmo charme esfuziante que a princesa possuía naturalmente aos borbotões. Fui ficando cada vez mais isolada, e passei muitos horários de almoço lendo sozinha na biblioteca, sem querer constranger Indira com a minha presença insistente e pouco à vontade.

Para piorar, enquanto o corpo de Indira ia se assemelhando cada vez mais ao de um cisne, com todos as partes que surgem na puberdade se adaptando à sua estatura na proporção exata e só fazendo contribuir para sua elegância, os hormônios e a pesada dieta inglesa só me fizeram crescer mais ainda para os lados. Eu também tinha percebido que, quando lia sob uma luz fraca, mal conseguia distinguir as palavras. Mandaram-me consultar o médico da escola, que receitou um par de óculos feiosos e de lentes grossas para leitura.

De vez em quando, Indira ainda ia para a minha cama à noite e me abraçava.

– Está tudo bem, Anni? – sussurrava ela baixinho no meu ouvido.

– Sim, claro – mentia eu.

Ela raramente prestava atenção em mim durante o dia, enquanto passava tempo com as novas amigas inglesas aristocráticas. Eu tinha a forte sensação de ter, por algum motivo, me tornado um fardo e um constrangimento para ela. Assim, isolei-me no mundo dos livros e ansiei pelo mês de junho, quando retornaríamos ao palácio e tudo voltaria a ser como sempre tinha sido entre mim e Indira.

Meu coração se anuviou quando a primavera chegou à Inglaterra e voltamos à casa de Londres para o recesso de Páscoa. Mesmo lá, porém, vi menos Indira do que na escola, pois ela vivia sendo convidada para se hospedar nas casas das novas amigas e tomar chá em hotéis elegantes.

Certa tarde, ao voltar de um desses compromissos, ela me encontrou lendo na cama em nosso quarto.

– Anni, será que eu posso pedir um favor enorme a você? – começou ela com seu sotaque britânico recém-adquirido.

Tirei os óculos e a encarei.

– Sim, Indy. O que é?

– Bom, é o seguinte: os pais de Celestria vão viajar para a França, e ela me disse que seria uma chatice insuportável ficar na casa deles no campo só com a governanta para lhe fazer companhia. Ela me perguntou se poderia vir ficar aqui na Pont Street conosco. E Ma deixou.

– Que bom – consegui dizer.

– Bem... – Ela deu um suspiro exagerado. – O problema é que o único quarto de hóspedes que temos é o velho quartinho do corredor. E eu não posso colocar Celestria lá... afinal de contas, ela é filha de um lorde. Então estava pensando, se você não se importar *muito*, será que você poderia se mudar para lá só durante a semana que ela for passar aqui?

– Claro – respondi.

No fundo eu não liguei; não me importava em me mudar para um quarto de empregada. Mas aquele instante consolidou a sensação cada vez mais intensa de medo e apreensão que vinha incomodando meu coração desde o inverno. Eu não podia culpar Indira; era natural que ela se afastasse de mim conforme fosse crescendo. Seu destino era fazer parte da nata da sociedade e um dia virar esposa de um marajá, enquanto eu...

Eu não sabia.

Para piorar ainda mais as coisas, ao mesmo tempo que Celestria assumia seu lugar na minha antiga cama ao lado de Indira, os rumores de uma guerra iminente começaram a aumentar. Todos em Londres se tranquilizavam entre si dizendo que é claro que o Kaiser não cometeria a burrice de lançar um ataque a um país vizinho sem necessidade. Eu só conseguia pensar que, se a guerra estourasse mesmo, nós com certeza não conseguiríamos viajar de volta para a Índia dali a dois meses, quando começassem as férias de verão.

Os pais de Indira zarparam para casa poucos dias depois da Páscoa. Seu pai tinha assuntos de Estado para cuidar em Cooch Behar. Na viagem de volta à escola ao final do recesso, quando enfim me vi a sós com Indira, abordei o assunto com ela.

– Todo mundo diz que não vai haver guerra – disse ela, descartando meu comentário de modo distraído. – Além do mais, tenho certeza de que podemos ficar na casa da Pont Street se for necessário. Dizem que a temporada de verão em Londres é muito divertida, foi o que escutei.

Fiquei chocada com a sua displicência. Aquela era a mesma menina que, poucos meses antes, tinha chorado porque iria sentir saudades da sua elefanta de estimação? O ar de falsa sofisticação que ela, com seu grande talento para a imitação, insistia em copiar das amigas inglesas me dava vontade de sacudi-la com força, tamanha minha frustração.

Pouco depois, quando voltamos para a escola e Indira perguntou se eu me importava que ela se mudasse para um dormitório com Celestria e suas outras amigas, concordei sem protestar. Precisava aceitar que ela havia mudado de modo definitivo.

O semestre de verão passou bem mais depressa do que os dois anteriores, em parte graças ao fato de eu perceber que, pelo menos por enquanto, havia perdido Indira. Charlotte, a menina que agora ocupava sua antiga cama ao meu lado, era doce e simpática. Seu pai era cura do exército na igreja cristã e servia no estrangeiro. Embora eu nunca fosse conseguir ter outra amizade como a que tivera com Indira, sentia que pelo menos Charlotte e eu tínhamos coisas em comum. Como a sua anuidade era paga pelo exército, ela levava os estudos a sério, ao contrário de muitas de nossas colegas inglesas, que viam a escola como um lugar para matar o tempo até serem apresentadas à sociedade e terem um casamento grandioso. Charlotte tinha decidido virar preceptora ao sair da escola.

– Papai ganha uma miséria da igreja, e economiza tudo para usar como pensão quando ele e mamãe se aposentarem. Mas eu não tenho dinheiro nenhum com que me sustentar, então preciso ficar em casa com eles ou então ganhar a vida trabalhando – confidenciou-me ela certa noite.

Isso me levou a pensar que talvez eu também pudesse ter um futuro como preceptora. Ao final do meu curso na escola, certamente seria instruída o bastante para ensinar crianças pequenas. Mas quem iria me querer, pensei, com um suspiro? Na Índia era um sinal de status contratar uma dama inglesa, mas nenhuma família em *qualquer um* dos dois continentes iria querer uma indiana ensinando seus filhos, por mais qualificada que fosse.

Com o passar dos dias, fui me dando conta de que eu estava presa num limbo. Fora criada num palácio, mas era pobre; estava sendo educada na Inglaterra, mas era da cor errada para usar minhas habilidades. Não pertencia à classe trabalhadora, mas não era aristocrática o suficiente para ter direito a um bom casamento. Pensei na bolsinha de juta escondida debaixo do pavilhão de Durga próximo ao palácio de Cooch Behar, e rezei a todos os deuses e deusas que conhecia para que ela ainda estivesse enterrada lá, com seu conteúdo seguro e intacto.

13

O início de junho trouxe ainda mais boatos sobre a guerra. Voltar para a Índia estava fora de cogitação. Indira e eu tampouco podíamos passar o verão na casa da Pont Street – o lugar tinha sido fechado, e muitos dos empregados já haviam partido para servir no exército. Além do mais, a mãe de Indira temia a possibilidade muito real de Londres vir a ser bombardeada, de modo que ficou decidido que Indira e eu passaríamos o verão o mais longe que a marani pudesse nos mandar. Viajaríamos até um condado chamado Devon, no sul da Inglaterra. A viúva do ex-residente de Cooch Behar – o mais graduado oficial britânico presente em cada principado indiano – tinha se oferecido para nos hospedar durante as férias.

– Não acho que Ma vai nos obrigar a ir para lá! A guerra nem foi declarada ainda – resmungou Indira enquanto jogava roupas de qualquer maneira dentro de seu baú. – Implorei para ela me deixar ir ficar com Celestria, mas ela disse não. Que raios vou fazer o verão inteiro presa no meio do nada sem nenhum amigo?

Eu *quis* dizer (quis, mas é claro que não disse) que estaria lá para lhe fazer companhia. No entanto, quando partimos para Devon, ela se sentou o mais longe possível de mim no banco de couro preto e manteve o rosto virado para o outro lado. Como sempre no seu caso, a linguagem corporal dizia tudo que suas palavras calavam. Meu único desejo era ter ficado na escola, como tinham feito algumas outras meninas cujos pais estavam no exterior, entre as quais minha amiga Charlotte. Mas como poderia explicar para a marani que sua filha não me queria mais como acompanhante?

Eram pensamentos que eu não podia externar para uma mulher que tinha me acolhido, depois pagado voluntariamente pela minha cara instrução por acreditar que a filha me amava e precisava de mim.

Olhei para uma emburrada Indira e entendi que ela já não precisava mais de mim.

Quando entramos no terreno que rodeava Astbury Hall, levou uns bons minutos para a casa aparecer. Admirei-a fascinada, pois seu formato e feitio se pareciam muito com o palácio de Cooch Behar. Era como se os dois fossem almas gêmeas: uma feita de calor, a outra de gelo. Mais tarde eu viria a descobrir que o arquiteto tinha usado em parte Astbury Hall como modelo para o palácio, por isso não era de espantar que o frio monólito daquela construção à minha frente, onde uma cúpula abobadada formava o elemento central, parecesse familiar.

Quando paramos diante dos imensos degraus de pedra que levavam até a porta da frente, eu a vi se abrir, e empregados da casa começaram a sair lá de dentro. Eles formaram uma fila nos degraus enquanto nós saltávamos do carro. A princesa Indira definitivamente estava tendo uma recepção real. Ela subiu os degraus e passou pelos empregados até chegar a uma mulher de rosto grave e quadris largos, vestida com um traje eduardiano antiquado.

– Eu sou Maud Astbury. Bem-vinda a Astbury Hall, princesa Indira.

– Obrigada, lady Astbury – respondeu Indira, educada.

Fui atrás dela enquanto a dona da casa a conduzia para dentro.

– Espero que o seu quarto lhe pareça adequado, minha cara. Estamos com muito poucos empregados agora que todos os rapazes se alistaram...

Indira, sempre encantadora quando recebia um tratamento real, concordou com um meneio de cabeça.

– Eu entendo, claro. É muita gentileza da senhora me receber.

– Meu filho Donald vai chegar em casa daqui a alguns dias para passar as férias também. Pelo menos ele poderá entretê-la.

Eu, como sempre, estava parada atrás de Indira me sentindo pouco à vontade. Depois de algum tempo, lady Astbury pousou os olhos em mim.

– Estou vendo que você trouxe a sua própria criada.

– Não – corrigiu Indira depressa. – Anahita é minha amiga e acompanhante.

– Entendo. – A expressão de lady Astbury revelou certa consternação enquanto ela guiava Indira para longe de mim até o pé da grande escadaria. Ela curvou a cabeça para junto da minha amiga, e as duas cochicharam algo.

– Claro, vou providenciar. E agora, princesa Indira, a criada vai levar você e a sua... acompanhante até seus aposentos lá em cima. Por favor, avise-me se precisar de alguma coisa durante a sua estadia. Nos vemos hoje à noite no jantar.

– Desculpe, Anni – disse Indira mais uma vez enquanto olhava à sua volta no quarto mal iluminado no forro onde eu fora colocada. – Ma obviamente estava tão abalada que se esqueceu de mencionar que você viria também. Lady Astbury prometeu preparar um quarto para você amanhã no andar principal. Você se importa de passar a noite aqui hoje?

– É claro que não – respondi, grata diante do que senti ser uma preocupação genuína de Indira. – A vista daqui é uma beleza.

Indira espiou pela pequena vidraça instalada entre os beirais do casarão.

– Tem razão, é mesmo. Enfim, se não puder suportar isto aqui, minha cama é grande o suficiente para pelo menos quatro outras pessoas. – Ela me sorriu.

– Eu vou ficar bem aqui.

– Bem, então estarei lá embaixo se você precisar de mim. Anni... – Ela segurou minhas mãos dentro das suas. – Eu sinto muito se abandonei você na escola. Não foi minha intenção, de verdade.

E Indira então me abraçou como costumava fazer nos velhos tempos, quando éramos apenas nós duas contra o mundo.

– Desça quando tiver desfeito as malas – disse ela, e retirou-se com um pequeno aceno.

Uma semana depois de chegarmos à casa, lady Astbury parecia ter convenientemente esquecido a minha mudança iminente para o andar de baixo, e eu continuava instalada no meu quartinho do forro. Era impossível dormir até depois das seis da manhã, pois o sol entrava pela janela sem cortinas e banhava o quarto com uma luz ofuscante. Olhei para fora e vi que fazia outro dia lindo. Ansiosa, lavei o rosto na bacia que me fora providenciada e desci pela escada dos fundos, passando pela cozinha, para ir aproveitar o sol do lado de fora.

Quando estava andando pelo imenso terraço, que não precisava de varanda para abrigá-lo do fraco sol inglês, pude sentir o delicioso cheiro de grama recém-cortada. Desci a passos leves os degraus até o jardim mais além e fiquei passeando, admirando os incontáveis canteiros de rosas magníficas. Enquanto saboreava o silêncio e a calma do início da manhã, lembrei-me de repente de um típico nascer do sol no verão da Índia. Ali, na temperada e constante Inglaterra, o clima não dominava nem massacrava. O ponteiro do termômetro despencava no inverno e tornava a vida menos agradável, mas até onde eu sabia nunca houvera nenhuma monção, terremoto, ou qualquer outro desastre natural particularmente dramático nas Ilhas Britânicas.

A Índia era o oposto, pensei. Tudo nela era vibrante e colorido, e nunca faltava drama. As temperaturas disparavam, o vento soprava, os rios transbordavam; tudo era violento e imprevisível.

Eu estava começando a entender também que, ao contrário dos temperamentos arrebatados de meus conterrâneos, em geral os britânicos eram um povo pouco afeito às emoções. Sentada num banco, lembrei-me de quando minha amiga Charlotte ficara sabendo da morte da mãe, pouco antes do fim do semestre. Ela recebeu a notícia de maneira estoica, com aceitação e poucas lágrimas. Então pensei em mim mesma dois anos antes, chorando e gritando por causa da morte da minha mãe naquele dia terrível no templo.

Eu sabia também que, muito embora os britânicos vivessem em guerra em alguma parte distante e desconhecida do mundo, o sólido solo inglês que eu agora pisava não era invadido havia mais de duzentos anos.

Mas tudo isso poderia mudar nas semanas ou meses seguintes. Será que o Kaiser iria pisar na Europa com suas pesadas botas de couro e brandir o punho para aquela nação minúscula, que de algum modo conseguira conquistar um pedaço tão grande do mundo e construir um império no qual, como os ingleses adoravam lembrar uns aos outros, o sol jamais se punha?

– Olá. É você nossa princesa indiana?

De tão perdida em meus pensamentos, eu não tinha escutado quando alguém se aproximou. Ergui o olhar e dei com o par de olhos ingleses mais azuis que já tinha visto. Eles pertenciam a um rosto que ainda exibia alguns poucos traços da adolescência antes de surgirem os contornos definitivos da idade adulta. Os cabelos do rapaz, para meus olhos indianos, eram da mesma cor da palha e tão ásperos quanto. Ele tinha a pele típica dos ingleses, pálida e de cor branca rosada, pela qual tantos indianos ansiavam.

Para mim, sob aquele sol nascente, ele pareceu o Adônis dos mitos gregos sobre os quais eu lia nas aulas de história.

– Hã…

Quando eu estava começando a responder, um débil som de canto pôs-se a ecoar em meus ouvidos, e tive dificuldade para me concentrar. Um arrepio agora conhecido me subiu pela espinha. Alguém, ou alguma coisa, estava me dizendo que aquele desconhecido desempenharia um papel no meu futuro.

– Você entende inglês? – perguntou ele.

– Sim. – Tentei silenciar o canto em meus ouvidos dizendo-lhe que entendia o que ele estava tentando me dizer. Que o recado tinha sido dado em alto e bom som. – Eu falo bem inglês – respondi.

– E seu nome é Indira?

– Não, eu sou a acompanhante dela. Meu nome é Anahita Chavan... Anni, para abreviar.

– Olá, Srta. Chavan, ou Anni para abreviar – disse ele, estendendo a mão. – Eu sou Donald Astbury. Como vai?

Como todos os ingleses, ele tinha modos impecáveis.

Muito bem, obrigada – respondi, recatada.

Ele se sentou com naturalidade ao meu lado no banco.

– Então, posso saber o que está fazendo aqui fora no jardim tão cedo?

– O sol entra pela minha janela e me acorda. E você?

– Ah, eu cheguei da escola tarde ontem à noite. A sineta lá toca às seis e meia, então acordei nesse horário em ponto. A manhã está tão esplendorosa que resolvi descer e ir ver minha égua no estábulo.

– Eu adoro cavalos – falei, com nostalgia.

– Você monta?

– Sim. Aprendi antes mesmo de começar a andar.

– Não sabia que ensinavam a montar desde o berço na Índia como fazem aqui.

– Mas é claro que sim! Caso contrário, como é que nós teríamos nos locomovido por milhares de anos?

– Bom argumento, bom argumento – disse Donald com um sorriso. – Então que tal eu lhe mostrar o estábulo?

– Eu adoraria conhecer – aceitei na hora.

– Vamos, então. – Ele me ajudou a levantar do banco e começamos a atravessar o jardim. – E o que está achando da Inglaterra?

– Algumas coisas me agradam e outras, não.

Ele me encarou de repente.

– Você é muito perspicaz e seu inglês é excelente. Posso saber sua idade?

– Vou fazer 15 anos daqui a alguns meses – respondi, exagerando um pouco.

– Nossa. A maioria das meninas inglesas da sua idade que eu conheço não passa de criancinhas bobas.

– Obrigada.

– Não há de quê – respondeu ele enquanto chegávamos ao estábulo. – Esta é minha égua Glory. Minha mãe a batizou de Gloria em homenagem a alguma tia solteirona, mas eu não achei que o nome combinava e mudei. O que acha dela?

Olhei para a égua e vi que Glory era mesmo uma glória, um puro-sangue. Pelas minhas contas devia ter uns dezesseis palmos de altura. Estendi-lhe a mão aberta, afaguei-a debaixo do queixo e no focinho comprido e lustroso.

– Puxa, estou impressionado – comentou Donald. – Em geral ela relincha e reclama quando algum desconhecido faz carinho nela. Estou vendo que você leva jeito, Anni.

– De algum modo eu pareço entender os cavalos.

– Bem, que tal um passeio? Quero ver se Glory a suporta no lombo. Ela costuma empinar e derrubar os cavaleiros que não conhece. Vamos ver se ela deixa você montá-la.

– Eu adoraria tentar – falei, animada.

– Leve-a até lá fora, vou arreá-la – instruiu meu novo amigo. – Tenho certeza de que ela vai nos mostrar se está de bom humor para fazer a nossa vontade.

Fiz o que ele pedia, e quando Glory ficou parada pulei no seu lombo, subindo a saia comprida até onde a modéstia permitia para poder montá-la.

Donald sorriu.

– Ela parece satisfeitíssima de ter você aí. Vou buscar o garanhão.

Cinco minutos depois, estávamos trotando pela propriedade como velhos amigos. Ele trouxe o cavalo até perto da égua e me encarou.

– Está com disposição para um terreno mais acidentado? Dartmoor fica a poucos minutos naquela direção – falou, apontando para a esquerda. – É um passeio maravilhoso, e acho que você monta bem o bastante para dar conta.

– Claro – aceitei, sem saber o que poderia ser aquele lugar chamado "Dartmoor", mas feliz e livre como não me sentia em muito tempo. – Eu sigo você.

– Está certo – disse Donald, e partiu na mesma hora num meio-galope; Glory e eu nos esforçamos ao máximo para acompanhá-lo.

Quando saímos da propriedade e partimos pela charneca a toda velocidade, uma brisa morna agitou meus cabelos, e senti o peso que vinha se acumulando nos últimos tempos começar a se aliviar. No início me concentrei em guiar a égua pelo terreno pedregoso e irregular. Mas Glory parecia saber exatamente aonde estava indo, e ao perceber que ela estava no comando eu relaxei, afundei na sela e aproveitei o passeio.

Quarenta minutos depois, estávamos de volta no estábulo, cavalos e cavaleiros igualmente ofegantes de tanto exercício.

– Nossa – comentou Donald, apeando e entregando o cavalo para o cavalariço sonolento que nos recebeu. – Você é de longe a melhor amazona que eu conheço.

Dei-me conta de que ele estava olhando para mim com admiração.

– Obrigada. Tenho certeza de que vai constatar que a princesa Indira é igualmente boa – acrescentei, leal.

– Então não vejo a hora de testá-la também, mas duvido que ela possa montar melhor do que você. – Ele me estendeu a mão para me ajudar a descer da égua. – Bem, Anni, espero que venha montar mais vezes comigo – falou. Voltamos juntos para a casa. – Amanhã de manhã, talvez? Às seis e meia em ponto?

– Sim, eu adoraria.

Subi a escada flutuando para me lavar antes do café, sentindo-me feliz como não me sentia em meses.

Apesar da minha apreensão quanto a não poder voltar para a Índia, nunca vou me esquecer daquele primeiro verão em Astbury. Muito embora a Grã-Bretanha tivesse declarado guerra oficialmente à Alemanha no dia 4 de agosto, isso quase não nos afetou. Quando o racionamento de comida começou, nós mal fomos prejudicados, pois a propriedade, com seus muitos hectares de férteis terras agrícolas, era autossuficiente.

Embora Donald fosse jovem demais para se alistar, um acontecimento específico me fez compreender o sofrimento e a mudança que outras pessoas estavam tendo de enfrentar: foi quando Selina, filha de lady Astbury, chegou para morar conosco na casa. Seu marido era capitão do exército britânico e tinha sido mandado para a França. Eles eram casados havia pouco mais de um ano, e Selina estava no oitavo mês de gestação do primeiro filho do casal.

Às vezes, à tarde, eu a encontrava sentada no jardim de inverno, que abrigava as muitas plantas exóticas trazidas por várias gerações da família Astbury das suas viagens a países estrangeiros. Reconheci algumas delas do caderno de couro de remédios da minha mãe e comecei a colhê-las, triturá-las no meu *shil noda*, e depois colocá-las para secar ao sol no minúsculo peitoril sob os beirais da minha janela no sótão. Em minhas incursões ao jardim e ocasionalmente a Dartmoor, havia encontrado outras ervas e plantas menos comuns, que guardara dentro de velhos vidros de geleia obtidos na cozinha, e minha coleção estava crescendo.

– O que você faz com todos esses galhos que colhe, Anni? – perguntou Selina sentada numa cadeira, abanando-se com o leque e me observando com aparente interesse, numa tarde chuvosa no jardim de inverno.

Eu não soube ao certo como responder, mas resolvi lhe dizer a verdade.

– Preparo remédios – falei.

– É mesmo? Aprendeu isso na Índia?

– Sim. Minha mãe me ensinou. – Não quis me demorar no assunto, com medo de ela pensar que eu fosse alguma espécie de feiticeira.

– Nossa, como você é inteligente – respondeu ela com genuína admiração. – Sei que meu pai acreditava muito nos remédios naturais quando servia na Índia. Bem, se tiver alguma poção especial para apressar a chegada deste bebê ao mundo, eu bem que ficaria agradecida.

Estudei o formato da sua barriga e vi que o bebê lá dentro tinha descido nos últimos dias, ou seja, a cabeça já estava virada para baixo.

– Acho que não vai demorar muito mais.

– É mesmo? Você consegue ver isso?

– Sim. – Sorri. – Eu acho que sim.

Infelizmente, apesar das suas promessas sinceras no dia da nossa chegada, eu via Indira com cada vez menos frequência. Lady Astbury tinha acatado seu pedido para convidar amigas de Londres que pudessem lhe fazer companhia. Intuí que a dona da casa tinha um interesse velado nisso, afinal estava chegando a hora de Donald escolher uma noiva entre as moças britânicas de boa estirpe. As apresentações feitas por Indira na porta da casa dele decerto tinham grande valor.

– Nunca tantas jovens encantadoras passaram pela nossa porta – comentou lady Astbury comigo certo dia, quando a encontrei na escadaria principal. –

Anahita, minha cara, será que você poderia correr até lá em cima e verificar se as criadas se lembraram de pôr flores no quarto de lady Celestria?

– Claro – respondi, e subi depressa para ver.

Eu não gostava de lady Astbury, e sabia que ela não gostava de mim. Ela havia morado na Índia quando o marido era o residente de Cooch Behar, e pelas coisas que dizia entendi que havia detestado cada segundo daquela época; tratava-me praticamente como uma empregada. Sua atitude superior em relação a meus conterrâneos e conterrâneas – "uns pagãozinhos imundos", como eu a ouvira nos chamar certa vez – exacerbavam seu desprezo por mim. Eu sabia que ela era católica praticante, e que ia à missa todos os dias na capela do casarão.

Para mim, sua rígida formalidade e sua arrogância intrínseca resumiam o que havia de pior nos britânicos. Indira naturalmente pertencia à realeza, e havia sido criada ao estilo ocidental. A ela lady Astbury conseguia tratar como igual... mas mesmo assim por pouco.

Apesar de eu também ter parentesco com a realeza indiana, cada vez mais constatei que estava servindo de estafeta para lady Astbury. Ela muitas vezes me pedia distraidamente para "dar um pulinho" e pegar seu bordado, ou então buscar um livro na biblioteca.

A crise na criadagem do casarão exacerbava essa situação. Com a partida de muitos empregados para combater na França, as empregadas se viram com o dobro da carga de trabalho habitual. Sem querer parecer mal-educada e ingrata, eu sempre atendia aos pedidos de lady Astbury. Não era ruim ajudar as empregadas, todas mulheres encantadoras e simpáticas, felizes por terem um par de mãos a mais para trocar uma roupa de cama ou espanar um quarto.

Nos primeiros dias em Astbury, eu tinha descido para jantar no salão formal com Indira mas havia sido ignorada, o que me deixara pouco à vontade. Então, na quarta noite, uma bandeja fora levada ao meu quartinho no forro, e eu entendera o recado. O fato não me deixou infeliz, pois meu guarda-roupa não contava com a profusão de trajes ingleses formais necessária para esses eventos cotidianos, e eu não gostava de comentar com Indira que não os possuía.

Em sua subida diária pelas intermináveis escadarias para levar minha bandeja até o sótão, uma das criadas, Tilly, comentou que eu devia me sentir solitária jantando ali sozinha. Ela sugeriu que eu talvez preferisse comer com os outros empregados na cozinha. Como sabia que isso também pouparia suas pernas da subida até o sótão, eu concordei. Daquele dia em diante, passei a comer lá embaixo com os empregados toda noite e a responder às suas perguntas constantes, uma vez que todos se mostravam fascinados com minha vida no palácio na Índia.

Certo dia, a cozinheira, Sra. Thomas, reclamou de artrite nas mãos. Perguntei se ela gostaria de algo para ajudar a aliviar a dor e a inflamação.

– Duvido que vá adiantar – comentou ela. – Mas também sei que mal não há de fazer.

Usando meu *shil noda*, moí uma raiz de cálamo que havia encontrado no jardim de inverno e acrescentei água até formar uma pasta. Nessa noite, mostrei à Sra. Thomas como aplicar a pasta nas mãos.

– A senhora deve fazer isso duas vezes ao dia por uma semana. Acho que vai ajudar.

Dito e feito: uma semana depois, a Sra. Thomas estava comentando com todo mundo como eu era "milagreira". Isso logo produziu uma enxurrada de "pacientes" na cozinha me pedindo que lhes preparasse um remédio para ajudar com todo tipo de dor e incômodo. Fiquei contente em assisti-los, e assim ter a chance de pôr em prática o que aprendera com Zeena e com minha mãe. Também apreciei bastante o calor humano e a aceitação genuínos dos outros empregados – fazia tempo que não sentia isso.

Mas o principal motivo da minha felicidade naquele verão, quando me sentia tão feliz que nem mesmo a indiferença de Indira e o tratamento de lady Astbury conseguiam me desanimar, foram minhas cavalgadas matinais com Donald Astbury.

No dia seguinte ao nosso primeiro passeio, eu havia pulado da cama de manhã pensando se ele estaria no estábulo, conforme o combinado.

– Anni! – dissera ele sorrindo. – Pronta para outro passeio?

– Sim. – Eu havia assentido animada, e tínhamos arreado os cavalos e partido a toda por Dartmoor sob o sol ameno do início da manhã. Desse dia em diante, passamos a nos encontrar quase todas as manhãs. E durante esses passeios começamos a construir uma amizade.

Num contraste completo com a mãe, Donald era um rapaz simpático e de mente aberta, e com ele eu sentia poder falar livremente sobre a minha vida. Ele mostrava um fascínio genuíno ao me ouvir falar sobre a Índia, nossos costumes e cultura.

– Meu pai sempre amou a Índia e seu povo – relatou-me. – Infelizmente minha mãe não gostava, e foi por isso que eles voltaram para a Inglaterra quando Selina e eu éramos bem pequenos. Meu pai morreu cinco anos depois. Minha mãe sempre culpou a Índia pela sua morte, e é verdade que ele sofria crises recorrentes da malária que contraíra lá, mas no fim acabou morrendo de pneumonia. Dizia que o clima inglês não lhe caía bem. Ele era um homem muito bom. Sempre tentava ajudar todo mundo.

– Você é como ele? – perguntei quando estávamos deitados na grama áspera de Dartmoor para deixar nossos cavalos ofegantes beberem um pouco d'água no regato.

– Minha mãe sempre diz que sim. Não acho que ela aprovasse muito o que chamava de coração de manteiga do meu pai... ele vivia para ajudar os mais desafortunados, muitas vezes em detrimento da nossa própria conta bancária. Também não fazia distinção de credo ou cor, ao passo que a minha mãe tem um pensamento um pouco mais... tradicional.

Durante essas cavalgadas pela charneca, ele me falou de seus temores em relação ao próprio futuro por causa da guerra, e me disse se preocupar com a sua capacidade para assumir a administração da propriedade dali a alguns anos. Astbury seria sua quando ele atingisse a maioridade, aos 21 anos.

– Já quase não há dinheiro para pagar os custos hoje, quanto mais restaurar o casarão, parte do qual não é tocada há cem anos – disse ele com um suspiro. – A propriedade foi herança da minha mãe, sabe? Meu pai não era um homem de negócios, e ninguém nunca imaginou que ele morreria enquanto eu fosse tão jovem. Então acho que minha mãe está tapando o sol com a peneira. Ou, melhor dizendo, com a Bíblia. Não quero ser eu a lhe dizer o quanto as coisas estão difíceis, mas duvido que até mesmo o Deus dela possa nos ajudar.

Encarei-o e senti pena; embora ele tivesse apenas 16 anos, o peso do mundo inteiro parecia repousar nos seus ombros.

– Muitas vidas dependem de mim para ganhar o pão de cada dia. – Ele então rolou de frente para mim e me sorriu. – Bem, pelo visto só me resta casar com uma herdeira! Vamos, está na hora de voltar.

Depois que Donald desaparecia dentro de casa para trocar de roupa antes do café da manhã, eu raramente o via antes da manhã seguinte. Suas atividades diurnas consistiam em entreter Indira e as amigas com almoços, partidas de tênis e passeios a cavalo bem mais tranquilos do que os que dávamos juntos pela propriedade. Eu duvidava que ele comentasse com alguém sobre nossas cavalgadas matinais – eu com certeza não o fazia. Esse foi mais um segredo que guardei para mim naquelas longas e amenas noites do verão inglês.

14

No fim de agosto, uns dois dias antes da data em que Indira e eu deveríamos voltar para a escola, Selina entrou em trabalho de parto. As empregadas não paravam de subir e descer as escadas carregando toalhas e água quente. O clima na cozinha estava tenso; um misto de expectativa pela chegada de um novo bebê e o temor de que as coisas não corressem bem para a mãe.

– O Dr. Trefusis está retornando do hospital de Exeter. Só mesmo lady Selina para escolher um domingo à noite para entrar em trabalho de parto. Vamos torcer para que ele chegue logo – comentou a Sra. Thomas, revirando os olhos.

Uma hora depois, Tilly, a criada de Selina, desceu a escada pálida.

– Ela está num estado terrível lá em cima, rolando pela cama de dor e se esgoelando de tanto gritar. Não sei o que fazer para acalmá-la. O que posso dar a ela, Sra. Thomas? Estou com medo de o bebê estar entalado ou coisa parecida.

– Já chamou lady Astbury? – indagou a cozinheira.

– Já, mas a senhora sabe que lady Astbury não vai chegar nem perto do local do parto. Acho que ela deve ter pagado alguém para dar à luz os filhos no seu lugar!

– Lady Selina deve estar cansada – comentei de minha cadeira habitual no canto da cozinha.

– Exausta, Srta. Anni. Já está nisso há seis horas – explicou Tilly.

– Então você deveria levar lá para cima um pouco de água com açúcar para ajudar a manter o nível de glicose dela alto – aconselhei em voz baixa. – E diga para ela caminhar o máximo possível.

Todos os olhos na cozinha se viraram para mim.

– Já viu algum bebê nascer, Srta. Anni? – perguntou a Sra. Thomas.

– Ah, já. Acompanhei minha mãe muitas vezes quando ela saía para ajudar no parto das mulheres dos arredores.

– Bem, numa emergência qualquer coisa serve – disse a Sra. Thomas. – Srta. Anni, será que poderia subir com Tilly? Ela vai perguntar a lady Selina se ela aceita vê-la.

– Tem certeza? – respondi, nervosa, levantando-me da cadeira.

– O máximo que ela pode fazer é dizer não, certo? Parece-me estar precisando de toda ajuda que puder. Vá lá, querida.

Subi a escada atrás de Tilly, e enquanto esperava em frente à porta de Selina, pude ouvir seus gemidos lá dentro.

Tilly passou a cabeça pela porta e acenou para mim.

– Ela não pareceu entender o que eu disse, então de todo modo entre.

Entrei no quarto e vi Selina deitada de costas na cama, com o rosto branco e os cabelos empapados de suor.

– Lady Selina, sou eu, Anahita. Eu já ajudei a trazer bebês ao mundo. A senhora se importaria se eu tentasse ajudá-la?

Selina levantou uma das mãos exaustas, o que interpretei como um sinal de consentimento.

– Primeiro precisamos colocá-la sentada recostada nas almofadas para ela tomar a água com açúcar, depois – falei para Tilly – desça correndo e pegue umas flanelas úmidas para pôr na testa dela. Amarre seus cabelos também, ela vai se refrescar um pouco.

Após nós duas convencermos delicadamente Selina a se sentar, e Tilly forçá-la a beber um pouco da água com açúcar, conferi seus batimentos, que estavam disparados.

– Lady Selina, posso examiná-la? Preciso saber em que estágio a senhora está.

Ela aquiesceu com relutância, ainda de olhos fechados.

Ergui sua camisola, examinei-a, e na mesma hora senti que ela estava com dilatação de apenas quatro dedos. Precisava estar com dez dedos antes de sequer pensar em fazer força.

– Lady Selina, o bebê está pronto para vir, mas o seu corpo ainda não. Quero que a senhora se levante comigo e caminhe. A gravidade vai ajudar, eu juro. Pode fazer isso?

– Não, não... dói, dói... – gemeu ela.

– Vamos pelo menos tentar.

Passei o braço pelas suas costas, levantei-a, virei suas pernas para a lateral da cama e, usando toda a minha força, coloquei-a de pé.

– Pronto, agora vamos caminhar – instruí. – Isso também vai ajudar a aliviar a dor. – Bem devagar, eu a fiz colocar um pé diante do outro, e começamos a andar até o outro lado do quarto.

– Isso, a senhora está indo muito bem – incentivei.

Durante duas longas horas, fiz Selina andar de um lado para o outro pelo quarto, respirando junto com ela e sussurrando palavras de incentivo. O movimento incessante a deixou mais calma, e seus batimentos começaram a se normalizar.

– Preciso fazer força! – anunciou ela de repente.

Essa era a hora em que eu sabia que tudo devia estar pronto, e gesticulei para Tilly cobrir a cama com toalhas. Ajudei Selina a se deitar em cima delas.

– Não faça força ainda, lady Selina. Em vez disso arfe, como um cachorro com sede... Assim... – Mostrei uma série de respirações rápidas e curtas e sorri para incentivá-la quando ela começou a me imitar. Verifiquei rapidamente se ela tinha dilatado o suficiente para o bebê poder passar. Após confirmar que sim, disse-lhe que da próxima vez que ela sentisse que precisava fazer força, deveria fazê-lo, o máximo que conseguisse. Um grito varou o ar parado da noite quando eu vi a cabeça do bebê surgir na abertura.

Foi preciso fazer força algumas vezes para a cabeça do bebê sair, e Selina apertou tanto a minha mão que pensei que fosse esmigalhar meus ossos. Então ajudei o restante do corpinho minúsculo e perfeito a escorregar para fora da mãe.

– O bebê está bem, Anahita? – indagou Selina, tentando levantar a cabeça para olhar para baixo, sem sucesso.

– Ah! – Tilly bateu no rosto com as mãos espalmadas ao ver o bebê chorar entre as pernas de Selina. – É menina! Parabéns, lady Selina!

Peguei a criança e a pus na mesma hora no colo de Selina. Bem nesse instante, a porta se abriu e o médico chegou.

– Ora, ora – disse ele, indo até o pé da cama e olhando para mãe e filha, agora calmas de exaustão e triunfo. Ele abriu a maleta e pegou um instrumento para cortar o cordão umbilical. Olhou para mim e deu um sorriso abrupto. – Que tal eu assumir a partir daqui?

– Claro. – Sabendo que não era mais necessária nem desejada ali, comecei a me retirar. Mas na mesma hora Selina me estendeu a mão.

– Obrigada, Anni. Você foi maravilhosa.

Na manhã seguinte, quando desci para tomar café na cozinha, tão exausta que não conseguira me levantar para minha cavalgada matinal com Donald, tive uma recepção de heroína.

– A senhorita salvou a vida de lady Selina! Enfim, pelo menos é o que ela diz – disse Tilly. – A Srta. Anni foi incrível – declarou ela para a cozinha. – Sabia com exatidão o que fazer e conseguiu acalmá-la totalmente. Espero que aquela velha turrona lá em cima lhe esteja grata, Srta. Anni. Dá para acreditar que ela não chegou nem perto enquanto a pobre filha passava por toda aquela agonia? E depois a ouvi dizer ao médico no patamar da escada que lady Selina teve sorte por ter tido um parto fácil. Tudo que posso dizer é que ela deveria agradecer aos céus o fato de a senhorita estar aqui e saber o que fazer.

Naquele dia, mais tarde, fui convidada por Selina a subir para ver a neném. Ela estava deitada satisfeita com a filha no colo. Abriu-me um sorriso radiante quando entrei.

– Olá, Anni. Venha ver minha bebê encantadora e perfeita. – Ela deu uns tapinhas na cama ao seu lado e eu me sentei, hesitante.

– Ah, que linda! – exclamei, esticando um dedo para afagar a pele sedosa da neném. – Que nome a senhora lhe deu?

– Infelizmente não tive muita escolha quanto a isso. Ela se chama Eleanor, em homenagem à avó paterna. É uma graça, você não acha? Gostaria de segurá-la, Anni?

– Eu adoraria – respondi, e ela me entregou a menina.

– Eu só queria dizer, Anni, que você foi incrível ontem à noite. Eu disse a toda a minha família hoje de manhã que não sei o que teria sido de mim se você não tivesse estado aqui. Obrigada, por nós duas.

– Não há de quê. – Sorri para ela. – Foi uma honra participar do milagre de uma nova vida.

– Sim. Eu só queria que o pai desta pequenina estivesse aqui para ver a filha. Mandamos um telegrama para a França, claro, mas só Deus sabe quando ele vai receber a mensagem.

De repente, os débeis sons começaram a ecoar em meus ouvidos, e senti o coração pesado e escuro. Soube então que aquela criança jamais veria o pai. Trêmula, forcei-me a sorrir outra vez.

– Ele logo vai voltar – menti.

– Posso apenas rezar para que assim seja. Mas a princesa Indira me disse que vocês partem amanhã de volta para o colégio interno?

– Sim.

– Que pena, Anni. Queria que fosse você a cuidar de nós duas, em vez da ama-seca caquética que mamãe contratou. Acho o seu tratamento bem mais reconfortante. Promete que vai voltar logo?

– Prometo – falei, devolvendo-lhe a pequena.

– Então adeus, Anni, e obrigada mais uma vez.

– Adeus. E boa sorte com a sua lindinha.

Enquanto eu me levantava e andava em direção à porta, Selina perguntou:

– Você tem mesmo só 14 anos, Anni? Eu mal consigo acreditar. Ontem à noite foi como se estivesse na companhia de uma mulher com pelo menos três vezes a sua idade e experiência.

– Tenho, sim. – Dei-lhe um pequeno sorriso de despedida e me retirei.

Partiríamos para a escola às onze horas da manhã seguinte, o que me permitiu ter tempo para uma última cavalgada com Donald. Ele, é claro, tinha ouvido a história de como eu tinha ajudado sua sobrinha a nascer.

Quando estávamos sentados em nosso lugar habitual junto ao regato, ele me perguntou como eu soubera o que fazer.

– Na verdade é muito simples – expliquei. – Basta seguir sempre a natureza. O corpo da sua irmã sabia tudo. O que fiz foi ajudá-la a confiar nele.

Pude ver um novo respeito por mim no olhar dele aquele dia.

– Nossa, quem dera mais gente no mundo pensasse assim. Meu pai tinha imenso respeito pela natureza. Você é muito sábia para alguém tão jovem, Anahita.

– Às vezes eu acho que isso é mais uma maldição do que uma bênção – comentei, plantando o calcanhar da bota no chão duro e ressecado.

– Como assim?

– Bem, o fato de ter uma mente que deseja entender o mundo. – Encarei-o. – Para a maioria das mulheres basta ser bonita e ter muitos vestidos novos.

– Bom, com os vestidos eu não posso ajudar, mas bonita posso dizer que você é – disse ele com uma risadinha. – Muito bonita, na verdade. Mas agora é melhor voltarmos.

No caminho do estábulo para casa, Donald disse, de repente:

– Vou sentir falta das nossas cavalgadas.

– Eu também – falei, do fundo do meu coração.

Ele se inclinou na minha direção e me beijou de leve na bochecha.

– Adeus, Anni. Volte logo para nos visitar. Você é uma moça muito especial, e foi um prazer conhecê-la.

Meu coração transbordou de alegria durante a viagem inteira de volta ao colégio em Eastbourne. Nem mesmo a conversa de Indira sobre como ela estava animada para rever Celestria e as outras meninas, ou a ideia de voltar a ficar presa e sozinha, conseguiram me abater.

Pois eu havia conhecido alguém que gostava de mim como eu era. Éramos amigos, só isso. Ou pelo menos foi o que eu me esforcei ao máximo para acreditar, mas a lembrança dos lábios dele no meu rosto despertava em mim um outro sentimento.

15

Ao longo dos dois anos seguintes, a guerra seguiu assolando a Europa, e Indira e eu não pudemos voltar para a Índia. Eu passava as férias no colégio, enquanto Indira ia se hospedar com suas várias amigas. Não me importava com isso, já que muitas das meninas estavam na mesma situação, inclusive minha amiga Charlotte. Usei esse tempo para estudar para minhas provas de conclusão dos estudos.

Indira e eu celebramos nossos 16 anos com uma comemoração discreta no colégio, baseada em bolos com gosto de pedra por causa dos ovos em pó. Indira vivia brigando e fazendo as pazes com as amigas, e recorria a mim para consolá-la caso alguma delas tivesse dito algo particularmente desagradável. Eu enfim havia aceitado essa sua forma de lidar com a nossa amizade, como se fosse uma gangorra, e sabia que quando ela estivesse insegura voltaria para mim em busca de reconforto.

Por mais que doesse, eu dizia a mim mesma que o meu papel na vida dela estava me proporcionando a educação que meu pai sempre quisera que eu tivesse. Eu era uma das alunas mais inteligentes da minha turma, ou pelo menos a mais dedicada e estudiosa, e os professores começaram a me perguntar sobre a universidade. Isso era impossível, claro, mas saber que eles me tinham em tão alta conta me aquecia o coração.

Passamos o Natal de 1916 em Astbury; lembro-me que foi bem triste. Conforme eu sabia que iria acontecer, Selina recebera a notícia de que o seu marido morrera na França em outubro. Uma casa enlutada não era um lugar do qual se pudesse esperar uma celebração.

Com sua roupa preta de luto, Selina tinha um aspecto magro e abatido. Conseguiu dar um sorriso ao me ver.

– Olá, Anni. Que bom ver seu rosto outra vez aqui em Astbury.

Na tarde seguinte, ela me procurou e me pediu para acompanhá-la numa caminhada.

– Fiquei muito triste ao saber da morte do seu marido, lady Selina – falei quando estávamos andando pelo jardim todo congelado. Uma pesada névoa havia baixado, e o fraco sol de inverno parecia estar recuando diante do avanço rápido da noite.

– Obrigada – respondeu Selina. – Ainda estou tentando absorver a notícia. Hugo era tão jovem, tinha a vida inteira pela frente. E agora... – Ela fez uma pausa. – Agora ele se foi. Minha mãe insiste para eu buscar conforto em Deus e na oração, como ela mesma faz. Mas para ser bem sincera, fico só repetindo palavras que não significam nada. Não consigo sequer me forçar a ir à capela. É ruim admitir que, quando eu mais preciso, minha fé parece ter me abandonado?

– Não, é claro que não. Às vezes é impossível compreender por que as pessoas que amamos vão embora – falei. – Mas se os deuses as tiram de nós, eles dão também. A senhora tem uma linda filha, e ela carrega dentro de si uma parte de Hugo.

– Sim, e por ela eu agradeço a Deus... ou aos deuses, se você preferir – disse Selina baixinho. – Mas é terrível pensar que a morte de Hugo me deixou viúva aos 22 anos, morando outra vez na casa da minha mãe, e com poucas esperanças de conseguir escapar disso no futuro...

– Lady Selina, seu futuro vai trazer outra chance de felicidade, eu lhe prometo – afirmei, com os instintos subitamente alertas. Não era a hora certa de lhe contar sobre o novo amor que a aguardava na próxima esquina, mas eu sabia com cada fibra do meu corpo que isso iria acontecer.

– Você acha mesmo, Anni?

– Acho, sim. E lembre-se: não é preciso rezar na igreja todos os dias. Nós todos fazemos parte de Deus. Existe um pouco dele dentro de cada um de nós. *Ele* vai ouvi-la onde a senhora estiver.

– Obrigada, Anni querida. – Selina pousou a mão enluvada sobre a minha, e juntas andamos de volta até a casa, prontas para fugir do frio.

Não houve cavalgadas matinais naquele Natal. Donald tinha sido convocado para o serviço militar algumas semanas antes, e estava treinando em algum lugar com seu batalhão.

Numa gélida manhã de dezembro, enquanto eu tomava café da manhã na cozinha, entregaram-me uma carta endereçada a mim.

Caserna de Chelsea
Londres
19 de dezembro de 1916

Minha cara Anahita,

Espero que não se importe por eu estar lhe escrevendo. Não consegui pensar em mais ninguém a quem pudesse confidenciar meus pensamentos mais íntimos. Meu treinamento terminou (ou as poucas semanas passadas marchando para lá e para cá e aprendendo a atirar com um fuzil), e estou prestes a ser despachado amanhã para um destino desconhecido que todos nós desconfiamos ser a França. Escrevi uma carta formal para minha mãe e minha irmã, claro, comunicando minha partida iminente, e nela soei como precisava soar: forte e corajoso.

Embora todos os meus companheiros do batalhão estejam muito animados com a diversão que vamos encontrar nas trincheiras, eu sei que estamos ignorando o fato de que muitos de nós não vão voltar. Assim, ao lhe escrever esta carta hoje à noite, Anni, poucas horas antes de zarpar, quero que você saiba que eu não desejo morrer ainda. Nem viver o resto da vida aleijado, como tantos pobres coitados têm precisado fazer.

Me perdoe; nunca escrevi uma carta como esta na vida. Mas sei, a tirar pelo que os criados dizem sobre você e por nossos momentos juntos, que você talvez possua certos poderes. Se for o caso, Anni, por favor, mande o que puder para me ajudar. Se me disser que eu vou ficar bem, eu sei que ficarei. Você é meu talismã.

Pode me responder no endereço acima? Eu gostaria muito mesmo de ter notícias suas. Espero que não me julgue um homem menor nem um covarde por escrever isto. Mas não paro de pensar naquelas gloriosas manhãs de sol em que nos deitávamos à beira do regato e a paz reinava absoluta. Pode ser que eu esteja sendo egoísta, mas quero ter mais dias iguais àqueles.

Confio em você para guardar sigilo em relação ao conteúdo desta carta. Espero que esteja bem, e por favor, reze por mim.

Com afeto,
Donald Astbury

Li e reli a carta de Donald muitas vezes. Então saí para o jardim e me afastei da casa. Se Donald fosse deixar este mundo em breve, sabia que iria sentir e escutar isso. E... eu não senti nada. Um puro e cristalino nada.

Meu coração se encheu de alegria, pois agora eu sabia que ele sobreviveria ao seu martírio e voltaria para casa ileso.

Portanto, foi com uma fé total que pude escrever a carta que teria escrito houvesse escutado ou não más notícias.

Astbury Hall
Devon
30 de dezembro de 1916

Caro Donald,
Obrigada por sua carta.
Por favor, não tenha medo. Tenho certeza absoluta de que você não será levado embora deste mundo ainda. Espero vê-lo em breve, quando você voltar da França.
Com meus cumprimentos,
Anahita Chavan

Nem mesmo as amigas de Indira foram visitá-la em Astbury durante o recesso de Natal. O racionamento de gasolina impossibilitava os longos trajetos a partir dos condados mais ao sul do país, onde a maioria delas morava. Diante da atmosfera sombria do salão do térreo, na noite de Ano-novo Indira acabou indo se juntar a mim e aos criados no subsolo. Lá havia um piano, e nele a Sra. Thomas arriscou algumas canções inglesas tradicionais. Quando 1916 virou 1917, aquele com certeza era o lugar mais alegre da casa para se estar.

Certa noite, logo depois da virada do ano, alguém bateu à porta do meu quarto no sótão.

– Pode entrar.

Era Indira, com os olhos vermelhos de tanto chorar; ela me estendeu os braços. Sem querer sair da cama, pois não havia nenhuma lareira acesa naquele andar, enrolei-me nas cobertas, levantei-me e fui até ela.

– O que houve? – perguntei.

– Ah, Anni. Estou com muitas saudades de mamãe e papai... e da Índia.

Eu odeio isto aqui. Não tem graça nenhuma e faz tanto frio... Estou me sentindo tão órfã quanto você!

– Tenho certeza de que a guerra em breve vai terminar e você poderá ver sua família – falei com calma, tentando reconfortá-la.

– Ah... e Anni, eu percebi como tenho sido cruel, ignorando você e... – Indira fez um gesto. – E a obrigando a dormir neste sótão gelado sem dizer nada para lady Astbury. Escute... – Ela estremeceu de repente. – Desça comigo e durma na minha cama. Pelo menos lá tem uma lareira, e podemos conversar.

Fiz o que ela queria, como sempre, e uma vez enroladas em cobertores em frente à lareira do seu quarto, ela encarou o fogo e deu um suspiro.

– Tenho sonhado com o palácio todas as noites, sabia? Eu nunca o valorizei. Nem valorizei você – acrescentou ela. – Sei que tenho sido uma amiga cruel, e provavelmente uma pessoa má. Você me perdoa, Anni?

– É claro que perdoo. – Dei-lhe um sorriso.

– Nós vamos voltar para a Índia um dia, não vamos?

– É claro que sim. Estamos ganhando a guerra, e todo mundo diz que ela não vai durar muito mais.

– A Inglaterra na verdade não é o meu lugar, sabe? – falou Indira com um suspiro. – Meu lugar é na Índia. Eu sinto uma falta imensa de lá. Belezinha deve estar achando que eu a abandonei por completo.

Pensar na elefanta de estimação provocou nela uma nova crise de choro.

– Talvez esta guerra esteja ensinando todos nós a pensarmos no que temos, em vez de no que nos falta – comentei, para tranquilizá-la.

Ela ergueu para mim os olhos cor de âmbar arregalados.

– Você é tão sábia, Anni. Mamãe me disse que eu deveria escutar o que você diz, e ela tem razão.

– Eu não sou sábia, Indy, só aceito as coisas. Não podemos mudar como as coisas *são*, por mais que tentemos.

– E eu venho pensando que talvez o meu príncipe tenha me esquecido – disse Indira, mordendo o lábio.

– Como eu já disse a você, se for o destino de vocês ficarem juntos, vocês vão ficar.

– Sim, é verdade – concordou Indira. – Anni, pode dormir comigo aqui essa noite? Não quero ficar sozinha.

– Posso, se você quiser.

Então nos aconchegamos as duas juntas na grande cama de Indira, como costumávamos fazer quando crianças.

– Tem certeza de que me perdoa, Anni? – perguntou ela quando eu estava apagando a luz.

– Eu amo você, Indy. Vou perdoá-la sempre.

Indira cumpriu sua palavra. Quando voltamos para o colégio interno, passou muito mais tempo comigo do que nos semestres anteriores. Em parte, porque sua melhor amiga, Celestria, havia sido tirada de lá. Existia agora uma possibilidade real de a Inglaterra ser bombardeada, e a mãe queria sua filha segura em casa junto com ela. Outras meninas também haviam sido tiradas do colégio, e embora Londres tivesse sido o alvo principal dos ataques aéreos até então, o país inteiro continuava num elevado estado de tensão e temor.

Na Páscoa, fizemos as malas para as férias, imaginando que fôssemos pegar o trem rumo ao sul para Dartmoor. Ficamos espantadas quando um chofer apareceu num Rolls-Royce no último dia do semestre para nos pegar.

– Para onde vamos? – perguntou Indira, que não conhecia as estradas bem o bastante para identificar.

O motorista permaneceu calado, e foi só quando chegamos às ruas conhecidas de Londres que o rosto dela se abriu num sorriso. Quando o carro parou em frente à casa da Pont Street, ela saltou na mesma hora e subiu correndo os degraus da frente.

A porta se abriu, e a marani em pessoa apareceu.

– Ma! – Fiquei olhando Indira se jogar nos braços da mãe.

– Surpresa! – disse a marani ao abraçá-la. – Não quis lhe contar que eu estaria aqui antes de o navio atracar com segurança na Inglaterra. O que só aconteceu ontem.

– Mas como? Pensei que estivesse impossível viajar, que todos os navios estivessem sendo mobilizados para transportar soldados, não? – perguntou Indira enquanto entrávamos.

– Vou lhe contar tudo. Foi uma aventura e tanto! – Ayesha riu e finalmente pousou seus olhos em mim. – Anni, como você cresceu! Ora, Indira, a nossa Anni está virando uma beldade!

Interpretei seu comentário como uma gentileza e segui as duas para dentro do elegante salão, em cuja lareira estava aceso um fogo acolhedor.

– Mas mamãe, conte-me como conseguiu vir até a Inglaterra – pediu Indira. Nós nos sentamos, e a marani pediu à criada que nos trouxesse um chá.

– Eu disse que tinha um motivo urgente para vir até aqui. Disse ao residente que minha filha mais nova estava com uma doença grave em Londres e que eu precisava vir, fossem quais fossem as consequências. Então o comandante de um dos transportes de tropas britânicas aceitou me trazer a bordo. Ele me alertou muito seriamente que não podia garantir minha segurança, e que eu talvez precisasse dormir numa rede junto com os soldados! – A marani sorriu, soando muito satisfeita com aquela aventura. – É claro que eles me arrumaram aposentos bem mais confortáveis do que isso, e comi muito bem todas as noites na companhia do encantador comandante e seus oficiais.

– Ah, mamãe! – exclamou Indira, com os olhos arregalados. – Você poderia ter morrido na viagem! Sabe quantos navios já foram perdidos.

– Eu sei, *pyari*, mas não conseguia suportar nem mais um dia sem ver minha filhinha. Além do mais, o navio veio a todo vapor... na velocidade máxima o caminho todo para nos trazer até aqui sem incidentes. Chegamos na metade do tempo que em geral se leva. Mas então, como vão vocês duas? – Ela olhou para mim, em seguida tornou a pousar os olhos em sua amada filha.

– Anni e eu temos vivido tão infelizes quanto os passarinhos durante a monção – gemeu Indira. – A comida é péssima, o frio, insuportável, e todo mundo aqui vive infeliz. Mamãe, eu acho que você na verdade não conhece a Inglaterra. Este é um país horrível e escuro, eu mal posso esperar para voltar para casa.

– As coisas andam difíceis na Índia também. Muitos de nossos rapazes estão lutando na guerra pela Inglaterra. – A marani suspirou. – Têm sido tempos preocupantes e difíceis para todos nós. – Ela se animou. – Mas precisamos aproveitar da melhor maneira. Sendo assim, enquanto eu estiver aqui em Londres, é isso que vamos fazer.

Ela cumpriu sua palavra, e a casa se encheu de convidados vindos de uma Londres ávida por prazeres, todos ansiosos para aproveitar seu estilo opulento de receber. Ela deu jantares e festas; mas de onde exatamente conseguia mandar trazer iguarias como ovos de codorna, salmão defumado e caviar na Londres em meio à guerra eu não faço ideia.

A marani ficou consternada com o estado do meu guarda-roupa, que não era renovado havia quase dois anos. Como quase tudo que eu tinha já estava pequeno para mim, despachou-me com Indira rumo à Harrods para comprar o que quiséssemos. Dessa vez me vi mais interessada pelo departamento de moda feminina. Não teria chegado ao ponto de concordar com a marani quando ela havia gentilmente me dito que eu tinha me tornado "uma beldade", mas até mesmo eu podia ver, ao experimentar os lindos vestidos e me olhar no espelho, que minhas gordurinhas infantis tinham ido embora e dado lugar a um corpo bem-formado e até que aceitável.

– Anni, você deveria ter me escrito! – disse ela, repreendendo-me mais uma vez. – Por favor, daqui para a frente não tenha vergonha de pedir o que precisar.

A marani também me mandou ao oculista fazer um novo par de óculos para substituir o meu, que eu desajeitadamente havia consertado com arame após quebrá-lo. Indira e eu estávamos precisando muito cortar os cabelos, e saímos todas orgulhosas do salão de beleza com as madeixas em estilo chanel, como ditava a última moda. Fizemos também pela primeira vez nossas unhas, com a manicure que atendia a marani em sua casa. Naquela noite, quando desci para jantar com meu lindo vestido novo de seda da Harrods, acho até que atraí alguns olhares de admiração dos outros convivas.

No meio das férias, Indira ficou radiante de felicidade quando o príncipe Varun apareceu numa das festas da marani. Ele estava em Londres por quinze dias, de licença do seu regimento.

Desde a última vez que os dois haviam se encontrado, Indira se transformara numa jovem de beleza notável. Observei os dois com atenção naquela noite, e não soube dizer se alguém mais ao redor da mesa reparou na química entre eles.

Naquela noite, depois do jantar, Indira chegou ao nosso quarto logo depois de eu entrar debaixo das cobertas. Estava com os olhos acesos, e seu corpo formigava de animação da cabeça aos pés.

– Ah, Anni, ele não é lindo? – perguntou ela. Jogou-se deitada na cama e ficou ali, de olhos fechados, com o rosto tomado por uma expressão sonhadora.

– Sim, ele é muito bonito.

– E adivinhe: ele quer me ver de novo antes de ir embora de Londres. Acredita? – Ela uniu as mãos, empolgada. – É claro que mamãe nunca vai me deixar ir desacompanhada. Então será que você, querida Anni, me acompanharia para tomar chá no Ritz, depois sairia pela entrada do hotel e iria dar um passeio de uma hora? Por favor – suplicou ela. – Não faço ideia de quando vamos nos ver outra vez. Eu *preciso* ir.

– Indy, eu não posso fazer isso. Você sabe que *nunca* deve ser vista em público sozinha com um homem. Você é uma princesa, precisa obedecer a certas regras.

– Eu não ligo! – Indira afundou o rosto no travesseiro, então se virou para mim com os olhos brilhando. – Afinal, não vamos poder fazer grande coisa diante de uma xícara de chá e sanduíches de pepino, não é? A menos, é claro, que ele me leve para um quarto…

– Nem diga uma coisa dessas, por favor! – Revirei os olhos, horrorizada. Se a sua mãe ficar sabendo, como é provável, visto que tem espiões por toda parte, nós duas vamos estar em apuros de verdade.

– Bem, isso para mim não é nenhuma novidade, certo? O que ela vai fazer, me pôr de novo no *purdah*? *Por favor* diga que vai ajudar, Anni, só dessa vez.

– Está bem – assenti, e suspirei fundo. – Só dessa vez, e só por uma hora.

– Obrigada! – Tendo conseguido o que queria, Indira me abraçou. – Você é mesmo a melhor amiga que uma garota poderia ter.

Na tarde seguinte, ambas nos vestimos com roupas adequadas para tomar chá no Ritz e chamamos o chofer para nos levar. Sentada no banco de trás ao meu lado, Indira mal conseguia controlar a animação.

– Você entendeu o plano, não entendeu? Vamos dizer ao chofer para nos buscar às quatro. E você vai fingir que entra, mas vai me deixar na porta.

– Sim. – Franzi o cenho; era a centésima vez que ela me dizia aquilo. – Boa sorte – falei quando saltamos em frente à grandiosa porta do Ritz e observei o chofer ir embora com o carro.

Ela me soprou um beijo e entrou. Dei meia-volta e fui caminhando em direção ao Green Park, sem vontade alguma de passar uma hora à toa sentada sozinha no frio de um dia de primavera londrino. Por acaso olhei para o outro lado da rua e vi um prédio de pedra elegante que dizia ser a Real Academia de Belas-Artes. Atravessei a rua e examinei o cartaz na fachada. Pelo visto estava havendo uma exposição de novos artistas, de modo que passei debaixo do pórtico imponente e subi os degraus. Lá dentro, aproximei-me do balcão situado no meio do impressionante saguão.

– Eu gostaria de visitar a exposição. Quanto é? – perguntei à mulher sentada atrás.
– A senhora é sócia da Real Academia?
– Não. Preciso ser?
Ela fez uma breve pausa e então respondeu:
– Sim. Precisa.
– Bem, desculpe ter incomodado, então – respondi, e comecei a andar do modo mais elegante que pude em direção à saída.

Nessa hora, as duas inglesas que estavam aguardando atrás de mim chegaram ao balcão. A recepcionista perguntou se elas eram membros da academia, e elas, assim como eu, responderam que não.

– Então são cinco xelins por pessoa – respondeu a recepcionista. As duas pagaram e entraram.

Esse incidente, sem o manto da realeza indiana ao redor dos meus ombros, foi minha primeira experiência de preconceito na Grã-Bretanha, o país que nos havia governado por mais de quinze anos. E, infelizmente, não seria a última.

Depois disso, passei as três tardes seguintes tremendo no Green Park, esperando Indira terminar outros encontros com seu príncipe. Muito embora a Fortnum and Mason e as delícias de Piccadilly estivessem bem perto, a reação da recepcionista na Real Academia havia me deixado assustada demais para me aventurar a qualquer outro lugar sozinha. Dei-me conta do quanto eu devia parecer estranha assim, fora de contexto, sem o restante do grupo real: com meu corpo e meu rosto marrons envoltos em trajes ocidentais, atraía muitos olhares quando as pessoas passavam por mim em meu banco no parque. Baixei os olhos para meu novo amigo Thomas Hardy e me concentrei em *Longe deste insensato mundo*.

Quando Indira e eu nos encontramos na hora marcada na entrada lateral do Ritz e embarcamos no carro que nos levaria para casa, experimentávamos estados emocionais inteiramente opostos: ela vivendo seu primeiro amor, e eu me dando conta cada vez mais de que não pertencia a lugar nenhum.

– Ah, Anni – derramou-se ela, e mais uma vez ouvi a enxurrada de superlativos em referência ao príncipe. – Estou tão apaixonada, e ele hoje me disse que está apaixonado por mim!

– Estou muito feliz por você, Indy, mas... – Eu tinha feito as minhas pesquisas sobre o príncipe de Indira. – Ele já é casado. Você sabe disso.

– É claro que eu sei! Afinal de contas, ele é um príncipe. Isso já estava combinado antes mesmo de ele começar a andar. Não é um casamento por amor.

– Da mesma forma que o seu casamento com o marajá de Dharampur também já foi combinado – lembrei-lhe bruscamente. – Além do mais, você com certeza não conseguiria suportar ser apenas a segunda esposa, conseguiria? Nós duas sabemos que seus pais têm um relacionamento considerado moderno. Já o príncipe Varun provavelmente esperaria que você ficasse no seu palácio em *purdah* enquanto ele viaja.

– Sim, no início talvez, em nome das aparências – rebateu Indira. – Mas depois ele iria querer que eu me tornasse sua companheira e viajasse o mundo com ele, como minha mãe faz com meu pai.

– Está me dizendo... – Pigarreei. – Que você e o príncipe Varun já conversaram sobre isso?

– Claro! Ele quer se casar comigo. Hoje me disse que soube desde a primeira vez que me viu que um dia nos casaríamos.

Encarei-a, chocada. O que Indira estava me dizendo era ridículo. Ela já estava prometida para outro, e um casamento que havia sido arranjado anos antes por dois principados e suas famílias reais simplesmente *não podia* ser cancelado.

Eu sabia também que Indira estava acostumada a conseguir o que queria, mas com certeza aquilo seria ir longe demais, até mesmo para ela. Para completar, eu estava igualmente furiosa comigo mesma por ter acobertado aquele romance.

– Indy, por favor – implorei-lhe. – Você sabe que você e o príncipe Varun nunca poderão ficar juntos, não sabe?

– Não diga isso! – disparou ela, irritada. – É claro que é possível, tudo é possível no amor...

Como sempre acontecia quando eu não concordava cem por cento com as ideias e sentimentos de Indira, ela se distanciou de mim. Eu me recusara a continuar sendo cúmplice do seu engodo, mas sabia muito bem que à tarde, quando ela dizia à mãe que ia sair para encontrar uma amiga, estava indo ver seu príncipe. Eu ficaria feliz de voltar para o colégio interno e afastar tanto eu mesma quanto Indira de Londres.

Uma semana depois, Varun partiu de volta para o seu regimento e Indira caiu numa depressão profunda, recusando-se a sair do quarto e dizendo que estava doente.

Duas noites antes de voltarmos para o colégio em Eastbourne, a marani me chamou ao salão para conversar com ela.

– Querida Anni, acho que está na hora de falarmos sobre o seu futuro.

– Sim, Alteza.

– Por favor, sente-se. – Ela apontou para uma cadeira junto à lareira que sempre ficava acesa no salão. – Gostaria de tomar chá?

Aceitei uma xícara e aguardei para ouvir o que ela tinha a dizer.

– Indira ainda não sabe, mas eu vou levá-la de volta comigo para a Índia quando for embora, daqui a alguns dias. Essa doença recente dela me fez decidir. Desejo que minha família esteja unida nestes tempos difíceis, e a Índia, pelo menos por enquanto, é um lugar seguro para se estar. – Ela sorriu. – Ao contrário da minha filha, eu sei que você está se saindo excepcionalmente bem na escola... Eu leio todos os seus boletins, sabia? Você é uma menina inteligente, como eu já sabia quando era mais nova, e uma ótima influência para Indira.

Tentei conter meu rubor e recriminei-me pelas mentiras das duas últimas semanas.

– Obrigada, Alteza.

– Então chegou a hora de perguntar o que *você* quer, Anni. Daqui a poucas semanas serão suas provas de conclusão, e sua educação formal estará concluída. – A marani deu um suspiro. – Para Indira isso mal faz diferença. Ela se casará com o marajá de Dharampur daqui a no máximo um ano e meio. É claro que sempre haverá um lugar para você na minha casa, e não tenho dúvidas de que Indira vai querer que você vá morar com ela no seu novo palácio depois que se casar. Mas não posso deixar de perguntar a você, Anni: você quer voltar para a Índia conosco? Ou prefere ficar na Inglaterra e completar sua educação?

– Eu não sei, Alteza.

– Recebi também uma carta de lady Selina, de Astbury Hall. Como você decerto sabe, ela é uma grande amiga de minha filha Minty. Diz que você a ajudou no parto da filha.

– Sim, Alteza, ajudei.

– Então – prosseguiu a marani, unindo os dedos com unhas feitas à perfeição. – Se você decidir ficar na Inglaterra, Selina lhe ofereceu um emprego em Astbury Hall para cuidar de sua filha pequena. Pelo visto ela está tendo dificuldades para encontrar uma boa ama-seca durante a crise atual.

Reconheço que meu coração se sobressaltou ao pensar em morar na casa à qual Donald retornaria depois da guerra.

– É muita bondade dela, e eu com certeza vou pensar no assunto.

– A escolha deve ser sua, claro – continuou ela. – Mas talvez os seus horizontes devessem ser fixados em algo além de ser uma simples ama-seca.

Eu sabia que tinha só poucos segundos para assimilar o que ela estava dizendo. Aquela mulher, que não precisava me perguntar o que eu queria para o meu futuro, mas tinha a elegância e a integridade de assim fazê-lo, estava me oferecendo a minha liberdade.

– Eu sinto muita falta da Índia – respondi, sincera. – E se ficasse aqui sentiria falta de Indira também. Ela é como se fosse minha irmã.

– Todos nós sentimos falta da Índia e de nossos amigos quando estamos longe – concordou a marani. – Mas a vida que você teria lá como uma mulher adulta talvez não seja a que deseja. Mesmo que minha filha vá sofrer ao perdê-la, eu não gostaria de vê-la trancafiada numa zenana pelo resto da vida, sem usar esse seu cérebro brilhante. Além disso... – A marani suspirou. – Para dizer a verdade, mesmo com meus esforços para ajudá-la a se casar, as suas perspectivas matrimoniais são... limitadas.

– Sim, eu sei.

– De modo que a decisão é sua, Anni. Ficarei feliz tanto se desejar permanecer aqui na Inglaterra e completar sua educação, pois sinto que seria injusto você ter se esforçado tanto para não fazer isso, quanto se quiser voltar para a Índia comigo e com Indira. Sua passagem de volta já está reservada, mas eu posso cancelar facilmente.

– Alteza, eu preciso de um pouco de tempo para pensar – respondi.

– Claro – disse ela. – Conversaremos amanhã de manhã. Tomara que Indira tenha se recuperado da doença e possa viajar.

– Sim.

Quando me levantei e andei até a porta, a marani me seguiu e pôs a mão no meu ombro.

– Lembre-se, Anni: eu conheço muito bem a minha filha. Ela se parece demais comigo. Seu coração manda no seu cérebro.

Eu sabia que a marani estava me informando que estava ciente da paixão de Indira pelo príncipe Varun e iria lidar com a questão. Tive certeza de que isso era parte do motivo pelo qual ela estava levando a filha consigo de volta para a Índia, e fiquei aliviada por esse fardo ter sido tirado de mim.

Naquela noite, fiquei andando silenciosamente de um lado para o outro do quarto enquanto Indira dormia. Estava arrebatada pela nova e rara sensação de tomar minhas próprias decisões; meu destino dependia só de mim. Ficar sozinha na Inglaterra e concluir minha educação seria um passo ousado, enquanto se eu voltasse para a Índia com a marani e Indira, teria o escudo da família real para me proteger. Pensei no episódio na Real Academia de Belas-Artes e estremeci. Mas, se o casamento arranjado de Indira viesse mesmo a se realizar, o meu futuro, como a marani havia sutilmente assinalado, ficaria limitado ao espaço da nova zenana de Indira. E era muito provável que eu permanecesse solteira pelo resto dos meus dias.

Por outro lado, na Inglaterra eu teria minha liberdade, e além disso – forcei-me a ser sincera quanto ao motivo que tornava tão tentadora a proposta feita por Selina – era ali que estava Donald.

Sabia que nós dois éramos apenas amigos e entendia que, visto nossas respectivas situações de vida, nunca poderíamos ser mais do que isso. Mas se eu voltasse para a Índia com certeza jamais tornaria a vê-lo.

No fim das contas, eu fiz o que qualquer jovem faz quando tem uma decisão difícil a tomar: consultei meus pais. Sentei-me de pernas cruzadas no chão, ergui os olhos para o céu e lhes perguntei o que sua filha deveria fazer. Em seguida fiquei esperando por uma resposta…

– Eu decidi ficar na Inglaterra e terminar os estudos.

A marani sorriu para mim.

– Imaginei que essa seria a sua resposta, Anni.

– Eu acho… – Era a primeira vez que eu dizia em voz alta os pensamentos que já vinham surgindo na minha mente havia algum tempo, e que tinham se cristalizado na noite anterior, quando eu consultara meus pais. – Acho que quero me tornar enfermeira.

– Sim, concordo que talvez isso combine com você, levando em conta os seus dons. – Ela me abriu um sorriso encantador e reconfortante.

– Mas e a princesa Indira? Há quase seis anos não ficamos separadas. Não quero que ela ache que a estou abandonando.

– Como nós duas sabemos, no momento o coração da minha filha está em outro lugar. Ela não vê nem sente mais nada.

– Sim – concordei, e compartilhamos um instante de cumplicidade.

– Deixe Indira comigo, Anni, e fique tranquila que cuidarei da situação. Acho certo você trilhar seu próprio caminho. Vou lhe mandar uma mesada que deve bastar para as suas necessidades, e se quiser escreverei para Selina dizendo que você aceita a proposta dela.

– Sim, mas só durante o verão, Alteza – respondi. – Depois disso, gostaria de trabalhar como enfermeira para o Destacamento de Auxílio Voluntário e ajudar no esforço de guerra.

– Isso é muito admirável da sua parte, Anni, e vai prepará-la bem para o futuro. Então estamos decididas?

– Sim. Não tenho nem como lhe agradecer por tudo que fez por mim. A senhora foi muito generosa comigo.

Lágrimas brotaram dos meus olhos, e mordi o lábio para contê-las.

Anni, minha querida, por favor lembre que prometi à sua mãe que cuidaria de você quando ela me confiou a sua guarda. Quero que entenda que eu estou aqui no lugar dela. Se precisar de alguma coisa, prometa que vai me escrever, pois não sei quanto tempo vai demorar para tornarmos a nos ver. Venha cá.

A marani me abriu os braços, e neles eu me aninhei.

– Eu a amo como se você fosse minha filha, Anni. Nunca tenha medo de pedir a minha ajuda se precisar dela no futuro.

– Obrigada, Alteza – sussurrei, com os olhos molhados. Agradeci aos céus por eles terem feito entrar na minha vida aquela mulher maravilhosa, uma combinação tão rara de poder e bondade. Nesse instante me senti verdadeiramente abençoada.

Como a marani havia anunciado com tanta precisão, Indira não se mostrou particularmente perturbada quando eu lhe disse que ia ficar na Inglaterra e voltar para o colégio interno para fazer as provas de conclusão. Ela apenas perguntou:

– Vai me escrever? Todos os dias?

– Talvez não todos os dias, pois vou estar estudando muito – respondi sorrindo. – Mas vou escrever com muita frequência.

Quando fecharam meu baú e o levaram para baixo, ela me olhou de repente.

– Pensei que você detestasse a Inglaterra. Por que cargas-d'água iria querer ficar aqui?

– Porque eu sei que é a coisa certa a fazer – respondi.

Foi somente depois de dar um beijo de despedida na marani e estreitar Indira junto ao peito pela última vez, antes de subir no banco de trás do carro que me levaria para longe delas talvez para sempre, que me dei conta da magnitude da decisão que havia tomado.

Astbury Hall

2011

16

Sentado dentro do carro no acostamento da estrada estreita que cortava Dartmoor, Ari deu um soco de frustração no GPS. Não que isso fosse ajudar; tinha ficado sem sinal dez minutos antes, mais ou menos na última vez que vira qualquer tipo de placa de sinalização. Estava totalmente perdido.

Na falta de coisa melhor para fazer, saltou do carro e inspirou profundamente, sorvendo o ar puro da charneca. Fazia um dia de calor para os padrões ingleses, e ao olhar para a paisagem ondulante ele entendeu a beleza que a bisavó descrevera com tanta vivacidade na sua história. O que mais o impressionou foi a imobilidade: mal soprava uma brisa, e o silêncio era rompido apenas pelo grito de um gavião que sobrevoava a charneca escarpada e vazia – duvidava que a paisagem tivesse mudado desde a última vez que Anahita estivera ali.

Por conta de sua agenda de trabalho atribulada em Londres e a diferença de fuso, ainda não conseguira terminar de ler a história dela. Mas o que tinha lido até então no avião o deixara suficientemente intrigado a ponto de alugar um carro e ir até Devon dar uma olhada com os próprios olhos em Astbury Hall. Antes mesmo de chegar ao seu destino, ele já tinha começado a adivinhar o que ocorrera ali.

Parado observando a paisagem, deu-se conta de que aqueles próximos dias seriam a coisa mais próxima de férias que ele tivera nos últimos quinze anos. Mesmo se descobrisse que não valia a pena tentar desvendar a história da bisavó, pelo menos isso lhe daria tempo para clarear *os próprios* pensamentos antes de voltar para a Índia e encarar a confusão em que havia transformado sua vida.

Porque ela é também o seu futuro.

As últimas palavras de Anahita tinham lhe voltado à lembrança naquela manhã, no trajeto de carro até Devon.

Ari tornou a entrar no carro e ligou o motor. Teria de continuar dirigindo até encontrar um povoado onde pudesse pedir informações. Como pelo menos não tinha nenhum compromisso marcado, recostou-se no banco, relaxou e começou a aproveitar a paisagem.

Uma hora depois, parou diante de um portão de ferro forjado e espiou o acesso de carros que continuava do outro lado. Não dava para ver construção alguma da estrada, mas ele reparou que os portões estavam firmemente fechados e que junto a eles havia um segurança. Enquanto pensava no que fazer, uma van branca se aproximou pelo outro lado. O segurança meneou a cabeça e abriu os portões para deixá-la passar.

– Tudo bem aí, patrão? – perguntou o motorista da van ao passar por ele.

– Tudo. Aqui por acaso é Astbury Hall?

– É, e que pesadelo para encontrar. Acabei de entregar uns cabos extras e levei quase uma hora para achar a casa. Você veio por causa da filmagem?

– Isso – mentiu Ari.

– Se estiver procurando Steve Campion, o gerente de produção, é só subir direto o acesso e virar à direita até a casa. Ele deve estar no pátio. – O motorista seguiu seu caminho. Quando os portões começaram a se fechar, Ari tomou uma decisão e passou por eles depressa.

– Me disseram para encontrar Steve Campion no pátio – falou para o segurança.

O homem assentiu sem interesse e acenou para que ele passasse. Ao atravessar o terreno em volta da casa, Ari calculou que a propriedade agora devesse estar sendo usada para fins comerciais, provavelmente um hotel ou centro de conferências. Decerto era esse o caso de muitos dos grandiosos palácios da Índia.

Quando Astbury Hall finalmente surgiu, não foi só sua grandiosidade que deixou Ari sem ar. Reunidos nos degraus da frente estavam vários homens de fraque e cartola, e mulheres trajando uma profusão de vestidos de época elegantes. Havia um Rolls-Royce vintage estacionado em frente à casa, e parado ao seu lado um homem vestindo um uniforme antiquado de chofer.

Ari diminuiu a velocidade e piscou os olhos com força, pois a cena diante dos seus olhos parecia saída de outra época. Foi só ao reparar no equipamento de filmagem ao redor das pessoas que ele deu uma risadinha e entendeu o que o motorista da van branca tinha dito.

Viu quando alguém lhe acenou com urgência para que ele desse a volta pelo lado direito da casa. Eles obviamente estavam no meio da filmagem de uma cena. Ari fez isso e chegou a um pátio fervilhando de atividade. Encontrou um lugar para estacionar o carro e saltou, vendo-se em meio a uma penca de membros da equipe e elenco usando figurinos de época e fazendo fila em frente a uma van de comida. Ninguém reparou quando ele passou no meio deles. Ele viu uma porta aberta na lateral da casa, e com hesitação atravessou um saguão e foi dar numa cozinha ampla e deserta.

Ficou encarando a mesa comprida de pinho escovado, o fogão de modelo antigo e o piano vertical encostado na parede. Junto à lareira havia uma poltrona surrada. Imaginou se aquela seria a mesma cozinha em que Anahita tinha se sentado quase cem anos antes.

– Posso ajudar?

A voz feminina o fez despertar de seu devaneio.

Uma mulher de meia-idade corpulenta o encarava com um ar questionador.

– Não tem comida nenhuma aqui, meu bem. O pessoal do filme come lá fora na van do bufê. E há banheiros químicos atrás da casa – arrematou ela.

– Me perdoe – disse Ari. – Eu não faço parte do filme.

– Então o que está fazendo na minha cozinha?

– Vim conhecer Astbury Hall.

– A casa não é aberta ao público, então não vai ser possível. – Ela continuou a encará-lo, e seus olhos se estreitaram numa expressão desconfiada. – O senhor não é um daqueles jornalistas por acaso, é? Era para ter um segurança no portão.

– Não, não – respondeu Ari depressa, perguntando-se como diabos iria explicar sua presença ali. – Eu vim por causa de um... de uma conexão familiar com este lugar.

– É mesmo?

– Sim. Uma parente minha trabalhou em Astbury Hall muitos anos atrás.

– Quem?

– O nome dela era Anahita Chavan.

– Nunca ouvi falar – respondeu a mulher.

– Faz mais de noventa anos que ela morou aqui. Eu vim para a Inglaterra a trabalho por uns dias, e pensei que seria interessante conhecer o lugar sobre o qual tanto ouvi dizer.

– E então entrou direto aqui sem nem pedir licença, foi isso?

– Por favor, queira me perdoar... eu não sabia direito com quem deveria falar. Existe algum lorde Astbury hoje?

– Existe, sim, mas ele é ocupado demais para recebê-lo sem hora marcada.

– É claro – disse Ari. – Nesse caso, quem sabe... – Ele levou a mão ao bolso da jaqueta e pegou um cartão de visita. – Será que a senhora poderia lhe entregar isto? Aí tem meu celular e meu e-mail.

Enquanto ela estudava o cartão, Ari reparou em outra presença na cozinha. Virou-se para a porta interna e viu uma moça alta, magra e linda parada junto a ela. Ela estava usando um vestido de época de seda muito macia, que caía em dobras elegantes até a altura de seus tornozelos esguios.

– Estou interrompendo, Sra. Trevathan?

Ari notou que a moça falava com um leve sotaque americano.

– Não, meu bem, de modo algum. O cavalheiro já estava de saída. – A mulher mais velha tornou a voltar sua atenção para Ari. – Lorde Astbury não tem e-mail e raramente usa o telefone. Sugiro que o senhor faça seu pedido por escrito e mande a carta para ele aqui neste endereço. Srta. Rebecca, como posso ajudá-la?

– A senhora por acaso teria um antialérgico? Meu nariz está coçando e meus olhos lacrimejando. Por acaso agora é a época da erva-de-santiago por aqui?

– Não sei que erva é essa, mas com certeza junho é a época da febre do feno. Lorde Astbury também sofre com isso às vezes. – A Sra. Trevathan foi até uma cômoda e pegou uma caixa de plástico numa gaveta. Encontrou uns remédios e entregou a cartela à moça.

– Obrigada. Vou tomar um no almoço. Agora preciso ir para o set.

– Desculpe tê-la incomodado – disse Ari. – Vou fazer o que a senhora sugeriu e escrever para lorde Astbury. Até logo.

Ele seguiu a moça até a porta.

– Por favor – disse, enquanto ele lhe abria a porta.

– Obrigada – respondeu ela, examinando-o com os imensos olhos castanhos.

– Me perdoe a presunção, mas você não me é estranha – falou Ari quando os dois saíram para o sol forte do pátio. – É possível já termos nos encontrado?

– Acho difícil – respondeu ela. – Muita gente parece pensar que me conhece. Você é da equipe de produção?

– Não, estou aqui por uma questão familiar. Tive uma antepassada que trabalhou nesta casa muito tempo atrás. É claro que eu gostaria de conseguir falar com lorde Astbury, mas tive a sensação de que talvez seja complicado.

– Como a Sra. Trevathan é muito protetora em relação a ele, acho que a sua intuição está certa – respondeu a jovem quando os dois pararam junto ao carro de Ari.

– É uma pena, pois ele poderia se interessar por uma parte de sua história familiar sobre a qual não sabe nada – disse Ari. – Enfim, vou fazer o que a mulher lá da cozinha sugeriu e detalhar tudo numa carta.

– Eu vejo lorde Astbury com frequência. Quem sabe posso comentar que você esteve aqui? – disse ela.

– Seria de grande ajuda, pois eu duvido que vá ficar muito mais tempo na Inglaterra. – Ele pegou na carteira uma caneta e outro cartão de visita e escreveu alguma coisa. – Poderia entregar isto a ele? Aí tem o meu nome, Ari Malik, e o nome da minha bisavó que trabalhou aqui. Nunca se sabe, talvez ele tenha ouvido falar nela.

Enquanto Ari destrancava o carro, a moça examinou o cartão.

– Anahita Chavan. Claro, eu entrego a ele.

– Obrigado. – Então, seguindo um instinto repentino, Ari estendeu a mão até o banco de trás do carro e pegou a pasta de plástico que continha a história da bisavó. Separou as páginas que tinha lido das que não tinha e entregou as primeiras a ela. – Será que você poderia entregar isto aqui também? É uma cópia de parte da história de vida da minha bisavó. No mínimo é um olhar fascinante sobre Astbury Hall e seus moradores na década de 1920.

– É a mesma época da história que estamos filmando – comentou ela ao pegar os papéis. – Por acaso isto aqui vai desenterrar algum escândalo sobre Astbury? Tenho certeza de que este lugar tem segredos escondidos.

– Ainda não cheguei ao fim da história, mas tenho a sensação de que talvez desenterre, sim. – Ari lhe sorriu.

Ele se sentou no banco do motorista.

– Desculpe, eu não perguntei seu nome.

– Rebecca, Rebecca Bradley. Nos vemos então, Sr. Malik. – E com um sorriso e um aceno ela se afastou flutuando.

Ari a ficou observando pelo retrovisor, ainda se perguntando por que ela parecia tão conhecida. Com certeza era muito bonita, embora ele não fosse particularmente chegado a louras, pensou. Manobrou o carro para sair do pátio e tornou a descer o acesso da casa para procurar um hotel ali perto.

Após terminar o dia de filmagem, Rebecca atravessou o hall de entrada e foi até o escritório escuro onde ficava o único telefone da casa. Entrou, fechou a porta, sentou-se na poltrona de couro rasgada e ligou para o número de Jack. Eram dez da manhã em Los Angeles, e até mesmo Jack já devia estar acordado.

– Alô? – Sua voz conhecida ainda soava grogue de sono.

– Oi. Sou eu, Rebecca.

– Caramba, Becks! Eu estava começando a me perguntar se você ainda estava viva.

– Você não recebeu as mensagens de voz que eu deixei?

– Recebi, sim... tudo bem com você? Está chovendo aí?

– Não, por quê?

– Sempre chove aí do outro lado da poça, né?

– Não o tempo todo – respondeu ela, irritada de forma irracional com o comentário dele. – Mas e com você, como andam as coisas?

– Ah, você sabe. Ando lendo uns roteiros, buscando um bom projeto... tem um ou dois que parecem legais, mas meu empresário não está satisfeito com o meu cachê.

– Que pena.

– E você, Becks? Está com saudades de mim?

– É claro que estou. Estou hospedada num casarão incrível que a imprensa não consegue acessar. É uma paz só. A filmagem está correndo bem, e acho que até agora Robert Hope está feliz com a minha atuação.

– Que bom, que bom. E quanto tempo vai ficar aí?

– Acho que mais um mês.

– É um tempão, amor. Como vou sobreviver sem você?

– Tenho certeza de que você vai dar um jeito, Jack – retrucou ela, brusca.

– Bem, quem sabe eu pego um avião e vou te ver. Afinal de contas, a gente tem planos a fazer, datas a marcar.

– Jack... – Rebecca não conseguiu completar a frase e deu um suspiro inaudível. Ele parecia ter convenientemente esquecido que era a mídia quem havia afirmado que os dois estavam noivos, enquanto ela ainda não tinha lhe dado sua resposta definitiva. – Vamos ver como as coisas caminham, ok? Meu cronograma de filmagem está muito apertado nas próximas semanas. Você sabe como é.

– Sim, claro, amor, mas eu estou com muitas saudades.

– Eu também. Preciso ir... Tento te ligar no fim de semana.

– Isso, liga, sim. É uma loucura eu não conseguir falar com você quando quero. Tem certeza de que está me dizendo a verdade sobre a falta de sinal aí?

– É claro que estou, Jack. Por que não estaria? Escute, preciso mesmo ir.

– Tudo bem, te amo.

– Eu também. Tchau.

Rebecca pôs o fone no gancho e subiu devagar a escada até o quarto. Deixou-se cair na poltrona junto à lareira com um suspiro. O que estava acontecendo com ela? Poucos meses antes, estava perdidamente apaixonada por Jack. Agora mal conseguia falar com ele, quanto mais lhe sussurrar palavras de amor ou dizer que estava com saudades.

Talvez fosse por ter sido encurralada de modo irreversível, pensou. Como um cervo surpreendido pelos faróis de um carro, sentia ter caído numa armadilha. E ali na Inglaterra estava convivendo com homens que pareciam bem menos pretensiosos que Jack.

Nunca conseguira se acostumar com o fato de ele usar mais hidratantes e produtos de beleza que ela. Riu ao pensar em lorde Anthony fazendo a mesma coisa. Decerto sua única concessão aos cuidados com a aparência era um barbeador antiquado que ele possuía desde a primeira vez que tinha feito a barba.

Isso a fez se lembrar de que precisava encontrar Anthony e lhe entregar o cartão do Sr. Malik e as folhas que ele havia lhe deixado. Olhou pela janela e viu que o dono da casa estava no jardim podando as rosas. Saiu do quarto e desceu até o terraço. Quando chegou do lado de fora, ele a viu, e ela o observou atravessar o jardim e subir os degraus até onde estava.

– Rebecca, como vai?

– Tive um bom dia – respondeu ela. – E você?

– Ah, a mesma coisa de sempre, na verdade – disse ele, agradável.

– A Sra. Trevathan comentou que veio uma visita procurá-lo mais cedo?

– Não. Que visita?

– Um rapaz indiano chamado Ari Malik, que nos disse que uma antepassada sua tinha trabalhado aqui muitos anos atrás. Ele pediu que eu lhe entregasse estes papéis. O texto foi escrito pela bisavó dele sobre a época em que ela viveu aqui em Astbury Hall no início do século XX. O nome dela era este aqui. – Rebecca estendeu o cartão e Anthony o examinou.

– Anahita Chavan… não, não soa conhecido. Mas se ela foi funcionária aqui seu nome vai estar anotado nos velhos registros de salários dos funcionários que ficam guardados na biblioteca.

– Bom, talvez estas folhas tenham mais informações. O Sr. Malik falou que talvez você fosse gostar de lê-las.

Anthony baixou os olhos para o manuscrito, e Rebecca reparou que ele pareceu hesitar.

– Não sou muito afeito a escarafunchar a história da família. De que adianta reviver o passado quando ele contém tanta dor?

– Eu sinto muito, Anthony, não quis incomodá-lo.

– Me perdoe. – Ele se controlou e lhe abriu um leve sorriso. – É tudo que eu posso fazer para sobreviver ao presente.

– Eu entendo. Nesse caso se importaria se eu lesse? Talvez ele me ajude a entender melhor a época em que Elizabeth viveu.

– Elizabeth?

– Minha personagem no filme – explicou Rebecca.

– Ah, claro. Mas é lógico, pode ler – concordou Anthony. – Talvez você possa me dar a honra de vir tomar um drinque comigo quando o seu cronograma de filmagem permitir?

– Claro, eu adoraria.

– Ficarei esperando. Até logo, por ora – disse ele. Enfiou no bolso o cartão que ela havia lhe entregado e tornou a descer os degraus devagar em direção ao jardim.

Rebecca passou a meia hora seguinte assistindo à filmagem da festa no vilarejo, que fora montada no terreno em frente à casa. Crianças pequenas – moradoras dos povoados em volta – corriam animadas de um lado para o outro entre as diversas barracas, e Rebecca identificou a enfermeira que vira naquele primeiro dia na cozinha empurrando uma velha senhora numa cadeira de rodas. Ficou olhando assombrada Marion Devereaux, lendária estrela do teatro e cinema britânicos, completar um trecho longo e complexo de falas numa única tomada perfeita.

Pegou-se bocejando e voltou para seu quarto. Aninhou-se na cama e passou meia hora decorando suas falas, mas em seguida constatou que sua atenção estava sendo atraída pela pasta de plástico que Ari Malik tinha deixado.

Quando consultou as horas outra vez, viu que passava da meia-noite. Entrou debaixo das cobertas e adormeceu de pronto, e nessa noite sonhou com marajás, rubis, e um exótico príncipe indiano de olhos azuis...

17

Nas três noites seguintes, o tempo ficou firme e quente, e uma lua cheia e branca brilhava intensamente no céu estrelado. Por consequência, Robert decidiu filmar as cenas noturnas, de modo que já passava das duas da manhã quando Rebecca se largara exausta na cama. Nessa noite, suspirou enquanto aguardava ao lado de James para os dois fugirem no Rolls-Royce, pois pelo visto a filmagem iria terminar mais tarde ainda.

– E ainda dizem que ser ator é uma profissão glamorosa – disse James, bocejando no escuro. – Eu aceito de bom grado fugir com você em qualquer horário, Becks. Mas repetir esse ato sete vezes à uma da manhã e não conseguir percorrer mais de dez metros a cada tomada está esgotando a minha paciência. Que jeito mais ridículo de ganhar a vida.

– Pelo menos estamos ao ar livre numa locação estupenda, não presos com o ar-condicionado ligado no máximo em algum estúdio de Hollywood – lembrou Rebecca.

– Verdade, verdade. Mas será possível que a nossa namoradinha da América esteja se apaixonando pela Inglaterra? Vi você conversando com nosso anfitrião outro dia no jardim. Como ele é? Parece um sujeito bem antipático.

– Na verdade Anthony é um cara legal. Só meio tímido, eu acho.

– "Anthony", é? E não lorde Astbury? Vocês ficaram amiguinhos, então? – brincou James. – O que você acharia de ter um título de nobreza, Becks? Estaria seguindo os passos dos seus ricos antepassados americanos. Muitas herdeiras trocaram sua fortuna de família por um lugar na aristocracia britânica. Pensando bem, "lady Rebecca Astbury" é um bom nome – provocou ele.

– Rá rá – fez Rebecca entre os dentes na mesma hora em que o técnico de som indicou que eles finalmente estavam prontos para filmar.

– Vinte segundos!

– A mim parece que este velho casarão bem que precisaria de uma nova e reluzente fortuna americana. Querida, eu abriria o olho se fosse você. Lorde Anthony pode estar atrás do seu dinheiro.

– Dez segundos!

– Ele é um amor, mas não faz o meu tipo – sussurrou Rebecca.

– Cinco segundos!

– E *qual é* o seu tipo?

Rebecca não teve tempo de responder mais nada quando a claquete bateu em frente ao para-brisa e James mais uma vez desceu com o carro para longe da casa.

Após alguns minutos, o assistente de direção anunciou que eles estavam enfim satisfeitos com a tomada e que a filmagem estava encerrada por aquela noite. Steve lhe abriu a porta e ela saltou.

– Tudo bem? – perguntou ele.

– Tudo, obrigada.

– Infelizmente você tem que filmar cedo amanhã outra vez, mas depois disso todos teremos dois dias de folga no fim de semana – disse ele enquanto os três subiam os gigantescos degraus até a porta da frente da casa. – Quer ficar aqui no casarão, ou prefere que eu peça a Graham que a leve até Londres?

– Isso, vá comigo para Londres – sugeriu James. – Eu a levo para ver os pontos turísticos.

– É muita gentileza sua, mas eu tenho uma agenda puxada na semana que vem – explicou Rebecca. – Então acho que vou ficar aqui mesmo e decorar minhas falas em paz, e quem sabe explorar um pouco os arredores.

– Não tem problema. Graham vai estar à disposição para levar você aonde quiser – garantiu-lhe Steve. – Certo, então, nos vemos amanhã às seis.

– Tem certeza absoluta de que não quer vir comigo, Becks? – perguntou James. – Não gosto da ideia de você aqui sozinha, à mercê do misterioso lorde Astbury e da versão pessoalíssima da Sra. Danvers que temos nesta casa – brincou ele. – Enfim, se mudar de ideia, vou partir assim que acabar a filmagem amanhã à tarde.

– Obrigada. Boa noite, James – respondeu ela, e partiu em direção ao departamento de figurino para tirar a roupa da cena. Talvez estivesse apenas exausta nessa noite, mas ultimamente estava sem vontade nenhuma de sair de Astbury Hall. Além do mais, com a sorte que vinha tendo, ela e James seriam vistos juntos e na mesma hora uma foto deles se espalharia pelo mundo inteiro.

O elenco e a equipe deixaram a casa no dia seguinte, na hora do chá da tarde, e Rebecca aproveitou a oportunidade para tomar um banho de banheira demorado. Resolveu que no dia seguinte pediria a Graham que a levasse de carro até a cidade mais próxima para poder comprar mais algumas roupas e uns antialérgicos mais fortes para sua rinite.

Após sair da banheira, tornou a subir o corredor e encontrou a Sra. Trevathan à sua espera em frente ao quarto.

– Trouxe-lhe um pouco da minha infusão de camomila caseira, meu bem.

– Obrigada – disse Rebecca.

– Isso vai ajudá-la a relaxar depois da longa semana que teve. Lorde Astbury também a convidou para um drinque com ele hoje à noite no terraço. Ele disse que vocês combinaram isso no começo da semana.

– Combinamos, sim. A que horas seria bom para ele?

– Sete e meia? E ele disse que também será um prazer jantar com a senhorita depois, se quiser – acrescentou a Sra. Trevathan.

– Hoje não, obrigada. Minha alergia está bem ruim.

– Pobrezinha. Bem, nada que uma boa noite de sono não possa curar, tenho certeza. Vou dizer a lorde Astbury que a senhorita descerá às sete e meia.

Após tomar rapidamente o delicioso chá de camomila, Rebecca passou uma hora mergulhada nas falas que teria na semana seguinte. Então se vestiu, pegou um casaquinho, desceu até o térreo e saiu para o terraço de lajotas que se estendia por quase todo o comprimento da ala principal da casa.

Anthony estava sentado diante de uma mesa de ferro forjado posicionada numa das laterais, da qual se tinha uma esplêndida vista dos canteiros de flores e da extensão de gramado verde e de floresta mais além.

– Boa noite – disse ele, e sorriu ao se levantar e lhe puxar uma cadeira.

– Obrigada – agradeceu Rebecca, sentando-se. – Que pôr do sol mais lindo. A natureza está mesmo dando um show. Eu nunca dei muito valor ao céu antes de vir para Astbury, sabia? As estrelas aqui também parecem muito mais brilhantes.

– Bem, talvez na cidade as pessoas não prestem atenção nisso – disse Anthony. Ele então ergueu uma jarra e serviu no copo dela um líquido cor de âmbar cheio de frutas e gelo.

– O que estamos bebendo? – Rebecca encarou desconfiada a bebida.

– Pimm's... é o que nós britânicos bebemos nas raras noites de verão como a de hoje. Prometo que tem bastante limonada, então não vai deixar você de porre.

Rebecca levou o copo à boca com hesitação e deu um gole.

– Está muito bom, obrigada – falou.

– Que bom que você gostou. A Sra. Trevathan me disse que está com rinite alérgica.

– Sim. Tenho isso desde pequena, e às vezes ela me derruba de verdade. Aliás, ontem à noite eu li as primeiras páginas da história que o Sr. Malik deixou comigo, as que foram escritas pela antepassada dele que trabalhou aqui. Até agora nenhum escândalo. – Rebecca sorriu. – Mas Donald faz uma aparição memorável, aquele que você disse que era o seu avô.

– É mesmo? – Anthony tomou um gole de seu Pimm's com um ar pensativo. – Eu verifiquei os registros na biblioteca e não consegui achar nenhum vestígio de alguém chamada Anahita Chavan na época que você sugeriu.

– Bom, segundo a história que escreveu, ela com certeza trabalhou aqui, ainda que só por um curto período – continuou Rebecca. – Foi ama-seca de Eleanor, sobrinha do seu avô e filha de Selina Fontaine.

– Pelo que minha mãe me disse, Selina era a ovelha negra da família. Casou-se com um conde francês e se mudou para lá. Depois disso nunca mais voltou aqui.

– Que estranho – comentou Rebecca. – Na história ela parecia uma boa pessoa. Me perdoe por dizer isso, Anthony, mas acho um espanto você não querer saber mais sobre o passado da sua família. Eu adoraria descobrir nem que fosse um pouquinho sobre a minha.

– Me perdoe se eu não concordo – respondeu ele, parecendo nervoso. – No caso da minha história familiar, como a Sra. Trevathan vive me dizendo, é melhor não mexer em casa de marimbondo.

– Pode ser, mas as coisas que eu li aconteceram quase cem anos atrás. Com certeza não custaria nada saber mais sobre as pessoas que viveram aqui antes de você, não é?

Anthony deixou o olhar se perder ao longe, então se virou para ela.

– Você acha então que saber disso me ajudaria, Rebecca?

– Hã... – Ela o encarou, e a expressão nos olhos dele a fez pensar numa criança pedindo conselho à mãe. Ela deu de ombros. – Talvez seja o jeito americano de ser, mas eu sempre prefiro conhecer os fatos – afirmou ela.

– Bem, talvez você tenha razão e eu devesse ler esse documento pelo qual parece tão fascinada – concordou ele por fim.

– Desculpe, Anthony, nada disso é da minha conta. Não é minha intenção me meter, de verdade.

– Esse Sr. Malik lhe pareceu um bom sujeito?

– Bem, ele não parecia estar querendo nada de você além de uma conversa sobre a bisavó – confirmou Rebecca.

– Vou pensar no assunto. Mas e você, quais os seus planos para o fim de semana? – perguntou Anthony abruptamente, mudando de assunto. – Admito que estou gostando de ter minha casa de volta nesse curto intervalo.

– Tenho certeza de que está mesmo. Prometo que vou deixar você em paz amanhã também – disse ela depressa. – Vou pedir ao motorista que me leve à cidade mais próxima. Preciso comprar umas roupas. Trouxe muito pouca coisa, e aqui está mais quente do que eu imaginava. Estou pensando em depois também explorar um pouco a região. Existe algum lugar em especial que você acha que eu devo conhecer?

– Claro, mas quando eu disse que queria a casa de volta, por favor não pense que estava incluindo você. Na verdade eu teria prazer em levá-la pessoalmente para explorar a região. Duvido que alguém conheça estas bandas melhor do que eu.

– Sério, Anthony, não precisa – garantiu-lhe Rebecca. – Tenho certeza de que a última coisa que você quer fazer nesse fim de semana é bancar o guia turístico.

– Não, eu insisto. Mesmo. Não acho a sua presença aqui intrusiva, e seria um prazer. A Sra. Trevathan disse que você estava cansada demais para jantar comigo hoje, então que tal nos encontrarmos de novo aqui no terraço amanhã de manhã, por volta das dez horas?

– Está bem, se você tiver certeza – concordou Rebecca. – Mas eu realmente não quero dar trabalho.

– Não vai ser trabalho nenhum. E o filme, como está indo?

Rebecca conversou um pouco com ele sobre o filme, e ficou satisfeita ao ver que a tensão inicial abandonou o semblante do seu anfitrião conforme ele escutava.

– É claro que a verdadeira estrela do show é Astbury Hall em si. Todo mundo se sente privilegiado por estar aqui, e a casa vai ficar simplesmente maravilhosa na telona.

– Pelo menos ela está ganhando o seu sustento, para variar um pouco – suspirou Anthony. – É bem irônico que o fato de não haver dinheiro para modernizá-la a tenha tornado tão atraente como cenário para o seu filme.

– Eu adoro isto aqui, Anthony, por mais antiquadas que sejam as instalações sanitárias – acrescentou ela sorrindo.

– Adora mesmo? De verdade?

– Sim, de verdade – confirmou ela.

– Fico feliz. – Uma expressão de prazer quase infantil atravessou o rosto dele.

Quando a Sra. Trevathan apareceu no terraço para anunciar que o jantar de Anthony estava pronto, Rebecca sentiu-se culpada pelo alívio que sentiu por poder subir lá para cima e fazer uma refeição leve e tranquila sozinha.

No dia seguinte, Rebecca acordou tonta e com uma dor de cabeça tão intensa que se perguntou se tinha exagerado na bebida. Quão forte estava aquele tal Pimm's que Anthony lhe servira? A Sra. Trevathan chegou ao seu quarto às nove em ponto e pousou no seu colo uma bandeja com chá, torradas e um ovo cozido. Rebecca sentou-se na cama um pouco enjoada, mas não conseguiu comer muita coisa do café da manhã. Engoliu um comprimido de ibuprofeno para a dor de cabeça, vestiu uma camiseta e uma calça jeans e desceu.

– Bom dia. – Anthony já estava no terraço à sua espera. – Vamos?

Os dois foram até a frente da casa, onde estava parado um Range Rover muito velho.

– Pode subir. Desculpe não ser como os carros com os quais está acostumada – disse ele num tom contrito.

Rebecca se acomodou enquanto Anthony dava a partida no motor, e perguntou-se o porquê do eterno uniforme de seu anfitrião, camisa xadrez e paletó velho de tweed. Talvez fossem as únicas roupas que ele tinha. Torceu para que a Sra. Trevathan as lavasse de vez em quando.

– Pensei em levá-la até Ashburton. Lá tem uma ou duas lojas, embora eu não faça ideia se o que eles vendem vai lhe agradar – comentou Anthony enquanto eles partiam. – Depois vamos a Widecombe-in-the-Moor almoçar no pub de lá. Em seguida, quem sabe você queira conhecer Dartmoor? O jeito mais agradável de chegar é a cavalo, mas talvez você não monte.

– Na verdade eu adoro montar – falou Rebecca, animada com a ideia. – Tive que aprender para um papel num filme uns anos atrás. A história era ambientada em Montana, e quem me ensinou foram dois caubóis de verdade. Então com certeza meu estilo de montar não é tão refinado quanto você está acostumado.

– Ora, ora, vejam só – disse Anthony, obviamente surpreso. – É uma pena que o nosso estábulo não seja mais o que era nos velhos tempos. Eu o alugo para a moça que administra a escolinha de equitação. Nunca fui um grande cavaleiro quando mais novo, e hoje minhas costas já reclamam um pouco, de modo que os animais não se exercitam muito. Sendo assim, por favor, fique à vontade para montar um deles quando quiser enquanto estiver aqui. Na verdade seria até uma ajuda.

– Sabe de uma coisa? Talvez eu faça isso mesmo – aceitou Rebecca.

– Falando nisso, pensei no que você disse ontem à noite. Liguei para o Sr. Malik hoje de manhã e o convidei para ir almoçar no casarão amanhã. Com uma condição – arrematou Anthony.

– Qual?

– Que você se junte a nós. Afinal, foi você quem me convenceu de que eu deveria encontrá-lo.

– É claro, seria um prazer – concordou Rebecca. – E, Anthony, se o Sr. Malik vai vir almoçar amanhã, talvez você devesse ler o início da história da bisavó dele antes de ele chegar. É realmente fascinante.

Anthony a encarou, nervoso.

– Você me promete que não tem mesmo nenhum escândalo de família que possa me chocar?

– Nenhum, pelo menos no que eu li até agora. A maior parte do texto é sobre a infância de Anahita na Índia. Tive a sensação de estar entrando num mundo diferente, e isso me deu vontade de visitar o país. Ela morava num palácio incrível e era acompanhante de uma princesa antes de as duas virem estudar num colégio interno aqui na Inglaterra.

– Então deve ser essa a conexão familiar – ponderou Anthony enquanto dirigia. – Sei que o meu bisavô foi residente em Cooch Behar antes de morrer.

– Isso. E tenho a sensação de que ele adorava, mas a sua bisavó Maud, não.

– Pois é. Infelizmente ela não gostava de muita coisa. Com certeza não de nós homens – arrematou ele, enfático.

– Bem, acho que você vai ter de ler por si mesmo.

– Vou ler. E vou avisar à Sra. Trevathan sobre o almoço de amanhã. – Anthony estacionou o carro numa vaga em uma rua principal bonita e movimentada. – Bom, vamos às compras.

A manhã se revelou mais agradável do que Rebecca tinha imaginado. Ao caminhar sob o sol ladeada por seu protetor, com os cabelos recém-tingidos, ela pôde saborear a liberdade de estar em público sem ser reconhecida. Depois de entrar em algumas lojas e escolher uma ou duas blusas novas, além de comprar mais antialérgicos na farmácia, eles tomaram o rumo de Widecombe-in-the-Moor.

Sentaram-se ao sol diante da hospedaria Rugglestone Inn e saborearam uma salada de caranguejo fresco.

– Parece um cartão-postal, bem como eu imaginava que seria a Inglaterra – comentou Rebecca, observando as excêntricas e típicas casinhas enfileiradas na rua estreita. – Na verdade, falando em postais, pode ser que eu mande alguns.

– Com certeza é uma região linda. E me faz bem vê-la com novos olhos. Eu nunca viajei muito, e acho que a gente acaba se acostumando com o que é conhecido.

– Você foi mandado para um colégio interno quando era criança, como seu avô Donald? – quis saber Rebecca.

– Não. Eu estudei em casa. Minha mãe não gostava de colégios internos – explicou ele.

– É mesmo? Fico surpresa. Segundo o roteiro do filme e minhas pesquisas sobre a época, pensei que isso fosse um rito de passagem para todos os meninos de famílias britânicas como a sua.

– Minha mãe teria sentido demais a minha falta. Você pode imaginar como ela teria ficado solitária zanzando pelo casarão sem mais ninguém.

– Claro. – Rebecca reparou que havia um certo quê feminino em Anthony toda vez que ele falava na mãe. Perguntou-se de repente se o motivo para Anthony nunca ter se casado seria ele ser gay. – Pelo que ouvi falar sobre os colégios internos, você teve sorte. Não consigo entender por que alguém teria um filho para querer mandá-lo embora depois.

– Minha mãe sempre achou uma piada os jovens britânicos serem mandados para o internato para se tornarem aptos a governar o império. No fim dos anos 1950, quando eu era menino, já não havia mais império para governar. – Ele suspirou. – Mas todos dizem que os colégios internos hoje são bem mais brandos. Parece que têm até água quente.

– Eu nunca sequer cogitaria essa possibilidade para um filho meu. – Rebecca estremeceu.

– Como você bem disse, minha cara, é a tradição. Bem, o que acha de dar uma volta a cavalo por Dartmoor à tarde?

Depois de almoçar, Rebecca estava um pouco enjoada, e podia sentir a dor de cabeça voltando.

– Quem sabe amanhã. Ainda estou me sentindo um pouco cansada hoje.

– Então podemos voltar para casa e eu lhe mostrar a capela da família – sugeriu ele. – O projeto é de Vanbrugh, um arquiteto inglês muito famoso. Ela fica escondida dentro da casa, anexa ao salão comprido.

– Adoraria, Anthony, se você não se importar – respondeu ela.

Vinte minutos depois, de volta ao casarão, Rebecca seguiu Anthony pelo elegante e comprido salão. Ele parou diante de uma porta de carvalho e usou uma chave maior do que o normal para destrancá-la.

Ela entrou e ergueu os olhos assombrada para uma floresta altíssima de colunas douradas que subia na direção de uma pequena cúpula, cujas laterais eram enfeitadas com nuvens e querubins.

– Que lindo – disse ela, num arquejo, virando-se para Anthony.

– Sim, mas infelizmente anda abandonada. É raro eu vir aqui. – Ele se sentou num dos bancos. – Por favor, fique à vontade para olhar.

Rebecca observou tudo, saboreando a atmosfera tranquila e sentindo o peso da história que a capela continha. Baixou os olhos para o piso de mármore muito gasto, um indício tangível de que muitas almas tinham ido ali buscar consolo ao longo dos anos.

Virou-se e tornou a olhar para seu acompanhante. Anthony tinha o olhar fixo à frente, obviamente mergulhado em pensamentos. Ao vê-lo sentado ali sozinho, ela pôde sentir o quanto ele era vulnerável. Foi até lá e sentou-se ao seu lado no banco.

– Você acredita em Deus, Anthony?

– Minha bisavó Maud era muito religiosa. Ela criou minha mãe como católica rigorosa. Como Maud ainda era viva quando eu nasci, eu também fui criado assim. Pessoalmente não acredito em nada disso. Nunca acreditei, para dizer a verdade, embora na frente dela fingisse. E você, acredita?

– Na verdade eu nunca pensei em religião. Ela com certeza não fez parte da minha infância.

– Da minha ela foi uma parte bem importante, apesar de eu pensar tão pouco nela quanto você. Era apenas uma rotina sem sentido. E bastante chata, aliás, como uma aula de ciências ou matemática. Para ser sincero, só consigo enxergar o caos que a religião causou ao longo dos séculos. E é claro que o fanatismo de Maud também não ajudou minha família. Ela não era uma pessoa, digamos, calorosa. Enfim, é isso. – Ele se virou para Rebecca com um sorriso triste. – Podemos ir?

– Sim. Obrigada por me trazer aqui, sinto-me privilegiada por ter visitado a capela.

– O prazer foi meu – garantiu ele com ênfase.

– Onde seus antepassados estão enterrados? perguntou ela, torcendo de repente para a resposta não ser numa cripta debaixo dos seus pés.

– No que eu considero uma construção medonha no meio de um arvoredo no terreno. Eu posso levá-la agora até o mausoléu se você quiser – ofereceu ele quando eles estavam voltando pelo salão comprido.

– Na verdade estou com uma dor de cabeça bem forte. Talvez outro dia.

– Bem, espero que se sinta bem o bastante para almoçar amanhã comigo e nosso jovem amigo indiano. A Sra. Trevathan em geral prepara um bom assado para o almoço.

– Sim, claro. Tenho certeza de que estarei melhor depois de descansar.

– Rebecca... – Anthony passou um longo tempo a encará-la, então balançou a cabeça. – Deixe para lá. Espero que esteja se sentindo melhor amanhã. Está precisando de mais alguma coisa?

– Não, só preciso dormir um pouco.

– Então, vou voltar para o meu jardim. Obrigado pelo dia agradável.

Anthony se afastou em direção ao terraço, e Rebecca subiu para o andar de cima. Entrou no quarto, fechou a porta, tomou mais um analgésico e se deitou na cama, desejando pela primeira vez estar num hotel e poder colocar na porta uma plaquinha de "não perturbe". Então fechou os olhos e tentou ao máximo relaxar.

18

– Rebecca... Rebecca...?

Acordou com uma voz chamando seu nome. Abriu os olhos e deparou com a Sra. Trevathan a encará-la.

– A senhorita está dormindo há quase três horas. Achei melhor acordá-la, já que são quase sete da noite e não vai conseguir dormir mais tarde se continuar descansando agora. Trouxe-lhe um pouco de chá e pãezinhos.

– Ah... obrigada. – Rebecca estava se sentindo desorientada e trêmula.

– Lorde Astbury disse que a senhorita estava com muita dor de cabeça. Posso lhe trazer mais alguma coisa? Está muito pálida, meu bem.

– Não, obrigada, eu estou bem – respondeu ela, pondo as pernas para fora da cama e indo até a escrivaninha. – Estou me sentindo melhor agora depois da sesta.

– Quer que eu sirva seu chá?

– Sim, por favor.

– Fiquei sabendo que teremos um convidado a mais para o almoço amanhã. Pelo visto a senhorita comentou com lorde Astbury sobre o cavalheiro indiano que esteve aqui.

– Sim, comentei. – Rebecca ergueu os olhos para a expressão da governanta e detectou reprovação. – Algum problema?

– Não, não. É que está tudo tão caótico no momento. Acho que não estamos acostumados a ter nossa rotina habitual perturbada, só isso.

– Posso imaginar – disse Rebecca com empatia. Ela fez uma pausa. – Anthony tem sido muito gentil comigo. Mas ele me parece um homem muito solitário. Sei que isso não é da minha conta, mas ele já teve alguma namorada?

– Na verdade não. Eu diria que lorde Astbury é o que se costuma chamar de solteiro convicto. Ele é muito singular, disso não resta dúvida. – A Sra. Trevathan se permitiu um sorriso afetuoso.

– Não sei se eu iria querer passar minha vida inteira sozinha – suspirou Rebecca, tomando um gole de chá.

– Bem, cada um sabe de si, é o que eu sempre digo. Nem todos temos sorte no amor, não é? Além do mais, meu bem, ele tem a minha companhia. Certo então, vou deixá-la tomar seu chá.

– Ah, falando nisso, eu prometi a Anthony lhe entregar o manuscrito que o Sr. Malik deixou comigo para que ele possa ler até amanhã. – Rebecca pegou a pilha de folhas na mesinha de cabeceira ao lado da cama e a entregou para a Sra. Trevathan.

A governanta observou desconfiada os papéis.

– Mas que história é essa?

– É sobre a vida na Índia. E sobre Astbury Hall também, claro.

– Entendi. Não tem nada aqui dentro que vá perturbar lorde Astbury, tem? Ele é muito... – Ela procurou a palavra. – ... muito sensível, e não quero que se chateie.

– Nada, absolutamente.

– Mas o que a senhorita acha que esse rapaz indiano quer? – insistiu a Sra. Trevathan.

– Apenas descobrir mais sobre o passado da bisavó. O que mais poderia ser?

– Nada... nada – murmurou a Sra. Trevathan, nada convencida. – Certo, vou deixá-la tomar seu chá em paz.

Enquanto comia os deliciosos pãezinhos, Rebecca pensou no modo territorialista como a Sra. Trevathan falava sobre Anthony. Na verdade, os dois quase poderiam ser marido e mulher. Afinal de contas, ela desempenhava todas as funções domésticas que uma esposa tradicional teria, e era evidente que os dois estavam juntos havia muito tempo. Rebecca então se perguntou como a Sra. Trevathan reagiria se outra mulher *de fato* entrasse no cenário. Não podia evitar achar estranho o relacionamento entre os dois. Por um lado era tão... *íntimo*, com cada um se apoiando fortemente no outro, mas por outro lado, tão distante. Talvez fosse assim em muitos casamentos, pensou, com uma careta.

Pôs o prato vazio sobre a bandeja e o deixou do lado de fora da porta como um sinal de que não queria ser incomodada. Sentou-se na poltrona e pôs-se a refletir racionalmente sobre como seria sua vida caso se casasse com Jack. Não haveria um relacionamento do tipo "empregado e patrão", pois ambos estariam no mesmo nível. Mas será que isso era possível? Jack tinha um ego do tamanho do *Titanic*, e como o seu era menos pronunciado e seu temperamento tendia a evitar conflitos a todo custo, Rebecca supunha que fosse ser ela a primeira a ceder.

Ela se levantou, tomou um banho de banheira, então foi para a cama com seu roteiro. Teve dificuldade para se concentrar, e não parava de pensar em Jack e no pedido de casamento. Depois de algum tempo, quando seus olhos começaram a pesar e ela se preparou para dormir, deu-se conta de que a única coisa da qual tinha certeza era que ainda não estava pronta para um compromisso da vida inteira.

– Ah, Rebecca. Eu estava prestes a pedir à Sra. Trevathan que a chamasse para descer. – Anthony se levantou da mesa da sala de jantar para cumprimentá-la. – Você está com um semblante bem melhor hoje. A dor de cabeça passou?

– Passou, sim, obrigada – confirmou Rebecca ao entrar.

– Acho que vocês dois já se conheceram. Rebecca, este é Ari Malik – disse Anthony.

– Olá outra vez – disse ela, sorrindo e estendendo a mão.

– Eu lhe devo desculpas por insistir que a conhecia no nosso último encontro – falou Ari, constrangido. – De lá para cá me dei conta de quem você é.

– Não tem problema nenhum, sério. Na verdade é uma mudança agradável – respondeu ela, rindo.

– Ontem mesmo vi uma foto sua com seu noivo num jornal – continuou Ari. – Aliás, meus parabéns.

– Obrigada. – Rebecca corou, desconfortável.

– Você está noiva? – Anthony a encarou surpreso. – Não sabia.

– Hã... estou.

– Entendi. Vamos nos sentar? – disse Anthony, abrupto. – Sr. Malik, não sei se a comida vai ser exatamente do seu agrado. Minha governanta costuma cozinhar ao estilo inglês tradicional.

– Me chame de Ari, por favor. E não se preocupe, eu me acostumei com a culinária inglesa quando estudava em Harrow.

– Você estudou em Harrow? – Anthony pareceu um pouco surpreso.

– Sim. Meus pais acreditavam que o ensino britânico era o melhor do mundo, então...

Enquanto Ari falava, Rebecca deixou passar as palavras sem lhes dar atenção e se pegou reparando para valer na sua beleza física. Ele tinha fartos cabelos negros e ondulados, e alguns fios brilhavam quase azuis à luz do sol que entrava pela janela. Os cabelos eram compridos o suficiente para que alguns fios tocassem o colarinho da camisa, mas não para que o impedissem de ter uma aparência máscula. Sua pele era moreno-clara, cor de mel, e ele estava usando uma camisa branca impecavelmente passada e engomada. Mas o que mais chamou a atenção de Rebecca foram seus olhos – ela não sabia ao certo como descrever sua cor, já que eles eram azuis, mas continham também traços de verde e de âmbar, lembrando-lhe do caleidoscópio que ela tinha quando criança.

– O que acha, Rebecca? – perguntou-lhe Anthony.

– Me desculpe. – Ela voltou a atenção outra vez para a conversa. – Pode repetir?

– Eu estava dizendo para Ari que desde o declínio do Império Britânico muitas das nossas tradições talvez não sejam mais tão apreciadas como antigamente pelo resto do mundo.

– Ah, não sei não. – Rebecca sorriu. – Nós ianques continuamos amando vocês britânicos. Afinal de contas, aqui estou eu, fazendo um filme sobre a sua aristocracia para a indústria do cinema americana.

– Eu concordo com Rebecca – disse Ari. – Muitos dos costumes mais arraigados do meu país vêm de todas essas décadas de domínio britânico. Mas hoje eu acho que nós talvez sejamos melhores em alguns deles do que vocês aqui. Veja o nosso críquete, por exemplo – provocou ele.

– Você mora na Índia? – perguntou Rebecca enquanto a Sra. Trevathan lhes servia a sopa.

– Sim. Minha base é Mumbai, mas eu passo boa parte do tempo no exterior viajando.

– O que você faz exatamente? – quis saber Anthony.

– Minha empresa fornece soluções de tecnologia para outras empresas. Em termos mais simples, nós criamos softwares personalizados.

– É mesmo? Infelizmente eu sou um dinossauro – disse Anthony. – Não tenho nem nunca terei computador. Para ser sincero, eles me apavoram.

– Meu sobrinho de 6 anos muda de programa num computador com a mesma rapidez com que vira as páginas de um livro – disse Ari. – Gostemos disso ou não, o mundo digital alterou nossa vida de modo irreversível.

– Não a minha – retrucou Anthony, sem rancor. – Como você talvez tenha reparado, minha casa e eu próprio somos antiquados e felizes em ser assim. Mas, por favor, comecem.

Durante todo o almoço, Rebecca se contentou em se recostar na cadeira e escutar com interesse os dois homens conversarem sobre a história britânica e a indiana, e sobre o estranho porém duradouro entrelaçamento de duas culturas tão diferentes que essas histórias haviam produzido.

Ao final da refeição, Anthony sugeriu:

– Vamos tomar café no salão?

Uma vez todos acomodados, e depois de a Sra. Trevathan servir café para os cavalheiros e um chá de camomila para Rebecca, Anthony foi buscar o manuscrito numa escrivaninha e o devolveu para Ari.

– Obrigado por me deixar ler. Achei fascinante, principalmente a visão sobre a Índia de 1911. É o mundo do qual meu bisavô fazia parte.

– Sim, eu também aprendi muitas coisas sobre a minha própria cultura nessas páginas – concordou Ari.

– Mas depois de ler o que li até aqui, não entendo muito bem que relevância ele poderia ter para minha família ou para Astbury Hall – continuou Anthony.

– É, eu entendo – disse Ari. – Mas agora que eu li a história da minha bisavó até o fim, posso lhe garantir que há uma grande relevância.

– A sua bisavó descreve que trabalhou aqui, sim, mas como falei para Rebecca, não consegui encontrar nenhuma menção a ela em nenhum dos registros de funcionários do período.

– Não me espanta que você não tenha encontrado nenhum vestígio documentado aqui. Infelizmente, a estadia dela não teve um final feliz para nenhum dos envolvidos.

– Nesse caso não tenho certeza se eu quero saber – afirmou Anthony, categórico.

– Na verdade, o motivo pelo qual eu vim aqui foi para ver se você pode me ajudar com uma parte que falta no quebra-cabeça da história da minha própria família – admitiu Ari.

– E qual seria essa parte?

– Para resumir uma longa história, logo depois da morte de Violet Astbury disseram a Anahita que o seu filho tinha morrido. Mas ela passou o resto da vida se recusando a aceitar esse fato. – Ari apontou para a pasta que continha o restante da história. – É complicado, mas eu acho que ela realmente explica tudo bem melhor do que eu jamais conseguiria. Você gostaria de ler o resto?

– Pode ser. – Anthony se levantou de repente, claramente nervoso. – Rebecca, você comentou ontem que gostaria de dar uma cavalgada pela charneca.

– Sim, comentei.

– Você monta, Ari? – indagou Anthony.

– Monto.

– Então por que vocês dois não vão dar um passeio? Tenho trabalho a fazer no jardim.

– Está um dia lindo. Eu adoraria sair a cavalo – falou Rebecca. – Você vem comigo, Ari? – encorajou ela. Era óbvio que Anthony desejava ficar sozinho.

– Sim, claro, se vocês dois têm certeza. O almoço estava uma delícia, Anthony. Obrigado pela hospitalidade – disse Ari, entendendo o recado e seguindo Rebecca pela sala até as portas altas que davam para o terraço. – Só que eu não trouxe botas nem roupas de montaria.

– Virem à esquerda. O estábulo fica mais ou menos um quilômetro depois do pátio – disse Anthony. – Digam a Debbie que eu os mandei. Ela tem roupas de montaria lá. Aproveitem.

– Obrigada – disse Rebecca. – Até mais tarde.

– Eu obviamente o chateei – disse-lhe Ari quanto os dois saíram do raio de escuta de Anthony.

– Vai ver ele sabe mais do que está dizendo... – Ela deu de ombros.

– Pode ser. Você está hospedada aqui com ele?

– Sim. Sei que Anthony pode parecer meio esquisito, mas comigo ele tem sido muito gentil e hospitaleiro. De toda forma, obrigada por ter aceitado vir montar – disse ela ao adentrar o pátio. – Acho que ele precisava de um tempo sozinho.

– O prazer é todo meu. – Ari lhe sorriu.

– Espere aqui enquanto eu vou atrás dessa tal Debbie – disse ela, e saiu andando em frente às baias dos cavalos afagando seus focinhos sedosos.

A cavalariça Debbie sugeriu uma égua tordilha lustrosa para Rebecca e um alazão inteiro para Ari. Após arrear os animais, indicou-lhes como chegar à charneca.

– Sigam a trilha quando chegarem lá – aconselhou ela. – Até conhecerem melhor a região, eu não sairia dela. Caso contrário vocês podem ter muita dificuldade para encontrar o caminho de volta. Estou aqui até as seis – disse ela. Os dois saíram do estábulo em seus respectivos cavalos.

– Que tarde esplêndida – comentou Ari. – O clima inglês é bastante temperado... raramente atinge os extremos. Bem parecido com as pessoas que vivem aqui – arrematou ele com um quê de ironia na voz.

– Acho que me lembro da sua avó ter escrito algo nessa linha. Com certeza os ingleses são bem menos expressivos do que nós, americanos.

– E do que nós indianos também. Mas eu fui educado aqui, e me ensinaram a manter as emoções sob controle. – Ele sorriu. – Mas então, qual é a sua disposição? – perguntou ele quando os dois chegaram na orla da charneca. – Topa um meio-galope?

– Posso tentar, mas se eu ficar para trás pode ir em frente se quiser.

Ari cutucou os flancos do cavalo, e o alazão partiu a galope. Rebecca fez uma leve pressão com os calcanhares e seguiu atrás num ritmo mais lento. Conforme foi ganhando confiança, começou a ir mais depressa, e em pouco tempo estava galopando a toda velocidade ao lado dele. Nenhum dos dois disse nada, e eles deixaram os cavalos correrem. Por fim, quando estavam os quatro ofegantes, Ari viu um regato correndo numa fenda do terreno.

– Que tal deixarmos os cavalos beberem água e admirarmos um pouco dessa paisagem maravilhosa? – sugeriu.

– Claro – concordou Rebecca. Ela apeou e conduziu a égua até a beira do regato. Então deixou-se cair na grama áspera e ergueu o rosto para o céu sem nuvens. Ari fez o mesmo, e os dois ficaram deitados lado a lado num silêncio cúmplice.

– Está ouvindo? – perguntou Ari.

– Ouvindo o quê?

– Justamente. – Ele lhe sorriu. – Nada.

– E eu adoro isso. – Rebecca suspirou de prazer. – Quanto tempo você vai ficar na Inglaterra?

– Vou esperar mais uns dias e ver se Anthony se sente inspirado para ler o resto da história de Anahita. Eu mesmo posso fazer umas pesquisas pela região para tentar localizar o filho supostamente morto dela. Na verdade essa viagem foi bem oportuna. Eu precisava sair um pouco da Índia.

– Por quê?

– Eu acho que... – Ele suspirou. – Eu acho que cheguei a um momento decisivo da minha vida. Talvez esteja tendo uma crise de meia-idade precoce, mas tudo que antes importava, que parecia essencial, de repente não é mais.

– Você sabe qual foi o gatilho? – perguntou Rebecca com delicadeza.

– Infelizmente sei. Eu perdi uma mulher maravilhosa por causa da obsessão com a minha carreira e com o sucesso. Só agora, olhando para trás, é que consigo ver o que perdi.

– Então por que não diz isso a ela?

– Ela se casou com outro homem quinze dias atrás. Não posso culpá-la por ter desistido de mim. Ela passou o tempo inteiro ao meu lado quando eu estava montando minha empresa, e eu simplesmente não reparei na sua presença. Enfim. – Ele suspirou com tristeza. – Agora já era, não adianta ficar imaginando o que poderia ter sido.

– Bem, eu não vim aqui atrás de respostas, mas acho que mesmo assim este lugar está me dando algumas – confidenciou Rebecca, apoiando-se num dos cotovelos e segurando o rosto com a mão.

– Por exemplo? – perguntou Ari.

Ela respirou fundo.

– Cá entre nós, decidi que não quero me casar ainda.

– Entendi. E isso não vai causar problemas? Pelo que eu li outro dia no jornal, o mundo inteiro já está planejando o seu casamento.

– Sim, mas prefiro ter problemas agora do que um divórcio feio daqui a cinco anos. Talvez Jack e eu possamos simplesmente continuar noivos por um tempo, mas tampouco tenho certeza se essa é a solução. – Rebecca virou-se de bruços e pôs-se a cutucar a grama.

– Você o ama? – perguntou Ari de bate-pronto.

– Eu... não sei mais.

– Bem, é melhor descobrir antes de tomar uma decisão. – Ari se virou de costas, fechou os olhos e levou as mãos até atrás da cabeça. Rebecca olhou para ele e tornou a pensar em como era bonito. Estava ao mesmo tempo aliviada e um pouco decepcionada por ele ter deixado claro que estava lamentando a perda da mulher amada. Não estava interessado nela, isso era óbvio. Ela também se deitou de costas e fechou os olhos enquanto refletia sobre aquela situação incomum. Depois de passar anos vendo homens a paquerarem à primeira oportunidade, era revigorante Ari parecer se contentar com uma simples conversa.

– Por que você está sorrindo – quis saber ele de repente.

Ela abriu os olhos e deparou com Ari a encarando.

– Estou me sentindo calma e feliz.

– Aproveitar o momento presente é o segredo para uma vida feliz. É o que dizem todos os gurus. Então, está disposta a montar mais um pouco? Pensei em explorar mais os arredores.

– Claro – aceitou ela, e os dois tornaram a montar.

– Se este for o regato que minha bisavó menciona no seu manuscrito, tenho certeza de que tem um chalé em algum lugar aqui perto – disse Ari, correndo os olhos pelo horizonte. – Vamos dar uma olhada e ver se conseguimos encontrá-lo.

Rebecca seguiu Ari para fora da trilha e pela charneca. Algo parecia estar guiando-o, pois após alguns minutos de procura eles viram as chaminés no telhado de uma construção parcialmente escondida por uma depressão no terreno acidentado.

– É ali – disse Ari. – Tenho certeza.

– É ali o quê?

– O chalé onde Anahita morou. Vamos!

– Mas eu pensei que ela tivesse morado no casarão. Você não pode dizer uma coisa dessas e depois não explicar! – gritou ela enquanto Ari começava a se afastar.

– Tudo no seu devido tempo – gritou ele de volta por cima do ombro. Rebecca desceu o declive trotando atrás dele e deu a volta pela frente do chalé.

– Deve ser aqui – disse Ari, saltando do cavalo. – Vamos dar uma olhada.

– Ele ajudou Rebecca a descer da égua, e juntos os dois caminharam até o portão. O jardim lá dentro já fora dominado havia tempos pela grama da charneca e pelas plantas silvestres.

– A charneca praticamente voltou a tomar posse do jardim – comentou ele enquanto usava toda a sua força para forçar o portão. – Parece que ninguém mora aqui há anos. Talvez desde que Anahita esteve aqui, noventa anos atrás – filosofou ele, e foi pisoteando a grama para lhes abrir caminho até a porta da frente.

Como cada centímetro do chalé estava coberto por uma grossa camada de hera, ele usou as mãos para tentar arrancá-la das janelas, mas foi impossível. Então tentou a porta, usando todo o seu peso para rasgar a planta, mas tampouco teve sucesso.

Enquanto Rebecca aguardava mergulhada até a cintura em arbustos e grama, uma cor escura de repente lhe chamou a atenção naquele emaranhado. Ela afastou os galhos e arquejou ao ver uma pequena e perfeita rosa exatamente da mesma cor da que Anthony tinha lhe dado quando ela chegara em Astbury. Quando se abaixou para olhar mais de perto, reparou que havia outros botões minúsculos na planta prestes a desabrochar, e sentiu uma tristeza repentina por algo tão lindo ainda conseguir florescer rodeado por aquele caos sufocante.

– Será que devemos quebrar uma vidraça? – sugeriu Ari. – Ou quem sabe existe outra porta nos fundos?

– Não acho que devamos invadir a casa – falou Rebecca, nervosa. – Ela deve pertencer a alguém.

– Sim, a Anthony – confirmou ele.

– Então vamos pedir uma chave a ele – disse Rebecca, ansiosa para ir embora. Algo naquele lugar a deixava pouco à vontade.

– Vou dar a volta até os fundos para ver se há outra entrada. – Ari deu meia-volta e passou por ela em direção ao portão.

– Nós deveríamos voltar para casa – disse ela. – Já passa das seis, e prometemos a Debbie voltar antes desse horário.

Ari verificou o relógio.

– É, tem razão. Pelo menos agora eu sei onde fica o chalé. Talvez possa pedir a permissão de Anthony para voltar aqui e investigar.

– O que você quer ver? – perguntou ela enquanto eles tornavam a montar nos cavalos, experimentando uma sensação palpável de alívio quando eles se afastaram trotando.

– Se restou alguma coisa lá dentro que indique a presença da minha bisavó.

– Com certeza não deve haver, se faz mais de noventa anos, não?

– É provável que você tenha razão, mas eu mesmo assim gostaria de satisfazer minha curiosidade.

De volta ao estábulo, eles devolveram os cavalos para Debbie com profusas desculpas por tê-la feito esperar e tornaram a caminhar até o casarão. Quando estavam subindo os degraus do terraço, Rebecca viu Anthony trabalhando no jardim murado. Ele os chamou com um aceno.

– Foi boa a cavalgada? – perguntou.

– Sim. Obrigado por emprestar os cavalos – disse Ari.

– Não há de quê. Os coitados se exercitam tão pouco... Fique à vontade para montar quando quiser. Quanto tempo vai ficar aqui?

– Não sei ainda – respondeu Ari.

– Bem, enquanto estava aqui cavucando, pensei que não deveria virar as costas para o passado da minha família. Então vou continuar a ler a história da sua bisavó. E quando tiver terminado voltaremos a nos falar.

– Obrigado, fico muito feliz. Então aguardo notícias suas.

– E por favor, enquanto isso fique à vontade para percorrer a propriedade. Esta é realmente a melhor época do ano aqui. Até logo, então. – Anthony tornou a descer os degraus em direção ao jardim.

Rebecca sorriu para Ari.

– Cuidado. Se você vier aqui amanhã, corre o risco de aparecer no filme.

– Difícil, a não ser que haja algum papel de empregado indiano. Certo, vou indo. E Rebecca, obrigado. Foi graças a você que Anthony me recebeu.

– De nada. Nos vemos, Ari.

– Espero que sim. – Ele sorriu ao se afastar.

19

– Está tudo bem, Rebecca? – perguntou James na segunda-feira cedo, quando os dois estavam no set. – Você não parece estar no seu humor habitual.

– Não sei bem. – Ela baixou os olhos para as mãos trêmulas e soube que não estava tremendo de nervoso por causa da cena que os dois estavam prestes a filmar. – Estou me sentindo meio estranha, apesar de ter tirado dois dias de folga.

– Deve ter pegado um resfriado, ou talvez a nossa pesada comida britânica não esteja caindo bem no seu organismo delicado. Podemos pedir a Steve que chame um médico, se você precisar.

– É essa dor de cabeça que não passa. Pensei que tivesse acabado ontem, mas hoje voltou. Pode ser enxaqueca, mas eu nunca tive isso. Obrigada, acho que vou ver como passo o dia – disse ela, abrindo-lhe um sorriso fraco.

– Trinta segundos, pessoal!

Para alívio de Rebecca, a cena era sentada. Além da dor de cabeça, estava enjoada e tonta. Teria de tomar mais um analgésico no intervalo de almoço.

Uma hora depois, quando estava correndo até o quarto para pegar o remédio, Steve a abordou.

– A produtora recebeu outra ligação do seu noivo hoje de manhã. Ele parecia bem preocupado, já que pelo visto você disse que ligaria no fim de semana e não ligou.

– Aqui é impossível ter sinal, e eu não gosto de usar o telefone da casa – explicou ela.

– Olhe, eu entendo, mas o seu noivo, não. Como eu já disse, a produtora vai pagar todas as contas, então pode ficar à vontade para usar o fixo do escritório de lorde Astbury.

– Tudo bem, eu ligo mais tarde. Sinto muito por ele estar incomodando.

Ela se virou e subiu devagar a escada.

Por sorte, Rebecca não precisava estar no set naquela noite. Como ao fim do dia não tinha melhorado, ela voltou para o quarto e afundou na cama, aliviada.

A Sra. Trevathan apareceu poucos minutos depois, com uma expressão preocupada.

– Não está se sentindo bem, querida? – perguntou ela, entrando com um passo apressado e levando uma das mãos à testa de Rebecca.

– Eu vou ficar bem. Só estou com uma dor de cabeça forte.

– Não parece estar com febre. Que tal se eu lhe trouxer uma sopinha daqui a pouco, e depois você ir se deitar?

– Obrigada, mas eu não vou conseguir comer nada – disse ela, desejando que a governanta saísse do quarto para poder fechar os olhos.

– Está bem, mas vou subir mais tarde para ver como você está.

– Não precisa, de verdade.

– A senhorita quer ficar um pouco quietinha – disse a Sra. Trevathan, baixando a voz até quase um sussurro. – Entendi. Boa noite então, meu bem.

Quando ela saiu, Rebecca se perguntou se os habitantes de Astbury do passado já tinham se sentido sufocados pela atenção insistente de seus criados. Simplesmente não havia privacidade alguma. Ela deu um suspiro, tirou a roupa e entrou debaixo dos lençóis. Ainda não tinha ligado para Jack, mas estava indisposta demais para falar com ele naquele momento. Depois de uma boa noite de sono, tinha certeza de que se sentiria melhor.

Nessa noite, Rebecca teve sonhos estranhos. Estava em perigo no chalé na charneca, e a porta estava emperrada; quando ela tentava abrir as janelas, a hera que as cobria se enroscava na sua mão e a retinha. Mais uma vez ela sentiu o cheiro forte de perfume no instante em que a mão de alguém se fechou sobre seu nariz e sua boca e a impediu de respirar…

Acordou sobressaltada, com o coração acelerado no peito. Estendeu a mão para acender o abajur e derrubou um copo d'água na mesinha de cabeceira ao seu lado. Ao descer da cama e tranquilizar a si mesma de que aquilo fora apenas um pesadelo – decerto causado pela febre, pois achou a própria testa quente –, Rebecca abriu a porta e cambaleou até o banheiro para tornar a encher seu copo. Lavou o rosto com água fria, saiu do banheiro e voltou para o quarto na penumbra.

Sufocou um grito quando uma silhueta escura a abordou junto à porta.
– Você está bem?
– Hã... – Ela conseguiu focalizar os olhos na silhueta e viu que era Anthony, vestido com um roupão de estampa *paisley*. – Eu não imaginava que fosse cruzar com alguém – falou, tentando recuperar o fôlego.
– Desculpe se eu a assustei. Ouvi um grito vindo do corredor e vim ver o que era.
– Eu tive um pesadelo, só isso. Desculpe ter acordado você.
– Não precisa se desculpar, é raro eu dormir um sono profundo – tranquilizou Anthony. – Bom, se tem certeza de que está tudo bem, boa noite, então.
– Boa noite.
Rebecca entrou no quarto e fechou a porta com firmeza.

– Jack ligou outra vez – disse Steve ao cruzar com ela pela manhã. – Vá ao escritório e ligue para ele agora que está livre, antes que eu acabe sendo acusado pelos tabloides de atrapalhar o seu romance de conto de fadas. – Ele sorriu e se afastou.
Rebecca saiu do set no terraço onde havia acabado de filmar e foi em direção ao escritório de Anthony. A dor de cabeça tinha passado e ela enfim se sentia capaz de encarar uma conversa com Jack.
Como sempre, tanto o número de casa quanto o do celular caíram direto na caixa postal. Rebecca deu um suspiro frustrado e tornou a ir até o outro extremo do terraço, onde o bufê havia instalado mesas sob o sol para o almoço, e se juntou ao resto do elenco.
– Venha cá se sentar comigo, querida – convidou Marion Devereaux, dando tapinhas na cadeira vazia ao seu lado.
– Obrigada – disse Rebecca, e sorriu, sentindo um frio na barriga.
Até então, por timidez, não conseguira se aproximar da lendária atriz cuja carreira tinha lhe valido todos os prêmios e homenagens possíveis.
– Estava olhando você no set hoje de manhã, querida, e queria lhe dizer que você é boa. Na verdade, muito boa.
– Obrigada. – Rebecca corou de prazer.
– Sim. Você tem uma espontaneidade natural diante das câmeras. Já atuou muito no teatro?

– Quando estava na Juilliard, em Nova York. Mas desde que me formei fiz apenas filmes.

– Espero que tenha a oportunidade de voltar aos palcos. Nada como o público ao vivo para fazer a adrenalina correr nas veias e tirar o melhor de um intérprete. – Marion sorriu e acendeu um cigarro fino. – O ruim é que o cachê é péssimo.

– Eu não ligo para dinheiro. Nunca liguei.

– Não, querida, imagino que não ligue mesmo, depois de fazer todos esses blockbusters em Hollywood – comentou Marion, seca.

A resposta dela fez Rebecca enrubescer.

– Você teria algum conselho para mim? Alguma sugestão de como melhorar meu trabalho como atriz?

Os célebres olhos cor de violeta da velha senhora se viraram para ela.

– Sim, querida. Apenas *viva*. Acumule experiências e conheça a si mesma. Compreender a psique humana dá ao trabalho do intérprete um peso e um conteúdo emocional que a técnica é incapaz de reproduzir. Atue tanto com a alma quanto com o cérebro – disse ela, levando as mãos ao peito de tamanho considerável.

Uma parte de Rebecca sentiu vontade de rir, mas ela concordou com um ar solene.

– Obrigada, Marion. Vou procurar fazer isso.

– Como eu queria ser você e estar só começando, com um monte de papéis maravilhosos pela frente! – Ela suspirou. – Hoje, porém, sou uma atriz bem melhor do que era na sua idade. Precisamos jantar juntas um dia antes do fim da filmagem. Agora com licença – disse ela, levantando-se. – O sol está derretendo minha maquiagem.

Rebecca ficou sentada onde estava, saboreando os elogios, o calor do dia e seu estado atual livre da dor de cabeça. James apareceu e sentou-se ao seu lado na cadeira que Marion acabara de vagar.

– Você parece melhor – comentou ele.

– Estou, sim, obrigada.

– Bem o suficiente para jantar comigo hoje? Poderíamos ir àquele pub que você mencionou.

– Por que não? – respondeu Rebecca, sentindo que talvez precisasse dar uma escapulida das fronteiras de Astbury Hall.

– Ótimo. Mas temos de chegar às oito. Tudo fecha muito cedo nesta roça.

– Palavras de um verdadeiro garoto da cidade – brincou Rebecca.

– É, eu não tenho muita vocação para o campo... Estou mais para uma boate enfumaçada às duas da manhã. Mas quando em Roma...

Dito isso, James se afastou.

※

– Aonde vai hoje à noite? – quis saber a Sra. Trevathan quando Rebecca abriu a porta do quarto para que ela entrasse. – Está toda arrumada.

– Não muito, é só uma blusa nova que comprei no sábado. Vou jantar no pub com um dos atores.

– Então não vai cear em casa hoje?

– Não, hoje não.

Sentiu-se tentada a arrematar: "Com a sua permissão, é claro", mas segurou a língua.

– Lorde Astbury estava na expectativa de que a senhorita pudesse comer com ele. Ele queria conversar sobre aquela história que o cavalheiro indiano lhe entregou, e o convidou para jantar aqui de novo amanhã à noite. Amanhã vai estar disponível, certo?

– Sim, claro. Por favor, peça desculpas a ele por mim, e diga que terei prazer em jantar com ele amanhã.

– Certo, meu bem, nos vemos mais tarde. Vou esperar a senhorita chegar em casa. Lorde Astbury gosta que eu passe a chave e o trinco na porta antes de ir dormir.

– Não precisa, não quero que fique acordada por minha causa. Será que eu não poderia pegar uma chave emprestada só hoje?

– Não é necessário – retrucou a Sra. Trevathan com firmeza.

– Está bem – cedeu Rebecca. – Acredito que não vou chegar muito tarde. Aliás, posso lhe fazer uma pergunta – acrescentou ela com hesitação. – Em que parte da casa fica o quarto de Anthony?

– No corredor da ala oeste, do outro lado da escadaria principal. Por que a pergunta? – A governanta parecia ao mesmo tempo espantada e na defensiva diante da indagação de Rebecca.

– Ah, por nada. É que eu pensei ter escutado alguém falando atrás da minha porta ontem à noite, mas devia estar sonhando.

– Sim, tenho certeza de que foi isso. Aproveite o jantar, meu bem.

Foi com os pensamentos a mil que ela atravessou o acesso de carros em direção a James, que a aguardava no carro de Graham. Se Anthony dormia do outro lado da casa, não teria como ter escutado seu grito ontem à noite. Então o que ele estava fazendo parado em frente à porta do seu quarto?

James saltou para lhe abrir a porta do carona.

– Querida, mas que visual... moderno! – exclamou ele de brincadeira.

Eles passaram o trajeto de carro até o Rugglestone Inn comentando sobre a filmagem. Ao chegar, foram acomodados num canto discreto.

James foi até o balcão do bar e voltou com uma garrafa de vinho. Sentou-se e serviu um pouco na taça diante de Rebecca.

– Chega! – disse ela quando a taça estava pela metade. – Depois daquela enxaqueca horrível, não quero correr o risco de fazer nada para que ela volte.

– Você não bebe muito, não é?

– Isso é uma crítica? – questionou ela.

– É claro que não. Quando estive em Hollywood, reparei que os atores americanos pareciam todos abstêmios, enquanto os britânicos são um bando de alcoólatras. – Ele brindou encostando sua taça na dela. – À celebração dos nossos vícios. – Então sorriu e continuou. – Mas me conte, como vai a vida em Astbury Hall?

– Bem, cá entre nós, quanto mais tempo eu passo lá, mais estranho aquele lugar me parece – confessou Rebecca. – A governanta Sra. Trevathan, por exemplo, protege tanto lorde Astbury que beira a obsessão.

– Talvez ela seja apaixonada por ele; é comum as empregadas se apaixonarem perdidamente pelos patrões. Um clichê, mas acontece.

– Pode ser, mas além disso ela vive no meu quarto, zanzando à minha volta, me trazendo coisas para comer e beber.

– A mim parece o paraíso. Eu bem que gosto de uma mulher atenciosa zanzando à minha volta – disse James com um sorriso.

– Sei que ela está só tentando ser gentil, mas a sensação que me dá é que ela nunca me deixa em paz.

– E eu pensando que devia ser maravilhoso viver como uma princesa num palácio e ter gente para fazer tudo por você. Nós no hotel nem serviço de quarto temos depois das dez da noite. – James arqueou as sobrancelhas. – Enfim, pelo menos deve ter feito bem a você ter um pouco de paz na atual conjuntura, não?

– Sim, por esse lado tem sido uma maravilha. Desculpe se estou parecendo uma menina mimada reclamando. É que eu não ando me sentindo muito bem.

– Mas e o enigmático lorde Astbury? Ele já não tentou agarrar você?

– Meu Deus, não! – Rebecca revirou os olhos. – Tenho a impressão de que ele não se interessa muito por mulheres... nem por homens, nem na verdade por qualquer tipo de relacionamento.

– Bem, eu não consigo decifrar o sujeito por nada – arrematou James. – Morar naquele casarão sozinho esses anos todos, sem internet, sem nenhuma conveniência da modernidade... Ele é um cara estranho, isso com certeza.

– Na verdade eu gosto dele, e concordo, ele é excêntrico, mas existe algo de muito triste dentro dele. Às vezes eu tenho vontade de chegar perto dele e lhe dar um abraço – admitiu ela.

– Então você está *mesmo* se apaixonando por ele?

– De jeito nenhum! É que eu me sinto meio protetora em relação a ele, só isso. É como se ele na verdade não entendesse o mundo moderno. Ai, meu Deus, estou falando igualzinho à Sra. Trevathan! – Ela grunhiu.

– Bem, pelo que você falou, é bom que ele tenha essa governanta mais dedicada do que o normal para cuidar dele – comentou James, calmo.

– Estou começando a me perguntar se isso não é parte do problema. – Ela suspirou. – Mesmo que ele conhecesse alguém, duvido que a pessoa fosse ter alguma chance, com ela observando cada um dos seus passos.

– A tirar pelo que você diz, *ela* obviamente é apaixonada por ele. Vai ver eles transam há anos. – James sorriu. – Fico imaginando uns encontros clandestinos na rouparia ou atrás do barracão de jardinagem.

– Pare com isso! – suplicou ela, remexendo-se na cadeira ao imaginar a cena. – Enfim, nada disso me diz respeito, não é?

– Não, mas é sempre interessante imaginar a vida alheia. E afinal de contas nós somos *atores*, querida, de modo que analisar o comportamento humano faz parte do nosso trabalho.

– Outra coisa que me incomoda é o jeito como Anthony vive me dizendo que sou parecida com sua avó Violet. É muito perturbador.

– E você se parece com ela? – perguntou James.

– Eu vi o retrato dela, e sim, principalmente com os cabelos pintados desta cor.

– Cada vez mais intrigante, como diria Alice. Você por acaso não teria algum parentesco com essa tal de Violet, teria?

– Não. Meus ancestrais com certeza não tinham relação alguma com a aristocracia inglesa, disso eu tenho certeza. – Rebecca tomou um gole do vinho. – Na verdade, muito pelo contrário.

– Então, pelo visto, as coisas em Astbury Hall poderiam render uma trama bem mais interessante do que a que estamos filmando no momento – supôs James.

– Às vezes, sabe, quando estou usando o figurino, tenho a estranha sensação de que sou *mesmo* Violet, a mulher com quem me pareço, vivendo sua vida em Astbury nos anos 1920. É tudo muito surreal.

– Bem, tente não perder a cabeça ainda, querida, não é uma boa ideia começar a confundir fantasia e realidade. Sempre que você precisar de alguém para trazê-la de volta ao mundo real, pode contar comigo. Agora que tal pedirmos?

Uma mulher de meia-idade se aproximou timidamente da mesa.

– Desculpem interromper, mas vocês não são James Waugh e... ai, meu Deus! Rebecca Bradley! Não a reconheci com a cor de cabelo diferente.

– Muito bem notado – disse James, sorrindo para a mulher. – Em que podemos ajudá-la?

– Bem, eu adoraria um autógrafo dos dois, e uma foto, se possível.

– Claro. – James pegou o guardanapo e a caneta que ela lhe estendia e assinou seu nome. Estava passando o guardanapo para Rebecca quando um flash estourou na sua cara.

– Muito obrigada. Desculpem ter incomodado vocês, e tenha uma boa estadia na Inglaterra, Srta. Bradley.

Enquanto a mulher se afastava da mesa, Rebecca encarou James horrorizada.

– Você a deixou tirar foto? Eu nunca deixo nenhum fã fazer isso sem antes assinar um termo garantindo que a imagem não vai ser usada publicamente e vai apenas fazer parte do seu álbum particular!

– Calma, Rebecca. Duvido que ela vá enviar a foto imediatamente para o primeiro tabloide que aparecer.

– É exatamente isso o que acontece comigo quando alguém tira uma foto minha sem assinar nada – retrucou Rebecca, sentindo-se enjoada.

– Imagino que o interesse da imprensa por você seja bem maior do que por mim. – James deu de ombros. – Vamos torcer para que ela não o faça.

A partir desse momento, os dois passaram a ser interrompidos constantemente por uma sucessão de moradores da região, animados atrás de autógrafos.

– Acho que está na hora de irmos, não é? Eu sinto muito, Rebecca – disse ele ao guiá-la para fora do pub até o carro que aguardava. – Eu obviamente subestimei o tamanho da sua fama, mesmo num povoado modorrento como este aqui.

– Deixe para lá – respondeu Rebecca, abalada. – Esqueça tudo de ruim que eu disse mais cedo sobre a vida em Astbury; estou muito feliz em voltar para lá agora, para a segurança daquele lugar. Tinha quase me esquecido de como era sair para comer em público.

– Meu Deus, que inferno deve ser a sua vida. – James revirou os olhos. – Como é que você aguenta?

– Eu não aguento, e a verdade é que ainda nem sequer aceitei me casar com Jack! Foi a mídia que entrou em frenesi. – Ela mordeu o lábio. – Não sei o que vou fazer.

– Entendi – respondeu James baixinho enquanto os dois atravessavam as majestosas charnecas sob um céu estrelado.

– Enfim – suspirou Rebecca. – Com certeza tudo vai se resolver quando eu voltar para os Estados Unidos. Não quero que tudo acabe entre nós, só não quero ter pressa para me casar.

– Bem, se um dia você resolver dar o pé nele, eu terei muito prazer em me candidatar a pretendente alternativo.

– Ora, obrigada, gentil senhor, mas eu não acho que vá ser necessário – respondeu Rebecca brincando.

– Uma pena, minha querida. – Quando eles chegaram diante de Astbury Hall, ele arrematou: – Imagino que não seja muito adequado me convidar para tomar um café ou uma saideira na sua casa, então vou me despedir daqui mesmo.

– Boa noite, James, e obrigada pelo jantar.

Rebecca abriu a porta do carro, mas antes que conseguisse sair, ele a segurou pela mão e tornou a puxá-la para lhe dar um caloroso abraço.

– Lembre-se, querida, estou sempre por aqui se quiser conversar.

– Obrigada. – Rebecca se desvencilhou do abraço, saltou do carro, soprou-lhe um beijo e acenou enquanto Graham e ele partiam. Ao se virar para subir os degraus e entrar na casa, estacou ao reconhecer quem estava parado junto à porta.

– Jack – falou, cambaleando ao subir lentamente os degraus até ele. – Mas o que você está fazendo aqui? – Pôde ver que ele estava muito zangado.

– Eu tentei entrar em contato para dizer que viria te ver, mas você não me retornou. E acho que acabo de entender por quê. Quem é o galã do carro? – perguntou ele num tom enfurecido.

– Não, Jack... – Ela balançou a cabeça. – Ele não é... hã, sério, eu...

– Bem, pelo menos agora eu entendo por que mal ouvi um pio seu nos últimos quinze dias. Então acho que o melhor que tenho a fazer é ir embora.

– Jack, por favor! Não é nada disso que você está pensando!

– Então que diabo está acontecendo? Se não é por causa dele, me diga por que eu não falei com você mais de uma vez desde que você viajou e a gente combinou de se casar!

– A gente não combinou isso! Escute... – Rebecca sabia que eles estavam diante da porta da frente escancarada, de modo que qualquer um dentro da casa podia escutar a conversa. – Por favor, será que a gente pode pelo menos entrar em casa para eu explicar?

– Meu Deus do céu! – Jack lhe abriu um súbito sorriso frio. – Você fala igualzinho a mim quando sou surpreendido numa situação comprometedora.

A Sra. Trevathan apareceu na porta com um ar preocupado.

– Talvez seja melhor vocês entrarem. Lorde Astbury está dormindo e não quero que ele seja incomodado.

– Desculpe, Sra. Trevathan – disse Rebecca. – Eu não sabia que o meu... amigo iria chegar.

– Não sabia porque você provavelmente estava nos braços do seu novo amante e não se deu nem ao trabalho de retornar meus telefonemas!

– Senhor, por gentileza, eu ficaria grata se pudesse falar mais baixo – sibilou a Sra. Trevathan.

– A senhora acha melhor nós irmos para um hotel? – perguntou Rebecca enquanto os dois seguiam a governanta casa adentro. – Meu motorista pode nos levar.

– Duvido que achem alguma coisa aberta às dez e meia da noite – respondeu ela rispidamente enquanto os conduzia por um corredor e abria a porta de uma pequena sala de estar bem no final. – Espero que consigam resolver suas desavenças aqui. – Ela saiu e fechou a porta.

– Ela por acaso faz parte do elenco? – Jack cruzou os braços. – Quer me dizer o que está acontecendo? Está tudo acabado entre a gente e você só não teve coragem de me dizer?

– Eu já falei, Jack: estou sem celular e sem conexão de internet, e na casa só tem um telefone que eu não gosto de usar.

– Bem, pelo visto em relação a isso você não estava mentindo – admitiu ele. – Isto aqui parece um lugar saído de um livro de história. Mas mesmo que tenha sido difícil entrar em contato comigo, quando eu deixei vários recados na produtora para você me ligar, você não fez isso ou então ligou num horário em que sabia que eu não ia atender. Eu quero saber por quê, Becks.

Rebecca deixou-se cair no sofá; estava chocada, exausta e despreparada para aquela crise.

– Eu acho que precisava de um tempo para pensar, só isso.

– Pensar em quê? Na gente? Na véspera da sua viagem eu te dei uma aliança de noivado e te pedi em casamento! – gritou ele. – Aí no dia seguinte você foge correndo e não me diz onde está nem o que está se passando nessa sua cabeça. E na única vez em que a gente *realmente* se fala, você soa totalmente distante, como se mal pudesse esperar para desligar. Desde então tenho andado enlouquecido. – Jack passou uma das mãos pelos cabelos e pôs-se a andar de um lado para o outro. – Será que você não vê que foi cruel, ao me deixar no vácuo sem saber o que estava pensando? Becks, eu te amo. Naquela noite estava pedindo para passar o resto da vida com você! Então *por que* você fugiu?

– Eu não fugi – retrucou ela, tentando permanecer calma. – Se você bem se lembra, eu tinha uma viagem marcada para a Inglaterra no dia seguinte. Só decidi antecipar o voo, só isso.

– Pare com isso! É comigo que você está falando. Não me enrole.

– Desculpe. Eu acho... – Ela procurou as palavras certas. – Acho que eu me assustei. Casamento é uma decisão importante, e a gente tem tido alguns problemas ultimamente.

– Que problemas? Eu não achava que a gente tivesse problemas, caso contrário não teria pedido você em casamento naquela noite.

– Bem... – Ela respirou fundo. – É a questão das drogas, Jack. Tem andado bem ruim nos últimos meses.

– *O quê?* Pelo amor de Deus, Becks! Não acredito que você ache que eu tenho um problema. Quase todo mundo em Hollywood usa drogas em algum nível. É normal. Você está me fazendo parecer uma espécie de viciado!

– Eu sinto muito, mas é que eu detesto isso.

– Todo mundo tem o direito de se divertir um pouco de vez em quando, não? Principalmente em um momento ruim na carreira. Mas você não sabe o que é isso, não é? – comentou ele, maldoso.

– Jack, por favor, tente entender que eu só precisava de um tempo para pensar. Quando desembarquei aqui, fui recebida por uma multidão de jornalistas me dando os parabéns pelo noivado. Me senti traída. – Rebecca torceu as mãos em desespero. – Você anunciou para a mídia que a gente estava noivo?

– Não, eu não falei nada!

– Ah, é? Então de onde eles tiraram as suas declarações?

– De onde geralmente tiram, amor, você sabe muito bem. Do meu assessor de imprensa, que passou dos limites com essa história. – Jack revirou os olhos. – Vamos, Becks, não banque a ingênua. Você sabe como as coisas funcionam, e fico magoado que tenha achado que a culpa era minha.

– Desculpe – repetiu ela, sem saber mais o que dizer.

– Mas sabe o que mais me incomoda? – Ele estava parado na frente dela, fuzilando-a com o olhar. – Mesmo que eu *tivesse* confirmado à imprensa que tinha pedido você em casamento, isso realmente teria sido tão ruim? Eu devo ter entendido errado. Estava meio que esperando que você ficaria feliz com o noivado.

– É uma decisão importante e...

– Bem, você com certeza teve espaço e tempo de sobra aqui para pensar. Então posso saber se tomou uma decisão?

Rebecca permaneceu calada, esforçando-se para decidir como responder.

– Certo. – Jack suspirou. – Acho que essa atitude diz tudo. E aquele cara que eu vi agarrando você no carro... ele tem te consolado enquanto você decide, suponho?

– Não! James está trabalhando no filme também. Ele é legal. Eu gosto dele, mas quase não o encontro fora do set. Ele hoje me chamou para jantar fora, e foi só isso que aconteceu.

Jack a encarou.

– E você espera mesmo que eu acredite nisso? Trepar com o par romântico na locação é a história mais antiga do mundo. Não me trate feito um idiota negando isso. Eu apareço aqui depois de quinze dias de silêncio da minha namorada e a encontro nos braços de outro homem. Você quer que eu pense *o quê*? Não pode realmente esperar que eu acredite que as duas coisas não têm relação.

– Bom, eu posso garantir a você que não – repetiu Rebecca, já exausta. – Pergunte à Sra. Trevathan se quiser, ela sabe que eu passei todas as noites aqui. Sei como as coisas devem estar parecendo para você, Jack, mas isso simplesmente não é verdade.

– Meu Deus, até sua voz está diferente. Esse seu sotaque inglês é outra coisa que você parece ter adquirido desde que chegou aqui.

Ambos passaram um tempo sentados em silêncio, magoados com as palavras um do outro.

– Então quer dizer que ainda estamos juntos? – perguntou Jack por fim.

– Sim, todo mundo aqui sabe que estamos.

– A pergunta é se *você* sabe, Becks. Já tomou uma decisão em relação ao meu pedido? Porque você com certeza já teve tempo suficiente para pensar no assunto. E se a resposta for "sim", talvez isso ajude a me convencer também que você não andou trepando com aquele ator.

A cabeça de Rebecca era um emaranhado de pensamentos confusos.

– Eu... – Ela levou os dedos às têmporas. – Jack, eu ainda estou chocada com o fato de você estar aqui. Será que a gente pode se acalmar e conversar sobre isso amanhã, depois de uma noite de sono? Eu tenho tido umas enxaquecas horríveis, e...

– Por favor não banque a coitadinha, Becks. Você estava se sentindo bem para sair para jantar com o garotão. Então está certo. – Ele suspirou. – Acho que eu já vi tudo que precisava ver. Imagino que a melhor coisa a fazer seja voltar para casa.

– Jack, por favor! Não vá – implorou ela. – Precisamos resolver isso. Só porque eu fugi apavorada do seu pedido de casamento não quer dizer que a gente terminou. Um dos nossos problemas é que nunca temos tempo nem privacidade suficientes para conversar de verdade. Você está sempre num lugar e eu em outro. Neste exato momento, temos essas duas coisas. Pelo nosso bem, você não acha que devemos aproveitar isso?

Jack afundou no sofá ao seu lado e balançou a cabeça.

– Neste momento eu não sei o que eu quero, Becks. Casar com você era a única coisa que me fazia seguir em frente. Minha carreira está mal, não me oferecem mais bons trabalhos como antes, estou começando a pensar que talvez eu esteja acabado. E...

Ele começou a chorar. Rebecca se aproximou e o abraçou.

– Eu sinto muito, Jack, de verdade. É claro que você não está acabado. Está atravessando um momento difícil, só isso, o que tenho certeza de que vai acontecer comigo no futuro.

– É, mas você ainda tem alguns anos como protagonista pela frente, enquanto ficou óbvio que eu já passei desse ponto. E sim, eu tenho usado muitas drogas nos últimos tempos – admitiu ele. – Mas, Becks, eu juro que não sou viciado. É que eu ando me sentindo meio para baixo ultimamente e queria uma solução rápida. Você acredita em mim, não acredita?

– Sim, eu acredito em você – respondeu Rebecca. O que mais poderia dizer? Estava em desvantagem desde o instante em que Jack aparecera em Astbury.

– E Becks, eu fico magoado, muito magoado por você achar que eu não estava falando sério quando te pedi para ser minha esposa. Por ter achado que eu estivesse jogando um jogo e não se dar conta do quanto eu te amo.

Rebecca acariciou seus cabelos delicadamente.

– Eu sinto muito por ter te magoado, Jack. De verdade.

– Obrigado. Eu bem que gostaria de tomar um drinque. Tem alguma bebida neste maldito lugar?

– Se tiver, eu não sei onde fica. Por que não subimos e tentamos dormir um pouco? Podemos conversar melhor amanhã, embora eu precise estar no set cedo.

– Se você tiver certeza de que me quer de volta na sua cama – disse ele, dando de ombros. – E se você jurar para mim que não andou trepando com aquele ator, porque com certeza o resto do elenco e da equipe vão estar sabendo, e eu não quero ficar aqui para ser motivo de piada.

– Não, Jack – respondeu ela cansada. – Eu juro que não.

Depois de algum tempo, Jack esboçou um sorriso.

– Acho que vou ter que acreditar em você. Então me leve para a sua torre, linda donzela, onde eu pretendo recuperar o tempo perdido. – Ele a puxou para si e lhe deu um beijo.

– Venha, vamos – disse ela, segurando sua mão e puxando-o do sofá. – A Sra. Trevathan ainda deve estar acordada em algum lugar da casa. Ela se recusa a ir dormir enquanto ainda tiver alguém acordado. – Rebecca o conduziu pelo labirinto de corredores escuros até eles chegarem ao hall de entrada. A governanta se plantou ao seu lado como um fantasma.

– O seu... *amigo* deseja passar a noite aqui? – perguntou ela.

– Sim, se a senhora e Anthony não se importarem – respondeu Rebecca.

– Bem, eu não tenho como pedir a permissão de lorde Astbury a esta hora da noite, não é mesmo? Ele deve estar debaixo das cobertas dormindo a sono solto. Pela manhã vou informá-lo sobre a presença do seu namorado, é claro. Boa noite.

– Boa noite, senhora, e obrigado. Desculpe ter feito aquele barulho todo mais cedo. – Jack lhe abriu um dos seus famosos sorrisos matadores, mas a expressão da Sra. Trevathan não se alterou.

– Caramba, ela é bem esquisita, hein? – comentou Jack depois de eles subirem e fecharem a porta do quarto de Rebecca. – Ei, é sério que essa porta não tranca? – perguntou ele da cama onde estava sentado.

– Infelizmente não – respondeu ela, de repente sentindo-se pouco à vontade quando Jack lhe estendeu os braços.

– Venha cá.

Ela foi até lá, e ele a envolveu.

– Tinha esquecido como você é linda. Ficou maravilhosa loura. Estava com saudades, Becks.

Enquanto eles transavam, ela tentou relaxar e aproveitar. Jack adormeceu em seguida, e Rebecca saiu da cama sem fazer barulho para ir ao banheiro. Voltou em silêncio, entrou na cama ao lado dele e apagou a luz.

De madrugada, ele acordou e a puxou para si outra vez no escuro. Enquanto seu corpo se arqueava na direção do dele, ela teve a estranha sensação de que havia uma presença no quarto, alguém a observá-los...

Com a cabeça pousada no ombro largo de Jack, permitiu que essa ideia lhe saísse da cabeça e mergulhou num sono sem sonhos.

20

A chegada noturna inesperada de Jack foi o assunto do set no dia seguinte. As meninas da equipe de maquiagem quase desmaiaram quando ele entrou na sala atrás de Rebecca. Ela o observou encantá-las, e todas sucumbiram ao seu feitiço.

– Você é uma garota de muita sorte – comentou Chrissie, a maquiadora principal. – Ele é ainda mais bonito ao vivo do que na tela – disse ela depois de Jack beijar Rebecca no alto da cabeça e sair em busca de um café na van do bufê.

– Quando foi que *ele* apareceu? – perguntou James uma hora depois, quando os dois assumiram suas posições no set. – Ontem à noite você não comentou que ele vinha.

– Eu não sabia que ele ia vir. Estava me esperando quando saí do carro. Infelizmente viu você me dar um abraço e imaginou o pior. – Rebecca deu um suspiro.

– Entendi. Bom, antes que as pistolas sejam sacadas para defender sua honra, milady, eu terei prazer em esclarecer essa questão – brincou James. – Vou dizer honestamente que teria ficado encantado em usufruir dos seus charmes a qualquer momento, mas que infelizmente você não quis. – Ele a presenteou com um de seus sorrisos travessos. – Ele com certeza é um cara bonitão. Se eu fosse competitivo me sentiria ameaçado. Ainda bem que não sou.

Lá pela hora do almoço, Jack já havia recuperado sua animação habitual, e estava adorando a atenção recebida.

– Que bom que eu vim, Becks – comentou ele, esvaziando a cerveja que Steve tinha lhe arranjado. – Legal esse pessoal com quem você está trabalhando.

– É, todo mundo me recebeu muito bem.

– E mal posso esperar para pôr a mão debaixo da sua saia e sentir essas meias de seda e essas ligas – sussurrou-lhe ele. – Gostei da cor dos cabelos também. É como se eu tivesse arrumado uma namorada nova.

Depois do almoço, Jack a puxou para dentro da casa.

– Vamos, hora da sesta – falou, e os dois começaram a subir a escada para o quarto dela.

– Rebecca, você faria a gentileza de me apresentar à sua visita? – pediu uma voz severa atrás deles.

– Olá, Anthony – cumprimentou Rebecca ao se virar, tentando não parecer culpada. – Desculpe não ter tido a oportunidade de lhe apresentar meu namorado. Ele chegou inesperadamente tarde da noite ontem, e a Sra. Trevathan disse que você já estava dormindo. Este é Jack Heyward. Jack, este é lorde Anthony Astbury.

– Muito prazer, Ant... quer dizer, lorde Anthony – corrigiu-se Jack, sem conseguir exibir a segurança de sempre. Tornou a descer alguns degraus e estendeu a mão para Anthony. – Obrigado por me deixar ficar aqui sem avisar.

Anthony o examinou com uma expressão dura.

– Acho que eu não tive voz nessa questão, mas mesmo assim o senhor é bem-vindo.

– Obrigado. E terei prazer em me mudar para um hotel com Becks se for mais apropriado.

– A Sra. Trevathan já arrumou um quarto para o senhor aqui, suponho?

– Ah, não, Ant... lorde Astbury. Eu dormi com Becks... no quarto dela, quero dizer.

Rebecca sentiu vontade de rir diante do constrangimento evidente de Jack.

– Entendo. – Anthony arqueou uma sobrancelha. – Bem, se precisar de mais alguma coisa, por favor fale com a Sra. Trevathan. Rebecca, imagino que não vá jantar comigo hoje. Sabe que o Sr. Malik vem, não sabe?

– Não, Anthony, eu sinto muito. Jack e eu temos alguns assuntos para discutir.

– Muito bem.

Com um aceno de cabeça para o casal, ele se afastou, seguindo pelo hall.

– Caramba, se eu achei a governanta esquisita, esse cara então nem se fala! – comentou Jack quando eles voltaram a subir a escada.

– Ele é legal quando se conhece melhor, sério. Acho que só não tem muito jeito com as pessoas.

– Ele é sociopata, você quer dizer? – Jack riu ao abrir a porta do quarto.

– Quero dizer que ele passou a vida sozinho nesta casa e não interage muito com os outros – respondeu ela, na defensiva.

– Como eu falei, um esquisitão completo. É óbvio que não aprova que eu divida um quarto com você. Não vá me dizer que ele só acredita em sexo depois do casamento? – disse Jack, ao mesmo tempo que subia a mão pela coxa dela até o alto das meias.

– Eu acho que ele não acredita em sexo e ponto – respondeu Rebecca, rindo.

Jack a jogou na cama e silenciou sua risada com um beijo.

Naquela mesma tarde, Rebecca tinha uma cena complicada para filmar que levaria umas duas horas. Jack disse que ia dar um pulo no hotel de James para usar o wi-fi.

– Você não estava brincando quando falou que aqui não tinha sinal, não é? – disse ele, beijando-a no nariz. – James sugeriu tomarmos um drinque para compensar o fato de ele ter me passado a impressão errada ontem à noite. Tudo bem, Becks: eu acredito em você, e desculpe ter tirado a conclusão errada.

– É compreensível. Eu também peço desculpas.

– James falou que eu preciso provar uma *bitter*. Pessoalmente preferiria umas doses de vodca.

– Divirta-se – disse ela ao vê-lo sair, sorrindo para si mesma diante da ironia de Jack ter aparentemente se aproximado de James. De certa forma os dois eram muito parecidos, e ela não queria nem pensar na reação do público feminino quando chegassem juntos ao bar do hotel.

– Você parece mais disposta hoje. – Robert piscou o olho para ela ao vê-la chegar ao set uma hora depois. – Acabei de assistir ao copião e você está absolutamente luminosa na tela. Quem sabe nos futuros contratos devamos incluir a presença do seu noivo. Brincadeira, querida. Certo, vamos lá.

Ao contrário das outras cenas, essa eles conseguiram filmar rapidamente, e às sete e meia Rebecca já estava outra vez de calça jeans no térreo à procura de Anthony. Queria encontrá-lo e se desculpar pela chegada inesperada de

Jack antes do seu jantar com Ari. Pensando que talvez pudesse encontrá-lo no jardim, desceu os degraus do terraço. Em vez de Anthony, quem estava sentado no banco do roseiral era Ari. Ele lhe ergueu os olhos.

– Olá, Rebecca.

– Oi. O que está fazendo aqui fora?

– A Sra. Trevathan me disse que Anthony ainda não tinha descido, e sugeriu que eu desse uma volta no jardim enquanto espero. Para ser sincero, acho que ela não gosta de mim. – Ele suspirou.

– Acho que ela não gosta de ninguém que atrapalhe a sua rotina – corrigiu Rebecca.

– Quer dar uma volta? – Ele se levantou.

– Por que não?

– Aqui é lindo, não é? A zona rural da Inglaterra tem uma... – Ari procurou a palavra certa enquanto eles percorriam o gramado. – Uma serenidade rara de se encontrar em Mumbai.

– Ou em Nova York – disse Rebecca.

– É lá que você mora?

– É.

– Bom, a maior diferença daqui em relação à Índia é a sensação de espaço. As cidades do meu país são superpopulosas; todo mundo vive lutando por uns poucos centímetros de espaço. E o barulho nas ruas nunca para, dia e noite. Até nos nossos templos as pessoas cantam e conversam, exatamente como fazem nas ruas do lado de fora. Encontrar paz é quase impossível.

– Eu nunca fui à Índia – confessou Rebecca. – Na realidade quase não saí dos Estados Unidos. Interessante você dizer que é tão caótico. Todos os livros que eu li falam de pessoas que vão para lá encontrar a paz interior.

– Ah, tem muito disso lá – concordou Ari. – Mas se você mora num único quarto com seus parentes idosos, seu marido e seus filhos e tem só umas poucas rupias para comprar arroz, é preciso ter uma fé muito grande. Aqui no Ocidente talvez a fé em algo maior do que nós não seja mais tão necessária. Acho que o conforto físico, ou o materialismo se você preferir, é o inimigo de qualquer espiritualidade mais séria. Quando estamos aquecidos e bem-alimentados, nossas almas podem estar vazias, e mesmo assim conseguimos sobreviver ao fim do dia. E isso, como eu descobri recentemente, é a maior pobreza que existe – concluiu ele com um suspiro.

– Nunca pensei por esse lado, mas você tem razão.

– Bom, talvez eu tenha vindo à Inglaterra procurar minha alma – disse Ari com um esboço de sorriso enquanto encarava o tom de âmbar cada vez mais escuro do poente.

– É triste, mas eu conheço muito poucas pessoas *realmente* felizes – admitiu Rebecca. – Todo mundo é tão ganancioso... As pessoas nunca estão satisfeitas com o que têm.

– No meu país a gente aprende que o nirvana se alcança abrindo mão dos bens materiais. De modo conveniente, quando você é um indiano pobre é raro ter alguma coisa mesmo. Acho que muita coisa depende das nossas expectativas de como deve ser a nossa vida. Quanto menos você espera, mais feliz você vive. Está vendo? – Ari abriu bem os braços para o universo. – Estamos criando nosso próprio retiro espiritual no jardim de um casarão aristocrático inglês.

A ideia fez Rebecca sorrir.

– Está esfriando – disse ele. – Vamos voltar?

– Vamos.

– Vai jantar conosco hoje?

– Não, estou com visita. Meu namorado chegou ontem à noite de surpresa – explicou ela.

– Entendi. E considerando a nossa conversa na charneca aquele dia, como você está se sentindo em relação a isso? – perguntou Ari.

– Estou me sentindo... bem. Melhor do que pensei que me sentiria.

– Que bom. Bem, deseje-me sorte no jantar. Espero que Anthony não tenha ficado abalado demais com a história da minha bisavó.

– Bom, como eu não sei o que aconteceu depois, não posso comentar – disse Rebecca na hora em que eles entraram no hall.

– Um dia eu conto para você, agora preciso me apressar para não me atrasar com meu anfitrião, o que não me ajudaria na busca por informações.

– Boa sorte – desejou ela, e afastou-se em direção à escada.

– Obrigado.

Ari se virou e entrou na sala de jantar.

Anthony ergueu os olhos quando ele chegou.

– Olá. Por favor, feche a porta antes de se sentar... eu preferiria que ninguém nos escutasse. Como vai?

– Bem, obrigado – respondeu Ari, e após seguir a instrução de Anthony foi se juntar a ele à mesa. – E você?

– Para ser bem sincero, estou chocado com o que li até agora.

– Sim – disse Ari, sentindo a tensão do outro homem.

Anthony serviu vinho na taça de Ari.

– Então... – Ele deu um suspiro. – Precisamos falar sobre o passado.

Inglaterra

1917

21

Anahita

De volta ao colégio interno, me concentrei bastante em estudar para as provas, pois sabia que, se quisesse me atrever a entrar para a área médica britânica, meus resultados precisariam ser mais do que excepcionais. Minhas provas finais transcorreram em meio a um borrão de noites maldormidas, dores de cabeça e preocupação. Eu pensava ter me saído bem, mas só saberia os resultados no fim do verão.

Assim que o semestre acabou, antes de eu assumir meu posto de ama-seca da filha de Selina, saí de Eastbourne com minha amiga Charlotte, a filha do cura, e segui rumo ao norte em direção à sua casa em Yorkshire. Já tinha expressado para ela muitas vezes meu desejo de conhecer o presbitério onde as amadas irmãs Brontë haviam morado.

O pai de Charlotte estava na África em missão evangelizadora, e talvez você se lembre de eu ter comentado que a mãe dela tinha morrido no ano anterior. O irmão gêmeo de Charlotte, Ned, era a doçura em pessoa, e os dois me acompanharam até o presbitério no ônibus em direção a Haworth Moors.

Naquela noite, nós três nos sentamos para jantar juntos no belo jardim do presbitério.

– O que vai fazer quando terminar os estudos? – perguntei a Ned enquanto tomávamos café.

– Infelizmente, a menos que essa guerra termine bem depressa, e agora todos duvidamos que isso vá acontecer, daqui a menos de seis semanas eu vou estar no exército. Combater não é muito o meu estilo – arrematou ele com certa insatisfação. – Eu preferiria seguir as irmãs Brontë na sua vocação literária.

– Então não tem interesse em virar pároco igual ao seu pai?

– De jeito nenhum! Se eu tinha alguma fé antes de essa guerra começar, infelizmente agora a perdi.

– Ah, Ned, não diga isso, por favor. Tenho certeza de que tudo vai acabar logo – contrapôs Charlotte.

– E nunca devemos perder a fé, Ned – acrescentei. – Se a perdermos, o que nos resta?

No dia seguinte, quando Charlotte partiu para visitar um parente, Ned e eu fomos caminhar juntos por Keighley Moors. Falamos de literatura, um pouco de filosofia, e ele me perguntou sobre a minha vida de antes na Índia. Seu temperamento atencioso e gentil me agradou, e reconheço que pensei nele com bastante frequência nos meses seguintes. Na manhã seguinte, me despedi chorosa de Charlotte na estação ferroviária de Keighley e dei início à longa jornada rumo ao sul e a Devon.

– Querida Anni, seja bem-vinda! – Selina me deu um abraço e um sorriso sincero quando desci da carroça. – Entre, e mil desculpas por não ter conseguido mandar um carro buscar você na estação. O racionamento de gasolina nos afetou muito por aqui, e nós moramos tão longe de qualquer coisa útil que tivemos de economizar combustível até a última gota. Pus você no quarto anexo ao das crianças no andar principal – disse ela ao me conduzir escada acima. – A pequena Eleanor em geral dorme a noite inteira, mas pensei que seria bom você estar por perto caso ela acorde.

– Obrigada – falei, impressionada com a sua calorosa acolhida. – A senhora sabe que tenho pouca experiência no cuidado com crianças pequenas, não sabe?

– Anni, você ajudou a trazer Eleanor ao mundo! Tenho total confiança em você. – Ela abriu a porta do meu quarto. – Acha que isto aqui vai servir?

Dei uma olhada rápida no quarto, com sua esplêndida vista do jardim e da charneca mais além.

– Sim, é lindo. Obrigada.

– Posso pedir para subirem um chá para você no quarto?

– Na verdade prefiro descer e ver todos os meus amigos da cozinha. Vou tomar o chá lá embaixo.

– Que bom que você está aqui, Anni. Não sabe o pesadelo que foi achar alguém para me ajudar com Eleanor. A velha ama que minha mãe me arrumou era um horror, então eu a mandei embora, o que não agradou nem um pouco à minha mãe. – Selina revirou os olhos. – Nos últimos meses tenho cuidado de Eleanor sozinha. Bem, depois de se acomodar e falar com todos na cozinha, venha me encontrar no quarto das crianças.

Ao desfazer meu baú, não pude evitar sorrir ao pensar que uma mãe pudesse considerar um absurdo ter que cuidar do próprio filho. Depois de me arrumar, desci para a cozinha. Os empregados se juntaram à minha volta, a Sra. Thomas insistiu para que eu comesse bolinhos e tomasse chá, Tilly me deu um abraço apertado e experimentei uma agradável sensação de pertencimento.

Então tornei a subir para ver Eleanor no quarto das crianças. Agora com quase 3 anos, ela era uma menina linda e amável, e simpatizou na mesma hora comigo. Com a mãe observando, dei lhe um banho, pus sua camisola e cantei até ela adormecer na cama.

– Você é fantástica – comentou Selina quando saímos de fininho do quarto. – Eleanor já parece adorá-la. Estava pensando, Anni, que talvez quando ela tiver se acostumado com você eu vá a Londres. Há um ano não saio desta casa, e tenho muitos amigos que gostaria de visitar.

– Claro, lady Selina. É para isso que estou aqui. Contanto que confie em mim, a senhora pode ir aonde quiser.

– Nesse caso talvez eu vá mesmo! Isto aqui tem sido uma tristeza só. Mais tarde gostaria que você jantasse comigo e com minha mãe. Estou ansiosa para saber como vão Minty, Indira e a família de Cooch Behar.

Pus meu melhor vestido da Harrods e desci para comer na sala de jantar formal. Lady Astbury me tratou com o desdém de sempre e mal me dirigiu a palavra. Sabia que ela não se sentia à vontade por me ter, uma simples ama-seca, ali à mesa. Selina, porém, apreciou minhas histórias da temporada que Indira e eu havíamos passado em Londres, quando a marani tinha conseguido chegar à Inglaterra a bordo do transporte de tropas.

– Mãe, como a Anni agora está aqui para cuidar de Eleanor, pensei em ir a Londres na semana que vem, se puder – sugeriu Selina durante a sobremesa.

Senti uma tristeza terrível por ela, tendo que pedir a permissão da mãe quando já tinha sido uma mulher casada e tido a própria casa. O destino havia decretado o fim da vida independente de Selina antes mesmo de ela começar.

– Se precisar ir, minha cara Selina, vá. – Lady Astbury exibia um ar de desagrado. – Tem certeza de que se sente à vontade com a menina, Srta. Chavan? – perguntou ela para mim. – Eu com certeza não terei tempo para vê-la.

– Claro, lady Astbury. Eleanor e eu ficaremos bem – respondi.

Alguns dias depois, Selina estava pronta para partir rumo a Londres. Sua expressão era um misto de animação e apreensão quando ela calçou as luvas de viagem e subiu na carroça que a levaria até a estação.

– Aproveite, lady Selina. A senhora é linda e jovem, e merece se divertir depois de uma fase tão difícil – falei para ela.

– Obrigada, Anni. Você sempre sabe a coisa certa a dizer. Por favor, mande um telegrama para o nosso endereço de Londres se houver algum problema com Eleanor.

– Farei isso, prometo – respondi, acenando um adeus.

Na realidade, segura de que estava tudo correndo bem com a filha, Selina prolongou a estadia em Londres por quase um mês. *Compreensível*, pensei com meus botões certa noite. Astbury parecia coberta por uma mortalha de desespero. Até mesmo eu, que não tendia a reparar em desconfortos como a falta de água quente ou o reboco caindo aos pedaços na parte externa da casa, tinha consciência de que o lugar estava sucumbindo à ruína.

Além do mais, o filho e herdeiro do casarão, meu amado Donald, continuava servindo no exterior. Ninguém tinha notícias dele havia semanas, e, quando desci até o estábulo com Eleanor para fazer carinho nos cavalos, descansei a cabeça na crina lustrosa de Glory.

– Seu dono vai voltar para casa em breve, eu prometo – sussurrei para a égua.

Quando entrou o mês de agosto, vi os brilhantes milharais irem escurecendo sem ninguém para os ceifar, já que não havia mão de obra suficiente para colher e debulhar o milho. Nas charnecas, ninguém tinha tosado as ovelhas, e os animais passaram o verão inteiro suando sob a pelagem de inverno, quando o calor da sua lã poderia ter abrigado muitos soldados em geladas terras estrangeiras.

E no alto de todo esse caos estava sentada a estoica figura de Maud Astbury. Eu a observava às vezes, tomando chá no gramado diariamente às três e meia em ponto, depois se encaminhando para a capela do casarão às seis, sem mudar em nada sua rotina conforme a propriedade se paralisava à sua volta.

Tentei ser compreensiva e lembrar a mim mesma que quando ela havia se casado com o pai de Donald, 25 anos antes, os tempos eram outros. Não fora criada para assumir sozinha uma responsabilidade tão gigantesca quanto Astbury. Expliquei isso aos criados, que começaram a reclamar da aparente incapacidade da patroa de melhorar aquela situação lamentável.

– Então lady Astbury deveria *aprender* a administrar as coisas, ora – comentou a Sra. Thomas. – Se ela não fizer alguma coisa em breve, não vai sobrar nada quando o jovem patrão voltar!

– Vamos torcer para que não recaia tudo sobre as suas costas, Eleanor – sussurrei certa tarde para a menina ao levá-la para seu passeio vespertino pelo jardim. – Só rezo para que meus espíritos estejam certos e para que o seu tio volte são e salvo.

Recebi o resultado de minhas provas em meados de agosto. Eu tinha sido aprovada com louvor, e o lento e triste verão havia me convencido de que, ao contrário dos outros moradores de Astbury Hall, eu não estava disposta a esperar sentada a guerra terminar para começar minha vida.

Alguns dias depois de Selina voltar de Londres, fui procurá-la.

– Lady Selina, eu decidi que quero mesmo ajudar nos esforços de guerra – afirmei. – Me candidatei ao Destacamento de Auxílio Voluntário.

– Ai, ai. – Selina pareceu desanimada. – A marani de fato comentou que talvez você quisesse fazer isso no fim do verão, mas confesso que eu estava torcendo para você ter esquecido essa ideia.

– Mas eu não esqueci. Começo minha formação de enfermeira em Londres em setembro. Sei que a senhora vai ter que encontrar outra pessoa para cuidar da pequena Eleanor, mas reparei que Jane, a nova jovem criada do povoado, tem uma afinidade especial com a menina, e Eleanor também parece gostar dela. Acho que a senhora talvez constate que a moça pode muito bem cuidar dela.

Selina deu um longo suspiro.

– Bem, Anni, espero que você saiba em que está se metendo. Uma amiga minha entrou para o DAV e durou uma semana lá. Ela acabou tendo de esvaziar comadres! – Selina franziu o cenho. – Acho que não adiantaria nada eu lhe pedir para reconsiderar, de modo que você deve ir, claro. Já eu acho que vou ficar sentada aqui nesta nossa ruína e formar um quarteto para a partida semanal de bridge com minha mãe, o padre e sua irmã de 70 anos!

Por instinto, coloquei minhas mãos sobre sua mão pequena e branca.

– Lady Selina, eu posso lhe garantir que há muita felicidade no seu futuro. Na verdade eu acho que a senhora talvez já tenha pressentido isso quando esteve em Londres.

Ela me encarou abismada.

– Anni, como você sabe essas coisas? Sim, houve um homem lá, mas faz só um ano que eu enviuvei, e minha mãe com certeza não o aprovaria. Ele é estrangeiro, um conde francês que trabalha em Londres para o governo da França como agente de comunicação. – Ela enrubesceu de modo encantador e ergueu os olhos timidamente para mim. – Para ser bem sincera com você, Anni, eu gosto dele bem mais do que deveria.

– Eu garanto, lady Selina, que se a senhora fizer o que manda seu coração e não deixar os outros a convencerem do contrário, tudo ficará bem.

– Obrigada, Anni, obrigada. Você parece dar esperança a todo mundo à sua volta.

– Eu só falo o que a intuição me diz.

– Bem, me permita dizer que *você* também merece alguém especial.

– Obrigada, lady Selina. – Ao me afastar, pensei que eu duvidava que nem mesmo *ela* fosse aprovar se soubesse quem eu desejava que essa pessoa fosse.

22

Novembro de 1918, norte da França

Meu filho, não quero entrar em detalhes sobre o que vi durante o tempo que passei cuidando de nossos pobres rapazes na França. Tenho certeza de que você lerá nos livros de história como foi terrível. Posso dizer apenas que qualquer coisa que os livros possam narrar jamais será capaz de descrever o verdadeiro horror que testemunhei.

Fui mandada para a França poucas semanas depois do início do meu treinamento. Eu tinha me revelado apta, e eles estavam precisando com urgência de enfermeiras para cuidar dos feridos no front. Como no caso de todos que lá estiveram, essa época deixou marcas permanentes na minha alma. O total desespero que senti ao ver a raça humana destruir a si mesma pôs à prova minha fé. Senti-me grata, ao menos, por minha mãe ter me levado consigo quando eu era pequena aos vilarejos de Jaipur, e pelo fato de eu já ter visto sofrimento de verdade. Pelo menos isso me tornou mais preparada do que a maioria.

Vou lhe contar, porém, que esbarrei com Ned, o irmão gêmeo de minha amiga Charlotte. Ele passou alguns dias no meu hospital de campanha por conta de um talho fundo na testa. Fiz-lhe um curativo, e foi um prazer rever um rosto conhecido de uma época mais tranquila da minha vida.

Ned decerto sentiu a mesma coisa, e como sua base era próxima ao nosso hospital, atrás do front, durante nossas raras folgas costumava me levar a uma cidade ali perto chamada Albert, onde tínhamos pelo menos algumas horas de trégua. Conversávamos sobre literatura, arte e teatro – sobre qualquer coisa que não fosse a pavorosa realidade que ambos éramos obrigados a enfrentar todos os dias.

Era com ele que eu estava no dia em que o armistício foi enfim declarado. A essa altura as trincheiras já estavam praticamente vazias, em parte por causa da medonha segunda batalha do Somme, e também pelo fato de que pouco adiantava mandar reforços para servir de novas buchas de canhão, já que estava se tornando cada vez mais evidente que os alemães não teriam outra escolha a não ser a rendição.

Fizemos parte de um grupo de enfermeiras e soldados que foram de jipe até Albert, e nenhum de nós se atrevia a acreditar que pudesse mesmo ser verdade. Soldados de todas as nacionalidades vindos do front enchiam a praça da cidade – ingleses, franceses, americanos, até indianos – e uma banda improvisada tocou nessa noite numa cacofonia eufórica de som e alegria.

Lembro-me bem de alguém soltando fogos de artifício, e de a praça inteira silenciar de repente. Ficamos com os sentidos em alerta, com medo de terem nos informado errado e de aquilo ser o barulho de foguetes alemães. Mas quando os fogos estouraram no céu, as cores vivas e os desenhos luminosos nos garantiram que não.

E foi logo depois dos fogos que alguém deu um tapinha no meu ombro.

Na hora eu estava nos braços de Ned, dançando ao som da Dixieland Jazz Band. Nós paramos de dançar, nos viramos, e ali, parecendo uma versão envelhecida do jovial rapaz de outrora, estava Donald Astbury.

– Anahita? É você?

– Donald! – Eu prendi a respiração, quase sem me atrever a acreditar naquilo.

– Sim. – Ele sorriu. – Selina me escreveu contando que você tinha entrado para o DAV, mas que coincidência encontrá-la hoje!

Como Ned estava batendo continência – Donald era oficial graduado –, fiz as devidas apresentações e os dois apertaram as mãos.

Donald me encarou com um olhar afetuoso.

– Sabe, sargento Brookner, da última vez que eu vi esta jovem, ela tinha quase 15 anos. E agora olhe só para você, Anni! – Ele olhou meu corpo de cima a baixo com um ar de admiração. – Uma mulher feita. Quase não a reconheci. E também foi Anni quem me disse que eu iria sobreviver à guerra – explicou Donald para Ned. – Muitas vezes nas trincheiras eu olhava a sua carta, Anni, e acreditava que iria sobreviver. – Ele de repente sorriu, e seu rosto cansado e cinzento se acendeu. – Então aqui estou!

Os músicos começaram a tocar "Let Me Call You Sweetheart".

– Amigo, você se importaria se eu dançasse essa com Anni? – perguntou Donald a Ned.

– É claro que não, senhor – disse Ned, com um quê de tristeza na voz.

– Obrigado. Venha, Anni, vamos celebrar este dia feliz. – Donald me pegou pela mão e me conduziu para o meio da multidão.

Sinto vergonha em dizer que não voltei para os braços de Ned naquela noite. Donald e eu passamos a noite inteira dançando na praça daquela cidade do norte da França como se nossas vidas estivessem apenas começando. E talvez, sob muitos aspectos, elas de fato estivessem.

– Não consigo acreditar no quanto você cresceu! – disse-me ele uma centena de vezes. – Como você está linda, Anni!

– Por favor... – Eu ficava vermelha toda vez que ele dizia isso. – Tenho esse vestido há três anos, e faz mais de um ano e meio que não corto os cabelos.

– Seus cabelos são maravilhosos – disse Donald, correndo os dedos pelo meio dos fios. – *Você* é maravilhosa! O destino quis que nos encontrássemos aqui hoje.

Compreendi que naquela noite todos agiam movidos por uma espécie de euforia que é impossível descrever. Enquanto Donald me cobria de elogios e dizia que tinha pensado em mim todos os dias nos últimos três anos, guardei essas palavras numa caixinha longe do meu coração, pois compreendia por que ele as estava dizendo.

Conforme o lugar foi se esvaziando aos poucos naquela noite gelada de novembro, fomos nos sentar na borda do chafariz, no centro da praça, e ficamos admirando as estrelas no límpido céu noturno.

– Quer um cigarro? – ofereceu ele.

Aceitei, e ficamos sentados bem juntos fumando, cúmplices.

– Ainda não consigo acreditar que acabou – disse ele com assombro.

– É, mas eu preciso voltar para o hospital em breve. Ainda tenho muitos pacientes doentes e feridos que precisam de mim, com ou sem armistício.

– Com certeza eles devem ter se recuperado muito bem sob os seus cuidados, Anni. Você realmente nasceu para ser enfermeira.

– No futuro eu preferiria ver mais pacientes meus sobreviverem. – Estremeci. – Eu fiz tudo que pude, mas em muitas ocasiões simplesmente não tive como ajudar. Talvez queira continuar depois que a guerra acabar.

– A guerra *acabou*, minha cara – provocou Donald, e ambos rimos da frase que o mundo havia usado diariamente nos últimos quatro anos.

– Agora eu tenho mesmo de ir. A enfermeira-chefe já vai me esfolar viva.

– Duvido, não esta noite. Mas se precisa mesmo ir, vou acompanhá-la.
– Mas não é fora de mão para você? – perguntei, me levantando.
– Não faz mal. Eu hoje me sinto capaz de andar um milhão de quilômetros.

Saímos do vilarejo de braços dados e seguimos pela estrada deserta, em cujo ar ainda pairava o cheiro acre causado por meses de bombardeios.

– Sabe, eu acredito mesmo que você foi meu talismã – disse Donald quando estávamos nos aproximando da entrada do acampamento onde ficava o meu hospital. – Eu saí das trincheiras tantas vezes que nem sei dizer, mas mesmo assim nunca sofri sequer um arranhão.

– Eu sabia que você tinha nascido com sorte. – Dei-lhe um sorriso.

– Pode ser, mas você me ajudou a acreditar nisso. E essa foi a parte mais importante. Boa noite, Anni.

Donald então se abaixou e me beijou. E fico envergonhada de dizer que o beijo só terminou depois de muito tempo.

As duas semanas seguintes foram de muito trabalho para mim, pois tivemos de remendar os soldados que ainda estavam no hospital de modo a prepará-los para a viagem de volta à Inglaterra. Donald vinha toda noite no seu jipe me levar para sair. As outras enfermeiras erguiam as sobrancelhas e davam risadinhas entre si.

– Nossa Anni arrumou um namorado, e, além disso, é oficial! E ele ainda tem os dois braços e as duas pernas. Que sorte a sua! – disse uma delas sem maldade.

Tentei a todo custo proteger meu coração de Donald e do estrago que eu sabia que ele podia lhe infligir. Naquele precioso intervalo de tempo que compartilhamos – um mundo sem regras nem convenções, e sem a sociedade para nos dizer como deveríamos nos comportar ou quem deveríamos amar –, nenhum de nós falou sobre o futuro. Apenas vivemos o momento presente, e aproveitamos cada segundo.

Conforme esse tempo foi acabando e a minha data de partida pelo Canal da Mancha com meus pacientes se aproximava, a intensidade entre nós atingiu um ápice.

– Vamos nos ver em Londres, não é? – perguntou-me Donald, aflito, em nossa última noite juntos. – E você vai passar um tempo em Astbury? Sabe que todo mundo lá a adora.

– Menos a sua mãe. – Sentada confortavelmente no jipe abraçada com ele, revirei os olhos.

– Não se importe com isso, ela não gosta de ninguém. Meu Deus, quando a guerra estava no auge, eu mal podia esperar que terminasse, mas agora que preciso pensar em encarar minha mamãe e a casa, me sinto bem menos eufórico. – Ele fez uma careta. – Astbury foi transferida oficialmente para o meu nome quando fiz 21 anos, algumas semanas atrás. Então ela agora é de minha inteira responsabilidade.

– É, acho que você vai ter algum trabalho para fazer lá – respondi, num tremendo eufemismo.

– Onde você vai ficar quando voltar?

– Tem um albergue para enfermeiras perto do hospital para onde vou ser mandada com meus pacientes – respondi. – Fica em Whitechapel, e até segunda ordem é lá que eu vou trabalhar.

– Anni, não volte hoje – pediu Donald, com uma súbita urgência na voz. – Venha comigo até o vilarejo. Eu tenho um quarto lá. No mínimo podemos passar mais algumas horas juntos...

– Eu...

– Ora, eu sou um cavalheiro, não faria nada que comprometesse a sua virtude.

– Shh – interrompi, sem conseguir me conter. – Eu vou.

É claro que, como sempre aconteceu no mundo inteiro, naquela noite foi impossível duas pessoas apaixonadas não desejarem se unir tornando-se uma só. Naquele quartinho escuro, com a luz suave da praça a entrar por entre as persianas, não senti um pingo de culpa quando Donald tirou minhas roupas. Quando ele beijou meu corpo inteiro e nos entregamos um ao outro, senti uma fé renovada nos deuses e na humanidade.

– Eu amo você, Anni, meu amor, preciso ficar com você – gemeu ele. – Preciso de você, preciso...

– Eu também amo você – sussurrei no seu ouvido conforme nossa urgência se intensificava. – E vou amar para sempre.

23

Não vi Donald no primeiro mês depois de voltarmos para a Inglaterra. Era Natal, o primeiro que ele passava com a família em Astbury Hall em três anos. Mas ele me escreveu todos os dias, cartas longas e cheias de emoção, dizendo o quanto sentia a minha falta, que me amava, e que mal podia esperar para estar comigo outra vez.

Eu lhe respondia contando meu cotidiano no hospital. Embora meu coração estivesse quase explodindo de amor por ele, eu me continha e não deixava esse amor se derramar de forma tão completa no papel quanto ele fazia. Agora que estava de volta à Inglaterra, meu lado pragmático sabia que eu não podia me permitir ser inteiramente arrebatada por ele, pelo simples fato de não conseguir enxergar um modo de ficarmos juntos no futuro. Graças aos deuses o trabalho não parava no Hospital de Londres em Whitechapel, e numa tarde logo depois do Ano-novo fui chamada à sala da enfermeira-chefe, que me pediu para sentar.

– Enfermeira Chavan, falei sobre você hoje na minha reunião semanal com os médicos. Todos concordamos que a senhorita tem uma aptidão especial para a enfermagem. Seu histórico na França fala por si, e até agora o seu trabalho aqui tem sido da melhor qualidade.

– Obrigada – respondi, grata pelo elogio. Não era algo frequente.

– Antes de ir para a França a senhorita recebeu apenas um treinamento básico de enfermeira auxiliar, correto?

– Sim, mas quando estava na França todos tinham que contribuir, e aprendi muitas coisas com os médicos enquanto trabalhava. Sei suturar, fazer curativos, aplicar injeções, e também auxiliei os médicos nas muitas cirurgias de emergência que eles precisaram realizar.

– Sim, eu sei de tudo isso. A senhorita possui também uma atitude calma e firme que desperta confiança nos pacientes. Já vejo que as enfermeiras mais treinadas a admiram e respeitam. Sendo assim, o hospital gostaria de lhe sugerir continuar sua formação e obter as qualificações necessárias para se tornar enfermeira, e depois disso quem sabe chefe de enfermaria.

Fiquei abismada; não sabia que tinham reparado tanto na minha habilidade.

– Obrigada. Sinto-me honrada.

– A senhorita continuaria baseada aqui, mas três dias por semana iria para o nosso hospital universitário aprender o lado técnico da enfermagem que lhe falta. Receberia a qualificação oficial de enfermeira daqui a um ano. O que lhe parece?

– Eu gostaria muito de fazer o curso – respondi.

– Ótimo. Vou matriculá-la agora mesmo, e pode começar na semana que vem.

Obrigada.

Então me levantei e saí da sala. Do lado de fora, dei um pulinho involuntário de alegria ao pensar no orgulho que meu pai e minha mãe teriam sentido. Dois dias depois, para completar minha felicidade, Donald chegou a Londres. Hospedou-se na casa dos Astbury na Belgrave Square, onde Selina atualmente residia com a pequena Eleanor e com Jane, ama-seca da menina, que eu havia sugerido para trabalhar no meu lugar.

Ciente de que ele iria chegar, tirei o dia de folga no hospital e peguei um ônibus até a Selfridges para gastar parte do meu suado salário num casaco novo e muito estiloso para usar na ocasião. Quando me aproximei de Piccadilly Circus, onde tínhamos combinado de nos encontrar debaixo da estátua de Eros, meu coração começou a bater forte dentro do peito. Talvez Donald tivesse mudado de ideia e não fosse mais vir, pensei, vasculhando a multidão em busca do seu rosto conhecido. Mas ele enfim apareceu, tão ansiosamente à minha procura quanto eu vinha procurando por ele. Veio até mim e me tomou nos braços.

– Meu amor, meu Deus, como senti sua falta! – Ele ergueu meu queixo para examinar meu rosto. – Você sentiu a minha?

– É claro que sim, e tenho muita coisa para contar. Vamos tomar chá em algum lugar? – sugeri.

– Vamos. – Ele enterrou o rosto no meu pescoço. – Ainda que tomar chá seja a última coisa em que estou pensando agora. Mas enfim, vai ter de servir.

Fomos nos sentar na Lyon's Corner House de Shaftesbury Avenue, e ficamos conversando até o sol se pôr. Donald se mostrou encantador, e pareceu tão animado quanto eu em relação à minha promoção.

– Você é uma enfermeira maravilhosa – disse ele com admiração. – Todos os soldados que eu conheço e que passaram pelas suas mãos habilidosas na França se lembram de você. E minha irmã a adora, claro. Por falar nisso, eu contei a ela que iria encontrá-la hoje, e Selina disse que ela e Eleanor também adorariam vê-la. Que tal se você for lá em casa amanhã à noite? Poderia ver Eleanor e depois ficar para jantar com Selina, comigo e com o novo *amour* da minha irmã, Henri Fontaine.

– Lady Selina se apaixonou? Eu sabia! – A notícia me fez bater palmas de alegria.

– Sim, perdidamente – confirmou Donald. – Embora, por motivos que você pode entender, minha mãe ainda não saiba de nada. Ela não iria gostar nem um pouco.

– Vou ter de consultar minha escala, mas acho que consigo dar um jeito. Vai ser bem mais fácil depois que eu começar a universidade na semana que vem. Minhas aulas terminam às quatro. Lady Selina está sabendo sobre... sobre nós dois? – perguntei, hesitante.

– Bem, eu não entrei em detalhes, sobretudo no Natal com minha mãe por perto, mas Selina com certeza sabe que eu estive muito com você na França. – Ele sorriu. – E é claro que ela vai adivinhar na mesma hora em que nos vir juntos.

– E você não se importa que ela saiba?

– Anni, por que raios eu iria me importar? Selina adora você, e além do mais ainda precisa contar para nossa mãe o que a faz vir tanto para Londres – acrescentou Donald.

– Sua mãe não gosta de estrangeiros em geral – concordei em voz baixa.

– Minha mãe vive no passado, numa outra época. Você sabe disso, Anni.

– Sim, eu sei. Mas...

– Shh! – Donald levou um dedo aos meus lábios. – Ela não está aqui agora, e não quero que o seu fantasma estrague este raro momento que temos juntos.

Olhei para o relógio e me dei conta de que faltava menos de uma hora para o toque de recolher no albergue das enfermeiras.

– Preciso ir – falei.

– Precisa mesmo?

– Sim.

Donald gesticulou pedindo a conta, e juntos saímos para o frio do lado de fora. Na caminhada de volta até Piccadilly Circus para que eu pudesse pegar o ônibus, ele me puxou para um vão de porta e me beijou com paixão.

– Então nos vemos amanhã na nossa casa? – perguntou, soltando-me enfim. – Belgrave Square, número 29. Tenho reunião no clube às seis com o gerente de banco da família, então, dependendo do nível de catástrofe das finanças, pode ser que me atrase um pouco.

– A situação está muito ruim?

– Para ser bem franco, Anni, se o banco se recusar a prolongar o empréstimo, não vou ter outra opção senão vender tudo, a casa e as terras. – Donald suspirou. – Então, sim, infelizmente a situação não poderia ser pior.

– Não desista ainda. Nos vemos amanhã. – Dei-lhe um beijo e corri para subir no ônibus.

Na noite seguinte, fui até a Belgrave Square. Selina e Eleanor ficaram muito felizes em me ver, bem como Donald previra.

– Anni, que prazer tê-la aqui! – exclamou Selina. Ela me levou até Eleanor, que olhava um livro de figuras sentada num tapete em frente à lareira. – Olhe, Eleanor, é Anni.

A menina não demorou a subir no meu colo, e Selina chamou a criada para pedir que trouxesse chá.

– Agora, enquanto Donald não chega, quero que você me conte tudo sobre suas aventuras na França. – Ela me abriu um sorriso cúmplice. – E sobre como o encontrou lá, claro.

Narrei-lhe uma versão cuidadosamente editada da minha temporada trabalhando como enfermeira atrás do front, e um esboço breve do meu reencontro com Donald. Selina pediu a Jane que colocasse Eleanor para dormir, e quando ficamos a sós prosseguiu seu interrogatório.

– Ah, Anni, quer dizer que você e Donald se reencontraram no dia do armistício, e depois viraram a noite dançando na França. Que maravilha, que romântico. – Ela se inclinou na minha direção e baixou a voz. – Mas acho que você não está me contando tudo. Conheço meu irmão caçula muito bem, e assim que o vi soube que ele estava apaixonado. Ah, Anni, pode confiar em mim. Se for por você, eu vou achar encantador! – Ela deu sua risada melodiosa.

– Acho que essa pergunta a senhora teria de fazer para Donald.

– Farei isso, não se preocupe. Lembre-se, foi você quem disse que havia uma pessoa esperando por *mim*. E você tinha razão, Anni, havia mesmo. Estou muito, muito feliz.

– Fico realmente feliz pela senhora, lady Selina.

– Por favor, me chame de Selina; de um modo ou de outro, para mim é como se fôssemos quase da mesma família. – Ela sorriu, então continuou. – Enfim, vou confiar em você e lhe dizer que estou perdidamente apaixonada por Henri, e que planejamos nos casar o quanto antes, independentemente do que minha mãe diga. Espero mesmo que você goste dele; ele vai chegar a qualquer momento. Sabe, Anni, eu às vezes me culpo porque nunca senti pelo pobre finado pai de Eleanor o que sinto por Henri.

– Entendo, mas nós não escolhemos quem amamos, não é? – respondi.

– É, pelo visto não. Hugo era um bom homem e perfeito para mim em termos de status, como minha mãe sempre disse, mas nunca arrebatou meu coração.

– E vocês vão ficar aqui em Londres ou se mudar para a França?

– Um pouco de cada, acho eu. Henri tem um *château* no sul do país, tudo indica que é uma beleza, mas ele também adora Londres.

Naquele momento, Donald entrou na sala. Parecia cansado, mas seus olhos se iluminaram quando ele me viu. Fez menção de ir até mim, mas então viu a irmã sentada na minha frente e se conteve.

– Selina, você hoje está mais linda do que nunca – elogiou-a. – E Anni, como vai? – Ele segurou minha mão e a beijou, dizendo com os olhos o que não podia demonstrar com o corpo.

– Vou bem, Donald, obrigada – respondi, formal, com um brilho travesso nos olhos.

Reparei que Selina nos observava com fascínio, mas antes que ela fizesse mais perguntas a qualquer um de nós dois, a porta da sala tornou a se abrir, e a criada fez entrar um homem muito baixinho, de bigode e cabelos de um comprimento considerado decididamente boêmio na Inglaterra.

– Bem-vindo, Henri. – Selina foi até ele, e os dois também optaram pela formalidade. – Permita-me apresentar lorde Donald Astbury, meu irmão, e nossa amiga Srta. Anahita Chavan.

– *Enchanté, mademoiselle* – disse o conde ao beijar minha mão.

– Então, quem gostaria de beber o quê? – perguntou Selina.

Uma vez todos acomodados e após um jantar regado a vinho, baixamos nossas guardas. Começamos os quatro a debater os planos de Selina e Henri para o futuro.

Em determinado momento, Henri se inclinou na minha direção e sussurrou:

– A mãe deles é mesmo tão assustadora quanto Selina me descreve?

– Infelizmente sim. E ela não gosta de estrangeiros.

Compartilhando uma situação análoga, jogamos as cabeças para trás e rimos da ironia daquele jantar. Enquanto Donald escorregava a mão por baixo da mesa e a pousava no meu joelho, Henri continuou suas confidências.

– Vou a Devon com Selina daqui a quinze dias contar para *madame Le Dragon* que desejo me casar com sua filha. Serei devorado vivo?

– Há grandes chances de o senhor voltar com um ou dois dedos faltando. Mas duvido que ela vá tocar no resto. O senhor é francês, afinal, e não iria apetecer ao paladar dela.

Depois do jantar, Donald e Henri continuaram sentados à mesa tomando conhaque e fumando charutos, enquanto Selina e eu nos retiramos para a sala anexa.

– Henri não é maravilhoso? – perguntou ela, sentando-se satisfeita na poltrona junto à lareira.

– Gostei muito dele, sim. Acho que será um bom marido para você – garanti.

– Quanto a você, posso ver que Donald a adora tanto quanto Henri a mim. Quem sabe não fazemos um casamento duplo? – disse ela, deixando escapar uma risada.

– Selina, eu acho que a sua situação é muito diferente da de Donald – afirmei, subitamente grave. – Ele é o herdeiro de Astbury. Como me confidenciou um dia, vai ter de se casar com alguém que o ajude a salvar a propriedade. Você sabe muito bem como ela precisa de reformas.

– Você tem razão, mas eu não participo dessa parte dos negócios, sabe.

– Bem, Donald me disse que a situação financeira da família é calamitosa.

– Mas com certeza ele precisa de alguém forte como você ao seu lado, para apoiá-lo enquanto ele tenta reerguer a propriedade, não acha? – rebateu Selina.

– Infelizmente nós duas sabemos que a sua mãe não terá a mesma opinião.

– Anni, você o ama?

– Mais do que tudo neste mundo – respondi, sincera. – Mas, Selina, eu não quero estragar o futuro dele. Não tenho dote, e as pessoas na Inglaterra ainda torcem muito o nariz para casamentos inter-raciais. Não que Donald tenha pedido a minha mão, claro – arrematei depressa.

– Que bobagem! Na semana passada mesmo eu recebi uma carta de Minty, irmã mais velha de Indira, contando que uma das suas amigas recentemente se casou com um inglês.

– Sim, e talvez a amiga dela fosse uma princesa, não uma simples ama--seca. – Suspirei. – Nós duas sabemos que a sua mãe ficaria horrorizada.

– A minha mãe que se conforme! Donald é maior de idade, tem o título de lorde Astbury, e manda na propriedade *e* no próprio destino. Você o faz feliz, Anni. O que mais importa?

Não conversamos mais sobre o assunto, pois os homens chegaram à sala para se juntar a nós. Olhei para o relógio e vi que passava das onze. Eu conseguira autorização para ficar fora até mais tarde, mas tinha de estar de volta ao albergue das enfermeiras antes da meia-noite.

– Preciso ir – falei baixinho para Donald, sem querer pôr fim à noite.

– Claro. Vou chamar um táxi para levá-la.

Eu me despedi de Selina e Henri, e Donald desceu junto comigo os degraus da frente. Enquanto esperávamos um táxi passar na Belgrave Square, me virei para ele.

– Como foi a reunião com o gerente do banco?

– Tão terrível quanto eu imaginava – respondeu ele. – A propriedade está quase falida, e hoje me disseram categoricamente que o banco não pode prolongar o empréstimo. Minha mãe deixou o lugar virar uma ruína, e não tomou nenhuma medida.

– Eu sinto muito, Donald – falei suavemente.

– Bom, como o gerente me disse, eu não sou o único a chegar em casa depois de quatro anos de guerra e deparar com uma situação assim. O problema é que as coisas começaram a degringolar bem antes. Faz dez anos que meu pai morreu. Resultado: a propriedade vai precisar ser vendida. Simples assim.

– Talvez seja simples para você, mas acha que a sua mãe vai aceitar? – perguntei a ele.

– Ela vai ter de aceitar, assim como todos nós. Não há outra escolha. – Ele ergueu a mão para chamar o táxi. – Infelizmente nada mais é como antes.

Dei o endereço ao motorista, e Donald pôs uma nota na minha mão enquanto me abraçava.

– Vejo você amanhã? – perguntou ele.

– Só acabo meu turno às oito.

– Então vou encontrá-la e vamos jantar em algum lugar em Whitechapel.

– Acho que você não vai gostar de lá – falei, enquanto o táxi se preparava para partir.

– Eu também não gostava muito da França até reencontrar você. – Ele sorriu. – Nos vemos em frente ao hospital às oito. Boa noite, Anni.

Afundei no assento de couro macio e comecei a pensar nos acontecimentos da noite e no que Selina tinha dito. Se a propriedade de Astbury precisasse de fato ser vendida, então talvez houvesse uma chance de futuro para mim e Donald.

Perigosamente, pela primeira vez, comecei a imaginar tal possibilidade.

Ao longo das duas semanas seguintes, Donald e eu demos um jeito de nos ver todos os dias. Como Selina tinha retornado a Astbury Hall para preparar o terreno com a mãe antes da chegada iminente de Henri e do anúncio do seu noivado, Donald e eu ficamos com a casa de Londres só para nós.

– Pode ser que a enfermeira-chefe desista de mim por me achar pouco dedicada, sabe? – falei certa noite quando Donald e eu estávamos deitados satisfeitos na cama enorme. – Já peguei sete autorizações para passar a noite fora nas duas últimas semanas.

– Mas ela sabe que a sua "tia", prima da marani de Cooch Behar em pessoa, está na Inglaterra e quer ver a sobrinha – brincou Donald, acariciando suavemente os meus cabelos. – Escute, Anni. – Ele me encarou, sério de repente. – Preciso voltar para Devon muito em breve e falar com minha mãe sobre a venda da propriedade. Queria deixar para depois de Selina anunciar que vai se casar com Henri. Ter tantos choques de uma vez só talvez seja demais para ela.

– Claro.

– E também tem nós dois…

– Como assim?

– Você *sabe* o que eu quero dizer. Nós dois – repetiu ele. – Eu amo você, Anni. Você é minha melhor amiga, minha amante, e a mulher mais sábia e mais linda que eu já conheci. E quero que você seja minha esposa.

Encarei-o estupefata.

– Esposa?

– É, Anni, minha esposa. Por que você está tão surpresa? Eu simplesmente não posso suportar a ideia de viver sem você. Que motivo melhor pode haver para se casar?

– Nenhum. Mas...

– Sem mas. – Ele levou um dedo aos meus lábios. Envolveu-me nos braços, e nos ajeitamos até achar outra posição mais confortável. – Eu sei que você conhece os problemas que estou tendo de enfrentar, e preciso lidar com eles um de cada vez. Mas quero que saiba que estou decidido a me casar com você. Espero que entenda que, diante das circunstâncias, você não vai ser a castelã de um casarão. Na verdade não vai sobrar muita coisa nem depois de a casa ser vendida, principalmente porque vou precisar comprar um lugar adequado para minha mãe com o dinheiro da venda. Estava pensando que talvez nós devêssemos morar aqui em Londres, e comprar uma casa menor no interior quando tivermos nossos pequenos.

– Ah, Donald. – Nessa hora eu comecei a chorar.

– O que foi, meu amor?

– É que... – Assoei o nariz e tentei outra vez. – É que eu estou chocada por você ter considerado seriamente um futuro comigo.

– Por quê? Você não considerou? – Ele pareceu estarrecido e um pouco chateado.

– Donald, será que você não entende que eu não ousei pensar nisso? Nós somos de mundos inteiramente diferentes: eu sou uma enfermeira indiana sem um tostão, e você é um membro da aristocracia.

– Você tem origem nobre no seu país – lembrou-me ele.

– Sim, mas assim como a sua família, a minha enfrentou tempos difíceis. Minha mãe se casou por amor, entende?

– Então pronto. – Ele sorriu.

Tomei coragem para dizer o que precisava ser dito.

– Mas Donald, você precisa entender que não é só a sua mãe que vai se opor ao nosso casamento. Eu já sofri preconceito muitas vezes na Inglaterra por causa da minha raça e da cor da minha pele. Tem certeza de que vai conseguir viver com o estigma de ter uma esposa indiana?

– Eu adoro a linda cor da sua pele, meu amor – disse ele, beijando meu pescoço. – Para ser franco, nem faria questão de conhecer quem pensa diferente.

Ergui os olhos para ele; nunca o havia amado mais do que naquele momento.

– Você é um homem muito fora do comum, Donald Astbury.

– E você é uma mulher extraordinária. Eu a adoro.

Quando ele partiu para Devon no dia seguinte, de fato comecei a imaginar nosso futuro. E aos poucos a caixa dentro da qual havia guardado meus sentimentos por ele começou a criar fendas e a rachar.

24

Enquanto Donald estava em Devon, decidi mergulhar de todo no meu curso de enfermagem. Sabia que não vinha me concentrando por completo, e independentemente do que o futuro nos reservasse, aquela era uma conquista que eu queria para mim.

Talvez seja verdade aquilo que dizem sobre sermos amadas: isso cria uma aura de felicidade e autoconfiança que os outros acham irresistível. Eu nunca havia sido convidada para tantos bailes e programas pelos médicos do meu hospital quanto naquela época.

– Você é a garota do momento – disse uma das enfermeiras quando recusei mais uma vez o convite de um jovem e atraente cirurgião.

Pela primeira vez na minha vida, ela parecia estar certa.

Desde então, aprendi que nunca se deve ser leviano em relação a um período especial na vida. É sempre muito efêmero esse instante em que nos sentimos invencíveis, e entristece-me dizer que o meu momento teve um fim abrupto pouco depois. Uma semana após Donald partir para Devon, recebi uma carta no albergue de enfermeiras encaminhada por Selina.

Palácio de Cooch Behar
Cooch Behar
Bengala

Dezembro de 1918

Minha querida Anni,
Não faço ideia de onde você está morando desde que voltou da França algumas semanas atrás, mas pensei que os Astbury pudessem saber. Talvez nesse meio-tempo você tenha escrito mandando seu novo endereço, mas ambas sabemos como o correio indiano pode ser vagaroso. Tudo que posso

dizer é que todos nós aqui estamos muito orgulhosos de seu trabalho como enfermeira no front. E espero que você esteja bem e finalmente consiga encontrar seu caminho depois da turbulência dos últimos quatro anos.

Assim sendo, é difícil para mim escrever esta carta, pois detesto distrair sua atenção da sua própria vida. Mas preciso da sua ajuda.

Como ambas sabemos, Indira se apaixonou muito tempo atrás pelo príncipe Varun. Com o fim da guerra, os preparativos para o casamento dela estão avançando. Mas ela se recusa terminantemente a desposar o marajá de Dharampur. Já tentamos todos convencê-la, dizendo-lhe que ela não tem escolha – você pode imaginar o escândalo se ela recusasse agora – e que o marajá é um homem bom, apesar de um pouco mais velho do que ela. Indira precisa cumprir seu dever para com a sua família, não importando o que o seu coração lhe diz.

Ela no momento se nega a comer, na verdade sequer a sair da cama. Me diz que prefere ficar deitada ali e morrer do que se casar com um homem que não ama. Ninguém no palácio consegue trazê-la à razão, e eu imploro a você, Anni, como alguém que ela ama e respeita e em quem confia: volte para casa, mesmo que por um tempo curto, e nos ajude a fazê-la entender qual é o seu dever. Todos nós sentimos que você talvez seja a única pessoa neste mundo que ela irá escutar.

Anexo a esta carta uma passagem de primeira classe de volta para a Índia. O bilhete está em aberto, uma vez que não faço ideia do tempo que esta carta vai demorar para chegar às suas mãos, mas tudo que você precisa fazer é entrar em contato com o escritório da companhia de navegação e combinar a data exata em que deseja partir.

Sei que é pedir muito, mas além disso faz tempo que você não visita o seu país natal, e nós a amamos profundamente.

Minha querida Anni, precisamos de você.

Com amor e meus mais sinceros cumprimentos...

A carta estava assinada "Ayesha" e trazia o selo real da marani impresso abaixo da assinatura.

Fiquei sentada na minha cama estreita no albergue com os pensamentos em turbilhão, acossada por lembranças do passado. Minha imersão na minha nova vida inglesa tinha sido tão completa que era difícil até mesmo visualizar o palácio, ou o rosto das pessoas que um dia tinham significado tanto para mim.

Vários pensamentos passaram pela minha cabeça, e o principal deles foi: o que Donald iria dizer?

Não era demais me pedir que jogasse tudo para o alto e voltasse, mesmo que por um tempo breve, para uma vida da qual eu me despedira tempos atrás? Fiquei andando de um lado para o outro pelo meu dormitório e dei-me conta de que, mesmo que eu passasse apenas duas semanas na Índia, a viagem de ida e volta levaria cerca de dois meses. Era um momento péssimo, não poderia ter sido pior.

Mas eu sabia também que tudo que eu era, e tudo que tinha na vida agora, era graças à marani e à sua família, que haviam me apoiado e cuidado de mim quando ninguém mais tinha feito isso. Na última vez que eu a vira, ela havia me dado uma escolha, mas dessa vez eu sabia que não tinha escolha nenhuma.

– É mesmo uma pena – suspirou a enfermeira-chefe na manhã seguinte, quando lhe informei que precisava voltar para a Índia com urgência, por conta de uma questão familiar. – Tem alguma ideia de quando vai voltar?

– Espero que em menos de três meses – garanti.

– Bem, o que sugiro fazermos é lhe conceder uma licença por motivo de luto familiar. Assim conseguimos manter sua vaga tanto aqui no hospital quanto no curso de enfermagem. Não queremos perdê-la.

– Eu sinto muitíssimo decepcioná-la, mas tenho de ir. É um assunto de família.

– Bem, certifique-se apenas de que possa *mesmo* voltar, sim, enfermeira Chavan?

– É claro que eu vou voltar. – Sorri-lhe confiante e me levantei para sair. – Minha vida inteira agora está na Inglaterra.

Como a marani tinha me pedido, fui ao escritório da companhia de navegação e reservei um lugar no navio seguinte disponível. Mandei-lhe um telegrama com a data da minha chegada, então me preparei para contar para Donald, que chegaria de Devon dali a poucos dias. Como eu sabia que aconteceria, ele ficou consternado quando lhe contei.

– Ah, Anni – falou assim que lhe dei a notícia na primeira noite. – Você precisa mesmo ir?

– Sim. Eles são a coisa mais próxima de uma família que eu tenho. A marani foi muito boa comigo quando eu era pequena e perdi minha mãe. Foi ela quem me mandou para a Inglaterra para começo de conversa, e foi ela quem pagou meus estudos aqui.

– Mas o que você vai poder fazer? – insistiu ele. – Se Indira decidiu não se casar com esse tal marajá, não acho que ninguém, nem mesmo a sua amiga de infância, vá conseguir fazê-la mudar de ideia. Ninguém poderia me dizer para parar de amar você – acrescentou com um sorriso triste.

– Tem razão, duvido que eu possa fazer alguma coisa, mas a marani me chamou e não posso decepcioná-la.

– Quanto tempo vai ficar fora?

– Uns três meses, eu acho.

Donald segurou minhas mãos e as apertou com força.

– Nem um dia a mais, promete?

– Tudo que posso prometer é que voltarei para a Inglaterra no instante em que for possível – falei, franzindo o cenho.

– Faz muito tempo que você não vai à Índia. Talvez seus encantos a convençam a ficar lá.

– Isso não vai acontecer – retruquei, firme. – Mas fale-me sobre Devon, e conte como sua mãe recebeu a notícia do noivado de Selina.

– Foram dez dias infernais – admitiu Donald. – Quando cheguei, Selina me contou que a nossa mãe quase desmaiou de choque quando ela disse que iria se casar com Henri e muito provavelmente morar na França. Como era natural, proibiu minha irmã de fazer isso; e disse que, se ela se atrevesse a desposar Henri, nunca mais iria recebê-la em Astbury nem lhe dar um tostão. Não que ela tenha qualquer tostão para dar a Selina – emendou Donald, acabrunhado. – Alguns dias depois, quando cheguei, ela havia caído de cama e se recusava a se levantar. Disse que estava doente e não queria ver ninguém. É bem verdade que estava resfriada, mas quando consegui entrar no quarto dela vi que estava longe de correr risco de vida. – Ele suspirou. – Mas como ela reagiu tão mal à notícia de Selina e estava obviamente fragilizada, não achei adequado lhe dizer que a propriedade teria de ser vendida. Nem que eu estava apaixonado por você, meu amor – acrescentou ele.

– É, isso com certeza teria sido um choque excessivo para ela – concordei.

– Então por enquanto nós estamos num impasse. E agora, sabendo da sua notícia, acho que quando você partir para a Índia eu vou para Devon começar a procurar um comprador para a propriedade. E tentar escolher o momento certo para contar para minha mãe.

– Não gostaria de estar no seu lugar, Donald. E Selina, onde está agora? – perguntei.

– Embarcou rumo à França com Eleanor e Henri. Está levando a filha para conhecer o *château* dele na Provença. Que sorte a dela – devaneou Donald. – Eu bem que gostaria de zarpar com você rumo à Índia.

– Eu também gostaria disso – respondi, sincera.

Passamos um tempo sentados em silêncio, ambos considerando o que o destino tinha nos reservado.

– Você vai me escrever, não vai? – pediu ele.

– É claro que vou. E não vai ser por muito tempo. Tenho certeza de que a venda de Astbury vai manter você ocupado.

– Nem me lembre disso. Pensar em passar os próximos meses na companhia apenas da minha mãe me dá um arrepio na espinha. E eu tenho mesmo a intenção de contar para ela, Anni, não só sobre a propriedade, mas sobre nós e nossos planos para o futuro – explicou ele. – Na verdade eu tinha planejado pedir você oficialmente em casamento depois de contar para ela. Fazer como manda o figurino, me ajoelhar, lhe dar uma aliança. Mas no mínimo quero que você entenda, antes de viajar, o quanto estou levando a sério você e o nosso futuro. Nós vamos nos casar, Anni, eu juro. É isso que você quer, não é?

– Sim, quero tanto que até me assusto – respondi, sincera.

– Quer dizer então que você me ama, meu amor?

– É *claro* que eu o amo.

– Às vezes acho você bem mais inglesa do que eu, pela maneira como é capaz de controlar os próprios sentimentos – brincou ele. – Como você sabe, eu nunca fui muito bom nisso. Demonstro tudo que sinto e sempre fui assim. Mas então, podemos por enquanto dizer que estamos extraoficialmente noivos? – Ele beijou delicadamente as pontas dos meus dedos.

Encarei-o com todo o amor que sentia arder nos meus olhos.

– Sim, eu gostaria disso. Gostaria muito mesmo.

Nos dias seguintes, com todas as minhas barreiras derrubadas pela ameaça da separação e pela determinação inabalável de Donald para que ficássemos juntos, demonstrei de modo aberto e sincero meu amor por ele. Já de licença do hospital, tive de sair do albergue de enfermeiras, então peguei minha mala e me mudei para a Belgrave Square. Ele, por sua vez, deu uma semana de folga para a empregada, de modo a termos total privacidade.

Nós agíamos como qualquer casal jovem e apaixonado: passávamos o dia passeando pelos lindos parques de Londres e as noites, enroscados na cama dele. Mandei a cautela às favas nesse aspecto, e não tomei o cuidado que deveria ter tomado para me proteger, mas naquele momento nada importava mais do que o nosso amor desimpedido.

Donald me levou até Southampton no dia da minha partida para a Índia. Subiu a bordo comigo e admirou a cabine elegante na qual eu tinha sido acomodada.

– A princesa retorna ao seu palácio. – Sorrindo, ele me puxou para a imensa cama e me abraçou. – Acha que alguém iria reparar se eu me escondesse debaixo do seu colchão e viajasse como clandestino?

– Tenho certeza de que não.

– Ah, como eu queria poder fazer isso – suspirou ele, e nessa hora a sirene do navio tocou, indicando que estava na hora de todos os não passageiros saltarem, pois ele ia se preparar para zarpar. – Mas acho melhor eu ir para casa e tentar arrumar um jeito de sustentá-la da maneira que você está acostumada – disse ele, tentando aliviar a tensão.

– Donald, você sabe que eu não ligo para luxo.

– Ora, que bom, porque quando se tornar minha esposa você não vai ter nenhum – brincou ele.

Nosso humor mudou quando o acompanhei pelo corredor e até o convés onde iríamos nos despedir.

Ele me abraçou e me apertou com força.

– Eu a amo, minha Anahita. Volte para mim assim que puder.

– Vou voltar, prometo – falei, e vi que havia lágrimas em seus olhos assim como nos meus.

– Certo, então – disse ele após um último beijo demorado. – Até logo, meu amor. Cuide-se até eu poder cuidar de você.

– Cuide-se você também. – Eu estava tão engasgada de emoção que mal consegui falar.

Ele deu um pequeno aceno, virou as costas e começou a descer a passarela junto com os últimos visitantes ainda a bordo. Logo antes de ele chegar lá embaixo, chamei seu nome.

– Donald, me espere! Por mais tempo que eu demore, por favor me espere.

Mas o vento soprava e minhas palavras se perderam na brisa.

25

A viagem de volta para a Índia transcorreu sem incidentes, e teria sido agradável se eu não estivesse com tantas saudades de Donald. Havia muitas opções de entretenimento para me manter ocupada, além de rapazes que solicitavam minha companhia durante o jantar e depois me chamavam para dançar com eles, tanto ingleses quanto indianos.

Comecei a perceber na viagem que a desengonçada menina de 13 anos que havia atravessado o oceano em direção à Inglaterra seis anos antes tinha se transformado, tornando-se uma jovem elegante e até atraente. Isso me agradou, como agradaria a qualquer mulher, e esse simples motivo fez com que eu me sentisse um pouco mais digna de Donald. Ele mandava telegramas carinhosos para o navio, bem-humorados e cheios de amor, contando-me como tinha conseguido vender um quadro e comprar algumas ovelhas novas, ou que uma segunda debulhadeira estava sendo vendida a um preço baixo no leilão. E que sua mãe continuava de cama, fingindo estar doente. O último telegrama dele tinha me feito sorrir:

Mãe recusa comparecer casamento Selina PT Próxima semana Londres PT Vou entrar com ela na igreja PT Próximos somos nós VG meu amor PT Donald

Enquanto o navio singrava o mar calmo em direção à minha terra natal, comecei a concentrar meus pensamentos em Indira. Conhecendo sua teimosia, duvidava que fosse conseguir convencê-la a mudar de ideia. Estava torcendo para que as minhas tentativas de fazê-la ouvir a voz da razão se mostrassem inúteis, e para a marani me agradecer por pelo menos tentar. E assim, após cumprir meu dever, poder logo voltar para a Inglaterra e para Donald.

Deitada na cama da minha cabine, ninada por um mar tranquilo, não quis ouvir as vozes que cantavam para mim e me diziam que não seria assim. Eu agora estava no comando do meu próprio destino, sussurrei para elas. Eu *faria* aquilo acontecer, custasse o que custasse.

Na manhã em que o navio atracou em Calcutá, guardei meus pesados suéteres de lã no fundo da mala e pus um velho vestido sem mangas que já vira dias melhores. Então subi até o convés e inalei o ar quente e úmido. Lá embaixo, uma massa colorida e ruidosa de pessoas aguardava seus entes queridos no cais.

Eu estava em casa.

A marani tinha enviado um de seus assessores, Suresh, para me receber e me acompanhar no trem de Calcutá até Cooch Behar. Quando ele começou a me falar num híndi acelerado, tive dificuldade para compreender. Já fazia muitos anos que não conversava na minha língua materna. Na longa viagem de trem até Cooch Behar, dei-me conta de que eu levaria tempo para me reacostumar a uma cultura que já havia quase esquecido. O calor intenso me incomodava, e meus ouvidos apitavam com o barulho incessante da Índia e de seus habitantes. Havia ali uma urgência, uma atmosfera de intensidade à qual achei difícil me acostumar, de tão habituada que estava agora com o ritmo mais moderado da Inglaterra e de seus residentes.

Percebi que tinha esquecido também a beleza estonteante do palácio de Cooch Behar. Enquanto o chofer me conduzia pelo jardim espetacular, devorei cada detalhe, pois fazia tempo que os meus olhos não viam uma paisagem tão dramática.

– A marani solicita uma reunião com a senhorita ao pôr do sol – informou-me Suresh. – Ela irá ao seu quarto. Até lá, queira por favor descansar.

Atribuíram-me lindos aposentos na luxuosa ala de convidados, e quando a criada se retirou do quarto com uma mesura, entendi que talvez Indira não fizesse ideia da minha presença ali. Deitei-me na cama e fiquei pensando como eu, uma mulher envolvida ela própria num caso de amor clandestino, poderia tentar convencer outra a agir contra o que mandava seu coração.

Às seis da tarde, horário em que senti o *dhuan* sendo espalhado pelo palácio e vi as muitas lamparinas a óleo serem acesas, a marani apareceu na porta do meu quarto.

– Anahita. – Ela se adiantou com a graça habitual, tão linda quanto na minha lembrança, e tomou-me nos braços. – Bem-vinda ao lar – saudou-me, então afastou-se para me examinar. – Ora, você agora é uma moça linda e, posso dizer, uma mulher que teve muitas novas experiências de vida desde a última vez que a vi. Soube da sua coragem na França pelas cartas de Selina para Minty.

– Obrigada, Alteza, mas eu fui apenas uma entre milhares de pessoas que fizeram o que puderam. Devo lhe pedir desculpas por não ter roupas adequadas para usar aqui no palácio. Ultimamente só possuo trajes ocidentais – falei, constrangida, enquanto admirava seu belíssimo sári de tecido roxo bordado com delicadas flores de hibisco douradas.

– Não se preocupe. Mandarei meu alfaiate vir vê-la amanhã. Agora vamos entrar e conversar.

Juntas caminhamos até um pátio cheio de flores perfumadas de jasmim-manga e pés de jacarandá. E enquanto o sol se punha atrás da grande cúpula central do palácio, a marani me contou sobre Indira.

– Ela se recusa a sair do quarto a menos que o pai e eu aceitemos cancelar o contrato de casamento com o marajá de Dharampur e a deixemos desposar o príncipe Varun. Nós duas sabemos que Indira pode ser muito teimosa, e pelo que eu sei ela acredita amar esse homem. Mas é simplesmente impossível, entende? – disse a marani, cujos gestos largos das mãos elegantes e cheias de anéis traíam sua tensão. – Isso causaria um escândalo entre os principados da Índia, e não quero minha filha *nem* minha família no meio de uma situação assim.

– Indira sabe que eu estou aqui?

– Não, eu não lhe contei. Achei que talvez fosse melhor você chegar sem ser solicitada, querendo apenas ver sua velha amiga.

– Alteza, por favor me perdoe – respondi. – Indira pode ser muitas coisas, mas burra não é. Ela vai saber que a senhora mandou me chamar.

– Sim, claro, você tem razão. – A marani balançou a cabeça em desespero. – Mas você foi a única pessoa em quem consegui pensar que ela poderia escutar. O que Indira não entende é que o amor pode ser construído. Meu casamento com o pai dela também foi arranjado. Ele não foi uma escolha minha, mas aprendi a amá-lo assim como ele a mim, e nós somos muito felizes.

– Eu sei que são, Alteza. Todo mundo vê e sente isso.

– Também vejo que Indira teve o tipo de infância que eu não tive. Ela viveu um tempo no Ocidente e abraçou as liberdades da cultura ocidental. É uma jovem criada entre dois mundos. E embora seu pai e eu acreditássemos estar ampliando seus horizontes, a verdade é que nós a confundimos. Deixamos ela pensar que teria escolhas que jamais poderia ter. – A marani encarou com olhos tristes o crepúsculo que se avizinhava. Então tornou a olhar para mim. – Mas você deve saber como é isso, Anni.

– Ah, sei sim. Você percebe que não pertence a nenhum dos dois mundos.

– Pelo menos você não tem nenhum casamento arranjado e pode seguir seu coração. Infelizmente Indira não pode. Então, por favor, vá vê-la hoje à noite. Tente convencê-la de que ela precisa entender que não pode causar à família a vergonha e o escândalo que isso iria provocar.

– Não tenho muita esperança – admiti. – Mas farei o melhor que puder.

Ela deu tapinhas na minha mão.

– Eu sei que fará.

Uma hora depois, fui conduzida até o quarto de Indira. Ao entrar, vi a cama vazia em que costumava dormir quando criança. Indira estava deitada na sua logo ao lado, de olhos fechados.

– Indy? – sussurrei. – Sou eu, Anni. Vim ver você.

– Anni? – Ela abriu os olhos e olhou para mim. – Meu Deus, é você mesma! Ah, Anni, eu não acredito que você está aqui!

– É claro que eu estou.

– Como estou feliz em ver você. – Ela estendeu para mim os braços finos como gravetos, e envolvi com os meus seu corpo diminuto. Daquela vez ninguém tinha exagerado o estado de saúde de Indira. Pelo seu aspecto e pelo estado do seu corpo, ela estava realmente se matando de inanição.

– Indy, sua mãe me escreveu e me disse que você estava doente – falei. Sentei-me na sua cama, e ela se aconchegou junto ao meu ombro.

– Sim, estou doente. Não quero mais viver – disse ela num suspiro.

Parte de mim sentiu vontade de rir, pois Indira não tinha mudado nadinha. Quando ela era criança, o mundo acabava por causa de uma simples coisa que ela necessitasse ou quisesse. Compreendi que, muito embora nossos problemas possam se tornar mais sérios na idade adulta, nosso comportamento e nossa atitude em relação a eles podem permanecer praticamente os mesmos desde o dia em que nascemos.

– Por que você não quer mais viver? – perguntei suavemente enquanto acariciava seus cabelos.

– Por favor, Anni, não me trate como uma idiota – disse ela num suspiro, levantando a cabeça do meu ombro e me encarando com os olhos luminosos em seu rosto magro. – Sei que minha mãe mandou chamá-la e já deve ter conversado com você desde a sua chegada, de modo que você sabe por que eu estou assim. E se veio tentar me convencer do contrário, então por favor, pode ir embora agora mesmo. Porque eu não vou escutar. Não vou escutar. Ah, Anni, eu...

Indira começou a chorar, grandes soluços convulsos que sacudiam seu corpo frágil. Permaneci calma sentada ao lado dela, como fazia com meus pacientes, falando pouco e esperando a onda de emoção passar.

– Tome aqui um lenço – falei por fim, quando os soluços já estavam diminuindo.

– Obrigada – sibilou ela.

– Sim, eu sei por que você está doente. E sim, sua mãe mandou me chamar – admiti. – Mas a decisão de vir foi minha. Eu deixei muitas coisas para trás na Inglaterra para vir até aqui, Indy, e fiz isso porque você é minha amiga. Eu a amo e quero tentar ajudá-la no que puder.

– Como você poderia ajudar? – perguntou Indira, assoando o nariz com força. – Nem mesmo você, com a sua sabedoria e a sua vidência, pode mudar o fato de que daqui a exatos quatro meses eu vou ter de me casar com um velho que só encontrei duas vezes na vida, e depois passar o resto da vida na zenana dele e naquele seu palácio horrendo no meio do nada que ninguém nunca visita. Então eu prefiro morrer aqui, onde pelo menos vou estar na minha própria casa e não trancafiada lá sozinha.

– Bom, eu não acho que essa seja toda a verdade, não é? Você está infeliz porque está apaixonada por outra pessoa – afirmei, com delicadeza.

– Sim. O fato de que eu poderia ter uma vida tão feliz com Varun, que não é muito mais velho do que eu, que eu amo e desejo de todas as formas que uma mulher deve amar e desejar, apenas torna essa perspectiva pior ainda.

– Eu entendo – falei, baixinho. – Sei o que é estar apaixonada.

– Sabe mesmo? Bem, eu queria que meus pais também entendessem.

– Indy, vou pedir um pouco de comida. Mesmo que você não esteja com fome, eu estou. E enquanto comemos quero saber tudo sobre o seu príncipe.

Toquei a sineta e informei rapidamente a uma criada, que meneou a cabeça e desapareceu do quarto.

– Agora vamos tirar você dessa cama e ir sentar lá fora, onde podemos ter certeza de que ninguém vai estar escutando – sugeri. – E você pode me contar tudo sobre ele.

Toda trêmula, Indira desceu da cama, e eu a ajudei a se acomodar sobre almofadas confortáveis dispostas na varanda.

Ela me contou como ela e Varun tinham dado um jeito de se ver com a maior frequência possível nos últimos três anos. Durante a guerra isso se tornara difícil, mas nos últimos cinco meses seu irmão mais velho, Raj, convidara Varun para visitar o palácio, e a paixão entre eles havia crescido.

– Anni, nenhum de nós dois quer viver sem o outro – declarou Indira.

Enquanto ela falava, eu lhe dava colheradas da sopa que a criada havia trazido; já tinha constatado muitas vezes que a tática da distração funcionava para pacientes inapetentes. Com o coração pesado, percebi também que Indira estava decidida, e que era inútil sequer tentar convencê-la a mudar de ideia. Tudo que eu podia fazer era escutar e, como a enfermeira profissional que eu estava estudando para ser, ajudá-la a se fortalecer fisicamente. O estado lamentável em que ela se encontrava agora não era propício para ajudá-la a tomar qualquer tipo de decisão racional.

Na realidade fiquei morta de pena da minha amiga. A ideia de ser forçada a desposar um homem que ela não amava e depois ser aprisionada em *purdah* numa zenana pelo resto de seus dias me causava arrepios.

– Então a situação é essa – concluiu Indira, junto com a última colherada de sopa na tigela.

– Ainda me lembro daquele dia no navio em que você viu Varun pela primeira vez e me disse que ele era o homem com quem iria se casar – recordei.

– Sim, e eu vou! Eu preciso! – Ela se virou para mim. – Ah, que bom poder falar franca e livremente com alguém que compreende como eu me sinto.

– Infelizmente eu compreendo, sim.

Ao ouvir isso, Indira me abraçou e me apertou junto a si.

– Anni, que maravilha estar com você. Tinha me esquecido o quanto você é especial. – Ela recuou de repente e me encarou. – E acho que você não apenas virou uma linda mulher, mas que agora é também ainda mais sábia do que antes. – Ela pegou um *chapatti* no prato e partiu um pedaço. – Quer dizer então que não vai tentar me convencer a me casar com o velho?

– Como eu poderia fazer isso? – perguntei-lhe sorrindo. – Lembre-se: eu conheço você muito bem, e sei que é inútil tentar fazê-la a mudar de ideia. O que precisamos fazer, Indy, é descobrir como você *pode* se casar com o homem que ama sem causar uma guerra civil entre dois principados.

Meus olhos brilharam, e felizmente os dela também. Ambas rimos como as crianças que tínhamos sido um dia.

– Você acha que o velho vai vir atrás do meu pai e exigir um duelo ao nascer do sol como se faz na Inglaterra por ter tido a honra ferida?

– Pode ser – respondi. – E seria melhor que ninguém morresse por causa do seu amor por Varun.

– Sim. – Finalmente vi um pouco do antigo brilho começar a retornar aos olhos de Indira. – Mas como? – indagou ela.

Eu também mordisquei um *chapatti* enquanto refletia sobre a situação.

– Posso pensar um pouco?

– Só me prometa, por favor, que está realmente do meu lado – implorou Indira. – Não vai contar o que eu disse para Ma, não é?

– É claro que eu estou do seu lado, e não vou dizer nada. Mas você precisa me fazer um favor em troca, Indy. Se formos traçar um plano, você precisa estar bem o suficiente para executá-lo. Ficar aqui deitada bancando a mártir e se recusando a comer não vai levá-la a lugar nenhum. Se eu for ajudá-la, quero que me prometa que vai voltar a comer. Isso significa três refeições completas por dia, e nada mais de ficar deitada na cama se lamentando.

– Ora, como você ficou mandona desde a última vez que a vi! – Ela revirou os olhos e sorriu.

– Bem, do jeito que você está agora, mesmo que arranjássemos um jeito de fazê-la desposar Varun, duvido que ele a quisesse. Está só pele e osso! Vai perder toda a sua beleza se continuar assim.

– Tem razão – disse ela. – Eu estou horrível e me sentindo péssima. Mas antes de você chegar, não fazia sentido estar de outra forma.

– Bom, agora faz – afirmei. – Então, combinado?

– Posso mesmo confiar em você, Anni?

– Indy, eu alguma vez a deixei na mão? – perguntei, subitamente irritada. – Acabo de cruzar meio mundo para tentar ajudá-la. E os deuses que me perdoem, mas tenho meus próprios motivos para querer que o seu problema se resolva o quanto antes. Pois eu também tenho alguém que estou desesperada para rever na Inglaterra.

– É mesmo? Que emocionante! Amanhã você precisa me contar tudo.

– Vou contar. E então? – Encarei-a com um ar de interrogação.

– Sim. – Ela me estendeu a mão. – Combinado.

26

Minha experiência como enfermeira me dizia que a recuperação de Indira levaria tempo: ela estava muito abaixo do peso e sua constituição era frágil. Assim sendo, nos dias seguintes, com o meu incentivo, ela se levantava da cama e fazia o desjejum. Saíamos para uma curta caminhada pelo jardim, e antes do almoço ela descansava. Eu havia solicitado na cozinha o preparo de pratos simples e nutritivos. Qualquer coisa pesada demais não pararia dentro de um estômago que passara tanto tempo vazio. À noite nós jantávamos juntas na varanda anexa ao seu quarto. Para incentivá-la, eu disse que não lhe revelaria meu plano para o futuro até ela estar mais forte e capaz de executá-lo.

Que plano exatamente era esse eu não sabia ao certo, embora algumas ideias estivessem começando a surgir na minha mente. A marani vinha me visitar todos os dias enquanto Indira tirava o seu cochilo da tarde, com o olhar maravilhado diante da melhora da filha.

– Você faz mesmo milagres, Anni. Que bom que você veio. Quem sabe em breve ela comece a recobrar a razão.

– Ela reencontrou a vontade de viver. Vamos nos contentar com isso por enquanto – alertei.

À noite, no meu quarto, eu escrevia para Donald contando-lhe sobre Indira e a vida no palácio. Avisei-lhe que levaria mais tempo do que o previsto a princípio para sequer poder pensar em voltar à Inglaterra. Sentia uma saudade insuportável, e precisei usar toda a minha paciência para supervisionar o lento progresso de recuperação de Indira.

Um mês depois, ela estava enfim começando a se tornar mais parecida com quem era de costume. Já demonstrava um pouco de sua antiga vivacidade no dia a dia e havia se fortalecido o suficiente para que pudéssemos fazer cavalgadas matinais curtas pela propriedade. Foi durante uma dessas saídas que eu finalmente lhe contei sobre meu amor por Donald e sobre a vida que estávamos planejando ter juntos quando eu voltasse para a Inglaterra.

Confidenciei-lhe minhas preocupações em relação à mãe dele e seus preconceitos.

– Mas pelo que Donald diz, ele não se importa com o que a mãe pensa – disse Indira. – A propriedade é dele, e ele pode se casar com quem bem entender.

– Bem, ele ainda não se atreveu a falar com ela sobre mim.

– Bom, estou certa de que vai falar, e vocês dois vão ser felizes juntos. Além do mais, você só precisa lidar com uma sogra, enquanto eu tenho pela frente uma possível guerra entre dois principados. Que sorte a sua poder fazer o que quer, Anni. – Ela suspirou.

Consegui encontrar algum reconforto nas palavras de Indira, embora soubesse que ela não era capaz de ver ou compreender por completo a complexidade da minha situação. E atualmente havia outra coisa em especial que me preocupava. Eu tinha decidido ignorá-la e torcido, como qualquer outra jovem na minha situação, para estar enganada.

Naquela noite, após acomodar Indira na cama, fiquei andando de um lado para o outro tentando pensar em como exatamente poderia ajudá-la. Sabia que, caso fosse forçada a desposar um homem que não amava e fosse trancafiada na sua zenana pelo restante de seus dias, ela voltaria a definhar. E eu não estaria lá para ajudá-la.

Pedi orientação às estrelas – minha mãe tinha me inculcado a ideia de que eu sempre deveria tomar cuidado ao intervir no destino dos outros.

– Cuidado, pequenina – alertara-me ela certa vez. – Pois quando você ajuda, *você* se torna parte do destino alheio.

E muito embora eu soubesse que qualquer plano que bolasse seria quase certamente considerado uma traição pela marani – a mulher que era o mais próximo de uma mãe para mim nesta terra –, não havia outro jeito.

No dia seguinte, antes de ir tomar café com Indira, atravessei a propriedade a cavalo até o pavilhão onde havia enterrado minha herança seis anos antes. Tirei a bolsinha de juta do buraco que tinha cavado sob a estrutura, e fiquei aliviada ao ver que as três pedras continuavam lá dentro. Pus os dois rubis menores num bolso do sári, e guardei o último e maior deles outra vez no esconderijo.

Mais tarde, durante nosso passeio vespertino, levei Indira até um ponto do jardim onde sabia que ninguém escutaria a nossa conversa. Ela me encarou ansiosa quando a fiz se acomodar na grama debaixo de um pé de jasmim.

– Então? Pensou num plano?

– Não sei se é exatamente um plano – respondi. – Mas acredito que, muitas vezes na vida, se você apresenta às pessoas um *fait accompli*, elas acabam por aceitá-lo. Indira, você sabe onde Varun está agora?

– Acho que em algum lugar da Europa. – Ela coçou o nariz, pensativa. – Mas os criados dele lhe encaminham a carta esteja ele onde estiver.

– Nesse caso, você precisa lhe escrever e dizer que irá encontrá-lo na Europa daqui a algumas semanas. Em Paris, quem sabe – sugeri. – Deve escolher uma data e um lugar onde vá estar e pedir a ele que vá ao seu encontro.

Ela me encarou assombrada.

– Está me dizendo que eu devo fugir?

– Não vejo nenhuma outra saída. Eu direi à sua mãe que você precisa se recuperar da sua doença na Suíça. Que o ar puro da montanha e a mudança de cenário não apenas a deixarão mais forte, mas também a distrairão de Varun. E que você concordou que, depois de um tempo de convalescença, estará disposta a voltar para a Índia e desposar o marajá de Dharampur.

– Ah, Anni, mas será que Ma vai acreditar? – perguntou Indira, segurando minhas mãos.

– Entristece-me dizer que a sua mãe confia totalmente em mim, Indy. Eu vou desempenhar meu papel até o fim, e lhe dizer que a convenci de que você precisa cumprir seu dever. Mas você também terá de convencê-la de que está disposta a aceitar o casamento.

– Mas com certeza eles nunca me darão sua bênção para eu me casar com Varun, não é? – Indira mordeu o lábio, nervosa.

– Não, nunca. E se você decidir seguir em frente com esse plano, isso é algo que precisa simplesmente aceitar – falei com firmeza.

Observei-a repassar mentalmente a minha sugestão. E perguntei-me se perder o amor dos pais e suportar sua fúria e decepção inevitáveis seriam demais. A escolha que Indira precisava fazer era terrível. Mas ela precisava estar plenamente ciente das consequências de seus atos antes de concordar com o plano.

– Então eu teria de me casar com Varun em segredo?

– Sim. E se ele estiver tão apaixonado por você quanto você por ele, então ele também precisará aceitar que esse é o único jeito. Talvez não seja a cerimônia grandiosa condizente com a união de dois principados, mas por ora terá de bastar. – Dei um suspiro. – Indira, se você quiser ficar com seu príncipe, não vejo que outra alternativa pode ter.

– Mas eu não tenho nenhum dinheiro meu. Nem mesmo para comprar um vestido de noiva! – Indira riu de nervoso à medida que começou a pensar nas outras consequências da sua situação. – Sei que Ma e Pa não vão me dar mais nem uma rupia quando souberem!

– Eu tenho um dinheiro guardado – falei, pensando na ironia que era estar em um palácio pertencente a duas das pessoas mais ricas do mundo me oferecendo para ajudar financeiramente a filha deles.

– Será que algum dia eles vão me perdoar?

– Isso eu não posso responder. É o risco que você vai precisar correr se estiver decidida a ficar com Varun. Uma das coisas que aprendi quando trabalhei como enfermeira na França foi que a vida é curta demais, Indy. E todos precisamos fazer sacrifícios para agir do modo que acreditamos ser certo.

– Bem, eu sei que é certo Varun e eu ficarmos juntos. Então vou escrever para ele e dizer que precisamos nos encontrar em Paris.

– Sim, e se a resposta dele for positiva eu falo com a sua mãe.

Ela se levantou, então passou um tempo andando de um lado para o outro, angustiada de tanta indecisão. Por fim, parou e virou-se para mim.

– Está bem. Vou escrever para ele agora. Será que você consegue postar a carta para mim hoje à tarde?

– Claro.

Mais tarde naquele dia, após colocar no correio a carta de Indira para o príncipe Varun e também uma minha para Donald, saí do palácio e fui andando atordoada pela rua barulhenta e lotada de gente, tentando aceitar o fato de que a minha participação na farsa de Indira quase certamente significava que eu nunca mais seria bem-vinda no palácio.

Mas eu tinha uma vida nova, uma vida a ser vivida em outro lugar. E quando entrei numa joalheria, o amor que sentia por Donald me deu forças para entregar os dois rubis ao homem atrás do balcão.

Voltei ao riquixá meia hora depois; pudera entender pela expressão do homem o quanto minhas pedras eram preciosas e especiais. Apesar de ter quase certeza de que ele havia me pagado apenas um quarto do seu verdadeiro valor, eu tinha guardado no meu bolso dinheiro suficiente para que Indira ao menos comprasse um vestido de noiva, e também para que eu me mantivesse por um ano ou algo assim caso necessário. O que eu estava começando a perceber que talvez fosse o caso.

Indira e eu passamos mais de duas semanas angustiadas esperando Varun responder. Quando ele finalmente o fez, levei a carta para ela na mesma hora, e ela a abriu com os olhos ardendo de expectativa e animação. Leu depressa, e ergueu o rosto para mim com os olhos agora brilhando.

– Ele também concorda que é o único jeito. Diz que não pode viver sem mim! E agora?

– Vou falar com sua mãe assim que puder.

– Ah, Anni! – Indira me abraçou. – Como poderei retribuir a sua ajuda?

– Um dia tenho certeza de que o momento vai chegar.

Naquela noite, respirei fundo e pedi para falar com a marani. Contei-lhe o plano que havia bolado, enquanto ela me encarava com seus lindos olhos escuros cheios de confiança e gratidão. Fiquei horrorizada ao ver como era fácil enganá-la. Quando terminei de falar, ela segurou minhas mãos e me sorriu.

– Obrigada por ajudar, Anni. Eu desconfiava que você talvez fosse a única que ela iria escutar. Estamos todos muito agradecidos.

Saí dos seus aposentos me sentindo a mentirosa e traidora que de fato era. Orientei Indira a ver a mãe, e ela também desempenhou perfeitamente o seu papel. No dia seguinte, nossa passagem para a Europa estava reservada para partirmos dali a dez dias.

Enquanto isso, eu tinha outra situação urgente que precisava tomar coragem para resolver. No dia seguinte, fui à zenana me encontrar com minha velha amiga e professora Zeena. Saímos juntas para o jardim, e ela segurou minha mão e sentiu minha pulsação. Então olhou para mim e assentiu.

– Eu sei por que você veio me ver.

– Sim. Pode me ajudar? – perguntei, e ouvi o desespero na minha própria voz.

– Você não quer a criança?

– Quero, mas não agora. Teremos outras...

Ela inclinou a cabeça.

– Venha me ver hoje à tarde, e verei o que posso fazer.

Voltei mais tarde como ela pedira, e meus nervos chacoalhavam quando ela me examinou.

Ela então me fez sentar, me olhou com severidade e balançou a cabeça.

– Você está com mais de doze semanas de gravidez. Se eu tentasse, estaria pondo sua vida em perigo, e não estou disposta a correr esse risco. Você sabe tão bem quanto eu que está adiantada demais para fazer esse procedimento com segurança.

Eu *sabia*, claro. Afinal, era enfermeira. Mas vinha fingindo não saber, tão covarde e assustada quanto qualquer jovem na mesma situação.

Zeena me encarou.

– O pai da criança ama você?

– Sim.

– Então o que você está fazendo aqui? – Ela me sorriu.

– Hã... é complicado.

– O amor é sempre complicado. – Ela deu uma risadinha, então balançou a cabeça. – Diga que você tem um presente precioso para ele. Se ele a amar como diz que ama, vai ficar feliz.

À medida que me dava conta de todas as consequências da situação, vi-me tomada por um terror súbito.

– Você não está entendendo, Zeena. Eu não sei o que fazer.

– Você vai encontrar um jeito, Anahita, tenho certeza.

Afastei-me dela com a visão embaçada pelas lágrimas. Fui direto para o estábulo, onde pedi ao cavalariço que me selasse um cavalo, e saí a pleno galope, gritando no ar quente e poeirento por causa da minha própria estupidez. Fazia semanas que eu sabia. Por que tinha me recusado a encarar os fatos antes? Eu era uma enfermeira, uma "vidente", tão capaz de ajudar a vida dos outros, mas incompetente no que dizia respeito à minha.

Enquanto atiçava o cavalo para fazê-lo ir mais depressa, cogitei me jogar do lombo dele para não precisar encarar as terríveis consequências do meu futuro arruinado. Por mais que Donald me amasse, se eu voltasse da Índia grávida quando nossa união já apresentava tanta dificuldade, com certeza até mesmo ele acharia aquilo um pouco demais. Pensei na sua mãe, católica fervorosa, que sem dúvida preferiria que morresse afogado logo após o nascimento qualquer bebê nascido fora do matrimônio; quanto mais um resultado da união entre seu filho e uma indiana "pagã".

Parei o cavalo abruptamente, escorreguei para fora da sela, caí de joelhos e chorei. Pois sabia que não havia nenhum outro culpado exceto eu mesma.

Por fim, levantei-me e me reconfortei pensando que pelo menos teria algumas semanas a bordo do navio para pensar no que fazer, e o dinheiro dos rubis me permitiria executar qualquer decisão que tomasse. A única certeza era que o bebê dentro de mim estaria nos meus braços dali a seis meses.

Eu muitas vezes dizia a meus pacientes que eles deveriam aceitar a vontade dos deuses e rezar pedindo força e aceitação. Era esse o mantra que eu agora precisava seguir se quisesse sobreviver.

Na semana seguinte, zarpamos rumo à Europa. A mão de Indira procurou a minha quando estávamos em pé no convés vendo a Índia sumir de vista conforme o navio se afastava do porto. Estávamos ambas sérias, perdidas em nossos próprios pensamentos.

Indira logo se animou e passou a dançar a noite inteira com os muitos rapazes bonitos e ansiosos para lhe fazer companhia. Eu finalmente consegui a solidão de que precisava para pensar no meu futuro, e comecei a formular um plano.

Quando o navio atracou em Marselha, pegamos um trem até Paris e nos hospedamos no Ritz. Na mesma hora mandei um telegrama para a marani avisando que tínhamos chegado bem e pegaríamos o trem para a clínica nos Alpes suíços dali a poucos dias. O príncipe Varun chegaria na manhã seguinte, e foi louca de animação que Indira começou a experimentar vestidos e descartá-los de qualquer maneira em cima da cama.

– Não tenho nada para vestir! Há tanto tempo não faço compras na Europa... Todas as minhas roupas estão antiquadas.

– Seu príncipe vai amá-la esteja você usando o que for.

Naquela noite, nós duas ficamos deitadas em nossas camas, insones.

– Você tem alguma ideia de para onde você e Varun vão depois daqui? – perguntei.

– Ele disse na carta que precisamos nos casar o quanto antes, depois ficar na Europa até a poeira baixar em nossas famílias. Ah, Anni, você acha errado o que estou fazendo? Ma e Pa vão ficar de coração partido.

– Eles vão acabar aceitando. Como eu lhe disse muitas vezes, Indy, precisamos fazer o possível para sermos felizes.

– Mesmo que isso envolva magoar quem amamos?

– Às vezes sim. Mas com sorte não vai ser por muito tempo. Seus pais a amam demais para cortar relações com você, embora eu duvide que a sua mãe algum dia vá me perdoar – falei, no escuro.

– É claro que vai, pois vai dizer que fui eu quem a forcei. É a mim que eles vão culpar, Anni, eu garanto. Vou me certificar de que seja assim.

– E você vai ter como marido um belo príncipe que a ama, exatamente como nós duas sonhamos naquela primeira noite em que nos conhecemos.
– E você vai voltar para o seu, e nós duas seremos felizes.

Enquanto me virava e revirava na cama durante as longas horas até o dia raiar, eu sabia que o *meu* conto de fadas estava se transformando depressa em pesadelo.

No dia seguinte, fiquei sentada com Indira esperando seu príncipe chegar. Depois de algum tempo, a porta da saleta se abriu e ele entrou. Indira deu um gritinho de alegria e correu para os seus braços. Retirei-me o mais discretamente possível.

Voltei algumas horas depois e a encontrei sentada diante da escrivaninha com uma caneta na mão, profundamente imersa em pensamentos.

– Ainda bem que você chegou, Anni. Preciso da sua ajuda. Varun disse que preciso escrever para meus pais o quanto antes lhes contando que vamos nos casar. Quando a carta chegar a eles na Índia já será tarde para nos impedir. – Indira franziu o cenho de aflição. – Eu não sei o que escrever.

– É claro que eu a ajudo. Mas primeiro me diga: seu príncipe fez jus às suas expectativas?

– Ah, fez sim – respondeu Indira com um olhar sonhador. – Ele já conseguiu uma licença especial de casamento para nós. Diz que não há tempo a perder, já que a minha família tem muitos espiões em Paris e pode vir a descobrir o que estamos fazendo. Sendo assim, a cerimônia está marcada para depois de amanhã. Nós vamos nos casar na prefeitura e eu preciso de uma testemunha. Você faria isso por mim, Anni?

– Já estou até o pescoço nessa história mesmo – respondi. – É claro que sim. Agora vamos escrever essa carta.

Varun foi visitar Indira no dia seguinte, e nós três tomamos chá nos aposentos dela para conversar sobre os planos do casal. Pelo menos fiquei satisfeita ao ver que o amor de Indira era claramente correspondido por seu príncipe. Os dois estavam radiantes de felicidade com aquele reencontro.

– Para onde o senhor vai levar Indira depois que vocês estiverem casados? – perguntei a ele.

– Um bom amigo disse que podemos ficar na casa dele em Saint-Raphaël pelo tempo que quisermos – explicou Varun. – Nossas famílias vão precisar de um tempo para se acostumar com o que fizemos. Não quero perturbá-los mais ainda ostentando nosso casamento nos círculos sociais europeus, de modo que vamos permanecer discretos por enquanto.

– Tenho certeza de que a maioria dos europeus vai achar seu casamento extremamente romântico – falei, sorrindo. – Um príncipe e uma princesa fugindo juntos constitui todos os elementos de um conto de fadas, não?

– Varun disse que eu preciso escrever uma carta simpática para o meu marajá rejeitado. – Diante da escrivaninha, Indira fez um biquinho. – Que raios eu vou dizer? *Caro príncipe velho, o senhor é gordo e feio e eu nunca o amei. Infelizmente preciso lhe dizer que me casei com outro. Atenciosamente, princesa Indira?*

Nós três rimos, e Varun então passou um braço protetor ao redor de Indira.

– Sei que você não quer escrever para ele, meu amor, mas nós estamos magoando muita gente. Nesse contexto, precisamos tentar agir com o máximo de integridade possível.

– Sim. – Indira suspirou. – Eu sei.

Varun se levantou e se virou para mim.

– Obrigado, Anahita, por tudo que você fez pela minha princesa. Nós dois temos uma imensa dívida com você. Vou deixá-las agora e escrever minha própria carta para casa. E vejo você amanhã na prefeitura, Indira.

– *Bonne nuit, mon amour* – disse ela, soprando-lhe um beijo. Então virou-se para mim. – Mal posso acreditar que amanhã é o dia do meu casamento. Sempre imaginei um grande evento de Estado nesse dia em Cooch Behar, com meu príncipe chegando ao pavilhão de durbar montado num elefante e trajando suas vestes cerimoniais. Em vez disso nós vamos pegar um táxi até a prefeitura!

– Você se incomoda com isso? – perguntei.

– Não, nem um pouco, e nem ele.

– Eu acho Varun um homem bom, Indy. Você tem sorte por tê-lo encontrado. E o mais importante é que posso ver que ele a ama.

– Eu sei – disse ela, grave. – Quando eu for sua esposa, preciso me esforçar ao máximo para parar de me comportar como uma criança mimada... como nós duas sabemos que eu ajo às vezes.

– Concordo – falei, e sorri ao constatar que ela possuía tanta consciência de si. – Mas então, o que a noiva gostaria de comer no seu último jantar antes do casamento?

No dia seguinte, apesar de não ter passado horas sendo banhada, besuntada de óleo e vestida com todas as complexas camadas de um sári matrimonial tradicional, e de ter apenas a mim para ajudá-la, achei que Indira ficou encantadora com seu vestido de renda branco e pequeníssimos botões de rosa creme nos cabelos muito pretos. Ao ver minha amiga mais querida se casar com seu príncipe, sentada na sala sem graça da prefeitura junto com o criado de Varun, senti que o círculo de nossa juventude tinha se completado. Nosso futuro não seria o conto de fadas com que sonhávamos quando meninas, quando nos deitávamos na grama e ficávamos admirando juntas as estrelas; o amor tinha nos tocado e nos modificado de modos que jamais poderíamos ter imaginado.

Depois da cerimônia, os recém-casados mandaram subir champanhe para a suíte de núpcias que Varun tinha lhes reservado.

– Anni querida, você precisa me dar seu endereço antes de nos despedirmos – falou Indira.

– Sim, claro. Vou escrever para o seu endereço de Saint-Raphaël quando voltar para Londres.

Vinte minutos depois me retirei, pois podia ver que os dois estavam loucos para ficarem a sós. Abri um sorriso encorajador para Indira, pois sabia que ela estava ao mesmo tempo apreensiva e animada ao pensar na intimidade que iria experimentar pela primeira vez com seu príncipe naquela noite. Ao partir, senti-me tão temerosa quanto aliviada pelo fato de que, do dia seguinte em diante, poderia enfim me concentrar em minha própria vida.

Na manhã seguinte, quando o casal saiu do quarto ao meio-dia, eu já estava com a mala feita e pronta para ir. A expressão de Indira se desfez quando ela viu minha mala fechada.

– Tem certeza de que não quer ficar em Saint-Raphaël conosco por um tempo?

– Não, vocês dois vão ter muito com que se ocupar de modo que não vão me querer por perto. Além do mais, preciso voltar e reencontrar meu amor – falei, com muito mais alegria do que estava sentindo.

– Claro. Jamais vou conseguir expressar o quanto sou grata a você por ter me ajudado a encontrar o meu.

– Então agora devemos nos despedir.

Nós duas choramos ao nos abraçar.

– Seja feliz, minha amiga querida – falei quando o carregador veio descer com a minha mala.

– Vou ser. E você também, Anni. Nunca vou esquecer o que fez por mim. Não tenho certeza se um dia vou poder retribuir, mas se em algum momento você precisar de mim, é só pedir.

– Obrigada. – Aquiesci, engasgada demais para dizer qualquer coisa mais. – Adeus.

Respirei fundo, virei-lhe as costas e saí pela porta. Não olhei para trás, pois sabia que se o fizesse iria desabar por completo.

Lá fora, na Place Vendôme, parei alguns instantes para me recompor. Andei em direção à caixa de correio mais próxima, e nela depositei a carta que tinha escrito para Donald explicando que iria passar um tempo longe. Então peguei minha mala e dei meu primeiro passo rumo ao desconhecido.

Astbury Hall

Julho de 2011

27

– Aceita um conhaque? Eu com certeza quero um – disse Anthony para Ari ao mesmo tempo que a Sra. Trevathan rompia o silêncio entre os dois homens ao vir tirar a mesa da sobremesa na sala de jantar.

– Por favor – respondeu Ari, e observou Anthony pegar um decânter numa bandeja sobre um aparador, servir a bebida em dois copos e lhe passar um.

– Saúde – brindou o dono da casa.

– Saúde. Sinceras desculpas se a história o deixou abalado.

– Reconheço que tive que parar de ler depois da revelação da gravidez de Anahita. Simplesmente não sei se consigo acreditar que tudo que a sua bisavó escreveu é verdade – respondeu Anthony.

– Tenho certeza de que é a verdade até onde ela sabia. O amor é uma coisa estranha – filosofou Ari.

– A única coisa que soa verdadeira, porém, é a descrição que ela faz da minha bisavó Maud. Ela era aterrorizante. Minha mãe e eu tínhamos pavor dela até o dia da sua morte.

– Posso lhe dizer que Maud certamente teve a sua participação na tragédia que aconteceu a seguir – disse Ari com um suspiro.

– Bem, mas o fato é que não existe um único vestígio de prova que confirme o relacionamento da sua bisavó com meu avô, ou a presença dela aqui em Astbury.

– Mas se Donald teve mesmo um filho com Anahita, é claro que por causa do escândalo que isso seria todos os vestígios dela e da criança teriam sido bem escondidos, não?

Ari viu Anthony estremecer.

– Mas a criança de toda forma morreu... você me disse que a sua bisavó recebeu o atestado de óbito do menino pelas mãos da sua amiga Indira, não foi?

– Sim, e até agora não tenho prova alguma de que ele tenha sobrevivido –

admitiu Ari. – Nesse sentido, estou praticamente numa missão impossível. Mesmo assim, estou feliz por ter vindo até aqui. Foi maravilhoso conhecer um lugar que teve tanta importância para ela.

– Queria poder ajudá-lo mais com as suas investigações, mas não posso – afirmou Anthony, categórico. – Com certeza você deve ter cogitado a possibilidade de que boa parte da história da sua bisavó possa muito bem ser uma fantasia, não? Ela foi escrita trinta anos depois do ocorrido, e todos nós sabemos como as lembranças se tornam confusas com o passar do tempo.

– Concordo que pode haver algum exagero no manuscrito. Mas tem só mais uma coisa que eu gostaria de investigar mais a fundo. Um pouco adiante na história, ela menciona um chalé que foi um lugar muito feliz para ela durante uns dois anos.

– Qual chalé, exatamente? Há muitos chalés na propriedade – disse Anthony.

– O que fica na charneca, na depressão do terreno junto ao regato. Rebecca e eu passamos por lá quando saímos a cavalo. Tenho certeza de que era àquele que Anahita estava se referindo.

– Pelo amor de Deus! Aquela velha casa está caindo aos pedaços, não tem mais nada lá dentro. Estou prestes a mandar demolir aquilo lá.

– Você já viu por dentro? – perguntou Ari.

– Já – respondeu Anthony, firme.

– Bem, em todo caso, se for possível eu gostaria de aceitar a sua oferta e pegar um cavalo emprestado outra vez para cavalgar pela charneca, se ela ainda estiver de pé – acrescentou Ari.

– Claro – respondeu Anthony, terminando sua bebida. – Quando está pensando em voltar para a Índia?

– Depende. Vou ser expulso do meu albergue depois de amanhã. Estamos na alta temporada, e a proprietária fechou uma reserva de duas semanas com uma família, então preciso encontrar outro lugar para ficar.

– Bem, nesse caso venha se despedir antes de ir embora. – Anthony se levantou abruptamente.

– Virei, obrigado. – Entendendo que aquele era o fim do encontro e que estava sendo dispensado, Ari levantou-se também.

Anthony andou até a porta, então deu meia-volta como se tivesse recordado alguma coisa.

– Se for mesmo pegar um cavalo amanhã, preciso que me prometa não entrar no chalé junto ao regato. Ele está interditado, e não posso me responsabilizar por algum acidente que possa lhe acontecer caso entre lá. Entende?

– Entendo, sim. – Ari o seguiu para fora da sala até o hall principal. – Obrigado pelo jantar.

– A porta da frente está destrancada; pode sair sozinho. – Anthony meneou a cabeça e começou a andar em direção à escada. – Sinto muito que a sua viagem até Astbury Hall não tenha dado frutos. Boa noite.

– Boa noite. – Ari atravessou o hall e saiu pela porta da frente para a noite silenciosa e estrelada. Enquanto caminhava em direção ao seu carro parado no pátio, ficou pensando na conversa com Anthony. Não o conhecia bem o suficiente para saber se ele apenas ignorava o passado, e por isso era tão protetor em relação aos seus antepassados que não conseguia suportar encarar a verdade. Ou se ele sabia mais do que estava demonstrando.

Ao retornar ao seu quarto depois de tomar um banho, Rebecca viu que passava das dez, e Jack ainda não tinha voltado de sua saída com James. Dando-se conta de que poderia muito bem ter descido para jantar com Anthony e Ari se Jack tivesse lhe dito que chegaria tão tarde, reprimiu a irritação e tentou se concentrar no roteiro que estava lendo.

Às onze e meia, ouviu uma batida hesitante à sua porta.

– Pode entrar – falou.

A cabeça da Sra. Trevathan apareceu pela porta.

– Sinto muito incomodá-la, Srta. Rebecca, mas o seu namorado vai voltar hoje ainda ou não?

– Eu sinto muito, Sra. Trevathan. Jack foi a Ashburton com James Waugh. Por que não vai para a cama e eu espero acordada até ele chegar?

– Não vai ser preciso, meu bem, mas se ele for ficar aqui por um tempo, quem sabe daqui para a frente poderia me avisar a que horas vai chegar?

– Claro. Ele deveria ter chegado bem mais cedo.

– Não faz mal. Durma bem, querida, e nos vemos amanhã de manhã.

A governanta fechou a porta, e Rebecca decidiu que, se Jack fosse ficar mais tempo, o melhor a fazer seria os dois se mudarem para um hotel. Sim, a presença dos dois juntos na Inglaterra causaria um frenesi midiático, e os paparazzi muito provavelmente iriam acampar em frente ao hotel, mas ela não queria mais abusar da hospitalidade de Anthony e da Sra. Trevathan.

Nesse dia estava se sentindo mais animada com o relacionamento. Fora bom reencontrá-lo, e o sexo entre os dois a fizera relembrar a intensidade do seu vínculo. Talvez tivesse *mesmo* subestimado o verdadeiro sentimento de Jack por ela. O simples fato de ele ter ido até a Inglaterra para encontrá-la era uma prova bem óbvia do quanto gostava dela.

À meia-noite, Rebecca desistiu de esperar e apagou a luz. Seu dia seguinte começaria cedo outra vez.

Teve o sono perturbado no meio da madrugada por barulhos no quarto. Acendeu a luz e viu Jack esparramado no chão após ter tropeçado na mesa de centro.

– Foi mal – disse ele, rindo. – Estava tentando não fazer barulho para não acordar você.

Rebecca o espiou de onde estava na cama e sentiu o coração pesar. Era evidente que ele estava completamente embriagado.

– A noite foi boa, então?

– James é um cara que com certeza sabe se divertir. Eu o deixei com uma mulher que ia fazer companhia para ele no quarto. Certo... – Ele tentou se levantar, não conseguiu da primeira vez, mas da segunda, sim. Chegou até a cama e se deitou ainda de roupa. Seus olhos se abriram e ele a encarou da sua posição deitada. – Você tem noção de como é linda? – indagou, com a voz pastosa.

Rebecca reparou nas pupilas dilatadas que o denunciavam.

– Jack, você cheirou umas carreiras hoje, não cheirou?

– Só umas duas. Agora venha cá. – Ele estendeu a mão, mas ela se afastou abruptamente.

– Eu preciso dormir, Jack. Tenho que estar no set daqui a... – Ela olhou para o relógio na parede. – Daqui a quatro horas.

– Vamos, amor, eu prometo que vai ser rápido – disse ele, enfiando a mão debaixo da sua camiseta para tocar seus seios.

– Por favor, não! – Rebecca se desvencilhou a estendeu a mão para apagar a luz.

– Sua estraga-prazeres. Eu só queria fazer amor com a minha namorada. Só queria fazer amor com a minha namorada. Só queria...

Rebecca aguardou, pois sabia por experiência que ele estaria dormindo dali a dois minutos. Dito e feito: logo escutou o som conhecido de seus roncos.

Com lágrimas nos olhos, fez o possível para adormecer também.

Na manhã seguinte bem cedo, Ari foi até o estábulo de Astbury. Debbie lhe selou o alazão e ele partiu pelas charnecas. A manhã estava esplêndida e ele galopou depressa. Vinte minutos depois, quando chegou ao chalé na beira do regato, apeou e andou até uma cerca de madeira alta com um portão na lateral da casa. Esta lhe pareceu estar numa condição relativamente melhor do que o restante da parte externa, e atrás dela talvez houvesse uma porta que desse para os fundos do chalé, pensou. Puxou o anel preto no centro, mas o portão não se mexeu e ele viu o cadeado mais abaixo. Fez uma ou duas tentativas frustradas de pular e saltar a cerca, mas ela era alta demais.

Ari então conduziu seu cavalo até rente da cerca, montou e segurou o alto da cerca com as duas mãos. Ergueu o corpo, passou as pernas para o outro lado e pulou. Depois de aterrissar sem incidentes no chão do outro lado, olhou em volta e viu que estava no meio de um pátio com várias construções anexas em volta. Deu uma olhada rápida para dentro das suas janelas e constatou que estavam vazias, com exceção de uma velha carroça puxada a cavalo no canto de uma.

Voltou a atenção para os fundos da casa em si, foi até a única porta e tentou a maçaneta. Ficou assombrado quando esta girou sem dificuldade e a porta se abriu. Hesitante, entrou e se viu dentro de uma cozinha.

A tirar pelo exterior impenetrável coberto de hera do chalé, bem como pelo que Anthony tinha dito na noite anterior, Ari imaginara que fosse adentrar um interior imundo e coberto de teias de aranha. Mas não. Correu o dedo pelo tampo da mesa de madeira que ocupava o centro da cozinha: havia uma camada de poeira ali, mas certamente não a sujeira que se esperaria de noventa anos de abandono. Ao dar a volta na mesa, viu xícaras penduradas direitinho em ganchos, o fogão preto sem ferrugem, e os pratos dentro do louceiro lascados, mas limpos. Olhou para baixo e viu que seus pés não estavam deixando pegadas na sujeira que com certeza teria se acumulado com o tempo no piso de lajotas.

Foi então que viu uma chaleira elétrica moderna sobre a bancada num dos lados do fogão. Puxou uma cadeira de baixo da mesa e sentou-se abruptamente. Estava claro que aquilo não era um chalé abandonado tão perigoso que estava prestes a ser posto abaixo, como Anthony o havia descrito.

Ari se levantou, de súbito consciente de que poderia de fato haver um morador em alguma outra parte do chalé; foi até a porta da cozinha em silêncio e a abriu. Apurou os ouvidos no corredor, mas não escutou nada. Abriu uma porta à esquerda e viu a pequena sala. Estava escura por causa da hera que cobria as vidraças, e ele se esforçou para ajustar os olhos à penumbra. A grelha na lareira exibia apenas uma quantidade mínima de poeira preta recentemente caída da chaminé. A cadeira logo em frente estava puída, mas limpa.

Ele foi até a estante e viu que as prateleiras estavam ocupadas por exemplares de alguns dos clássicos literários britânicos. Os livros que Anahita tinha dito amar.

Ao subir a escada estreita, ficou parado no exíguo patamar antes de empurrar com um gesto hesitante uma das duas portas. Entrou num quarto de dormir com cortinas floridas desbotadas nas janelas e uma colcha de *patchwork* surrada a cobrir a cama de metal. Os travesseiros estavam cobertos por fronhas, e os lençóis e a colcha pareciam prontos para o seu ocupante deslizar para debaixo deles. Em cima da penteadeira havia diversos cremes e poções femininas, além de um frasco grande de perfume.

Ari coçou a cabeça, sentindo-se perturbado. Tudo que via deixava claro que o chalé tinha um morador atual.

Mas quem?

A casa era o esconderijo perfeito, pensou ao sair do quarto para investigar o cômodo do outro lado do patamar. De fora, ninguém poderia desconfiar que qualquer um pudesse estar vivendo lá dentro.

Uma nova onda de emoção o submergiu quando ele viu o que o quarto continha. Um berço de metal enferrujado ocupava quase todo o espaço diminuto, com uma manta de bebê roída pelas traças ainda a forrar o colchão. Um par de olhos pesarosos o encarou lá de dentro, e Ari estendeu a mão, pegou o ursinho de pelúcia muito velho e o abraçou como se fosse uma criança.

– Meu Deus – sussurrou. Agora acreditava que a história da sua bisavó fosse verdade.

28

Jack nem sequer se mexeu quando Rebecca saiu da cama na manhã seguinte. Obrigando-se a esquecer o modo como ele havia se comportado, ela vestiu uma calça de moletom e desceu para o setor de maquiagem.

Foi um dia de filmagem longo e exaustivo, e às seis da tarde, ao subir de volta para o quarto, ela estava se sentindo esgotada.

– Você vai embora? – perguntou, surpresa, ao entrar no quarto e dar com Jack tornando a guardar as camisas na mala de viagem.

– Sim, vou a Londres. Meu novo melhor amigo James me falou sobre um filme que Sam Jeffrey está dirigindo. Usei o telefone do escritório e consegui que meu agente ligasse para ele hoje de manhã dizendo que eu estava na Inglaterra, e ele quer me ver amanhã de manhã. Não é ótimo, amor? O cara é um jovem diretor fantástico e já tem um ou dois BAFTAs nas costas. Então eu agendei um táxi para me levar até Londres. Volto amanhã à noite.

– Está certo – respondeu Rebecca, espantada.

– Ter vindo até a Inglaterra atrás de você está se revelando uma boa estratégia. – Ele se aproximou dela, abraçou-a e lhe deu um beijo. – Então me deseje boa sorte, e prometa não cair nos braços do meu novo melhor amigo enquanto eu estiver fora – disse ele. Em seguida pegou a bolsa de viagem e andou em direção à porta. – Eu sei por onde ele andou. Te amo, meu amor. Tchau. – Ele lhe deu uma piscadela, saiu e fechou a porta.

– Pensei que você tivesse vindo me ver – sussurrou ela consigo mesma, sentando-se na cama atordoada.

Depois de alguns minutos lidando com a ideia da partida abrupta de Jack, levantou-se e foi tomar um banho de banheira. A noite estava linda, e após ter passado o dia inteiro debaixo de luzes quentes ela decidiu dar uma volta e respirar um pouco de ar puro. Encontrou a Sra. Trevathan na escadaria principal.

– Não passe por mim, Rebecca. Dá muita má sorte passar por outra pessoa na escada.

– É mesmo? Deve ser um costume inglês. – Ela deu de ombros.

– Acho que é mesmo – disse a Sra. Trevathan. Rebecca achou que ela parecia extremamente agitada. – Seu namorado foi embora?

– Foi, mas vai voltar amanhã.

– Entendi. Então vai querer jantar hoje?

– Não, obrigada. Comi muito no almoço.

– Nesse caso vou deixar no seu quarto uns sanduíches e o chá de camomila de que a senhorita gosta mais tarde.

– Obrigada, Sra. Trevathan.

Como a equipe tinha ido filmar no vilarejo à noite, a casa e o jardim estavam tranquilos. Rebecca foi se sentar no banco do jardim murado. As rosas agora estavam no auge da floração, e o aroma era delicioso.

– Olá. – A voz de Anthony a despertou do enleio. – Soube que o seu namorado foi para Londres.

– Sim. Mas ele volta amanhã. Sério, se estiver sendo um incômodo, é só dizer e nos mudamos para o hotel.

– Não, não é incômodo nenhum, mesmo. Embora...

– Embora o quê?

– Acho que ele não é o que eu imaginava – reconheceu Anthony. – Me perdoe, quem sou eu para falar sobre relacionamentos.

– Tudo bem, Anthony, de verdade.

– Contanto que ele cuide de você e você esteja feliz, é tudo que importa.

– Sim. – Rebecca evitou fazer qualquer comentário; no presente momento não confiava em si mesma para não dizer algo negativo.

– Mas então, o que achou de nosso jovem amigo indiano?

– Gostei dele – respondeu Rebecca com sinceridade.

– Sim, ele parece um bom sujeito, mas pessoalmente estou com dificuldade para acreditar na sua história. Talvez porque isso mudaria toda a minha percepção sobre meus avós Donald e Violet, e eu acho isso bem perturbador – confessou ele.

– Infelizmente eu não sei a história toda, mas não vejo por que ele ou a bisavó dele iriam inventar alguma coisa – disse Rebecca.

– Não, a menos que ele esteja querendo algo – resmungou Anthony, sombrio.

– O que ele poderia estar querendo?

– Dinheiro? Um direito sobre a propriedade?

– Anthony, como eu só li as primeiras cem páginas, não posso comentar. Mas Ari me parece um sujeito honrado. Não acho que ele tenha vindo aqui causar problemas, apenas saber mais sobre o passado da sua família.

– Mesmo que ele estivesse atrás de dinheiro, agora tem plena consciência de que não há nenhum – retrucou Anthony desanimado.

– Pelo que Ari me disse, ele é um homem de negócios bem-sucedido. Eu realmente não acho que seja por isso que ele está aqui.

– Não?

Mais uma vez, Rebecca sentiu a necessidade quase infantil de Anthony de ser tranquilizado por ela.

– Não, não mesmo.

– Bem, nesse caso eu acho que não fui muito hospitaleiro – admitiu Anthony, relaxando de modo visível. – Ele me disse ontem à noite que a partir de amanhã não tem onde ficar por aqui. Então será que lhe ofereço um quarto até ele ir embora para a Índia, daqui a alguns dias?

– Acho que seria um gesto muito gentil – aprovou ela.

– Meu Deus, há anos esta casa não vê tantos hóspedes – comentou Anthony.

– Está gostando de ter companhia? – perguntou Rebecca.

– Acho que estou, sim. Embora a Sra. Trevathan não aprove, claro. Bem, Rebecca, obrigado pelo conselho. Vou entrar e ligar para o Sr. Malik. – Ele lhe deu um breve sorriso e se afastou em direção à casa.

Rebecca se virou para o terreno em frente ao casarão. Queria um tempo para arejar a cabeça e considerar o que fazer em relação a Jack. Fora preciso menos de 24 horas na sua presença para que ela lembrasse por que estava com dificuldade para aceitar o pedido. Enquanto avançava pela grama salpicada de sol por entre os grandes castanheiros plantados pelo terreno, deu-se conta de que os quinze dias passados ali em Astbury a haviam transformado. Ela agora conseguia ver as coisas com muito mais clareza, como se o espaço físico à sua volta fosse um espelho do seu espaço mental. E a verdade era que na noite anterior, ao aparecer no quarto bêbado e drogado, Jack tinha lhe causado nojo.

Em contraste com o fundo representado por Astbury, tudo nele se assemelhava e soava como um clichê estereotipado de Hollywood. Lá, a conduta, o ego e a autoindulgência de Jack podiam ser vistos como normais. Mas no mundo real, no mundo em que as pessoas comuns tocavam a vida e lutavam para sobreviver no dia a dia, com certeza não era normal esse comportamento. Por mais que ela tentasse relevar as atitudes de Jack, a dependência dele da droga e do álcool não era algo com que pudesse conviver. Sabia, por amarga experiência, que essa estrada não levava a lugar nenhum.

Simplesmente não havia como aceitar o pedido dele. E daí se o mundo não entendesse? Não era o mundo que teria de conviver com ele. Rebecca sabia que precisava lhe dizer que a resposta era não, a menos que ele parasse de beber e cheirar. Pelo menos se lhe dissesse isso agora, pensou, enquanto estava hospedada em Astbury, estaria protegida do frenesi da mídia dentro daquele perímetro seguro. Seu empresário iria enlouquecer, mas Rebecca estava também começando a reconhecer que um número excessivo de pessoas, a maioria homens, vinha controlando seu destino nos últimos anos. Ela precisava voltar a ser responsável por si mesma, custasse o que custasse.

Talvez o fato de ela se recusar a casar com ele fosse a chamada de que Jack precisava para ajudá-lo a encarar seus demônios. Por algum motivo, porém, ela duvidava que isso fosse acontecer.

Foi então que ergueu os olhos e se deu conta de que havia chegado a uma parte do terreno que nunca tinha visitado. Na sua frente, cercada por um arvoredo, havia uma construção que lembrava um templo grego, fora de contexto naquele cenário inglês pastoral. Ela andou nessa direção e subiu os degraus entre as colunas de mármore branco. Imaginava que a grande porta fosse estar trancada, e espantou-se que estivesse aberta quando girou a maçaneta.

Ela adentrou o espaço frio e escuro, e estremeceu ao se lembrar de Anthony dizer que seus antepassados estavam enterrados num mausoléu na propriedade. Seu instinto foi sair dali na hora, mas ficou intrigada ao olhar para as paredes em volta e ver as grandes placas de pedra com os nomes daqueles cujas ossadas jaziam atrás delas. Leu nomes de antepassados da família que remontavam ao século XVI; de maridos e mulheres sepultados juntos por toda a eternidade. Passou para os túmulos mais recentes, e parou em frente ao local do descanso final de lorde Donald e lady Violet Astbury.

DONALD CHARLES ASTBURY
n. 1/12/1897 – m. 28/8/1922
25 anos

VIOLET ROSE ASTBURY
n. 14/11/1898 – m. 25/7/1922
23 anos

Um arrepio subiu por sua espinha quando ela leu pela segunda vez a data da morte de Donald Astbury. Ele tinha morrido tão jovem... e apenas um mês depois de Violet. Teria sido coincidência? Sentiu uma vontade louca de saber. Ao lado da lápide de Donald e Violet estava lady Maud Astbury, que vivera mais 33 anos após o falecimento do filho e morrera aos 83, em 1955. Estava enterrada junto com o marido, George, morto 44 anos antes, em 1911. A lápide mais recente era a da mãe de Anthony:

DAISY VIOLET ASTBURY
n. 25/7/1922 – m. 2/9/1986
64 anos

ANTHONY DONALD ASTBURY
m. 20/1/1952 – m.

A última data abaixo do nome de Anthony ainda não fora gravada.

Diante da lápide havia um vaso grande cheio de rosas frescas. Rebecca se ajoelhou para sentir seu aroma, e refletiu sobre o fato de o pai de Anthony não estar enterrado junto com sua mãe Daisy. Em vez disso, os ossos que um dia se juntariam aos dela seriam os de Anthony. Subitamente arrepiada por causa do frio, ela saiu do mausoléu se perguntando por que Anthony teria decidido, 25 anos antes, ser enterrado com a mãe e não com uma possível esposa que viesse a ter.

Enquanto atravessava o terreno de volta em direção à casa, tornou a pensar que Anthony só podia ser gay. Ou talvez simplesmente nunca houvesse tido interesse por nenhum dos dois gêneros.

Fossem quais fossem as suas predileções, a visita ao mausoléu havia confirmado uma coisa na cabeça de Rebecca: que a vida era curta demais para se preocupar com as consequências de fazer o certo. Quando Jack voltasse de Londres, ela lhe comunicaria sua decisão.

29

Pela manhã, Rebecca sentiu a já conhecida náusea e o início de mais uma dor de cabeça. Tomou dois comprimidos de ibuprofeno com a xícara de chá que a Sra. Trevathan lhe trouxera e desceu para se maquiar.

– Está pálida outra vez, Becks – comentou James enquanto os dois iam juntos até o salão para filmar sua cena seguinte.

– Não consigo me livrar dessa dor de cabeça, mas estou bem – respondeu ela.

– Acho que deveria mesmo pedir a Steve que chame o médico para vir dar uma olhada em você, sabe? Você não está no seu estado normal, não é, querida?

– Por favor, não diga nada – pediu Rebecca. – Não quero que eles pensem que eu sou uma típica americana hipocondríaca.

– Duvido que alguém fosse pensar isso, visto a sua atual condição – disse James, tranquilizando-a. – Mesmo com o calor que está fazendo aqui, você está toda arrepiada.

– Prometo consultar um médico se não me sentir melhor em breve.

– Aliás, quando é que meu novo amigo Jack volta de Londres?

– Não sei exatamente. Soube que vocês tiveram uma noite divertida juntos – respondeu ela com sarcasmo.

– Tivemos, sim. Ele é dos meus, o seu noivo. E veja bem, no quesito álcool, retiro tudo que falei sobre o pessoal de Hollywood ser abstêmio. Jack me faz parecer um amador. – Ele sorriu.

Depois do almoço, Rebecca estava livre até a noite, quando o elenco teria um jantar especial no terraço em comemoração ao aniversário de Robert Hope. Ela desceu até o térreo e, por impulso, seguiu em direção à biblioteca. Ao entrar, foi até a lareira e ficou encarando o retrato de Violet Astbury pendurado logo acima.

– Sim, a semelhança é extraordinária – disse uma voz atrás dela.

Rebecca se virou e viu Ari Malik lhe sorrindo sentado numa poltrona de couro de espaldar alto.

– Que susto. Não vi você aí.

– Desculpe. – Ele se levantou e foi até ela. Parou do seu lado e ergueu os olhos para o quadro. – A pergunta evidente é: você tem algum parentesco com Violet Astbury?

– Como eu disse a Anthony na primeira vez que ele me mostrou o quadro, meus pais são de Chicago e não eram ricos. Então, até onde eu sei, não tenho, não.

– De uma forma ou de outra, o coitado do Anthony deve estar mesmo sentindo que o seu passado voltou para assombrá-lo – comentou Ari.

– Sim, eu falei com ele ontem à noite, e ele com certeza está abalado com isso tudo. Parece venerar a lembrança de Violet e da mãe Daisy – falou Rebecca. – Vai encontrá-lo aqui hoje?

– Em algum momento sim, eu acho, mas na verdade ainda não o vi desde que cheguei. Recebi um telefonema dele do nada ontem à noite me convidando para ficar hospedado aqui até ir embora para a Índia. A Sra. Trevathan não pareceu muito contente quando me levou até meu quarto mais cedo, aliás.

– Encontrou o que estava procurando aqui?

– Já vi o suficiente para ter quase certeza de que a minha bisavó *esteve* aqui, e de que a maior parte da história dela é verdade. Não vim aqui causar problemas para ninguém, e é compreensível Anthony ficar reticente em revelar fatos demais sobre o passado da família. Acho que ele acredita que eu tenha alguma espécie de motivação escusa para isso tudo.

– E você tem?

– Não – respondeu Ari, balançando a cabeça. – A não ser confirmar que minha bisavó esteve aqui em Astbury, e que o filho dela realmente morreu novo, como afirma seu atestado de óbito.

– Acha que Anthony sabe mais do que está contando?

– Às vezes eu acho que sim, mas por outro lado, quando jantamos juntos depois de ele ter começado a ler a história, ele me disse que não suportava ler mais e eu acreditei. A coisa toda foi uma tragédia para todos os envolvidos – falou Ari com um suspiro. – Na verdade eu acho que Anthony talvez tenha razão quando diz que a morte de seus avós Violet e Donald foi o estopim da derrocada dos Astbury.

– Ari, eu não conheço a história toda, mas pelo que li até agora meu palpite é que o relacionamento entre Donald e Anahita está na origem de tudo que aconteceu depois. Estou certa?

– Está – concordou Ari.

– Não quero ser enxerida, mas isso significa que você e Anthony têm algum tipo de parentesco desde então?

– A questão é complexa, Rebecca. Ela abre a porta para muitas perguntas.

– A primeira que me vem à mente é se o fato de vocês serem parentes significa que você poderia ter um embasamento legal para reivindicar esta propriedade – arriscou ela.

– Isso é algo que sequer me passou pela cabeça – falou Ari com uma expressão de surpresa genuína.

– Bom, talvez tenha passado pela de Anthony. Pode ser uma boa ideia tranquilizá-lo em relação a isso. Como você notou, Astbury é a sua vida.

– Tem razão. Para ser bem sincero, não consigo decifrar Anthony de jeito nenhum.

– Talvez o tema seja simplesmente doloroso demais para ele. Às vezes o passado é assim – respondeu Rebecca.

– Prometo não pressioná-lo mais. Pelo menos existem algumas linhas de investigação que posso seguir sozinho. Enfim, chega de falar de mim e dos mistérios do passado. E você, como está? O filme está indo bem? – perguntou Ari.

– Eu estou bem, e sim, as filmagens têm corrido bem. Embora eu esteja tendo umas enxaquecas fortes desde que cheguei aqui.

– Que estranho. Já teve isso antes? – indagou ele, encarando-a com um ar atencioso.

– Não, é a primeira vez. Mas não vou deixar que isso arruíne minha estadia na Inglaterra.

– E como vai seu noivo?

– Está em Londres encontrando-se com um diretor para falar sobre um possível filme. Para ser bem sincera, Ari, as coisas entre nós não andam nada bem. – Ela deu um suspiro.

– Pensei que você tivesse dito que as coisas haviam melhorado com a chegada dele.

Rebecca balançou a cabeça devagar.

– Acho que na verdade eu estava querendo acreditar nisso. E acho que preciso confiar mais em mim mesma e tomar minhas próprias decisões.

– Você praticamente acabou de citar o verso de um poema que eu li faz pouco tempo. Chama-se "Se", de Rudyard Kipling. É o preferido do meu pai. Conhece?

– Não – respondeu ela. – Infelizmente não.

– Bom, deveria ler um dia desses. O poema fala sobre ser verdadeiro consigo mesmo.

– Vou procurar – disse ela. – Enfim, é melhor eu ir andando. Vai ter um jantar importante hoje no terraço para o nosso diretor, e preciso me arrumar.

– Eu vou investigar o cemitério aqui perto para ver se consigo encontrar algum sinal do filho de Anahita, depois vou a Exeter ver se a morte dele foi registrada oficialmente. – Ele andou até a porta e Rebecca foi atrás.

– Me avisa se encontrar alguma coisa? Pode ser que isso soe idiota, mas por algum motivo me sinto envolvida. Acho que é em parte por causa da minha semelhança com Violet. A sua bisavó a conheceu?

– Sim, pelo visto sim – respondeu Ari. Os dois saíram da biblioteca e foram andando em direção ao hall. – Divirta-se hoje à noite, Rebecca, e se essas dores de cabeça não melhorarem consulte um médico logo, está bem?

– Sim, farei isso. Obrigada.

Ari a observou subir flutuando graciosamente a escadaria principal. Podia entender por que Anthony ficara tão afetado com a sua presença. Nem mesmo ele, um observador externo, podia evitar ficar perturbado diante da sua semelhança com Violet. Além do mais, apesar de todo o seu sucesso e fama, Rebecca tinha uma vulnerabilidade intrínseca. A sensação de Ari era que o destino a tinha posto ali em Astbury, um peão inocente num complexo jogo de xadrez.

Era impossível para ele, quanto mais para Anthony, ignorar o fato de que a história parecia estar se repetindo: Donald e Anthony, herdeiros solteiros da propriedade, Violet e Rebecca, americanas lindas e ricas, e ele e Anahita, vindos de um país distante e exótico...

Ele ergueu os olhos para a grande cúpula central e pensou que, se Anahita estivesse *mesmo* lá em cima entre os espíritos que insistira terem lhe guiado ao longo de toda a sua história, ela agora devia estar observando com grande interesse uma nova geração de seres humanos jogarem o intrincado jogo da vida.

Embora tivesse tomado o máximo de analgésicos que podia, na tentativa de derrotar a dor de cabeça, naquela noite Rebecca teve dificuldade para aguentar o jantar de aniversário de Robert no terraço.

– Você está muito calada, querida – comentou James, passando um braço em volta do seu ombro. – Ainda não está se sentindo melhor?

– Está tudo bem, James, sério. Obrigada por perguntar.

– Quer dizer que o *bad boy* Jack vai voltar hoje mais tarde?

– Eu acho que sim, mas ele não tem como entrar em contato comigo aqui em Astbury para me avisar quando vai chegar.

– Eu interpretaria como um elogio de verdade o fato de você o ter domado, Becks. Naquela noite no bar, as mulheres o atacavam por todos os lados e ele sequer olhou para elas. Ele a ama de verdade, querida.

– Será?

– Meu Deus, claro que sim! – James tomou uma golada de champanhe. – Olhe, vai ser preciso uma mulher e tanto para me fazer jurar lealdade eterna, isso eu posso lhe dizer.

– Eu acho que posso tomar isso como um elogio – disse Rebecca. – Vou sair de fininho agora e dormir um pouco. Nos vemos de manhã.

Ao subir para o seu quarto ao som das risadas que vinham do terraço, Rebecca pensou nos comentários de James. Jack podia até amá-la, podia até estar disposto a ignorar as cantadas de outras mulheres – por enquanto – mas a verdade era que ele tinha problemas impossíveis de superar a menos que os enfrentasse.

Ou será que ela estava sendo dura demais?

Indisposta em excesso para atinar com qualquer coisa nessa noite, mas sem querer enfraquecer sua determinação anterior de confrontá-lo, Rebecca tirou a roupa e caiu na cama. Tomou um gole do chá de camomila ainda morno que a Sra. Trevathan tinha lhe deixado, olhou para o relógio e se perguntou onde diabos estaria Jack. Quando apagou a luz, de certa forma torceu para ele que não aparecesse hoje, assim poderia ter uma noite ininterrupta de sono.

Já passava da meia-noite quando ele entrou no quarto.

– Oi, amor. – Ele atravessou o quarto animado, beijou-a, em seguida lhe deu um abraço. Fedia a álcool rançoso, e Rebecca, já enjoada, virou o rosto para o outro lado.

– Está tudo bem, Becks? Você está com uma cor estranha.

– É aquela dor de cabeça outra vez que está me dando enjoo. Se não tiver passado amanhã, vou consultar um médico.

– É, faça isso. – Jack se sentou na beirada da cama e segurou sua mão. – Coitadinha – falou. – Ei, não acha que eu posso ter engravidado você, acha?

– Não, Jack, impossível. Eu tomo pílula, lembra?

– Eu sei, mas não seria ótimo se você estivesse grávida? Acho que ia ser o bebê mais bonito do mundo. E juro que, se você estiver, por mim não tem problema nenhum. Já está na hora de eu ser papai.

– Jack, eu tenho quase cem por cento de certeza de que não estou grávida – respondeu Rebecca, cansada. – Mas como foi o encontro?

– Foi ótimo. Eu e o tal diretor nos demos superbem. Aí depois fomos almoçar, e tivemos o que se poderia chamar de momento de cumplicidade masculina – disse ele, sorrindo ao recordar.

– E quando é que você vai ter uma resposta sobre o papel?

– Daqui a alguns dias. Agora vou tomar um banho naquela banheira velha no final do corredor, já que aqui não tem chuveiro. Meu Deus, que lugar maluco para se hospedar. – Ele a beijou no nariz. – Relaxe, já volto.

Rebecca aquiesceu e fechou os olhos. Jack pegou seu nécessaire e saiu do quarto.

Quinze minutos depois, voltou e entrou na cama ao lado dela.

– Será que você tem energia para tentar fazer um neném hoje? – sussurrou ele, estendendo-lhe as mãos.

– Jack, eu não estou me sentindo bem. Pode me deixar dormir, por favor?

– Sua estraga-prazeres. – Quando ele se inclinou para beijá-la, ela viu, para seu horror, um restinho de pó branco logo na beirada da sua narina.

– Me desculpe, Becks, mas você precisa entender que eu estou deitado na cama da mulher com quem todo homem do mundo quer trepar, de tão linda que ela é. Não é de espantar que eu tenha ficado excitado.

– Por favor! Eu já disse que não estou me sentindo bem e preciso dormir.

– Desculpa – respondeu ele, ofendido, enquanto ela virou para o outro lado e apagou a luz.

Pela manhã, Rebecca pediu a Steve que chamasse um médico. Sem conseguir ficar na cama, uma vez que não queria ser atendida ao lado de um noivo ainda cheio de droga e bebida no organismo, desceu cambaleando a escada e foi esperá-lo no salão.

Vinte minutos depois, um homem alto de meia-idade segurando uma maleta de médico entrou junto com Steve.

– Vou deixá-los à vontade – disse-lhe Steve da porta enquanto o médico se aproximava e se sentava ao seu lado.

– Olá, Srta. Bradley. Sou o Dr. Trefusis. O que está sentindo?

Rebecca lhe explicou seus sintomas, e o médico a examinou.

– Certo – disse ele após concluir a investigação. – Sua pulsação está mais acelerada do que eu esperava e sua pressão sanguínea também está aumentada. Mas isso muitas vezes pode ser por causa de estresse, principalmente quando é preciso chamar um médico desconhecido para descobrir o que há de errado – falou ele, sorrindo-lhe com olhos bondosos.

– Eu não entendo, quase nunca adoeço – lamentou ela com um suspiro.

– Bem, infelizmente somos humanos e isso acontece com todos nós. Agora quero colher uma amostra de urina, e gostaria de fazer um exame de sangue para descartar algumas possibilidades. Por favor, Srta. Bradley, tente não se preocupar. A senhorita provavelmente está com alguma virose. Não tem febre, mas isso pode ser porque tomou ibuprofeno mais cedo, como me relatou.

Rebecca levou um frasco para o banheiro e fez o que ele pedira, depois olhou para o outro lado quando o médico cravou a agulha na sua veia. Aquela visão lhe lembrava a mãe.

– Prontinho. Este aqui é o meu número de celular, só para o caso de haver uma piora. Vou entrar em contato assim que receber os resultados dos seus exames. Mas aviso que pode demorar alguns dias para que fiquem prontos. Até lá, quero a senhorita de cama. Beba bastante líquido, continue tomando ibuprofeno, e vamos ver se melhora.

– De cama? Mas eu não posso fazer isso! Minha agenda está lotada nos próximos dois dias, doutor, e eu não posso atrasar a filmagem – falou Rebecca, horrorizada.

– A senhorita não pode fazer nada se está doente, Srta. Bradley. Com certeza não está em condições de participar de filmagem alguma no presente momento. Que tal eu dar uma palavrinha com o rapaz que me trouxe? Vou lhe explicar a situação. – O Dr. Trefusis fechou sua maleta, andou até a porta, então parou, como se algo tivesse acabado de lhe ocorrer. – Não acha que poderia estar grávida, acha?

– Eu tomo pílula – respondeu Rebecca.

– Mesmo assim, vamos fazer um teste de gravidez com a amostra da sua urina hoje à tarde, só para descartar definitivamente essa possibilidade. Até logo, Srta. Bradley.

Rebecca se recostou no sofá, sentindo-se tão doente *quanto* culpada por estar doente. Desejou poder subir para o seu quarto, fechar as cortinas e dormir. Mas a ideia de ter de encarar Jack enquanto se sentia tão frágil não lhe agradava.

Dez minutos depois, Steve entrou no salão.

– Certo, querida, tudo resolvido. Falei com Robert, e estamos mudando o cronograma para você ter uns dois dias de folga e se recuperar.

– Desculpe, Steve. Estou me sentindo mal por causar esse transtorno todo.

– Deixe de ser paranoica, Rebecca. Todo mundo no set adora você e já viu o quanto é dedicada e trabalhadora. Só lamentamos que você não esteja bem. Enfim, vamos torcer para que com uns dois dias de descanso você melhore.

– Sim – assentiu ela, agradecida. – Obrigada.

– Agora por que não sobe para o seu quarto e tenta dormir? – sugeriu Steve.

– Jack ainda está descansando. Chegou exausto de Londres. Vou ficar aqui embaixo até ele acordar.

– Está bem... – Steve a encarou de um jeito estranho. – Mas a nossa prioridade é você, e você precisa estar na cama. Vou dar uma palavrinha com a Sra. Trevathan e ver se ela tem outro quarto que você possa usar enquanto isso.

Quando ele saiu, Rebecca se encolheu de vergonha. Ali estava ela, indisposta demais para trabalhar e com um estorvo de um namorado dormindo no seu quarto lá em cima.

– Olá, meu bem. – A Sra. Trevathan chegou ao salão alguns minutos depois com uma expressão de empatia. – Como está se sentindo?

– Péssima – respondeu Rebecca, sentindo as reservas ruírem diante da visão daquela figura materna.

Seus olhos se encheram de lágrimas, que ela enxugou.

– Pronto, meu bem, vai passar. – A Sra. Trevathan pousou gentilmente uma das mãos sobre a sua. – Steve me explicou a situação, de modo que eu providenciei outro quarto para a senhorita nesse meio-tempo.

Meia hora depois, Rebecca estava deitada numa imensa cama com dossel enquanto a governanta entrava e saía trazendo água, chá, torradas e algumas revistas que pensou que Rebecca fosse gostar de ler.

– Acho que a senhorita aparece em uma ou duas – disse ela em tom de provocação ao lhe passar as revistas.

– Que quarto mais lindo. Acho que ganhei um upgrade – comentou Rebecca com um sorriso desanimado.

– É mesmo, não é? Estes eram os aposentos de lady Violet Astbury, e eu nunca os vi serem usados nos quarenta anos desde que trabalho aqui. Foi lorde Astbury quem sugeriu que a senhorita se mudasse para cá quando lhe perguntei hoje de manhã onde deveria instalá-la. Este quarto tem a melhor vista para o jardim e para a charneca, e é o único que dispõe de um banheiro. Há também uma saleta privativa e um quarto de vestir atrás daquela porta ali – disse a governanta, apontando.

– Bom, agradeça a Anthony, por favor. Prometo que é temporário, só até Jack acordar.

– Se eu fosse a senhorita ficaria aqui até se sentir melhor. Aproveite e descanse, meu bem.

– Muito obrigada mesmo por toda a sua gentileza.

– Não seja boba, é para isso que eu estou aqui. – A Sra. Trevathan lhe sorriu e se retirou.

Rebecca acordou mais tarde sentindo-se um pouco melhor e sentou-se na cama para tomar o chá que a governanta tinha lhe trazido. Pela primeira vez reparou nos detalhes do quarto que estava ocupando. Era difícil acreditar que houvesse permanecido tantos anos sem nenhuma presença humana. Tudo nele estava impecável; até a tinta dos rodapés tinha um aspecto fresco e novo. Seu olhar recaiu sobre a penteadeira *art déco* lustrosa de tão encerada, e ela viu frascos de perfume, uma escova de cabelos e uma fieira de contas pendurada numa das laterais do espelho de três folhas. Desceu da cama, foi até lá, pegou um dos frascos de perfume e sentiu o cheiro. Sobressaltou-se ao perceber que o conhecia: aquele era o aroma leve e floral que tinha certeza de que ficara pairando no ar do seu quarto em algumas noites.

Caminhou pé ante pé até o cômodo ao lado e entrou num banheiro. Ali também os acabamentos impecáveis a deixaram surpresa. A banheira era velha, mas sem nenhum sinal do uso tão prevalente em outras partes da casa. Uma longa sequência de armários espelhados ocupava toda a extensão de uma das paredes. Rebecca abriu um deles e arquejou ao ver a profusão de lindas roupas perfeitamente conservadas dentro de capas plásticas de tinturaria.

– As roupas de Violet – murmurou.

Fechou a porta depressa, voltou para o quarto de dormir e foi até a porta oposta. Atrás desta havia uma saleta pequena, porém lindamente mobiliada. Fotos emolduradas em porta-retratos prateados ocupavam uma escrivaninha, e ela examinou o rosto de Violet – seu *próprio* rosto – encarando-a de volta. Ao seu lado estava um belo rapaz em trajes de gala: devia ser Donald, avô de Anthony.

Uma terceira porta conduzia a um cômodo menor mobiliado com parcimônia – um quarto masculino, que não continha nenhum dos apetrechos da feminilidade. Rebecca se deu conta de que aquele devia ser o quarto de vestir de Donald, e viu que havia uma cama de madeira estreita, um guarda-roupa de mogno, uma cômoda e uma estante cheia de livros. Rebecca examinou os títulos nas prateleiras e viu que havia de tudo, de literatura infantil até romances de Thomas Hardy. Um deles em especial atraiu seu olhar: o nome Rudyard Kipling e o título *Se* estavam gravados em dourado na lombada de um grosso volume de couro marrom. Lembrando-se do poema "Se" sobre o qual Ari tinha lhe falado na véspera, pegou-o com cuidado. Na capa havia a impressão em molde vazado de uma intrincada insígnia dourada. Ela se sentou na cama e abriu o livro. A parte interna da capa continha uma dedicatória em tinta desbotada:

Natal de 1910

Meu querido Donald, este presente muito especial me foi dado por Sua Alteza, o marajá de Cooch Behar, quando parti de volta para a Inglaterra após passar cinco anos como residente lá. Ele o encomendou especialmente para mim, pois sabia que Rudyard Kipling era meu autor e poeta preferido. O livro contém no início um poema escrito numa belíssima caligrafia, mas na verdade é um diário. Use-o como quiser.
Seu pai,
George

Rebecca recordou a lápide de pedra no mausoléu, segundo a qual George Astbury morrera poucas semanas depois, em janeiro de 1911.

Virou a primeira página amarelada e, conforme indicado pelo pai de Donald, ali estava o poema, escrito à mão em páginas lindamente decoradas em dourado. Leu os versos, e entendeu que não poderia existir um último presente mais comovente de pai para filho.

Aquelas palavras, escritas cem anos antes, a fizeram se sentir mais forte também. Ela se levantou, e estava prestes a devolver o livro à estante quando uma mancha de tinta na parte inferior de uma das últimas páginas a levou a continuar folheando.

Ela tornou a se sentar ao mesmo tempo que lia o primeiro registro escrito numa caligrafia impecável.

Janeiro de 1911

Faz quatro dias que papai morreu. Recebi a notícia no colégio interno, e agora estou em casa para o enterro. Mamãe passa a maior parte do tempo na capela e insiste para irmos com ela. Para ser franco, no presente momento não tenho muita fé NELE, mas farei o possível para apoiá-la no seu luto. Selina também está abalada. Entendo que eu agora sou o homem da casa, e preciso ser forte e valente. Pai, eu na verdade sinto uma falta terrível do senhor, e não sei como consolar as mulheres.

O restante da página estava vazio, sem mais nada escrito, mas ao virar outra página Rebecca viu que o diário recomeçava em 1912, com registros esporádicos ao longo dos três anos seguintes, depois com grande intensidade em fevereiro de 1919, que ela percebeu ser o período imediatamente após o término da Primeira Guerra Mundial.

Ouviu alguém chamar seu nome. Com relutância, devolveu o livro à estante e voltou depressa para o quarto.

– Como está, meu bem? – perguntou a Sra. Trevathan, que havia acabado de entrar.

– Um pouco melhor.

– Pelo menos agora está um pouco mais corada. Rebecca, Jack acordou e quer falar com você. Eu disse que a senhorita estava dormindo. Queria perguntar: está disposta a receber visitas? – O olhar que a mulher mais velha lhe lançou fez Rebecca ver que ela a compreendia.

– Na verdade, não – respondeu, sincera.

– Bem, quer que eu me certifique de mantê-lo ocupado até amanhã? Poderia sugerir que ele vá até o hotel de Ashburton com seu amigo ator mais tarde. Por falar nisso, o Sr. James perguntou sobre a senhorita mais cedo e mandou um beijo – acrescentou ela.

– Seria muita gentileza da senhora fazer isso. Mas, se Jack sair mesmo com James, pode ser que volte tarde. E...

– Sim, meu bem, eu entendo – disse a Sra. Trevathan. – Não se preocupe, eu me resolvo com ele.

– Se ele causar algum problema, por favor mande-o vir falar comigo.

– Posso lhe garantir que já lidei com coisa bem pior do que o seu namorado – afirmou ela, direta. – Aqui está um jantar, bastante água e um copo de leite morno que lorde Astbury insistiu para que eu lhe trouxesse. Ele também mandou lembranças, aliás, e deseja-lhe uma pronta recuperação. Ah, e aquele cavalheiro indiano que agora está hospedado aqui também ficou muito preocupado e queria vê-la – acrescentou. – Bem, agora vou lá garantir que a senhorita não seja incomodada hoje à noite por nenhum dos seus admiradores. – Os olhos da Sra. Trevathan brilharam. – Se precisar de alguma coisa, é só tocar a sineta ao lado da cama.

Rebecca encarou o objeto.

– Isso ainda funciona?

– Sim, meu bem, funciona, sim – respondeu a governanta. – Por que não toma um banho gostoso e demorado naquela banheira, e depois vai se deitar cedo? Posso trazer algumas coisas suas do outro quarto.

– Obrigada, vou fazer isso. E tem razão, preciso mesmo de um pouco de paz.

– Eu sei, meu bem, dá para ver. Como falei, deixe comigo.

Por instinto, Rebecca foi até a governanta e lhe deu um abraço.

– Obrigada.

Obviamente surpresa e constrangida com aquela demonstração de afeto, a Sra. Trevathan se desvencilhou logo e andou depressa até a porta.

– Boa noite, querida. Durma bem.

– Vou dormir.

Mais calma agora que sabia que Jack não iria aparecer a qualquer momento, Rebecca tomou um banho, em seguida foi buscar no quarto de vestir de Donald o diário encadernado em couro. Deitou-se na cama e o folheou até chegar às páginas após a Primeira Guerra. O primeiro registro mencionava que "A." havia embarcado num navio para a Índia.

Donald com certeza deve estar se referindo a Anahita, pensou.

Caso sim, aquele livro de aspecto inocente, que passara despercebido por décadas nas prateleiras em meio aos outros, talvez contivesse a prova de que Ari precisava para confirmar a história da bisavó.

Rebecca só precisou ler mais dois registros para ter certeza de que "A." era Anahita. Ergueu os olhos e lançou aos céus um sorriso de ironia.

– Você nos guiou até aqui, Anni, e eu encontrei o diário – sussurrou. Então se acomodou numa posição confortável e deixou as palavras de Donald a puxarem de volta até o passado…

Donald

Fevereiro de 1919

30

1º de fevereiro

A. partiu hoje no navio que a levará até a Índia. Estou tão arrasado que nem consigo explicar. Ela é maravilhosa sob todos os aspectos – calorosa, sábia, diferente de todas as outras moças que já conheci. Não sei como vou me virar sem ela nas próximas semanas. E amanhã preciso voltar para Astbury e tentar contar para minha mãe que precisamos vender a propriedade. Para falar a verdade, estou muito apreensivo com a reação dela.

19 de fevereiro

Em Astbury. Minha mãe continua se recusando a sair do quarto e diz que está padecendo de alguma moléstia terrível, mas o médico não consegue diagnosticar nada de errado fisicamente. A casa inteira sabe que ela ainda está desgostosa por causa do casamento de Selina com Henri. Recebi um telegrama lindo de A., que completou 19 anos a bordo do navio três dias atrás. As palavras de amor dela me fazem seguir em frente. Ela chega a Calcutá daqui a duas semanas. Só me resta torcer para que volte em breve. Respondi com um telegrama lhe dizendo o quanto a amo. Enfim, vou falar com minha mãe hoje, quer ela goste ou não. Não podemos mais continuar assim.

Donald tomou coragem e foi bater na porta do quarto da mãe. Ouviu um tilintar de louça e depois um débil "pode entrar".

– Olá, mãe. Será que eu poderia abrir uma das cortinas? Está tão escuro aqui que mal consigo ver a senhora.

– Se você faz questão... Mas a luz fere meus olhos – respondeu Maud com uma voz trêmula.

Donald abriu uma das cortinas e foi até a mãe.

– Posso me sentar?

– Puxe uma cadeira aqui para perto. – Ela apontou com um movimento dificultoso dos dedos sobre o lençol.

Donald assim o fez.

– Como vai a senhora?

– Do mesmo jeito.

– Pelo menos está corada.

– Deve ser o ruge que pedi que Bessie passasse no meu rosto hoje de manhã – respondeu Maud, abrupta. – A cada dia que passa me sinto pior.

Donald respirou fundo.

– Mãe, entendo que a senhora não esteja bem, mas nós precisamos mesmo conversar sobre alguns assuntos.

– Como por exemplo o casamento de sua irmã com aquele francezinho horroroso? Seu pai deve estar se revirando no túmulo.

Donald recordou o pai, caloroso e afetuoso como era, e soube como ele teria ficado feliz por Selina encontrar alguém com quem dividir a vida após ter passado por tamanha tragédia.

– O que não tem remédio remediado está, mãe, e não há nada que nenhum de nós dois possa fazer para mudar esse fato. Selina é adulta e deve tomar as próprias decisões.

– Se você não aprova, por que vai comparecer ao sórdido casamentozinho daqueles dois? – rebateu Maud. – Ninguém da sociedade londrina vai, isso é certo.

– Mãe, ela é minha irmã. E eu na verdade gosto de Henri. Acho que ele ama Selina e vai cuidar bem dela e de Eleanor.

– Nesse caso, sobre o que você deseja conversar comigo? – perguntou Maud, mudando de assunto.

Ele tomou forças para lhe dizer o que precisava.

– Mãe, a propriedade está numa situação financeira deplorável, e se eu não fizer nada a respeito disso, em breve a casa literalmente vai desabar em cima de nós. Talvez o banco até decida confiscá-la, de tão grandes as nossas dívidas.

Como a mãe não reagiu, Donald continuou falando.

– Por mais trágico que seja, a única saída é vender. Tenho que rezar para encontrar um comprador com dinheiro suficiente para enxergar o potencial de Astbury e assumir a propriedade.

Ao escutar isso, Maud virou os olhos para o filho com um movimento rápido. Mesmo na penumbra, Donald pôde ver que estavam tomados por um terror abjeto.

– *Vender* a propriedade de Astbury?

Ele viu a mãe jogar a cabeça para trás e rir.

– Donald, eu admito que a casa está precisando de umas reformas, mas acho que você está sendo um pouco dramático. É claro que nós não podemos vender! A propriedade está na família desde o século XVII!

– Bem, mãe, eu passei o último mês conversando com nossos banqueiros, com o contador e com o administrador de Astbury, e todos eles dizem a mesma coisa. A propriedade está falida e ponto final. Eu sinto muito, mas a verdade é essa.

– Donald... – De repente, a voz de Maud se reergueu das profundezas de sua doença debilitante. – Eu posso suportar muitas coisas, mas nunca, jamais concordarei em vender Astbury.

– Mãe – respondeu Donald com a maior calma de que foi capaz. – Você talvez se lembre que quando me tornei maior de idade, três meses atrás, a propriedade passou legalmente para o meu nome. Portanto, a decisão quanto ao que fazer é minha. Por mais triste e lamentável que seja a situação para todos nós, vender é a única solução. Ou isso, ou enfrentaremos os agentes de despejo vindo nos tirar daqui à força.

Ao ouvir isso, Maud tornou a cair sobre os travesseiros e levou a mão ao peito.

– Como você pode ser tão cruel? Eu, uma mulher doente, e você me traz uma notícia dessas! Estou com uma dor fortíssima no peito. Por favor, chame Bessie... chame o médico...

Donald baixou os olhos para ela e viu que seu rosto de fato havia adquirido uma palidez tenebrosa.

– Mãe, por favor, eu não quis deixá-la assim, mas não temos alternativa.

Maud agora arfava, tentando recuperar o fôlego. Donald se levantou.

– Vou mandar chamar o Dr. Trefusis. Sinto muito ter deixado a senhora assim. – Ele deu um suspiro e saiu do quarto.

O Dr. Trefusis veio na mesma hora. Examinou Maud, depois foi falar com Donald, que aguardava nervoso do lado de fora.

– Ela está tendo algum tipo de ataque dos nervos. Dei-lhe uma poção sonífera, e voltarei amanhã para ver como ela está. No entanto, para o bem de todos nós, sugiro que o senhor por enquanto deixe de lado o que quer que tenha lhe dito mais cedo – afirmou ele categórico.

10 de março

Recebi um telegrama de A. me dizendo que o navio atracou em segurança na Índia e que ela está a caminho do palácio de Cooch Behar. Minha mãe continua se recusando a sair do quarto e não me deixa entrar, fico zanzando pela casa num estado permanente de aflição e desespero. Passei a tarde de hoje escrevendo uma longa carta para A. no palácio tentando me reconfortar. A mortalha de pessimismo que atualmente cobre Astbury é palpável. Os criados são sempre os primeiros a farejar problemas, e na minha opinião todos eles sabem que há algo errado. Hoje de manhã pedi para um agente imobiliário vir aqui. A propriedade foi avaliada e vale muito pouco, considerando tudo que contém. Mas pelo menos será suficiente para saldar a dívida e comprar para mim e A. uma casa de campo bem menor. E suficiente também para minha mãe poder ter algo similar.

O mês de abril chegou, e Donald sentiu-se grato pelos dias de primavera que faziam o jardim ganhar vida e o tojo das charnecas começar a adquirir um tom amarelo vivo. Certa manhã, porém, ao sair trotando do estábulo montado em Glory, foi tomado por um medo insistente. Fazia quase um mês que não tinha notícias de Anni, desde a sua chegada ao palácio de Cooch Behar. Enquanto atiçava Glory para fazê-la ganhar velocidade e saía pelas charnecas a meio-galope, pequenos demônios começaram a abrir furos na sua segurança.

Será que ela havia retornado à Índia e conhecido outra pessoa? Afinal de contas, era linda e talentosa – não uma princesa, isso não, mas aristocrática e com o tipo de criação, graça e inteligência que qualquer homem acharia atraente. Ele era um lorde britânico, verdade, mas não tinha um tostão e, assim que Astbury fosse vendida, ficaria sem reino para governar.

No último mês, Donald começara a se dar conta de que seus estudos só o haviam qualificado para se tornar um membro da classe superior e administrar uma propriedade e seus funcionários. A menos que ele voltasse para o exército – alternativa que o deixava horrorizado –, o que faria com o próprio futuro caso a propriedade fosse vendida? Ele desmontou da égua junto ao regato onde havia conversado com Anni naquele primeiro verão e se deitou na grama para pensar.

Depois de suas experiências na guerra, uma vida de prazer e sem objetivo parecia inútil. E ele se sentia culpado – culpado porque seria *ele* a apagar tantas centenas de anos de história da família em Astbury Hall. Pegou-se tentando pensar, mais uma vez, se haveria algum jeito de salvar o patrimônio, mas nenhuma ideia plausível lhe ocorria. Sabia que, se *houvesse* um caminho, iria querer trilhá-lo, não apenas por causa da história familiar, mas também porque pelo menos estaria fazendo algo digno de valor ao proporcionar um ganha-pão para os cerca de duzentos funcionários e agricultores arrendatários que trabalhavam no local – sem falar na sua mãe, que apesar das encenações estava genuinamente arrasada por ter de se mudar.

Donald se levantou e tornou a montar em Glory. Pensou que teria simplesmente de aceitar a realidade e concentrar as energias em seu novo futuro com Anni, e assim encontrar um novo objetivo na vida.

15 de maio

Ontem (enfim) minha mãe saiu do quarto. Mas estou sem notícias de A. há quase dez semanas. Escrevi várias cartas para o endereço do palácio que ela me deu, mas nunca obtive resposta. Onde será que ela pode estar? Nunca me senti tão deprimido. Talvez ela tenha me esquecido. Talvez, como sua amiga Indira, também tenha conhecido um príncipe indiano e fugido com ele...

Donald largou a caneta, levantou-se e pôs-se a olhar desanimado pela janela do quarto. O sol estava bem alto no céu e o dia estava lindo, mas ele não conseguiu apreciá-lo. Sua mente vivia ocupada por pensamentos terríveis sobre Anni e os motivos pelos quais ela não tinha lhe respondido. Ou talvez, pensou, fosse apenas o caso de suas cartas não terem chegado. O correio entre a Inglaterra e a Índia era reconhecidamente difícil. Mas ele sabia que só ficaria tranquilo quando tivesse notícias dela.

No térreo, no café da manhã, encontrou a mãe no meio de um prato de bacon e ovos.

– Fico feliz em vê-la melhor, mãe. – Com esforço, ele conseguiu abrir um sorriso.

– Bem, você sabe como o inverno me afeta. Mas o verão está quase chegando e há muito a fazer.

– É mesmo? – indagou Donald, perguntando-se que raio ela poderia estar querendo dizer.

– Sim. – Maud lhe passou uma carta por cima da mesa do café. – Uns velhos amigos do seu pai sugeriram que gostariam de vir nos visitar. E eu disse que sim, é claro.

Donald leu por alto a carta, que trazia um endereço de Nova York.

– Aqui diz que eles vão chegar daqui a sete semanas. Mas quem são esses Drumners?

– Ralph Drumner é o chefe de uma das famílias mais antigas e também mais ricas de Nova York. Acho que é dono de um banco, e sua esposa Sissy, pelo que me lembro, é um encanto. Eles têm também uma filha, Violet, mais ou menos da sua idade. Parece que ela está viajando pela Europa, mas vai vir encontrar os pais aqui em algum momento no verão.

Donald se espantou com o entusiasmo visível da mãe. Maud considerava a maior parte dos americanos "ordinários".

– Bem, contanto que a senhora esteja bem o bastante para recebê-los, mãe, fico feliz que a perspectiva de velhos amigos virem visitá-la a tenha animado.

– Sim, acho que animou mesmo. – Maud sorriu contente para o filho.

E ela estava de tão bom humor que Donald decidiu abordar a questão de Selina.

– Quem sabe enquanto seus hóspedes estiverem aqui a senhora não poderia pensar em chamar Selina para uma visita? Sei que a pequena Eleanor está com saudades da avó e de Astbury.

– Donald, você sabe muito bem que enquanto estiver casada com aquele homem Selina jamais será bem-vinda nesta casa. Fui clara?

Donald suspirou, pois sabia que, como lorde Astbury e proprietário oficial da casa, ele tinha todo o direito de passar por cima dela e convidar a irmã para ir visitá-los quando quisesse. No entanto, a consequência inevitável de abalar a mãe outra vez quando ela parecia tão mais animada era algo que por ora ele não poderia suportar.

9 de junho

Fui a Londres falar outra vez com o gerente do banco. Mais notícias ruins: o tempo agora está se esgotando, e preciso tomar providências para pôr a propriedade à venda em breve. Fiz também uma visita à enfermeira-chefe de Anni no The London Hospital em Whitechapel, que me disse tampouco ter tido qualquer notícia dela. Estive brevemente com Selina, e ela contou que encontrou Indira e seu novo marido no sul da França. Anni disse a Indira que ia voltar para a Inglaterra ao deixar Paris em maio. Estou mesmo louco de preocupação. Sem ela, o que me resta?

14 de julho

Ralph Drumner e sua esposa Sissy chegaram para se hospedar em Astbury uma semana atrás. Parecem bastante simpáticos, e apesar do mau estado de conservação da casa, estão encantados por ficarem hospedados numa mansão de verdade na companhia de um lorde inglês. Sissy chegou a me fazer uma mesura quando eles chegaram! Acho que Ralph Drumner é bem mais astuto do que finge ser. Ele obviamente é riquíssimo: Sissy só usa roupas da última moda de Paris e vive coberta de diamantes. Eles estão passando dois meses aqui, "rodando" a Inglaterra, como costumam dizer, e amanhã sua filha Violet chega. Ainda sem notícias de A. Meu coração vai congelando aos poucos, pois não consigo mesmo pensar em nenhum bom motivo para ela não ter entrado em contato comigo, a não ser por um específico.

– Os Drumners vão voltar às três e meia, a tempo do chá da tarde – anunciou Maud. – Sugiro tomarmos chá no terraço. Sabia que eles foram a Londres buscar a filha? Ela chegou de Paris ontem à noite.

– Sim, mãe – respondeu Donald distraído durante o café da manhã.

– Como você tem uma idade próxima, talvez fosse bom vir se juntar a nós e lhe fazer companhia.

Donald dobrou o *The Times* e se levantou da mesa.

– Não se preocupe, estarei lá para me exibir.

Naquela tarde, Donald saiu a cavalo pela propriedade. Os arrendatários que visitou pelo menos pareciam alegres, pois tinham aproveitado as condições meteorológicas perfeitas para uma excelente safra de trigo, a ser colhida nas semanas seguintes. Era uma notícia que eles pensavam fosse lhe agradar; mal sabiam o destino que estava prestes a se abater sobre eles.

Um possível comprador para a propriedade tinha sido encontrado. Era o Sr. Kinghorn, natural da Cornualha, um homem de negócios que havia ganhado muito dinheiro com latão durante a guerra. Parecia um sujeito razoavelmente decente, e estava ansioso para galgar a escala social adquirindo a propriedade de Astbury. Estava comprando o casarão e as terras por uma pechincha pelo simples fato de não ter concorrência naqueles anos sombrios do pós-guerra. Donald ainda precisava dar o aceite definitivo para a venda. Mas pelo menos, pensou para se reconfortar enquanto entregava a égua ao cavalariço e punha-se a caminhar de volta em direção à casa, sabia que a propriedade provavelmente seria administrada de modo bem mais eficiente e profissional sob o olhar atento do novo dono.

Ao chegar ao jardim, Donald viu os Drumners e a mãe sentados no terraço tomando chá e percebeu que estava atrasado. Eles teriam de suportá-lo em trajes de montaria; melhor do que ele ter de enfrentar um desprazer ainda maior da mãe. Subiu os degraus e, quando o fez, a jovem sentada à mesa chamou sua atenção. Seu lado masculino reconheceu na hora que Violet Drumner era uma beldade. Tinha o corpo esguio envolto num belo vestido de chá, e os cabelos louros cortados à moda chanel. Ao chegar mais perto, ele viu que ela era dona de um par de vívidos olhos castanhos e de uma boca perfeita em formato de coração num rosto de pele alva e imaculada.

– Boa tarde – cumprimentou ele ao chegar à mesa no terraço. – Mãe, Ralph, Sissy, peço desculpas pelo atraso, e Srta. Drumner, bem-vinda a Astbury – disse ele, virando-se para a jovem. – Posso chamá-la de Violet?

– Sim, por favor. – Ela sorriu, revelando por um instante os dentes perfeitos.

– É um prazer enorme conhecê-la – afirmou ele. Sentou-se, e a criada se apressou em lhe servir uma xícara de chá. – Como foi a viagem até aqui?

– Extremamente agradável – respondeu Violet. – Na verdade eu nunca tinha visto nada fora de Londres. Todos os bailes aos quais fui aqui na Inglaterra no início do verão foram lá.

– E Violet debutou em Nova York no ano passado, claro – emendou Sissy.

– Foi mesmo? – indagou Maud, erguendo a sobrancelha de modo quase imperceptível.

– E gostou da temporada aqui também?

– Ah, sim! Conheci muitas pessoas interessantes. Eu simplesmente adoro a Inglaterra – acrescentou Violet com seu sotaque nova-iorquino vivaz.

– Segundo todos dizem, Violet foi a sensação da temporada londrina – comentou Ralph. – Um monte de rapazes com títulos ficaram correndo atrás dela. E não venha dizer que não, Violet.

– Ah, papai, por favor. – Violet ficou encantadoramente vermelha. – Todas as meninas fizeram sucesso.

– Algum rapaz em especial chamou sua atenção? – quis saber Maud.

– Eu acho que ainda sou jovem demais para me comprometer – respondeu ela com diplomacia.

– Violet, você monta? – perguntou Donald, mudando de assunto.

– Ah, sim, no Central Park, com bastante frequência, e tenho meu próprio cavalo em nossa casa de veraneio em Newport.

– Nesse caso, enquanto estiver aqui precisa me deixar levá-la para um passeio pelas charnecas.

– Eu gostaria muito, Donald.

24 de julho

Levei V. para montar de novo hoje de manhã. Ela é tecnicamente capaz, mas monta como uma menina, enquanto A. montava como um homem. Ainda assim, é uma moça meiga, inteligente e educada, e o prazer que sente em estar aqui na Inglaterra me faz sorrir. Ela também é muito bonita, e eu às vezes a olho e penso que sua pele alva e seus cabelos louros não poderiam ser mais diferentes da aparência exótica e exuberante de A. Pelo menos sua presença me distrai e me impede de pensar tanto em A., pois a sua energia é contagiante.

Donald se deu conta de que as últimas duas semanas transcorreram com uma energia nova no ar. Com seu entusiasmo tipicamente americano, os Drumners tinham conseguido dissipar a atmosfera sombria que vinha pairando sobre Astbury nos últimos tempos. Poucos dias antes, sua mãe tinha se animado e convidado alguns aristocratas da região para um raro jantar. Até mesmo os empregados pareciam estar apreciando o trabalho extra que tinham por causa das visitas. Criadas subiam e desciam as escadas às pressas para preparar o banho das duas americanas e cuidar de seus enormes guarda-roupas. O corredor dos quartos de hóspedes vivia recendendo ao perfume de Violet, tão leve e estivo quanto ela própria.

Naquela manhã, seus rostos bem-dispostos o cumprimentaram à mesa do café, e Ralph enunciou seu plano de "rodar a Cornualha" nos dias seguintes.

– Mãe, a senhora se importaria se eu não os acompanhasse? – indagou Violet. – Amy Venables vai dar um baile em Londres e escreveu perguntando se eu posso ir. Seria maravilhoso rever alguns dos meus amigos ingleses da temporada mais uma vez antes de voltarmos para Nova York.

– Tenho certeza de que seria mesmo, querida, mas você não pode ir para Londres sozinha. Isso está simplesmente fora de cogitação – retrucou Sissy.

– Nós temos espaço de sobra na nossa casa de Londres – disse Maud. – Você pode ficar lá, Violet querida.

– Seria uma grande gentileza sua, lady Astbury.

– E Donald, você não disse que precisava ir a Londres nos próximos dias? – emendou Maud.

– Hã... Sim, vou estar em Londres – respondeu ele pouco à vontade, sem querer parecer grosseiro.

– Ora, mas isso é perfeito... você pode ir comigo ao baile! Tenho certeza de que Amy Venables não vai achar ruim – exclamou Violet, batendo palmas.

– Que ótima ideia! – disse Maud. – Certo, está combinado, então. – Ela sorriu para todos os presentes.

Depois do café, Donald foi se refugiar na biblioteca com o *The Times*, mas não conseguiu se concentrar. Apesar de agora já fazer cinco meses desde a última vez que tivera notícias de Anni, não se sentia à vontade com a perspectiva de ir a um baile com Violet. Apesar disso, pelo visto sua mãe o havia manobrado, e recuar agora pareceria rude.

Ao refletir sobre o vigor renovado repentino da mãe e seu comportamento maleável fora do comum, Donald se perguntou pela primeira vez se a chegada súbita dos Drumners em Astbury tinha sido tão aleatória quanto parecera. Afinal, não havia dúvida alguma em relação à riqueza da família, e Ralph tinha mencionado poucos dias antes a vultosa quantia em dinheiro que administrava para Violet até ela atingir a maioridade, dali a três meses – quantia que, naturalmente, iria acompanhá-la quando ela se casasse.

– Maldição, mãe! – Donald bateu com o *The Times* na mesa, levantou-se e foi até a janela. Recriminou a si mesmo por ter sido tão ingênuo; como podia ter deixado de ver a teia que a mãe estava tecendo ao seu redor?

– Eu não vou ser comprado nem manipulado – falou entre os dentes cerrados enquanto olhava para o cálido sol de agosto que banhava com uma luz suave o terreno lá fora.

Uma coisa que Maud não podia controlar eram os sentimentos de Violet em relação a ele. Com sua fortuna, sua personalidade atraente e sua beleza inegável, Donald supunha que ela pudesse conseguir qualquer pretendente que escolhesse. Era pouco provável que se interessasse por ele. Mas pensou no modo como ela lhe sorria por baixo dos longos cílios, e como parecia ansiosa para acompanhá-lo em qualquer atividade que ele sugerisse…

Durante a demorada viagem de trem até Londres, ficou escutando Violet tagarelar sobre sua vida em Nova York, a linda casa em que vivia com os pais na Park Avenue, e as maravilhas que vira em sua turnê pela Europa.

– Tenho medo de ser bem difícil voltar. Os americanos às vezes são muito provincianos, sabe? – arrematou ela, como se as experiências daqueles três meses na Europa a tivessem transformado numa cidadã do mundo.

– Quer dizer que você prefere a Inglaterra? – indagou David com educação.

– Ah, sim. Sempre tive uma grande paixão pela sua literatura. E simplesmente adoro a zona rural daqui. É tudo tão pitoresco.

Quando chegaram à casa da Belgrave Square, Violet foi conduzida por uma criada até seu quarto no primeiro andar, e Donald adentrou o salão e encontrou Selina sentada diante de uma escrivaninha escrevendo uma carta.

– Donald. – Seu rosto se iluminou quando ela o viu, e ela se levantou para abraçá-lo.

– Como vai, Selina?

– Acabamos de chegar do *château* de Henri na França. Ele ainda ficou lá cuidando de uns negócios. Eleanor e eu estamos aqui enquanto nossa nova casa de Kensington não fica pronta. Aceita chá?

– Claro – disse Donald, e sentou-se numa cadeira enquanto sua irmã tocava a sineta para chamar a criada.

– E então, como está tudo em Astbury? – perguntou ela.

– Bem, nossa mãe com certeza melhorou: está muito mais animada em comparação a como estava na última vez que você a viu. – Donald arqueou uma das sobrancelhas para a irmã, cúmplice.

– Algum indício de eu ter sido perdoada?

– Para ser sincero, não abordei o tema nos últimos tempos. Ela tem estado tão mais alegre que eu não quis levantar nenhum assunto que pudesse prejudicar sua disposição.

– Além do mais, você decerto andou ocupado acompanhando a herdeira americana pelas delícias de Devon.

– Eu com certeza cumpri meu dever – concordou ele. – Hoje preciso ir a um baile com ela e todas as suas amigas debutantes.

– Donald, você gosta de Violet? Estou ansiosa para conhecê-la.

– Sim, ela é uma moça muito agradável. – O semblante de Donald escureceu. – Mas você entende que não há nada além disso.

– Sim, claro. Alguma notícia de Anni?

– Nem um pio. – Ele suspirou. – Cheguei até a escrever para a Scotland Yard para ver se eles conseguiam investigar o paradeiro dela, mas não deu resultado. Ela literalmente sumiu.

– Bom, com certeza isso já é alguma coisa, não? – reconfortou Selina. – Pelo menos podemos supor que ela não está morta.

– Selina, ela pode estar em qualquer lugar. Talvez não tenha nem voltado para a Inglaterra como disse que voltaria. Na verdade estou começando a pensar que ela pode ter ficado na Índia e simplesmente não teve coragem de me contar.

Os dois ficaram calados pensando enquanto a criada trazia a bandeja do chá. Selina serviu uma xícara para cada um, encarando o irmão com um ar pensativo.

– Donald querido, eu detesto ter que dizer isso, mas...

– Eu sei, e por favor não diga – interrompeu ele. – Estou começando a me dar conta de que talvez não tenha outra escolha a não ser tentar seguir em frente.

– Sim, infelizmente – concordou Selina. – Sei o quanto você a amava, mas...

– Amava não, *amo* – cortou Donald.

– Sim, como a ama – corrigiu-se Selina. – Mas um casamento entre vocês dois nunca teria sido fácil em nenhuma circunstância. Você sabe como a sociedade inglesa é, e vocês dois teriam tido dificuldade para serem aceitos.

– Não ligo a mínima para isso – retrucou Donald zangado. – Eu estive nas trincheiras lado a lado com homens de todos os credos e cores, eu vi sua coragem. E *também* os vi morrer de modo tão doloroso quanto qualquer um de pele branca, devo acrescentar.

– Bom, o fato de não ter preconceito é mérito seu, mas você sabe que muitas pessoas têm e sempre vão ter – respondeu Selina baixinho.

– Está dizendo que Anni me deixou para me proteger disso?

– Não, estou apenas sugerindo isso como uma razão possível. Estou tão estarrecida quanto você por ela não ter entrado em contato.

– Espero que ela jamais tenha sentido qualquer desconforto comigo em relação à cor da sua pele.

– Donald, querido, não estou dizendo que ela sentiu com você, mas com outros pode ser que sim – explicou Selina, tentando acalmá-lo. – Veja nossa própria mãe, por exemplo. E se vocês tivessem tido filhos? Eles teriam sido mestiços e...

– Chega! – Donald bateu com a xícara no pires.

– Me perdoe. – Selina tinha lágrimas nos olhos. – Eu só estava tentando apontar os obstáculos caso tudo tivesse corrido conforme vocês haviam planejado.

– Nenhum deles teria tido importância se nós estivéssemos juntos. – Donald se levantou. – É melhor eu ir trocar de roupa para essa maldita festa.

Ele subiu até o quarto, afundou na cama e segurou a cabeça entre as mãos. Seria possível que Selina estivesse certa? Será que Anni, para salvá-lo de si mesmo, tinha decidido que era melhor ficar longe?

Simplesmente se recusava a acreditar nisso. Anni sabia que ele desprezava qualquer tipo de preconceito.

Donald sempre chegava à mesma conclusão. Estava agora convencido de que ela se dera conta de que não o amava como pensara amar. Ou quem sabe amasse mais outra pessoa, pensou ele, e estremeceu.

Seus olhos se encheram de lágrimas quando, pela primeira vez, ele contemplou seriamente um futuro sem ela. E ele se deu conta de que estava começando a perder as esperanças.

31

25 de agosto

Gostei mais do baile de ontem à noite do que pensei que fosse gostar. Encontrei dois de meus grandes amigos de Harrow acompanhando duas moças. Foi muito bom revê-los, e ficamos conversando sobre os velhos tempos. Os dois estão de casamento marcado para as próximas semanas e me convidaram. Ambos, é claro, brincaram comigo em relação a V., comentando a sorte que eu tinha de estar dançando com a moça mais linda do salão...

Violet tinha decidido ficar em Londres um pouco mais de tempo do que o planejado. E Donald, relutante em voltar para Devon e dar ao Sr. Kinghorn sua resposta definitiva sobre a venda da propriedade, resolveu adiar um pouco isso. Nos intervalos entre os jantares com Violet e visitas a algumas das atrações da cidade, ele ia ao seu clube em Pall Mall. Gostava de reencontrar velhos conhecidos e ficar até tarde da noite conversando sobre a guerra.

Cada vez mais percebia que, quando estivera em Londres após o armistício, seu mundo inteiro girava em volta de Anni e do seu amor por ela. Nada mais importava exceto estar na sua companhia, e ele tinha pouco tempo ou disposição para qualquer outra coisa. Era como se tivesse vivido dentro de uma bolha, e embora seu coração ainda doesse por causa dela, pelo menos a atual distração social era bem-vinda.

Admitia gostar do fato de os amigos invejarem sua relação com Violet, que com efeito parecia ser a sensação da cena social londrina. Ela era linda, espirituosa e, como Donald começou a descobrir, longe do casulo sufocante dos pais era dotada tanto de um temperamento vivaz quanto de um sagaz senso de humor.

Até mesmo ele se pegou enfeitiçado pela sua capacidade para se divertir e pelo seu prazer genuíno de simplesmente estar viva. Enquanto Anni era profunda, arrebatada e sombria, Violet era alegre, frívola e leve. Reparou também que ela era muito generosa, e que com frequência organizava surpresas atenciosas para agradar a seus muitos amigos.

Os convites não paravam de chegar, e ela era bem-vinda em todas as mesas de jantar londrinas, onde os homens competiam para se sentar ao seu lado e aproveitar a sua companhia. Donald se pegou acompanhando-a quase todas as noites a eventos sociais e teve de reconhecer que estava começando a gostar daquilo.

Próximo ao fim da temporada de Violet em Londres, eles foram convidados a um jantar na casa de lorde e lady Charlesworth, perto do Hyde Park. O filho do casal, Harry, era herdeiro de uma das maiores e mais importantes propriedades do país. Era também extremamente bonito e dono de uma personalidade encantadora e exuberante. Como sempre, Violet foi posta sentada ao lado do jovem anfitrião durante o jantar, e Donald ficou observando Harry e ela cochicharem de modo íntimo um com o outro. Era evidente que Harry havia ficado muito impressionado com ela, e vice-versa. Durante a sobremesa, uma pontada de territorialismo atingiu o coração de Donald, e ele se deu conta de que estava sentindo ciúmes.

Espantado com essa súbita consciência, mostrou-se contemplativo durante o trajeto para casa. Violet, como sempre, estava muito animada, e não parou de tagarelar sobre Harry e como ele a convidara para visitar sua propriedade rural em Derbyshire quando começasse a estação de caça, dali a poucos dias.

Na manhã seguinte, uma carta para Violet apareceu na salva do hall. Ao passar por lá rumo ao café da manhã, Donald a viu e notou o selo dos Charlesworth no verso. Naquela noite Violet não pediu que Donald a acompanhasse como de costume; em vez disso, uma de suas amigas veio encontrá-la, e ela saiu num estonteante vestido novo assinado por Paquin e em meio a uma nuvem de perfume. Ele só conseguiu dormir depois de escutar seus passos leves subindo a escada, já de madrugada.

Na manhã seguinte ela não apareceu para tomar café, mas no almoço veio se sentar à mesa, aos bocejos.

– A noite foi boa? – perguntou Donald com educação.

– Maravilhosa – respondeu ela, sonhadora. – Harry conhece os melhores lugares para se ir em Londres. Ele me levou a uma casa num subsolo onde tocam o melhor jazz da cidade! Dançamos a noite inteira, tanto que amanheci com os pés doloridos. E os amigos dele eram maravilhosos.

– Vai encontrá-lo de novo?

– Espero que sim. Ele é muito divertido.

– Bem, eu preciso começar a pensar em voltar para Devon. Quer que a deixe aqui em Londres? – sugeriu ele. – Você parece mais do que capaz de cuidar de si mesma.

Ela o encarou por baixo dos longos cílios, subitamente vulnerável.

– Não sei se eu gostaria de fazer essa viagem toda de volta sozinha.

– Longe de mim estragar sua diversão – retrucou ele, sentindo-se com o dobro da sua idade. – Por que não chegamos a um meio-termo e voltamos para Devon no fim da semana?

– Sim, isso seria perfeito! Eu tenho me divertido muito aqui. Obrigada, Donald.

– Não há de quê. Que bom que você está se divertindo. Mas agora peço licença, tenho um compromisso no clube. – Ele se levantou e caminhou em direção à porta, então parou e tornou a olhar para ela. – Quem sabe antes de irmos você poderia me levar a um desses lugares novos que Harry conhece?

– Ah, Donald, eu ficaria encantada!

E de repente o jogo virou. No seu desejo de agradar a Violet, Donald se pegou nas três noites seguintes aprendendo a dançar ao som do novo ritmo chamado jazz, tão apreciado nos Estados Unidos e que estava causando uma sensação e tanto na Inglaterra. Os dois chegavam à casa da Belgrave Square às vezes com o dia já amanhecendo, suados e aos risos. Donald lhe dava um beijo de boa-noite sonolento no pé da escada, e ela lhe sorria e então subia batendo com os saltos nos degraus do seu jeito intrinsecamente feminino rumo à cama.

Na sua última noite em Londres, Violet tinha desaparecido no andar de cima, como de costume, e Donald entrou no salão para se servir um conhaque. Ao tomar um gole, soube que naquela noite tinha desejado lhe dar um beijo de verdade. Com um suspiro, percebeu que na realidade estava ansioso para voltar para Devon no dia seguinte e tê-la só para si.

– Anni, me perdoe – sussurrou ele para o vazio, e afundou culpado na cadeira.

No trem de volta para casa, exausta com as peripécias londrinas, Violet passou a maior parte da viagem dormindo, e Donald aproveitou esse tempo para avaliar seus sentimentos.

Não tinha certeza se o seu apreço crescente por Violet era apenas uma reação à infelicidade de ter perdido Anni, mas tampouco podia ignorar que os seus lindos olhos representavam uma alternativa para o seu futuro. Se vendesse Astbury, ficaria sem propósito na vida. Na primeira vez que contemplara essa possibilidade, Anni estava incluída na equação, e a ideia de começar tudo outra vez com ela ao seu lado tornara essa perspectiva suportável. Mas agora, pensou Donald com um suspiro, se ele fosse vender e ficar sozinho, que objetivo sua vida teria?

E será que desposar Violet, por outro lado, de quem gostava e que sem dúvida faria Astbury Hall reviver com seu dinheiro, sua personalidade e seus contatos sociais, seria realmente uma alternativa tão terrível assim?

E talvez, pensou ele, até certo ponto Selina tivesse razão: nos poucos meses depois da guerra, ele estava mental e emocionalmente destruído, marcado pelas coisas terríveis que vira. Ter compartilhado essa experiência com alguém que o compreendia fora vital. Mas a longo prazo... Ele olhou pela janela do trem e se perguntou sem rodeios se aquilo de fato poderia ter dado certo. Será que ele estivera vivendo o sonho de um tolo?

Reconheceu também para si mesmo que havia apreciado seu velho mundo durante o último mês em Londres. Por mais fútil que ele às vezes pudesse ser, pelo menos era o *seu* mundo. Tinha certeza de que jamais conseguiria amar alguém como amava Anni, mas quem da sua classe social podia se dar ao *luxo* de se casar por amor? Estava certo de que não fora o caso de seus pais – os dois tinham apenas formado uma parceria de sucesso.

E minha noiva não poderia ser mais bonita, refletiu, fitando Violet do outro lado da mesa no compartimento da primeira classe. Com certeza não seria um sacrifício fazer amor com ela, seria? Não restava dúvida de que ele já a desejava.

Sabia, é claro, que eram grandes as chances de Violet recusar seu pedido de casamento. Ele era apenas um entre os seus muitos pretendentes, e ainda por cima praticamente sem um tostão.

Mas quando o trem entrou na estação de Exeter, Donald já tinha decidido pedir a sua mão.

Naquela noite, durante o jantar, os Drumners conversaram sobre sua viagem de volta para casa dali a uma semana.

– Vamos todos ficar tristes por deixar a Inglaterra. Não é mesmo, Violet? – perguntou Sissy à filha.

– Profundamente – disse Violet com um suspiro. – Acho que me afeiçoei muito a este país.

– E a Inglaterra com certeza se afeiçoou a você – Donald se escutou dizer com um sorriso.

Mais tarde, enquanto tomava conhaque e fumava charutos com Ralph Drumner na biblioteca, tomou coragem para dizer as palavras de que precisava.

– Sr. Drumner...

– Por favor, lorde Astbury, me chame de Ralph.

– Nesse caso você deve me chamar de Donald – retrucou ele. – Ralph, você deve ter reparado no quanto eu passei a gostar de Violet.

Ralph arqueou uma sobrancelha.

– É mesmo? Então a relação de vocês dois obviamente progrediu no último mês.

– Progrediu, sim – concordou Donald. – Violet é muito especial e... – Ele pensou com cuidado para escolher as palavras certas. – ... e ela me conquistou de muitas maneiras.

– Ela é mesmo especial. – Ralph o examinou. – E além disso é dona de uma imensa fortuna. Você há de entender que eu não gostaria que nenhum homem tirasse vantagem da minha filha por causa disso.

– É claro que não – disse Donald depressa. – E posso lhe garantir que não é da minha índole fazer isso.

– Mesmo que os Astbury estejam atualmente precisando de uma séria injeção de numerário? – Ralph o examinou. – Acredite, Donald, eu não sou nem cego nem burro. Dei-me ao trabalho de observar e vi com meus próprios olhos de quanto dinheiro este lugar precisa para voltar a se aprumar.

– Ralph, me perdoe dizer isso, mas eu estou falando sobre o que sinto pela sua filha, não sobre o meu status financeiro – retrucou Donald, firme. – Na verdade eu já tenho um potencial comprador para a propriedade, e venho pensando seriamente em aceitar sua proposta.

Ao ouvir isso, Ralph pareceu genuinamente surpreso.

– É mesmo? Estaria disposto a vender sua herança, a história da sua própria família? Este lugar que, me perdoe se estiver equivocado, pertence à sua família desde o século XVII?

– Se preciso for, sim. No presente momento ele é uma corda no meu pescoço, e se eu não conseguir encontrar recursos financeiros para saldar suas dívidas e reformá-lo, prefiro ser realista, acabar logo com isso e vender.

Ao ouvir aquilo, Ralph ficou calado, e Donald pôde ver que ele estava refletindo.

– Onde iria morar se vendesse?

– Não faço ideia mas, para ser sincero, minha prioridade é garantir segurança financeira para mim, para minha mãe, e também para qualquer mulher que eu deseje desposar e para os futuros filhos que possamos vir a ter.

– Acho que eu subestimei você, rapaz. Eu passo os dias tomando decisões financeiras difíceis que não podem e não devem ser afetadas pelas emoções. Na minha experiência, encontrei poucas pessoas capazes de encarar com pragmatismo esse tipo de questão. Principalmente quando ela envolve a casa da família.

– Ralph, quero que saiba que no fim desta semana vou visitar o Sr. Kinghorn, meu potencial comprador. Pretendo lhe comunicar minha decisão definitiva.

– Ou seja, vender?

– Sim – respondeu Donald. – Para falar sem rodeios, eu não tenho outra escolha.

– Mas com certeza se fizer isso vai partir o coração da sua mãe, não vai?

– Como você mesmo disse, não posso permitir que as emoções entrem na equação. Preciso acima de tudo ser pragmático.

– Você comentou com Violet sobre essa situação? – indagou Ralph.

– Não, mas suponho que, caso ela deseje se casar comigo, vá me amar o suficiente para que o nosso local de moradia seja irrelevante.

Donald não pôde evitar sorrir ao ver o efeito do seu comentário.

– Claro – concordou Ralph após uma pausa. – Depois de pagar os credores, vai sobrar alguma coisa da venda de Astbury?

– O suficiente para comprar uma casa decente no campo e manter a nossa de Londres.

– Entendo.

– Espero que isso baste para satisfazer as futuras exigências da sua filha – acrescentou Donald.

– Devo entender que está pedindo a mão da minha filha em casamento?

– Sim – respondeu Donald. – Embora eu entenda que, depois do que acabamos de conversar, você ache pouco sensato consentir. Afinal, eu não posso dar a ela o que outros pretendentes talvez possam.

– Bem, rapaz, escute. Apesar do que acabei de dizer, até eu devo admitir que o dinheiro não é o fator mais importante nesse caso. O importante para mim é o coração da minha filha e o seu futuro. Já falou com ela sobre os seus sentimentos?

– Não. Achei inadequado fazer isso antes de falar com você.

– Bem, Donald, você certamente me fez refletir. Mas acho que no fim das contas a decisão é de Violet.

– Então tenho a sua permissão para pedir a mão dela?

– Sim. Mas preferiria que não comentasse que está pensando em vender Astbury. Ambos sabemos que isso não vai acontecer se ela aceitar o seu pedido. Eu sou pai, e quero que a minha menina tenha o melhor. – Ralph secou o resto de conhaque do copo e encarou Donald com um olhar duro. – Reconheço que não tinha certeza em relação a você, rapaz, mas sua honestidade durante a nossa conversa me conquistou. Acho que você daria um ótimo marido para minha filha.

– Obrigado, Ralph. Que bom que você pensa assim.

– Estou feliz se a minha menina estiver. Agora que tal irmos nos juntar às senhoras no salão?

Talvez se tratasse de uma osmose emocional, mas todas as três mulheres ergueram os olhos ansiosas para Ralph e Donald quando eles entraram na sala.

– Estou pronto para ir dormir. Vem comigo, Sissy? – perguntou Ralph de modo bem direto à esposa.

– Claro – respondeu ela, e deu um beijo de boa-noite na filha antes de se retirar.

Maud também se recolheu, após desejar bons sonhos a Violet e Donald.

– Cá estamos nós, então – disse Donald, pouco à vontade, quando os dois ficaram a sós.

– Sim, cá estamos – repetiu Violet.

Donald se sentou numa cadeira na sua frente.

– Sabe, eu estava justamente comentando com seu pai o quanto vou sentir falta da sua companhia quando você voltar para Nova York na semana que vem.

– Vai mesmo? – indagou Violet com os olhos arregalados. – Ah, nossa!

– Vou, sim. No último mês, você deve ter reparado o quanto me afeiçoei a você.

– Bem, Donald, que gentileza a sua dizer isso, obrigada.

– E estava conversando com seu pai sobre um jeito de talvez conseguir convencê-la a ficar mais tempo.

– Como?

– Bem... – Donald respirou fundo. – Violet, vou entender se você achar essa sugestão inadequada, pois não tenho ideia do que sente por mim. Mas eu me dei conta de que me apaixonei por você. Então estava pensando em perguntar, hã, se você deseja ser minha esposa.

Ela o encarou com um esboço de sorriso nos lábios.

– Donald Astbury, está tentando me pedir em casamento?

– Estou, e peço desculpas se pareço um pouco desajeitado. Não é todo dia que faço esse tipo de coisa, sabe. – Donald respirou fundo outra vez e se ajoelhou na frente de Violet. Segurou sua mão. – Violet Drumner, estou perguntando se você consentiria em me tornar o mais feliz dos homens e me conceder a honra de se casar comigo.

Ela o encarou, mas não respondeu.

Sentindo-se constrangido e desconfortável com o silêncio que se seguiu, Donald tornou a falar.

– Entendo completamente se houver algum outro que roubou seu coração, e prometo receber sua recusa com respeito.

Ao ouvir isso, Violet jogou a cabeça para trás e riu.

– Está falando de Harry Charlesworth?

– Sim, na verdade estou, sim – respondeu ele, sem entender a piada.

– Ah, Donald, me desculpe. – Violet tentou se recompor. – Harry não tem absolutamente nenhum interesse romântico por mim. Na realidade não tem interesse por garota nenhuma, se é que você me entende.

– Está dizendo que ele é homossexual?

– Sim, ora! Claro. Não é óbvio?

– Para mim não.

– Bem – disse Violet, recuperando o controle de si. – Tenho certeza de que Harry vai continuar sendo um de meus melhores amigos daqui para a frente. Na realidade eu conversei bastante com ele sobre você. – De repente, os olhos de Violet se fizeram sérios. – Ele me disse que você era um homem misterioso.

– Foi mesmo?

– Foi, sim. Ao que parece, falaram bastante a seu respeito em Londres no ano passado.

– Sério?

– Sim. Algo sobre você ter uma mulher misteriosa e escondê-la.

– Meu Deus. – Donald expressou genuína surpresa. – Não me dei conta de que os meus movimentos estavam sendo observados tão de perto.

– Donald Astbury! – ralhou ela. – Você é um aristocrata e está solteiro. É claro que as pessoas o estavam observando. Então antes de dar minha resposta quero saber a verdade. Você teve um amor secreto?

Donald tentou construir uma resposta eloquente, pois sabia que era essencial fazê-lo.

– Houve alguém de quem fui próximo, sim. Mas, Violet, eu juro a você que acabou faz tempo.

– Tem certeza?

– Absoluta. – Pela primeira vez, Donald de fato acreditou nas próprias palavras.

– Bem, devo dizer que estou surpresa com o seu pedido. Achava que você não tivesse o menor interesse por mim – confessou Violet.

– É mesmo?

– É. Eu... – Ela enrubesceu de um modo encantador. – Acho que você talvez tenha percebido já faz algum tempo que eu estava muito interessada em você.

– Então a pergunta é: você ainda está?

– Ora, Donald! Como você pode ter alguma dúvida? Fiz de tudo para lhe demonstrar isso nas últimas semanas. Você realmente não viu?

– Para dizer a verdade, pensei que você estivesse apaixonada por nosso amigo Harry Charlesworth.

– Não, seu bobo! Eu passei a maior parte do meu tempo reclamando com ele que *você* não parecia reparar em mim. Quando Londres inteira sabe como eu estou loucamente apaixonada por você.

– Está mesmo? – indagou Donald com assombro.

– Claro, desde o primeiro instante em que o vi subindo no terraço com sua roupa de montaria! – Ela baixou os olhos, coquete.

– Então quer dizer que você consideraria se tornar minha esposa?

– Sim. Na verdade eu ficaria muito feliz em dizer sim agora mesmo.

– Então eu também sou um homem muito feliz. – Donald a puxou para colocá-la de pé e a tomou nos braços. – Nesse caso, se nós vamos nos tornar oficialmente noivos, posso lhe dar um beijo?

– Acho que pode, sim, mas eu preciso perguntar uma coisa: vou ganhar uma aliança?

– Violet... – Donald estava consternado. – Está lá em cima, eu posso ir pegar agora. Eu...

Ela levou um dedo aos seus lábios.

– Shh, eu estava só brincando.

Donald então a beijou, e seus lábios eram macios e acolhedores. Não sentiu a mesma paixão urgente que sentira por Anni, mas ficou satisfeito com a sua disposição evidente. Afastou-se depois de algum tempo e ergueu seu queixo para poder encará-la.

– Então, vamos contar para todo mundo amanhã que lorde Astbury escolheu sua futura lady?

– Seria maravilhoso. Mas não acho que eles vão se surpreender. Nós senhoras supusemos que o motivo que o fez demorar tanto no conhaque e nos charutos com papai hoje foi porque estava pedindo a minha mão. Minha mãe sabe o que sinto por você e, visto o desejo repentino de papai de ir para a cama cedo, deduzo que ele não tenha feito nenhuma objeção. E, contanto que papai esteja feliz, acho que você conseguiu selar seu acordo.

– Bem, então parece que consegui mesmo – concluiu Donald, sorrindo com a expressão dela. Ele bocejou de repente. – Me perdoe, Violet, estou totalmente exausto. Deve ter sido a tensão de ter de falar com seu pai. Vamos nos recolher? – Ele lhe estendeu a mão, e ela encaixou os dedos finos e frios entre os seus. Os dois saíram do salão para o hall e pararam junto ao pé da escada.

– Mal consigo acreditar que esta vai ser minha nova casa – disse ela assombrada, erguendo os olhos para a imensa cúpula do teto. – Mas acho que ela está precisando de uma demão de tinta, não acha? – perguntou ela enquanto eles iam subindo a escada devagar.

– Com certeza.

– E aposto que não há um sistema adequado de calefação, e imagino que aqui faça bastante frio no inverno.

– Tem razão nisso também – disse ele na hora em que eles chegaram ao alto da escada. – Boa noite então, linda Violet.

– Boa noite – disse ela baixinho, então virou as costas e avançou pelo corredor até seu quarto.

Donald dobrou na direção oposta para chegar ao seu. Uma vez lá dentro, sentou-se na cama estreita e ficou encarando o luar pela janela.

– Anni, onde quer que você esteja, por favor saiba que eu vou amá-la para sempre. Me perdoe.

Então segurou a cabeça entre as mãos e chorou.

32

30 de setembro

Os "velhos" de V., como ela os chama, estão prestes a voltar para Nova York. Papai Drumner precisa estar lá por motivos profissionais – decerto para contar seus milhões. Violet vai ficar em Astbury para organizar o casamento com minha mãe. Se eu estava torcendo por algo discreto, vou me decepcionar. Pela quantidade de convidados que V. pretende chamar, qualquer um iria pensar que se trata de um evento da realeza. Ainda bem que Papai Drumner está bancando tudo. Ontem à noite ele me chamou para uma conversa na biblioteca...

– Então – disse Ralph, servindo-se uma dose generosa de conhaque, sentando-se numa cadeira e acendendo um charuto. – Ver minha filhinha tão radiante me aquece o coração.
– Farei tudo que estiver ao meu alcance para garantir que ela continue assim – disse Donald, sentando-se na sua frente.
– Agora vamos aos detalhes... a questão da fortuna de Violet. O fundo vai passar para o nome dela daqui a seis semanas, no seu vigésimo primeiro aniversário. É uma baita quantia, mas tenho consciência de que uma grande parte será necessária para saldar as dívidas da propriedade e reformar a casa que será seu futuro lar.
– Ralph, como eu lhe disse na noite em que pedi a mão de Violet, se esse arranjo o estiver incomodando terei prazer em dizer ao Sr. Kinghorn que a propriedade é dele. Nós podemos nos mudar para algo bem menor. Isso não faz diferença para mim.
– Mas como você bem sabe, rapaz, minha filha ficaria horrorizada com essa possibilidade – rebateu Drumner. – Vamos direto ao ponto: eu gostaria de saber de você exatamente quanto custaria. E pode acrescentar mais 50 mil

dólares para a decoração. Vai descobrir que a minha filha só vai querer o melhor. Pode fazer isso por mim, filho?

– Eu farei o possível para lhe passar uma ideia geral – concordou Donald.

– Bem, apenas não seja tímido. Eu acredito muito em fazer as coisas do jeito certo desde o início, e quero que Violet tenha a melhor casa da Inglaterra. Seja qual for o custo, posso garantir a você que há dinheiro para bancar. E ainda vai sobrar – acrescentou Ralph. – Os investimentos dela decolaram desde a guerra. Violet é uma moça muito rica. Tudo que lhe peço é que faça minha filhinha feliz. Se não fizer isso, se houver alguma confusão... e você sabe o que eu quero dizer com isso... eu não vou ficar nada contente. Entendido?

– Entendido – respondeu Donald, pensando que Ralph Drumner com certeza sabia passar por cima da etiqueta do mesmo jeito que das emoções.

– Contanto que estejamos na mesma sintonia, sou totalmente a favor do casamento. Você parece ter um projeto nas mãos, e como sou eu quem vou preencher os cheques na condição de conselheiro de Violet, sugiro que comece a solicitar orçamentos o quanto antes.

– Farei isso.

Enquanto Donald começava a pesquisar o custo de restaurar a estrutura da construção, Violet cuidava da decoração. A casa foi inundada por amostras de tecido, e comerciantes vinham de Londres lhe oferecer móveis em estilo moderno, tapetes coloridos, luminárias e colchões novos para todas as camas, que ela insistia para experimentar na companhia de Donald.

– Se vamos receber convidados nos fins de semana, eu simplesmente não posso colocá-los para dormir nos colchões que temos aqui agora. Além do mais, eles devem estar infestados de percevejos. – Violet estremeceu ao descer de um colchão estendido no piso do salão. Pegou um pedaço de adamascado dourado e o ergueu até junto da janela. – Não acha que isso ficaria uma graça aqui? Deixaria o salão muito acolhedor. Ou então... – Ela pôs o tecido por cima dos cabelos louros. – Será que eu deveria usá-lo como véu? – Andou até onde ele estava e lhe deu um beijo carinhoso na bochecha. – É que seria ótimo deixar a casa impecável antes de todos os nossos amigos chegarem para o casamento.

Donald sabia que, se havia alguém capaz de pôr aquela casa em ordem com tamanha rapidez, esse alguém era Violet. As tábuas do piso já tinham sido levantadas por todos os cômodos, e encanadores e eletricistas avaliavam o que podia ser feito para instalar na casa sistemas modernos de calefação e iluminação, enquanto pintores se reuniam para planejar a imensa empreitada de decorar os cômodos depois de feito o básico. Donald mandava os orçamentos para Ralph por correio e telegrama assim que os recebia, com os olhos ardendo ao ver o preço. Até aquele momento não havia recebido nenhuma reclamação.

Violet já tinha contratado um designer de interiores chamado Vincent Pleasance, recomendado por alguns de seus amigos londrinos. Pessoalmente Donald não suportava Vincent, que andava afetado pela casa expondo para Violet sua visão da nova Astbury.

– Que horror – comentou Maud certo dia no café da manhã quando Violet estava reunida com Vincent redecorando o quarto de dormir principal. – Será que ela não vê que o rei está nu? Donald, se você não tomar cuidado aquele homenzinho detestável vai fazê-lo se deitar à noite no boudoir de uma meretriz.

– Eu lhe disse para não tocar no meu quarto de vestir, mãe. Falei que gosto de lá do jeito que está.

– Espero que sim. Violet também sugeriu que Vincent dê uma olhada na residência da viúva para "renová-la" antes de eu me mudar para lá depois do seu casamento. Basta dizer que recusei a ajuda. A casa vai me servir muito bem do jeito que está.

A data do casamento fora marcada para o início de abril de 1920. Aliviado, Donald foi para Londres, deixando Violet encarregada de organizar a casa e o casamento. Ela se mostrava incansável em seus esforços para supervisionar até os mínimos detalhes, e Donald sentiu que o melhor a fazer era deixá-la prosseguir.

No seu clube, recebeu vários tapinhas nas costas e garrafas de champanhe.

– Conseguiu uma noiva e tanto, meu velho!

– Ela vai mesmo dar um jeito em você, e naquela ruína lá em Devon!

– Uma beldade absoluta. Mal posso esperar pelo casamento, e aposto que você também não, hein?

14 de outubro

> *Estive em Devon no fim de semana passado para conversar com o administrador da propriedade sobre os novos equipamentos de que ele precisa. A casa está um caos, com comerciantes e operários por toda parte, e V. presidindo tudo feito uma rainha. Mas eu de fato a admiro: sua tenacidade e sua recusa em aceitar um não como resposta são muito pouco britânicas. Às vezes chego a pensar se ela ama Astbury mais do que a mim...*

Os Drumners chegaram de Nova York para o Natal, e Donald notou que ficaram impressionados com o que a filha conseguira fazer até ali. Donald se abstivera de comentar sobre o tapete sugerido para o salão. Composto por dezoito peles de leopardo, ele havia sido costurado por um famoso designer italiano. Não pôde evitar sorrir diante da expressão da mãe ao examinar o objeto pela primeira vez.

– O que acha, mãe? – Violet havia começado a chamar Maud assim.

– Bem, não era o que eu teria posto na minha época – admitiu Maud com uma elegância considerável.

– Eu achei esplêndido, meu bem – falou Sissy, sentando-se no sofá de capitonê vermelho recém-estofado. – Você conseguiu dar vida a esta casa.

– Você gostou, Donald? – Violet virou-se ansiosa para o noivo. – Peles de animais estão muito na moda.

– Eu achei... muito impressionante – respondeu ele, diplomático.

O plano era que boa parte dos trabalhos estruturais fossem realizados enquanto Donald e Violet viajavam em lua de mel prolongada após o casamento em abril. A primeira parada seria Nova York, onde Donald seria apresentado à sociedade. Depois disso, como Violet havia expressado o desejo de voltar à Europa, eles iriam alugar uma casa na Itália durante o verão.

– Veneza vai ser tão romântico, só você e eu – dissera Violet feliz ao fazer a sugestão.

Conhecendo a noiva, refletiu Donald depois, eles provavelmente não ficariam sozinhos por muito tempo. Ela já havia mencionado amigos seus que estariam hospedados por perto. Donald, que nunca fora muito afeito à frenética roda-viva social, torcia apenas para Violet sossegar quando eles voltassem para Astbury depois da lua de mel. No entanto, à medida que uma sucessão de amigos de Londres ia passar o fim de semana no casarão e os corredores ecoavam com o som de risos e do gramofone tocando sem parar, duvidou que isso fosse acontecer.

– Donny, precisamos contratar mais alguns criados – disse Violet certa manhã de fevereiro, quando o último convidado se foi após um fim de semana particularmente animado. – Os que temos não estão dando conta. – Ele se sentou no seu lugar preferido junto ao regato e estremeceu com o ar matinal, pensando se jamais teria coragem de dizer não a algum dos pedidos de Violet. E de fato, visto que ela havia pagado por tudo, como poderia?

Como estava frio demais para ficar ali sentado, Donald se levantou e se perguntou exatamente *o que* iria restar da velha Astbury quando Violet terminasse. Seu projeto atual eram novas obras de arte para as paredes. Naquela manhã, ela havia expressado desagrado em relação aos retratos de família pendurados na escada.

– São muito sem graça, amor! Tem uns trabalhos maravilhosos de artistas modernos que de fato dariam um brilho aqui na casa. Estou absolutamente apaixonada por Picasso – disse ela num tom sonhador. – Eu meio que dei uma indireta para papai de que o adorava, então estou torcendo para que ele talvez compre um como presente de casamento. Não seria incrível? – perguntou ela, dando-lhe um abraço.

Ele havia fechado a boca, decidindo que seria melhor ter aquele tipo de conversa depois que eles voltassem da lua de mel, quando a casa estivesse terminada.

Desanimado, chutou um torrão congelado de grama áspera. Nas últimas duas semanas não vinha dormindo bem, e acordava no meio da noite suando frio, em pânico em relação ao futuro. Tudo a que conseguia se aferrar era o fato de que a propriedade estaria segura por no mínimo mais duas gerações, mesmo ele tendo de suportar que vivesse repleta dos amigos de Violet.

Donald suspirou. Ao salvar Astbury, parecia ter sacrificado a si mesmo. Mas sabia que não havia nada a fazer para interromper aquilo. As rodas haviam começado a girar e, como um trem desgovernado, a coisa estava ganhando velocidade conforme avançava.

2 de abril

Amanhã me casarei com V. A casa inteira está tomada por intensa animação e nervosismo, e V. corre para lá e para cá para se certificar de que tudo esteja tão perfeito quanto deve estar, das flores na mesa do salão de baile até o penteado dos cabelos de suas damas de honra. Ontem ela deu um ataque e devolveu os cartões com o cronograma da cerimônia porque a caligrafia não ficou do seu agrado. Às vezes tudo que posso fazer é torcer para que eu seja do seu agrado...

Donald acabou de escrever no diário e o guardou na prateleira junto com os outros livros. Sentia que aquele havia se tornado seu único meio de expressão pessoal – com quem mais ele podia conversar sobre seus temores em relação ao futuro? Tinha visto as sobrancelhas da mãe se arquearem inúmeras vezes diante do que ela considerava o gosto vulgar e ostentatório de Violet. Mas, como fora ela mesma quem dera início ao processo que acabara por conduzir seu filho ao altar na capela da família, não tinha como reclamar.

Donald deitou-se em sua cama de solteiro pela última vez. Na noite seguinte iria se mudar para os seus aposentos de casal recém-decorados – com portas internas que conduziam a uma saleta e a um banheiro – onde começaria a dividir a cama e a vida com Violet.

Ficou sem dormir até de madrugada, ansiando pela força calma e sábia de Anni. E pela sua pele escura cor de caramelo. Quem dera fosse ela que ele pudesse conduzir até o altar no dia seguinte como sua esposa, e mais tarde para a cama...

Sentindo-se culpado pela excitação repentina que esse pensamento lhe causou, ele se virou na cama e tentou dormir.

Por meses depois do evento, as pessoas se referiam com assombro ao casamento de Violet Drumner com lorde Donald Astbury. Os convidados que tiveram a sorte de estar presentes discorriam admirados sobre as lindas e fartas flores que enfeitavam a capela, sobre o suntuoso desjejum matrimonial e sobre o baile no salão comprido ao som do Savoy Quartet, vindo de Londres especialmente para o evento.

E, é claro, sobre a noiva em si, que estava deslumbrante num vestido de renda francesa todo bordado, com uma cauda quase do mesmo comprimento da nave da capela. A *Tatler* dedicou ao casamento inéditas oito páginas de matéria com fotos da nata das sociedades americana e britânica, um concorrido encontro de políticos e estrelas glamorosas do teatro e do cinema.

No dia seguinte, no café da manhã, Donald desceu e encontrou os Drumners se extasiando com as fotos em todos os jornais de circulação nacional.

– Parece que a nossa festinha causou um rebuliço e tanto, filho – comentou Ralph, com um sorriso de orelha a orelha.

– Violet está maravilhosa nas fotografias, e você, claro, está muito bonito também, Donald. E então, como minha filhinha acordou hoje de manhã? – perguntou Sissy com uma piscadela sugestiva.

– Acho que muito bem. A criada subiu com uma bandeja de café para ela na cama, e achei melhor deixá-la sozinha para que se arrumasse em paz.

– Rapaz sensato, já está aprendendo as regras – murmurou Ralph.

Enquanto os convidados que haviam passado a noite começavam a chegar à sala de café da manhã, Donald se esquivou e subiu até seu quarto de vestir.

4 de abril

Bem, aqui estou eu, casado com V. Todos estão encantados com o modo como o dia correu, e reconheço que V. fez um trabalho maravilhoso.

Ele fez uma pausa e olhou para a janela enquanto pensava em como expressar seus sentimentos em palavras.

E nossa primeira noite juntos correu bem. V. estava maravilhosa com sua camisola de seda – que eu preferi à montanha de renda que ela usou para se casar comigo – e acho que tudo se desenrolou de maneira satisfatória. Não foi como era com A., é claro, mas eu já me conformei com o fato de que nada jamais poderá ser. De agora em diante sou um homem casado, e darei o melhor de mim para ser um bom marido. V. é um encanto de moça e merece isso. Agora preciso fazer as malas, pois partimos cedo amanhã de manhã para os Estados Unidos com Ma e Pa Drumner.

Um mês depois, Selina estava sentada no salão da casa de Londres, olhando as fotografias de Donald e sua nova esposa na *Tatler*.

Antes do casamento, ele tinha vindo lhe dizer que insistira com a mãe para que ela, Henri e Eleanor fossem convidados. E ela havia perguntado ao irmão se ele estava feliz.

– Razoavelmente – respondera ele, e mudara depressa de assunto.

Selina estava à tarde na casa da Belgrave Square para organizar as últimas coisas a serem levadas para a nova casa em Kensington, onde agora morava com Henri. Quando Donald e Violet voltassem da lua de mel, aquela casa passaria a ser só deles, e uma criada estava lá em cima empacotando os últimos resquícios do seu antigo quarto.

Ela ouviu a campainha tocar mas não se mexeu para atender. Três minutos depois, ouviu uma batida à porta do salão, e a governanta espichou a cabeça para dentro.

– Com licença, condessa. Tem uma... uma estrangeira desejando falar com a senhora. Ela veio ontem dizendo que tinha deixado uma coisa aqui alguns meses atrás, mas eu a mandei embora.

– É mesmo? Qual é o nome dela?

– Ela diz que se chama Anahita.

Selina sentiu o coração dar um pulo.

– Certo – falou, recompondo-se. – Mande-a entrar, por favor.

Ela se levantou quando Anni entrou na sala. Viu na mesma hora que a outra mulher estava extremamente magra.

– Olá, Selina. Vim buscar minha mala. Deixei-a aqui antes de viajar.

– Anni, por favor, sente-se – falou Selina. – Vou mandar trazer um chá.

– Obrigada.

Ela se sentou, e depois de a criada sair Selina perguntou:

– Anni, o que houve com você? Onde você esteve? Está com um aspecto terrível. Donald e eu estávamos mortos de preocupação.

– É uma longa história. Eu adoeci quando estive na França. Voltei para a Inglaterra e passei muitos meses internada no hospital.

– Por que não me procurou? Você sabe que eu a teria ajudado.

– Sim, Selina, eu sei e lhe agradeço por isso, mas na época eu estava doente demais para saber onde estava. Algumas coisas acontecem... de modo inesperado. – Anni suspirou.

– Lamento muito sobre a sua doença.

– Obrigada. Estou recuperando minha força a cada dia que passa – disse Anni, e sorriu pela primeira vez.

– Onde está morando agora? – perguntou Selina, compreendendo que, fosse qual fosse a verdade sobre o seu desaparecimento, Anni estava na defensiva e relutante em falar sobre o assunto.

– Tenho uma amiga dos tempos do colégio chamada Charlotte que mora em Yorkshire. Ela muito gentilmente me ofereceu um lugar para morar até que eu me recupere. Sua família tem uma casa nas charnecas lá e nós... eu moro lá. Em breve, quando ficar mais forte, espero voltar para Londres e retomar meu trabalho de enfermeira.

– Você poderia pelo menos ter procurado um de nós – falou Selina enquanto a criada reaparecia com o chá.

– Mas Selina, eu mandei uma longa carta de Paris dizendo a Donald que passaria um tempo longe e que ele esperasse por mim. Mandei outras cartas recentemente também. Ele não as recebeu?

– Não, Anni, não recebeu. Na verdade ele não tem notícia nenhuma de você há bem mais de um ano, desde que você atracou em Calcutá. – Selina viu Anni empalidecer e seus dedos compridos e magros apertarem com mais força a xícara de chá.

– Como vai Donald? – perguntou ela.

– Bem, muito bem, ele está... está no exterior agora durante o verão – acrescentou Selina, totalmente despreparada para contar a verdade àquela mulher triste e fragilizada.

– Ah, entendi. Então imagino que ainda vá demorar um pouco para voltar. – Ela abriu um sorriso fraco. – Bem, nós dois esperamos esse tempo todo; o que são mais alguns meses?

– Claro. – Selina estava quase chorando, tamanho o desespero da situação. Anni tomou um gole hesitante do chá.

– Mas onde está Donald exatamente?

– Agora em Nova York, e depois acho que vai de lá para a Itália até o fim do verão.

– Imagino que ele tenha vendido Astbury e precisado viajar?

– Não, Anni, Astbury não foi vendida.

– É mesmo? Nesse caso estou feliz por ele. Sei que pensar em vender a propriedade estava lhe causando uma grande tristeza.

– Sim. E você teve sorte por ter me pegado aqui hoje. Vim só buscar minhas últimas coisas para levar para a casa em Kensington onde moro com Henri agora. Nós estamos esperando outro filho.

– Selina! – Os olhos de Anni se encheram de alegria. – Pelo visto o seu amor, tão difícil no começo, teve um final feliz.

– Sim, parece que sim.

Enquanto Anni bebericava seu chá, Selina tomou uma decisão. Não lhe cabia dizer àquela moça, que afirmava ter escrito pedindo a Donald para esperá-la, que o homem que ela amava havia desposado outra mulher.

– Será que você pode pedir à criada para descer com a minha mala? – pediu Anni. – Acho que Donald a guardou para mim no quarto dele.

– Claro. O melhor, acho eu, é você anotar seu endereço, e eu o passo para Donald quando ele voltar. Tenho certeza de que ele vai entrar em contato com você na mesma hora, Anni.

– Obrigada.

Selina tocou a sineta, pediu à criada que procurasse a mala, então vasculhou a gaveta da escrivaninha até encontrar papel e lápis.

– Agora me diga sinceramente, Anni, está precisando de dinheiro?

– Não, obrigada, tenho o bastante – respondeu ela, orgulhosa.

Selina lhe passou o papel e o lápis.

– Por favor, anote aqui seu endereço, e vou lhe dar o meu novo de Kensington. Enquanto Donald estiver viajando, se você precisar de qualquer coisa deve escrever para mim. Promete?

– Sim, mas, como eu disse, espero voltar a trabalhar muito em breve – respondeu ela. A criada chegou com a mala. – Você tem o endereço de Donald em Nova York? Gostaria de lhe escrever também. Se ele não recebeu minha carta, deve estar muito preocupado.

– Ele está mesmo, mas infelizmente eu não tenho o endereço dele em Nova York; ele tem mudado bastante de lugar – mentiu Selina. – Da próxima vez que ele telefonar eu digo que você veio aqui. Ele vai ficar extremamente aliviado por saber que está viva e bem.

Anni pousou sua xícara sobre a mesa. E a *Tatler* aberta com as fotos do casamento chamou sua atenção.

– Este aqui é Donald? – perguntou ela, curvando-se para ver mais de perto.

– Sim, num evento social...

Mas já era tarde demais. Anni tinha pegado a revista.

A Tatler *celebra o casamento do ano, de lorde Donald Astbury com Violet Rose Drumner...*

Anni passou alguns segundos examinando as imagens, em seguida tornou a se sentar abruptamente na cadeira com uma expressão agoniada no olhar.

– Ele se casou? – perguntou, e sua garganta se fechou, dificultando-lhe a respiração. – Ele se casou... eu... por que você não me contou? Como pôde não me contar?!

– Anni, eu...

– Não acredito que ele se casou. Eu disse a ele para esperar... – Sua cabeça pendeu em direção às mãos, e ela cerrou os punhos e começou a bater na própria testa.

– Anni, por favor, entenda, Donald passou meses sem nenhuma notícia sua. Sua amiga Indira disse que você iria voltar de Paris direto para a Inglaterra. Como você não voltou, tudo em que ele conseguiu pensar foi que não queria mais nada com ele. Veja, faz quinze meses que você viajou para a Índia. Eu sinto muito, Anni, você merece mais do que isso – concluiu Selina, sem saber mais o que dizer.

– Eu preciso ir – disse Anni, e levantou-se titubeando. – Adeus. – Ela virou as costas para ir até a porta do salão.

– Anni, eu juro a você, ele não a ama, eu sei que não. Sempre foi você que ele amou!

A porta do salão bateu e Anni se foi.

21 de agosto

Bem, cá estamos nós de volta a Astbury. Não que por dentro eu a fosse reconhecer como minha antiga casa. Os operários continuaram trabalhando enquanto estivemos fora, e agora minha sensação é estar hospedado em algum tipo de hotel de luxo quando entro no salão, na sala de jantar ou passo pelos corredores. Terei de me acostumar, mas devo dizer que estou impressionado com a organização de V. Nova York foi maravilhoso, e a família e os amigos de Violet me acolheram de braços abertos. Não é de espantar que ela seja tão ativa – a energia daquela cidade é diferente de tudo que eu já conheci. Uma pulsação acelerada, 24 horas por dia, e uma urgência que faz Londres parecer pedante e um tanto sem graça.

A Itália foi tão maravilhosa quanto na minha lembrança, e Violet deu festas e jantares todas as noites para nos entreter. Ela é um assombro, e todos a adoram. Até mesmo o príncipe Henrique, o jovem filho do rei Jorge, aproveitou a oportunidade para desfrutar de sua já famosa hospitalidade.

Felizmente, estou gostando cada vez mais dela, pois considero sua dis-

posição para aprender e sua energia muito atraentes, ainda que ela faça eu me sentir um velho. Às vezes mal consigo acreditar que temos a mesma idade. Ela parece uma criança hiperativa que precisa também ser protegida e ensinada, e pelo menos encontrei conforto lhe proporcionando isso. Ainda não a vi desanimada nem de mau humor. Seja qual for o problema, ela assume a tarefa de superá-lo. Em suma, muitos dos temores que eu tinha antes do casamento estão agora apaziguados. E graças a Deus acredito que os fantasmas do passado estão enfim me deixando...

Donald sentou-se na escrivaninha da biblioteca e começou a abrir a pilha de correspondência que havia se materializado para ele nos últimos quatro meses. Agora ele podia se dar ao luxo de juntar qualquer pedido de dinheiro numa pilha e entregar para Violet encaminhar para o pai. O cômodo estava quentíssimo – era a primeira vez que ele se sentia tentado a abrir algumas das velhas janelas de guilhotina para deixar entrar um pouco de ar. Violet estava testando o novo sistema de calefação central, e um cheiro de tinta nova permeava o ar. Donald afundou os sapatos no tapete, tão grosso que parecia uma grama que precisava ser aparada, enquanto tomava café numa xícara nova de porcelana de Limoges. Tudo na casa fora projetado para proporcionar conforto, dos colchões novos e macios nas camas até as novas banheiras com suas torneiras douradas reluzentes que sempre despejavam água quente, a qualquer hora do dia. Ele voltou sua atenção outra vez para a correspondência, reconheceu a caligrafia de Selina e abriu a carta.

Pitt Street, 21
Kensington, Londres

15 de agosto de 1920

Meu querido Donald,

Espero que esta carta o encontre bem ao retornar das suas viagens. Obrigada pelos cartões-postais de todos os lugares maravilhosos que você teve a sorte de visitar. Quem sabe quando chegar em casa consiga encontrar um tempo para vir me visitar em nossa nova casa em Kensington. Tenho certeza de que ela não teria como ser tão grandiosa quanto a recém-reformada

Astbury Hall, mas eu gostaria de vê-lo o quanto antes. Veja, recebi a visita de alguém que nós dois conhecemos. Ligue para mim, e quem sabe você consegue vir a Londres assim que puder. Talvez possa incluir algum outro compromisso a que precise comparecer também.
  Com todo o meu amor, Donald querido, e Eleanor manda um beijo.
  Selina

Donald releu a carta para se certificar de não ter interpretado mal a sutil alusão, mas sabia que não era o caso. Recostou-se na cadeira, e então, sem mais delongas, empunhou o aparelho de telefone recém-instalado sobre a escrivaninha, ligou para a telefonista e informou à mulher o número de Selina.
  Dois dias depois, Donald foi a Londres e se dirigiu à casa da irmã em Kensington.
  – Ela foi à casa da Belgrave Square? Você a viu? Como ela estava? Onde esteve esse tempo todo? Eu...
  – Donald, espere, eu vou contar – disse Selina. – Mas primeiro vamos para o salão, onde podemos conversar a sós.
  – Desculpe, Selina, mas como você pode imaginar eu mal preguei o olho nas últimas 48 horas. – Ele suspirou.
  – Entendo. Como já está quase na hora de um drinque matinal, que tal um gim puro?
  – Vou precisar?
  – Eu, com certeza, sim. – Selina deu um suspiro e pediu ao mordomo que trouxesse uma bandeja de bebidas até o salão.
  Após fechar a porta com firmeza, encarou atentamente o irmão.
  – Em primeiro lugar, Donald, devo dizer que você me parece extremamente bem. Divertiu-se? – perguntou ela, sentando-se com dificuldade. Donald reparou na protuberância em sua barriga.
  – Espere, Selina, você está grávida! Que maravilha! – Ele foi até a irmã e lhe deu um abraço. – Meus parabéns. Para quando é?
  – Daqui a uns dois meses, mas para ser sincera eu gostaria que ele se apressasse. Ficamos presos aqui em Londres durante esse verão longo e quente. Henri não quis que fôssemos para a França, com medo de prejudicar o bebê.
  – Permita-me dizer que você está radiante.
  – Estou felicíssima, sim. E sinto que isso fecha o círculo. Vai ser bom para Henri e eu termos um filho nosso.

– Claro. E esta casa é linda.

– Nós nos mudamos para cá para que as crianças pudessem pelo menos ter um pouco de espaço para correr num jardim quando estivéssemos em Londres – explicou ela. – Foi então que me dei conta da sorte que tivemos por termos sido criados em Astbury, cercados pelas charnecas.

O mordomo chegou para servir as bebidas, e Donald tomou uma boa golada do gim. Quando eles ficaram a sós novamente, não conseguiu mais aguentar o suspense.

– Mas me diga, ela está bem?

– Bem, com certeza está viva, mas... ah, Donald, ela estava um horror. Magra feito um palito. Me disse que tinha estado muito doente no hospital.

– Ah, meu Deus. – O sangue nas veias de Donald gelou. – Ela está se recuperando?

– O fato é que eu não sei, Donald. Eu juro que não disse nada a ela sobre o que aconteceu com você, mas ela viu as fotos do seu casamento na *Tatler* que estava aberta em cima da mesa de centro quando ela chegou. E depois disso infelizmente foi embora apressada. – Selina mordeu o lábio.

Donald segurou a cabeça entre as mãos.

– Que jeito horrível de receber a notícia. Ela disse por que não escreveu?

– Ela disse que *escreveu*, Donald, avisando que passaria mais tempo fora do que o previsto. – Os olhos de Selina ficaram marejados quando ela pensou nisso. – E pedindo que você a esperasse. Falei que achava que você nunca tinha recebido essa carta, pois com certeza nunca comentou comigo. Você recebeu?

– Não, de fato. – Donald balançou a cabeça com firmeza. – Você sabe que eu teria lhe contado. E se *tivesse* recebido uma carta dessas, eu teria feito o que ela pediu. Sabe onde ela está agora?

– Ela anotou o endereço dela para mim antes de a bomba da *Tatler* explodir. Eu disse que o passaria para você assim que você voltasse de viagem.

– Onde ela está morando?

Selina se levantou e foi até sua escrivaninha. Pegou um pedaço de papel e entregou para Donald.

– O endereço é este aqui. Ela está em algum lugar de Yorkshire, hospedada com uma velha amiga de colégio.

– Que diabos ela está fazendo lá? Anni sabia que se precisasse de algo eu a ajudaria. Ela *sabia* o quanto eu a amava, e o que quer que ela necessitasse eu...

– Donald, eu passei todos os dias desde que a encontrei três meses atrás me fazendo a mesma pergunta. – Selina torceu as mãos. – Tenho certeza de que ela teve os seus motivos.

– Bem, é claro que eu preciso ir vê-la o quanto antes. Você me dá cobertura aqui? – suplicou ele.

– Claro, mas não há garantia alguma de que vá encontrá-la nesse endereço. Ela pode muito bem já ter se mudado.

– No mínimo, me dirão para onde ela foi, não? Meu Deus, Selina, por que diabos eu não recebi essas cartas?

– Pensei nisso também – respondeu ela, vendo a aflição do irmão. – E temo que a culpa tenha sido minha.

– Como diabos poderia ter sido culpa sua? – perguntou Donald.

– Porque eu posso ter comentado com nossa mãe sem querer, logo antes da briga por causa do meu casamento com Henri, que você tinha reencontrado Anni na França no fim da guerra. E que Anni tinha nos visitado na casa da Belgrave Square – completou ela, arrasada.

Ao ouvir isso, Donald se sentou. Tinha entendido na hora a dedução da irmã.

– Certo – falou.

– É claro que não tenho certeza, mas visto que a nossa mãe sabia que a propriedade estava à beira da ruína na época, talvez não fosse do interesse dela ver você vender a casa da sua família e se casar com uma indiana.

– Selina, você está dizendo que nossa mãe pode ter interceptado as cartas de Anni para mim? – perguntou Donald, consternado.

– Veja, essas são perguntas que você precisa fazer a ela, se tiver coragem. Com certeza se as cartas estavam endereçadas a você e com o carimbo postal da Índia, ou de qualquer lugar no estrangeiro, ela poderia ter deduzido, não? E depois de algum tempo, quando você passou a acreditar que Anni tinha sumido, nossa querida mãe convidou a rica e linda Violet Drumner para curar o seu coração partido e encher os cofres de Astbury.

– Não posso acreditar que ela seja tão manipuladora. – Donald balançou a cabeça.

– Ah, não? Bem, se ela de fato interceptou as cartas de Anni, eu diria que teve um comportamento típico. Afinal, a vida de nossa mãe sempre girou exclusivamente em torno dela mesma, não é verdade? É triste dizer isso, Donald, mas eu a consideraria capaz de qualquer coisa. Pelo menos isso me deixou decidida a ser uma mãe dedicada para meus filhos. Só Deus sabe como papai a suportava. – Selina balançou a cabeça. – Ela sempre foi uma mulher fria.

– Selina, se ela fez mesmo isso... – Donald cerrou os punhos de tanto desespero. – Eu juro que em breve poderei muito bem estar cumprindo pena por assassinato. Será que essa mulher não tem coração?

– Só o suficiente para manter-se viva e em boa saúde. Sejamos justos: ela também precisou fazer um enorme sacrifício para salvar Astbury. Tenho certeza de que não foi agradável ver sua esposa assumir o comando de seu amado lar. No seu casamento, cansei de ouvir falar no medonho tapete Schiaparelli feito com dezoito peles de leopardo.

– Esse tapete é mesmo bastante vulgar. – Donald se permitiu um esgar. – Mas e agora, que diabos eu vou fazer?

– Eu não sei, Donald. Duvido que Anni torne a incomodá-lo agora que sabe sobre o seu casamento. Ela sempre foi muito orgulhosa.

– Sim, e a verdade é que, embora eu no começo tivesse muitas reservas em relação a me casar com Violet, nós temos nos dado muito bem nas últimas semanas – reconheceu Donald. – Eu não iria querer magoá-la. Jurei, no dia em que nos casamos, ser um bom marido. Posso não amá-la do jeito que amei Anni, mas nada disso é culpa dela.

Selina levou a mão ao ombro do irmão.

– Eu entendo. Bem, talvez você devesse deixar essa história em paz.

Donald ergueu para ela olhos repletos de tristeza.

– Acho que nós dois sabemos que eu não posso fazer isso.

33

1º de setembro

Ainda em choque com a notícia de que A. visitou Selina em Londres. E, pior de tudo, que ela havia escrito para mim. A fúria que sinto por minha mãe é sem limites, caso ela tenha de fato interceptado as cartas de A., como Selina sugeriu. Até confrontá-la, não saberei com certeza. Isso vai ter de esperar, por enquanto, já que o mais importante agora é encontrar A. Mesmo que ela não esteja mais no endereço que deu a Selina, espero que lá saibam o seu novo paradeiro. Eu disse a V. que vou ver umas máquinas novas para a fazenda. Detesto mentir para ela mas, custe o que custar, preciso encontrar A...

Donald encostou o carro junto ao presbitério de Oxenhope, um belo vilarejo de Yorkshire abrigado no alto das charnecas. Seu coração começou a bater mais depressa quando ele saltou e caminhou até o portão de madeira. Ergueu os olhos para a casa, mal conseguindo acreditar que em algum lugar lá dentro poderia estar a mulher que vinha assombrando seus sonhos nos últimos dezenove meses.

– Por favor, Deus, que ela ainda esteja aí – suplicou entre os dentes.

Tomou coragem e tocou a campainha.

Uma empregada veio abrir poucos instantes depois.

– Posso ajudar?

– Sim. Estou procurando Anahita Chavan. Uma amiga me disse que ela estava morando aqui.

– Desculpe, senhor, eu nunca ouvi falar desse nome. Quem mora aqui agora são o reverendo Brookner e sua filha. Só estou aqui faz dois meses, mas pelo que entendi essa casa sempre foi dele.

– Entendi. O reverendo ou sua filha estão em casa?

– O reverendo está na paróquia, mas a Srta. Brookner está no jardim.

– Nesse caso, posso entrar e falar com ela? – Ele lhe entregou seu cartão. A empregada examinou o cartão, então deu passagem para que Donald entrasse. Conduziu-o até uma sala escura.

– Por favor, aguarde aqui. Vou chamar a Srta. Brookner.

– Obrigado.

Desanimado, Donald esperou Charlotte aparecer. Por fim, uma moça de aparência comum e de olhar caloroso e inteligente adentrou o recinto.

– Lorde Astbury? – indagou ela, fechando a porta atrás de si. – Ou pelo menos suponho que seja o senhor, se veio procurar Anahita.

– Sim – disse ele, estendendo a mão para cumprimentá-la. – E a senhorita é Charlotte Brookner, amiga de Anni?

– Sim. Sente-se, por favor.

– Obrigado. A senhorita sabe por que estou aqui, não sabe? – perguntou Donald, tenso, enquanto se sentava numa cadeira.

– Sim, acho que sei. – Ela o encarou com tristeza nos olhos castanhos.

– Sabe onde ela está?

– Sim, mas jurei segredo.

– Ela está bem? Minha irmã falou que esteve muito doente.

– Estava bastante bem da última vez que a vi.

– Ela disse à minha irmã que a senhorita foi muito boa com ela.

– Fiz o que pude para ajudá-la nas... circunstâncias difíceis. Mas meu pai voltou da África dois meses atrás e, diante da situação dela, Anni teve de ir embora.

– Posso saber a que situação está se referindo? – perguntou Donald.

– Meu pai é um religioso, lorde Astbury, e embora tenha empatia pelas pobres almas que se encontram em situação difícil, abrigar uma mulher naquela condição sob o seu teto não teria sido visto com bons olhos pelos seus paroquianos de mente menos aberta. Isto aqui é um pequeno vilarejo de Yorkshire, não Londres. – Charlotte fez uma pausa antes de acrescentar. – Devo dizer que estou surpresa com o fato de o senhor estar aqui.

– Acredite, se eu tivesse recebido as cartas que ela pelo visto me mandou, teria vindo aqui meses atrás. – Donald deu de ombros. – Só que infelizmente não recebi.

– Lorde Astbury, eu posso confirmar que ela lhe escreveu. Eu mesma postei uma carta para o senhor quando ela estava lá em cima, doente demais para se levantar da cama.

– Posso apenas lhe implorar para acreditar que estou dizendo a verdade. Passei mais de um ano sem receber uma única carta dela.

– Se me permite falar com franqueza, depois de meses sem resposta eu infelizmente desisti do senhor. E disse a Anni que era melhor desistir também. Ela não quis, e foi quando resolveu ir a Londres tentar encontrá-lo.

– Sim. – Donald sentiu um viés de animosidade por trás da boa educação de Charlotte.

– Pelo visto o senhor estava em lua de mel – acrescentou ela, sombria. – Fez boa viagem?

– Sim, eu... escute, Srta. Brookner... Charlotte. Preciso que me diga onde Anni está, assim pelo menos poderei ir até lá explicar que não ignorei as suas cartas. Quase enlouqueci de preocupação. Não sabia nem se ela estava viva ou morta. Jamais teria aceitado me casar com outra mulher se não tivesse acreditado de verdade que não havia como recuperar Anni.

– Ela o amava mais do que tudo, e nunca deixava que dissessem nada contra o senhor. Muito embora eu muitas vezes tenha lhe dito o que o senhor merecia.

– Aceito que a senhorita me ache um cafajeste e pense que eu a abandonei...

– Não, lorde Astbury. Eu achei que, no fim das contas, a sua posição social jamais fosse lhe permitir cogitar desposar uma indiana – respondeu ela, sincera.

– Mas Anni com certeza deve ter lhe dito que eu a pedi em casamento antes de ela ir para a Índia, não?

– Sim, é claro que ela disse. Mas não fiquei nem um pouco surpresa que o senhor tenha mudado de ideia quando a situação se tornou real.

– Isso absolutamente não é verdade! – defendeu-se ele. – Se quiser mesmo saber, eu tenho quase certeza de que foi minha mãe quem garantiu que eu não recebesse qualquer comunicação de Anni depois de ela chegar à Índia. E concordo: *ela* não teria ficado nada contente se eu tivesse me casado com Anni. Ou na verdade se tivesse vendido Astbury, que era o que eu planejava fazer.

– Então poucos meses depois o senhor se casou com uma rica herdeira americana?

– Sim, mas só depois de esperar mais de um ano sem qualquer notícia, e àquela altura eu já não me importava com quem iria me casar, se não pudesse ser com Anni. – As lágrimas brotaram dos olhos de Donald sem aviso. – Pelo amor de Deus, Srta. Brookner, acredite em mim. Eu sinto muito, eu...

Ao ver a emoção genuína de Donald, a atitude de Charlotte pareceu se abrandar. Ela estendeu uma das mãos e, com hesitação, afagou a dele.

– Se eu for acreditar no que o senhor está me dizendo, então sem dúvida se trata de uma sequência trágica de acontecimentos. O triste é que agora não vejo como isso possa ser reparado.

– Eu lhe imploro, diga-me onde ela está, e nós dois poderemos tomar essa decisão.

– Eu jurei não dizer...

– A senhorita *precisa* me dizer! – insistiu ele.

Por fim, ela aquiesceu.

– Está bem. Acho que, quer Anni queira vê-lo ou não, o senhor pelo menos deveria ter uma chance de se explicar. Mesmo que o sofrimento do passado nunca possa ser desfeito, talvez ajude saber por que as coisas aconteceram dessa forma.

– Obrigado – exalou Donald, e o alívio o invadiu quando Charlotte se levantou e foi até a escrivaninha no canto da sala. Ela pegou um caderno de endereços e um pedaço de papel no qual copiou algumas linhas.

– Ela está morando em Keighley, uma cidade industrial a uns 45 minutos daqui. Devo confessar que ainda não fui visitá-la desde que se mudou. Estive bastante ocupada cuidando do meu pai, que voltou da África praticamente inválido.

Donald já estava de pé.

– Não tenho como lhe agradecer o bastante por ter me recebido e me dado isto, Srta. Brookner – disse ele, guardando o papel no bolso do paletó. – Vou até lá agora mesmo.

– E quem sabe o senhor possa me dizer como ela está? – pediu Charlotte ao conduzi-lo até a porta. – Não tenho ideia da sua situação. Ela é muito orgulhosa, sabe? Eu lhe ofereci dinheiro, mas ela não quis aceitar.

– Sim, isso é típico de Anni. – Donald deu um suspiro. – Adeus, Srta. Brookner, e mais uma vez obrigado.

Donald percorreu a curta distância pelas charnecas de Yorkshire, e estremeceu ao se aproximar da escura cidade industrial de Keighley. Estacionou o carro e pôs-se a percorrer o labirinto de ruas estreitas, com os prédios escurecidos pela fuligem das fábricas de algodão. Sentadas nos degraus em frente às casas estavam crianças imundas, descalças apesar da fria noite de setembro.

Após pedir informações no caminho, ele enfim chegou à Lund Street e percorreu a rua até encontrar o número certo. Bateu na porta, e depois de algum tempo uma mulher de aspecto emaciado com um bebê no colo e uma criança pequena a lhe segurar as saias veio abrir. Ela o encarou desconfiada.

– Não veio cobrar o aluguel, veio? Eu disse ao último que apareceu que pagaria na sexta. Meu marido acaba de perder o emprego na fábrica, entende?

– Fui informado de que Anahita Chavan morava neste endereço – explicou Donald. – Talvez tenha me equivocado?

– Não se equivocou, não. Anni é nossa inquilina, só não diga isso ao locador. Nós não temos permissão para sublocar, mas com sete bocas para alimentar não tem outro jeito. O senhor é amigo dela?

– Sim, meu nome é Donald. Ela está?

– Ela quase não sai, é muito discreta a nossa Anni. Mas que moça encantadora. É melhor ir entrando – sugeriu a mulher, e Donald se espremeu pelo corredor estreito até um cômodo minúsculo que ele constatou servir de cozinha rudimentar. – Sente-se aqui, vou chamá-la.

Quando a mulher saiu, Donald viu vários pares de olhinhos brilhantes o encarando interessados da porta.

– Como o senhor se chama? – perguntou uma das crianças, um menino de mais ou menos 7 anos.

– Donald. E você?

– Tom – respondeu o menino, aproximando-se. – O senhor fala muito empolado, e suas roupas são elegantes. É dono de fábrica?

– Não, não sou dono de fábrica.

– Quando eu crescer vou ser dono de fábrica – declarou Tom. – Então vou ser podre de rico como o senhor.

Uma criança pequena havia entrado engatinhando e tentava ficar em pé escorando-se na perna da calça de Donald, deixando marcas engorduradas com as mãozinhas sujas.

– Joanna, deixe o pobre homem em paz! – ordenou a mãe da menina ao reaparecer na cozinha. – Anni vai descer já, já, e avisou que falará com o senhor no cômodo da frente. Mas, veja bem, ela não pareceu muito feliz quando eu disse que o senhor estava aqui. Certo então, venha comigo.

– Obrigado – disse Donald.

A mulher o conduziu de volta pelo mesmo corredor e o fez adentrar a saleta um pouco mais tranquila. Quando ela fechou a porta, o lugar fez Donald estremecer. A que Anni se vira reduzida desde a última vez que ele a tinha visto?

A porta se abriu e ela apareceu; sua beleza exótica contrastava fortemente com a feiura desenxabida de tudo que a rodeava. Sua magreza fazia seus malares e os imensos olhos cor de âmbar se sobressaírem ainda mais.

Ela fechou a porta atrás de si com toda a graça – como todos os seus movimentos que Donald recordava de modo tão vívido – e ficou parada sem se mexer.

– Anni, eu estou aqui. – Donald se recriminou por afirmar o óbvio num momento tão importante, mas não sabia mais o que dizer.

– Sim – respondeu ela por fim. – Aqui está você.

– Eu... você está bem?

– Estou – respondeu ela, fria. – E você?

– Sim, sim. Anni... – Donald sentou-se abruptamente, sentindo que as pernas já não eram capazes de sustentá-lo. – Eu não sei o que dizer. – Ele segurou a cabeça entre as mãos.

– Não, imagino que não.

– Você precisa acreditar que eu não recebi nenhuma das suas cartas desde o momento em que você desembarcou do navio. Não fazia ideia se você estava viva ou morta. Cheguei a ir ao hospital onde você tinha trabalhado, e pedi ajuda à Scotland Yard. Fiquei desesperado. Por fim, resolvi aceitar que você não me queria mais. E que talvez tivesse encontrado outra pessoa na Índia.

– E então se casou com outra mulher? – perguntou ela num tom áspero e sincopado, muito diferente da sua voz em geral tão suave.

– Sim, eu me casei – confirmou ele, desalentado. – Se não podia me casar com você, não me importava mais com quem fosse. Para ser bem sincero, pelo menos o dinheiro da minha esposa conseguiu salvar Astbury.

– Eu li na revista que ela é uma rica herdeira. Espero que vocês estejam felizes juntos – disse ela no mesmo tom sem emoção.

– É claro que eu não estou feliz!

– Parecia feliz nas fotos.

– Sim, é verdade – admitiu ele. – Mas todo mundo nesse momento sorri para as câmeras.

Fez-se um silêncio durante o qual Anni olhou para todas as direções exceto para ele, e Donald simplesmente se fartou de tanto olhar para ela.

– O que você veio me dizer?

– Não faço a menor ideia! – Donald deixou escapar um riso nervoso. – Queria explicar que tenho certeza de que foi minha mãe quem interceptou as cartas que você me mandou.

– Donald, mesmo que eu não tivesse tido notícia nenhuma de você, teria esperado uma eternidade e jamais teria me casado com outro. Mas que importância tem isso agora?

A distância e a frieza que Donald sentia nela eram inéditas. Ele queria desesperadamente tomá-la nos braços e procurar a mulher arrebatada e cheia de vida que ela fora um dia.

– Será que nós pelo menos podemos ir para algum outro lugar e conversar? – implorou ele. – Aqui é insuportável.

– Você vai constatar que não existe nenhum hotel por estas bandas onde possamos tomar chá – respondeu ela com um certo sarcasmo na voz. – Além do mais, aqui é a minha casa.

– Anni, por favor, eu sei que você sofreu e o que pensa de mim, mas juro que nunca parei de amá-la nem de pensar em você nos últimos dezoito meses.

Anahita o encarou com uma expressão impassível.

– O que quer que tenha acontecido no passado, Donald, eu estou aqui e você lá, casado com outra.

– Seja qual for a minha situação, o que eu sinto por você não mudou. Por favor, é comigo que você está falando – disse ele com urgência. – Você mais do que ninguém sabe quem eu sou.

– Eu antes acreditava que sim. Mas agora de que adianta?

– Adianta porque depois de todos esses meses terríveis eu a encontrei, meu amor, e nós estamos sentados juntos conversando no mesmo recinto. Você não entende o que isso significa para mim?

Ela não respondeu. Alguém bateu rapidamente à porta e em seguida a abriu. A mulher que recebera Donald entrou trazendo no colo uma criança aos berros.

– Sinto muito incomodar, Anni, mas ele está se esgoelando lá na cozinha e ninguém consegue raciocinar.

Donald observou Anni pegar o menino no colo.

– Obrigada – disse ela à mulher, que lançou mais um olhar desconfiado para Donald, em seguida para o bebê, e então se retirou.

Donald ficou confuso.

– Esse bebê é dela?

Anni o encarou com cautela, como se estivesse avaliando seus pensamentos. Por fim, deu um suspiro.

– Não, é meu.

Donald encarou o menino enquanto seu cérebro ia aos poucos registrando a linda pele morena cor de mel, o tufo de cabelos pretos, e os brilhantes olhos azuis que o encaravam curiosos.

Conseguiu encontrar a própria voz.

– Eu... esse é...?

– Sim, Donald. Este é Moh, seu filho.

34

4 de setembro

    Depois disso, usando a saúde e o bem-estar do meu filho como argumento e sem aceitar um não como resposta, fiz A. juntar seus poucos pertences. Então tirei os dois da casa tenebrosa em que os havia encontrado. Passamos essa primeira noite num hotel antes de descer rumo ao sul. Eu não sabia para onde a estava levando. Só sabia que nunca mais poderia deixá-la. Todo o fogo que antes havia dentro dela parecia ter se apagado, como se ela estivesse vazia por dentro, como se nada mais realmente importasse. Durante a longa viagem de carro, ela mal disse uma palavra, exceto para responder com monossílabos às minhas perguntas.

– Está com fome? – perguntou Donald a Anni quando eles estavam atravessando a região de Derbyshire Dales.
– Não. Mas seria bom trocar a fralda do bebê.
– Claro. – Donald parou em frente a um hotel nos arredores de Matlock, e os três saltaram do carro. Enquanto ele aguardava por Anni no restaurante, perguntou se o hotel tinha telefone, pois precisava fazer uma ligação. Durante a longa e silenciosa viagem, havia começado a formular um plano. Iria deixar o destino dos três nas mãos de Selina que, estava certo, aceitaria oferecer durante algum tempo um quarto para Anni e o menino em sua casa de Kensington. Como medida temporária, era o melhor em que ele conseguia pensar, e pelo menos sabia que Anni não poderia sumir outra vez se estivesse bem debaixo do nariz da irmã.

O garçom respondeu que havia sim um telefone, e Donald se levantou para ir usá-lo.

Quando voltou ao restaurante, Anni estava sentada à mesa segurando no colo o bebê bêbado de sono.

– Acabei de falar com Selina, e vocês vão ficar lá até eu arrumar um lugar permanente – afirmou ele.

– Entendi – disse Anni, sem dar qualquer indicação de se o arranjo lhe convinha ou não.

– Pedi sopa e sanduíches, está bem assim?

– Obrigada.

Desesperado, Donald estendeu uma das mãos para ela por cima da mesa.

– Anni, por favor, eu nem consigo imaginar aquilo por que você passou ou o quanto deve me odiar, mas estou aqui agora e juro nunca mais decepcioná-la. Você precisa confiar em mim, por favor, e acreditar que, se eu não tivesse de fato pensado que havia perdido você para sempre, jamais teria me casado com Violet.

Anni ergueu os olhos para ele devagar.

– Você a ama?

– Eu gosto dela – respondeu ele, sincero. – Ela é muito doce e jovial, apesar de ser mais velha do que você, e eu não quero magoá-la. Mas não, eu não a amo nem nunca amei. Para todos os efeitos foi um casamento arranjado, igual aos que vocês têm na Índia.

– Ela é muito bonita.

– É, sim, mas... pelo amor de Deus. – Frustrado, Donald balançou a cabeça. – Eu não quero ficar falando disso o tempo todo. Todos nós fazemos coisas das quais nos arrependemos depois.

Anni tomou sua sopa em silêncio, e em seguida tentou comer um sanduíche. A comida pareceu reavivá-la e conferiu um pouco de cor às suas faces. Donald deduziu que ela pudesse estar desnutrida.

Eles voltaram para o carro, e tanto Anni quanto o bebê pegaram no sono pelo resto do trajeto. Donald os acordou carinhosamente ao chegar em frente à casa de Selina em Kensington.

– Chegamos? – perguntou ela.

– Sim. Quer ajuda com o bebê?

– Não! – Um lampejo de medo atravessou o semblante de Anni. – Selina sabe sobre ele? Eu não lhe contei quando a vi daquela vez em Londres.

– Eu contei, e ela não se surpreendeu – disse Donald para tranquilizá-la. – Agora entende por que você sumiu.

Enquanto a criada acomodava Anni e o filho num quarto do andar de cima, Donald engoliu uma dose generosa de gim com Selina no salão.

– Ah, Donald, isso tudo é uma grande tragédia. Eu sei muito bem como Anni deve ter se sentido. Ela deve ter ficado apavorada. E eu aqui, com minha filhinha sã e salva no seu quarto e outro bebê a caminho. O contraste não poderia ser maior, não é? – Ela deu um suspiro.

– Pois é. Meu Deus, Selina, se você visse onde Anni estava morando... era um cortiço.

– Bem, é claro que ela e o bebê podem ficar aqui algum tempo, mas a longo prazo que diabos você vai fazer? – perguntou sua irmã. – Afinal, esse bebê é seu filho e, até você e Violet terem um filho, ele tecnicamente poderia ser o seu herdeiro, mas não gosto nem de pensar no que iria acontecer se Violet algum dia descobrisse a existência dele.

– Que maldita confusão tudo isso... Mas o mais importante é eu ter encontrado Anni. Eu a amo, Selina. Meu único pensamento foi o de que precisava tirar os dois, ela e nosso filho, daquele inferno. Ainda não tive tempo de pensar nas consequências. Uma das soluções seria instalá-los numa casa aqui em Londres e visitá-los sempre que eu viesse aqui, mas não quero tratá-la como se ela fosse minha amante, e tenho certeza de que ela tampouco aceitaria isso.

– Ela deu alguma indicação do que quer? – perguntou Selina.

– Ela mal disse uma palavra – respondeu ele, desolado. – Passou os últimos meses simplesmente sobrevivendo. Tenho certeza de que vai levar algum tempo para recuperar as forças, tanto mentais quanto físicas.

– Bem, pelo menos eu posso lhe prover uma cama quentinha, boa comida, e uma ama-seca que cuide do bebê para que ela possa descansar. Mais um bebezinho no quarto não vai fazer diferença alguma. – Selina sorriu. – Afinal de contas, eles são primos.

– E eu só queria que o mundo pudesse saber.

– Bem, o mundo não pode saber e ponto. Nada disso é culpa da pobre Violet, e embora eu não possa dizer que eu e ela sejamos próximas, nunca desejaria que ela fosse submetida à indignidade de saber que o marido tem um filho... – Selina evitou dizer o termo correto. – Um filho com outra mulher.

– Você tem razão, claro – assentiu Donald, servindo-se mais um gim da bandeja. – Meu plano imediato é ir para Devon e confrontar nossa mãe. Preciso ter certeza de que foi ela quem nos colocou nessa situação.

– Vai lhe contar sobre o menino?

– Ah, vou. – Ele deu um sorriso pesaroso. – Não consigo pensar em nada que fosse deixá-la mais abalada do que saber que tem um neto mestiço ilegítimo que eu poderia reconhecer como herdeiro de Astbury.

– Meu Deus, Donald. Essa notícia poderia acabar com ela!

– Duvido. Embora ela se comporte como se tivesse 80 anos, precisamos lembrar que nossa mãe ainda nem completou 50 – disse Donald. – Por baixo de todo aquele drama, ela é firme como uma rocha, e pode ser que venha a enterrar todos nós. Se estivermos os dois certos, essa situação lamentável é culpa dela. Eu simplesmente não tenho mais medo daquela mulher.

Anni alegou estar muito cansada para descer e jantar com Selina e Donald naquela noite, e a criada levou-lhe o jantar numa bandeja. Antes de se recolher para dormir, Donald foi ao seu quarto e bateu à porta.

– Quem é?

– Donald. Posso entrar?

Quando não recebeu resposta, ele abriu a porta e deu com Anni amamentando o bebê na cama.

– Desculpe – disse ela, tirando Moh de seu seio e se cobrindo.

– Eu não me importo – falou Donald. – Acho incrível. A maioria das mulheres que eu conheço não amamenta os próprios bebês.

– Eu não tive escolha. Não tinha dinheiro para comprar leite. Mas ele agora está crescendo... vai completar um ano mês que vem, e eu já não basto para satisfazê-lo. Acho que é por isso que ele chorava tanto quando estávamos em Keighley.

– Ah, Anni – lamentou Donald com um suspiro. – Posso entrar e me sentar?

– Como queira.

Donald sentou-se na beirada da cama e espiou o bebê, por ora saciado e adormecido nos braços da mãe.

– Posso segurá-lo?

– Claro – respondeu Anni, e passou-lhe o menino.

Donald sentiu o cheiro quente e leitoso da pele de Moh e o perfume do talco que a ama-seca tinha passado nele depois do banho. Baixou os olhos para o rosto do filho, e foi submergido por uma onda de amor tão grande que ficou com os olhos marejados.

– Mal consigo acreditar que fomos nós quem o fizemos.

– Toda criança é um milagre, seja qual for a vida para a qual nasce – falou Anni.

– Anni, você me odeia?

Ela deixou passar alguns segundos antes de responder.

– Eu quis odiar, Donald, muitas vezes. Posso não estar gostando muito de você no momento, mas eu o amo desde o dia em que o conheci.

– E agora que eu a encontrei? Você confia que eu vou cuidar de você e do nosso filho?

– Que alternativa eu tenho? – perguntou ela com tristeza.

No dia seguinte, Donald deixou Anni e Moh aos cuidados das mãos hábeis de Selina e da ama-seca e dirigiu rumo ao sul até Astbury Hall. Assim que chegou, foi diretamente para a residência de viúva onde sua mãe agora morava, no limite da propriedade.

– Ela está aqui, Bessie? – perguntou à criada, espantada ao ver Donald adentrar a casa, pisando forte.

– Acredito que esteja lá em cima descansando, milorde.

Donald subiu os degraus de dois em dois e bateu à porta da mãe.

– Entre.

Ele entrou no quarto da mãe e a encontrou lendo um livro numa poltrona junto à lareira.

– Donald, mas o que é que você está fazendo aqui? – indagou ela com o cenho franzido em reprovação.

– A senhora e eu precisamos conversar. Mãe, por favor largue o livro. Tenho algumas perguntas que desejo que a senhora responda – retrucou Donald, e sentou-se à sua frente.

Espantada com a veemência do filho, Maud obedeceu.

– O que foi? – perguntou ela.

– Eu descobri recentemente que várias cartas endereçadas a mim sumiram em Astbury Hall no ano passado, e tenho todos os motivos para acreditar que a senhora teve algo a ver com isso, ao garantir que eu não as recebesse.

– Cartas?

Donald observou a dissimulação da mãe.

– Sim, mãe, cartas. Cartas da Índia, de Paris e depois de Yorkshire, de uma certa jovem de quem a senhora acabou descobrindo que eu gostava muito. E por quem, mãe, só para ficar registrado, eu era e continuo apaixonado.

– Eu... Donald, veja bem, nós recebemos muitas correspondências, cartas do mundo inteiro. Com certeza se elas não chegaram a culpa é do serviço postal, não? Não acho que você possa me culpar pelo extravio delas.

– Ah, eu acho que posso sim, mãe. E será muito fácil ir procurar os empregados da casa grande, cujo patrão, se a senhora bem se recorda agora, sou *eu*, e lhes perguntar a verdade.

Donald fez menção de se levantar, mas Maud o impediu na mesma hora.

– Você perdeu a cabeça? A última coisa que nós queremos são os empregados falando sobre nossos assuntos pessoais – sibilou ela.

– Eu não dou a mínima para isso.

– Nem se chegar aos ouvidos de Violet?

– Pode ser que chegue mesmo, já que eu finalmente encontrei Anahita. Ela por enquanto está hospedada com Selina em Londres, até eu decidir o melhor a fazer.

A expressão horrorizada da mãe provocou em Donald uma vontade terrível de rir.

– O que exatamente você quer dizer com o melhor a fazer? – repetiu Maud. – Com certeza não pode estar pretendendo contar a Violet sobre esse... caso que você teve com aquela indiana!

– Ainda não decidi, mas a menos que a senhora confesse e admita que foi a responsável por reter as cartas, eu talvez fique muito tentado a fazê-lo.

– Meu Deus do céu, Donald! Você enlouqueceu de vez? Seria o fim desta família. Violet se divorciaria de você na hora, e nesse caso o que aconteceria com Astbury?

– E a senhora acha que eu me importo com isso? Que algum dia me importei? – disparou ele de volta. – A senhora sabia muito bem que eu estava disposto a vendê-la e tinha até encontrado um comprador. Só que isso não teria sido conveniente, não é, mãe? Confesse, senão vou contar para Violet. – Ele a encarou. – Acredite, eu não tenho absolutamente nada a perder. Vender Astbury era o meu plano original. Eu ficaria bastante satisfeito levando uma vida tranquila com a mulher que amo. – Donald então lançou mão do seu trunfo. – Aliás, Anni deu à luz um bebê. Ele é meu filho, e seu neto.

Donald viu a mãe desmoronar na sua frente, mas continuou a falar:

– Então, mãe, gostaria que eu fosse contar tudo isso para a minha atual esposa? Pode imaginar o escândalo?

– Pare! Pare com isso! Como você pode ser tão cruel? Eu sou sua mãe! – suplicou ela.

– Sim, uma mãe que coloca as próprias necessidades e desejos acima dos do filho. Anni é uma indiana aristocrata, instruída. Não uma camponesa qualquer que eu tirei de um bordel!

– *Por favor!*

– E talvez lhe interesse saber também que hoje já existem vários casamentos mistos na sociedade. Mas não, mãe, o seu preconceito não permitiria que o seu filho se casasse com uma mulher dessas. A senhora é e sempre foi fria, calculista e intolerante. Eu...

– *Pare com isso!* Chega! – gritou Maud, e de repente desatou a chorar.

A visão da mãe aos prantos pôs um súbito fim ao discurso violento de Donald.

– Tome, mãe, enxugue suas lágrimas. – Desajeitado, ele lhe ofereceu um lenço que tirou do bolso, e ela aceitou.

– Você está certo – admitiu Maud por fim. – Eu escondi mesmo essas cartas, ou pelo menos pedi para a correspondência ser trazida diretamente para mim de modo a poder filtrá-la. Mas será que você não vê que eu estava só tentando protegê-lo? Você diz que agora é aceitável se casar com alguém como ela. Eu não sei, talvez tenha razão. Mas além disso você também ia vender esta propriedade. O que teria lhe restado nesse caso, se tivesse desposado uma mulher indiana e sem patrimônio familiar?

– Teria me restado o amor, mãe – respondeu Donald em tom baixo. – Teria me restado ser feliz. Mas eu não posso esperar que a senhora entenda isso.

Ela não respondeu, parecendo perdida nos próprios pensamentos.

– Obrigado por admitir que pegou as cartas – disse Donald por fim. – Agora preciso tentar resolver a confusão que essa situação me criou.

– O que você vai fazer?

– Bem, a senhora ficará feliz em saber que não tenho a intenção de magoar Violet. Nada disso é culpa dela. – Donald olhou para a mãe, que teve a elegância de enrubescer. – Mas tampouco estou disposto a manter a mulher que amo e o filho que ela me deu escondidos como um segredo sujo, num lugar onde não possa ver meu filho crescer. Então vou sugerir a Anni que ela e Moh venham morar aqui perto. Vou providenciar uma casa para eles em algum lugar da propriedade.

– Mas, Donald, e se Violet descobrir? – perguntou Maud, horrorizada.

– Só existem cinco pessoas no mundo que sabem. Posso garantir que nenhuma delas vai contar. Esse é o único jeito pelo qual estou disposto a viver a mentira que a senhora criou para mim.

– Quem tomou a decisão de se casar com Violet foi você, Donald – rebateu Maud. – Eu não o forcei a subir ao altar.

– Não, mãe, não forçou – disse Donald. – Mas quando todas as esperanças estão perdidas, pouco importa o que o futuro nos reserva. Então, estamos combinados?

– Como você quiser – respondeu ela trêmula, com os olhos baixos.

– Ótimo. Então vou começar a procurar um lar adequado para Anni. – Ele andou em direção à porta. – E quem sabe um dia a senhora queira visitar seu neto. Ele tem os seus olhos.

Astbury Hall

Julho de 2011

35

Ao acordar, Rebecca viu que estava sentada segurando o diário de Donald. Não fazia ideia de que horas havia pegado no sono, mas seus sonhos mais uma vez tinham sido inquietos e tomados pelo som de um estranho canto agudo.

Folheou o diário e viu que os registros cessaram de repente depois do mês de setembro, o que a deixou decepcionada porque queria saber mais, principalmente sobre Violet. Olhou para o relógio e viu que passava das nove da manhã.

Levantou-se para ir ao banheiro, lavou as mãos e encarou o rosto no espelho. Não havia dúvida de que a descrição de Violet feita por Donald poderia com igual facilidade se aplicar a ela mesma.

De repente, ela estremeceu. O mais triste, pelo que tinha lido, era não ter sido Violet que Donald havia amado, mas sim uma linda e exótica moça indiana saída de outro mundo. Rebecca percorreu a sequência de aposentos tocando os objetos de Violet e sentindo o cheiro agora conhecido de seu perfume, sem conseguir se livrar da sensação cada vez mais forte do quanto aquilo tudo era surreal. Aquela tinha sido a cama de Violet, a mesma que ela dividira com Donald. Ela estava usando as roupas de Violet todos os dias, recriando o mundo no qual a outra mulher vivera...

– Meu Deus.

Ao afundar numa poltrona da sala, ela se perguntou que reviravolta do destino a teria levado até Astbury. Era impossível ignorar as semelhanças entre as duas.

Uma voz conhecida interrompeu seu devaneio.

– Becks, está aí dentro?

– Sim.

Segundos depois, Jack irrompeu pela porta, seguido pela Sra. Trevathan, de rosto vermelho.

– Oi, amor – disse ele, aproximando-se.

– Desculpe, Rebecca. Sei que a senhorita precisa descansar e tentei dizer ao Sr. Heyward que não queria ser incomodada.

– Obrigada, Sra. Trevathan – respondeu ela com calma. – Não se preocupe, hoje estou me sentindo melhor.

– Está bem. Eu estava só fazendo o que me pediu – retrucou a governanta. Então girou nos calcanhares, saiu e fechou a porta.

– Obrigado. – Jack afundou numa cadeira e exalou um suspiro de alívio debochado. – Quem diabos ela pensa que é, afinal? Sua mãe? Como se atreve a tentar me impedir de ver minha noiva? Agora venha cá me dar um abraço.

Rebecca não se mexeu. Encarou friamente os olhos vermelhos e os cabelos seborosos e despenteados de Jack. Era óbvio que ele tinha tomado outro porre com James.

– Foi legal ontem à noite?

– Sim, foi divertido.

– Que bom para você.

Jack a encarou com uma expressão hesitante, tentando captar o que ela estava querendo dizer. Por fim, percebendo que ela estava sendo irônica, partiu para o ataque.

– Pare de me tratar feito criança, Becks! Esse é o seu maior problema – falou, sacudindo o dedo na sua direção. – A mocinha pura e perfeita que não bebe, nunca fuma, nunca faz nada divertido. Que se acha muito superior a nós, meros mortais que fazemos isso.

– Não foi o que eu quis dizer, Jack – respondeu ela, cansada. – Escute. A gente precisa mesmo conversar.

– Ai, meu Deus, de novo isso... mais um sermão porque eu me comportei mal. Bom, vá lá então, mamãe, pode me dar palmada – argumentou ele, desagradável.

– Jack, você tem um problema e precisa enfrentá-lo – falou Rebecca, suavemente. – Só estou dizendo isso porque gosto de você e tenho medo de que, se não parar, isso só piore.

– E que problema seria esse?

– Não seja leviano, Jack. Nós dois sabemos que você anda bebendo muito, mais ou menos desde que eu o conheci, e vive cheirando. Você é viciado, Jack. E enquanto não tomar uma providência em relação a isso... – ela tomou coragem – ... nosso relacionamento não pode continuar.

Jack jogou a cabeça para trás e riu.

– Ah, Becks, assim você me mata de rir! Desde que veio para a Inglaterra eu sabia que tinha alguma coisa errada. Que talvez você não estivesse mais apaixonada por mim, ou talvez houvesse outro homem na jogada. E agora vem você tirar da cartola o truque mais antigo do planeta: jogar a culpa em *mim* de um problema que sequer existe como pretexto para me dar o fora. – Jack meneou a cabeça como quem finge entender. – Ah, sim, eu entendo perfeitamente.

– Jack, eu juro que os únicos problemas que eu tenho com você são a bebida e as drogas. Quando você está sóbrio, eu acho você o máximo e te amo. Mas quando não está, o que vem se tornando cada vez mais frequente, eu simplesmente não consigo lidar com você. Então o que sugiro é que você volte para LA e tome alguma providência. Se fizer isso, estarei do seu lado em todos os momentos. Mas caso contrário... – Ela deixou as palavras pairando no ar.

– Quer dizer que isso é um ultimato? – Jack se levantou na sua frente, de braços cruzados. – Ou eu resolvo um problema que não tenho, ou está tudo acabado entre a gente. É isso?

– Não, não é isso e você sabe. Quem mais vai lhe dizer a verdade? – desafiou ela. – Será que você não entende que é tão difícil para mim quanto para você? Jack, eu não quero que a gente termine. Eu amo você desde o primeiro instante em que o vi. O único motivo pelo qual eu ainda não disse sim ao seu pedido de casamento é porque eu não consigo lidar com o seu problema.

Jack começou a andar pelo quarto.

– Então está me pedindo para fazer uma desintoxicação para provar meu amor por você?

– Ah, Jack, pode formular a questão como quiser, eu não consigo mais continuar assim. Estou doente, tenho um filme para fazer, e aconteça o que acontecer daqui para a frente, quero que você procure ajuda. Quem sabe quando eu voltar para casa a gente possa conversar e ver em que pé você está.

– Meu Deus, Becks! Quer parar de me tratar feito criança? – Ele tornou a se sentar pesadamente. – Na verdade existe uma boa chance de eu fazer um filme com o tal cara que conheci no outro dia. E meu empresário me ligou dizendo que acabou de receber dois ótimos roteiros. Sendo assim, ainda que eu quisesse, eu talvez não consiga encaixar uma estadia na clínica de reabilitação na minha agenda.

– Que bom que surgiram oportunidades para você – respondeu ela, agora exausta.

– É, parece que o seu namorado não está tão acabado quanto você quer fazê-lo acreditar. E se eu ando exagerando um pouco na bebida é por causa do tédio, nada além disso. – Jack a encarou. – Então está falando sério? Você quer terminar?

– Querer eu não quero, mas não tenho escolha.

– Então é isso! – Ele bateu com as mãos espalmadas nas coxas e se levantou. – Não vou mais ficar aqui me defendendo. Se é o que você quer, é assim que vai ser.

– Sinto muito, Jack, de verdade.

Os olhos de Rebecca se encheram de lágrimas.

– Deve estar sentindo mesmo – zombou ele. – Mas talvez deva se perguntar exatamente por que está me enchendo tanto o saco sem eu ter feito nada exceto me divertir. Eu não sou a sua mamãezinha bêbada, Becks, e também não mereço ser tratado igual a ela. E se você acha que isso vai me quebrar, pode esperar. Talvez você se dê melhor com um pastor do que com um macho de verdade. Mas enfim, isso não é mais problema meu. Então acho que vou embora agora.

Rebecca sentiu como se tivesse levado um tapa na cara com as palavras horríveis dele. Ficou sentada sem dizer nada, incapaz de reagir.

– Só mais uma coisa – acrescentou Jack. – Como fui eu quem levei o pé na bunda e fui mandado de volta para casa por ter me comportado mal, nada mais justo do que deixar a meu encargo dar a notícia para a imprensa. Vou pedir para o meu empresário divulgar uma declaração curta. Tudo bem assim?

– Tudo bem, pode dizer o que quiser.

– Vou mesmo. E espero que você não se arrependa do que fez hoje. Até mais, Becks.

Rebecca viu a porta bater depois que ele saiu. Fechou os olhos e recostou a cabeça no tecido fresco e sedoso da poltrona, abalada pela referência cruel de Jack à sua mãe. E, sim, admitia que ele pudesse ter razão. O que ela havia vivenciado quando pequena a deixara sensível a qualquer forma de abuso de drogas.

Mas isso não tornava o comportamento dele aceitável.

Sentiu outra vez o ardor das lágrimas nos olhos ao se dar conta das consequências do que acabara de fazer, e soube que não haveria como voltar atrás. Jack estava acostumado a ter mulheres disputando para estar perto dele. Ela duvidava que algum dia tivesse levado um fora, e ele não perderia tempo em substituí-la. Iria doer muito quando ela visse as futuras provas fotográficas disso na imprensa. Mas precisava aceitar que o Jack que um dia havia amado não existia mais.

– Está tudo bem, querida?

Rebecca ergueu os olhos, viu a Sra. Trevathan em pé junto à porta e deu de ombros, calada.

– Esse assunto não é da minha conta, mas eu acho que fez a coisa certa – disse a governanta com delicadeza. – Há muitas boas pessoas no mundo, principalmente para alguém tão especial quanto a senhorita.

– Obrigada pelas palavras – sussurrou Rebecca com a voz rouca. – Será que poderia me avisar quando ele for embora?

– É claro que sim, meu bem. – A governanta abriu um sorriso de empatia para Rebecca e se retirou.

Meia hora depois, a Sra. Trevathan chegou com chá e torradas e lhe disse que Jack tinha ido embora da casa.

– Como está se sentindo?

– Abalada, eu acho. Só espero ter feito a coisa certa.

– Se puder servir de consolo, eu já fui casada com um homem como Jack. Demorou um ano para eu decidir deixá-lo. Não estou dizendo que o seu Jack era violento como o meu marido, mas quando eles bebem todo dia não há como saber o que podem fazer.

– Sim. A senhora amava o seu marido?

– É claro que sim. – A Sra. Trevathan deu um suspiro triste. – Pelo menos no começo. Mas no fim não conseguia nem olhar para ele. Confie em mim, Rebecca, pode estar doendo agora, mas é melhor assim, de verdade.

– Obrigada, Sra. Trevathan – agradeceu ela.

– Bem, tem várias pessoas querendo subir para falar com a senhorita, mas eu disse que agora está descansando. É isso mesmo, meu bem?

– Sim. Talvez eu possa falar com elas mais tarde.

– E a dor de cabeça?

– Está melhor hoje, obrigada.

– Bem, a senhorita continua pálida, mas pensando bem isso não me espanta muito – disse a governanta, preocupada. – Volto mais tarde, e então me dirá se está disposta a receber algumas visitas.

Exausta, Rebecca dormiu por várias horas e acordou um pouco melhor. Tomou banho, trocou de roupa, e então, sentindo-se culpada por ter se isolado de todos, pediu à Sra. Trevathan que chamasse Steve, o qual compreensivelmente vinha pedindo para falar com ela.

– Sinto muito incomodar você, querida, mas só queria ver como estava se sentindo – desculpou-se ele ao entrar na saleta.

– A dor de cabeça está passando, então com certeza vou estar bem para filmar amanhã – garantiu ela.

– Que boa notícia, Rebecca. E tenho certeza de que o estresse dos últimos dias também não ajudou exatamente na sua recuperação.

– Como assim? – perguntou Rebecca, fazendo-se de inocente.

– Querida, isto aqui é um set de filmagem. Não escapou a nenhum de nós o probleminha de Jack. Ele me perguntou se eu tinha pó no primeiro dia em que o conheci.

– Ai, meu Deus, Steve. Eu sinto muito.

– Não tem por quê, a culpa não é sua. Eu o vi faz algumas horas, quando ele me pediu para arrumar um motorista que pudesse levá-lo até Londres. Não vou perguntar em que pé estão as coisas, mas pela cara dele deduzi que nem tudo está cor-de-rosa no mundo de Jack e Rebecca.

– Não mesmo – confirmou ela, decidindo que o melhor era dizer logo a verdade. – Eu disse que estava tudo acabado entre nós se ele não parasse de usar. Mas prefiro que isso não se espalhe.

– Infelizmente todo mundo já deduziu – falou Steve. – Você sabe como as notícias correm rápido num set. Enfim, Rebecca, o mais importante é a sua saúde. Tomara que agora que Jack foi embora você possa se concentrar em melhorar.

– Sim, e prometo estar bem para as cenas de amanhã.

– Bem, veremos. Só agendamos uma cena para você no final da tarde. Força, querida – disse ele, e se retirou.

Meia hora depois, houve outra batida à porta e Anthony entrou. Encarou-a por um instante, deu um suspiro repentino de irritação, e então forçou um sorriso.

– Vim só dar uma olhada em você – falou, taciturno. – Como está se sentindo?

– Melhor, eu acho – respondeu Rebecca. – Muitíssimo obrigada por me deixar usar estes lindos aposentos.

– Bem, eu não consigo pensar em ninguém mais adequado para ocupá-los – admitiu ele, rígido. – Ouvi dizer que o rapaz foi embora?

– Sim, e ele não vai voltar.

– Entendi. – Ele continuou parado olhando para ela. – Vou jantar de novo hoje à noite com nosso jovem amigo indiano – comentou, por fim.

– Ah, é? – respondeu Rebecca, sem saber o que dizer.

– Bem, espero que esteja se sentindo melhor amanhã.

– Também espero que sim. Obrigada por passar aqui.

– Até logo – disse Anthony, então virou-se e saiu.

Depois que ele se retirou, Rebecca se entregou ao luxo da grande banheira. Como tinha dormido até tarde, sentia-se agora totalmente desperta. Quando a Sra. Trevathan apareceu com chá e bolinhos, devorou-os avidamente.

– Eu acho mesmo que estou melhorando – afirmou ela à governanta.

– Assim é que se fala, meu bem.

– O Sr. Malik está na casa? – perguntou ela.

– Ele saiu mais cedo, mas acho que está em algum lugar por aqui, sim. Vai jantar com lorde Astbury mais tarde.

– Se a senhora o vir, acha que poderia lhe perguntar se ele se importaria em subir para falar comigo?

– Quando o vir direi a ele – assentiu a Sra. Trevathan, e saiu.

Vinte minutos depois, alguém bateu à porta.

– Pode entrar – falou Rebecca.

– Oi, Rebecca. Você queria falar comigo?

– Sim, Ari, entre. Como foi sua busca na igreja aqui perto? – perguntou ela.

– Bem, eu andei pelo cemitério, mas não consegui achar nenhum sinal de uma lápide com o nome de Moh. Depois fui de carro até Exeter procurá-lo no Registro Geral de Nascimentos e Mortes, mas lá também não há nada. Então acho que infelizmente é mais uma pista falsa.

– Não é esquisito? – perguntou Rebecca. – Qualquer atestado de óbito emitido com certeza estaria nos registros, não?

– Eu pensaria que sim.

– Ari, ontem achei uma coisa aqui nestes aposentos, uma prova definitiva de que Anahita esteve aqui em Astbury.

– É mesmo? O quê?

– O diário de Donald Astbury. Você provavelmente já sabe muita coisa do que está escrito lá, mas ele confirma que Donald amava sua bisavó e que eles tiveram um filho.

– Rebecca, isso é incrível! Eu adoraria ler – disse Ari, animado.

– Acho que você talvez fique chocado quando vir o diário em si. Vou pegá-lo. – Ela foi até o quarto de vestir de Donald e tirou o volume da estante. – Tome – falou ao entregá-lo.

Ari examinou o nome na lombada e a insígnia na capa. Abriu o livro, viu a dedicatória e em seguida o poema.

– Nossa – exclamou ele num suspiro. – É o poema sobre o qual lhe falei poucos dias atrás.

– Eu sei, e foi isso que me fez tirar o livro da estante. É como se algo estivesse nos conduzindo até ele.

– É. Sabe, nunca dei muito crédito aos abracadabras da minha bisavó, como eu costumava chamá-los, mas agora... – Ele estudou o volume em suas mãos. – De alguma forma, estou começando a mudar de ideia. Você acha que Anthony leu isto aqui?

– Não, acho que não – respondeu Rebecca. – O diário passou todos esses anos disfarçado como só mais um livro na prateleira.

– Posso pegá-lo emprestado hoje?

– Bem, não sou eu quem deveria decidir isso, não é?

– Não, mas acho que não vou correr o risco de pedir a Anthony. – Ari ergueu uma das sobrancelhas. – Obrigado, Rebecca.

– E Ari, eu preciso de um favor em troca.

– Claro. Qual?

– Bom, eu sei que vai soar ridículo, mas estou mesmo começando a sentir que existe algum tipo de vínculo entre mim e Violet. Isso está mexendo um pouco comigo.

– Eu entendo perfeitamente – disse Ari com empatia.

– Então... quero saber como Violet morreu.

– Entendi. Bem... – Ari olhou para seu relógio de pulso. – Preciso descer para jantar com Anthony daqui a vinte minutos. O melhor que tenho a fazer é lhe deixar a história de Anahita. Ela explica tudo bem melhor do que eu poderia.

– Então é possível ir pegá-la agora? – pediu-lhe Rebecca. – Assim posso começar imediatamente.

– Sim.

Ari se levantou e saiu da saleta com o diário embaixo do braço. Voltou poucos minutos depois trazendo a pasta de plástico.

– Vou logo avisando, Rebecca: não é uma leitura agradável. Mas acho que você tem razão. Deveria saber o que aconteceu com Violet.

– Tudo bem – concordou ela.

Depois de Ari sair, Rebecca acomodou-se no sofá, tirou a pilha de papéis de dentro da pasta e os folheou para encontrar o ponto em que havia parado...

Anahita

1920

36

Quando Donald me disse onde pretendia que nós morássemos, fiquei chocada e desconcertada. A primeira pergunta que lhe fiz foi o que sua mãe teria a dizer sobre a questão.

– Ela não vai ter absolutamente nada a dizer, Anni – respondeu Donald com firmeza. – Foi ela quem criou essa situação com os próprios atos egoístas. Se não fosse ela, você e eu estaríamos casados criando nosso filho juntos, e Astbury teria sido vendida.

Embora Donald tentasse me reconfortar, uma sensação distinta de incômodo perdurava. Maud Astbury nunca havia simpatizado comigo, e minha intuição me dizia que isso se devia a mais do que o seu preconceito racial. Ela sabia que eu conseguia enxergar o cerne da sua alma egoísta através da sua camada exterior.

– Mas e se os empregados contarem? – perguntei a Donald. – Afinal, eles sabem quem eu sou.

– Sim, eles sabem, mas eu já pensei nisso – respondeu ele. – Vamos simplesmente dizer que você se casou quando estava na Índia, mas que infelizmente o seu marido morreu e você agora é viúva. Talvez seja sensato inventar um novo sobrenome para vocês dois, não? – Ele segurou minha mão. – Venha comigo para Astbury, Anni. Quero você e nosso filho perto de mim. Pode não ser perfeito, mas é o melhor que posso fazer.

Perguntei-lhe se ele me daria um pouco de tempo para pensar na sua sugestão. Muita coisa naquele arranjo me desagradava. Morar perto de Donald e ter de vê-lo com sua nova esposa não era de modo algum confortável para mim.

Hoje, olhando para trás, sei que eu estava extremamente vulnerável. Sim, conseguira sobreviver, mas fora por pouco. Em Keighley, só havia tentado manter vivos você, meu querido Moh, e eu mesma, pois tinha desistido de qualquer ideia de futuro. Usara todo o dinheiro dos rubis para pagar a conta do hospital, o aluguel e nossa comida. Embora eu quisesse muito declinar da oferta de Donald, quando ele me encontrou eu estava na miséria. Não podia mais me dar ao luxo de recusar ajuda.

Talvez tivesse preferido morrer cedo a trair meu orgulho, mas não podia condenar você à mesma sorte. A providência divina havia decretado que Donald nos encontrasse bem a tempo, e apesar da bile que me subia à garganta toda vez que pensava em nós dois escondidos, eu sabia que não tinha outra escolha senão aceitar a solução dele, fosse ela qual fosse.

Na última semana, sentada no belo quarto que Selina tão generosamente havia providenciado para mim, pude sentir minhas forças retornarem. A boa comida e o descanso estavam começando a me revigorar, e minha mente ia se desanuviando. No pior dos casos, apesar de considerar aquela situação deplorável, ao menos a proposta de Donald me proporcionava um espaço para respirar. E quem sabe quando estivesse mais forte eu pudesse voltar a trabalhar como enfermeira e assim conquistar nossa independência.

Mas será que eu conseguiria suportar a ideia de Donald voltar para sua esposa depois de ter estado conosco? Era isso que mais ocupava meus pensamentos. Nosso amor sempre fora tão completo; era difícil para mim imaginar como ele poderia sobreviver com uma terceira pessoa envolvida.

Então, por intermédio de Selina, que contou à sua amiga Minty como eu fora encontrada, recebi uma carta de Indira me dizendo que estava grávida. Ela vociferava, ao seu modo habitual, reclamações sobre os enjoos matinais e também sobre a antipatia da primeira esposa de Varun, que tinha superioridade em relação a ela no palácio, ainda que não no coração do marido.

Essa carta me fez refletir e perguntei-me se havia diferença entre a minha própria situação e a de Indira. Ambos os homens que amávamos tinham esposas tecnicamente superiores a nós, mesmo que, como dizia Indira, nós fôssemos donas do coração deles. Se eu tivesse desposado um príncipe indiano, seria obrigada a dividi-lo com pelo menos uma outra esposa. E embora eu não usasse nenhuma aliança dada por Donald, nós éramos de fato casados, pelo menos da maneira que de fato importa.

Quando comecei a olhar a situação por esse viés, tive menos dificuldade. O fato de Donald ter se casado com Violet por ela ser considerada socialmente adequada *e* trazer consigo um dote que garantira a sobrevivência de Astbury era um arranjo idêntico ao do casamento de qualquer príncipe real no meu país de origem. Se eu pensasse em mim mesma como a segunda esposa de Donald em vez de sua amante, a situação me parecia bem mais aceitável.

Além do mais, qualquer dúvida que me restasse era neutralizada pelo simples fato de eu amar o seu pai, meu filho.

– Nós vamos para Devon com você – falei para ele enfim.

– Ah, meu amor! Que bom que você aceitou. Sei que não é perfeito, Anni, e meu maior desejo era levar você para morar comigo em Astbury Hall. Estou pensando numa casinha que não fica dentro da propriedade em si nem no vilarejo, mas nas charnecas. Além disso, ela é isolada, o que é uma vantagem, já que pretendo visitar vocês com frequência.

– Fico muito feliz em levar uma vida de paz e solidão, ainda mais agora que tenho Moh para me fazer companhia – concordei.

– Bem, como a casa está vazia há muitos anos, vou demorar algumas semanas até deixá-la adequada para alguém morar. Você aceita ficar aqui em Kensington enquanto isso?

– Se Selina concordar em nos hospedar.

– Você sabe que ela a adora, e com o bebê para chegar em breve e Henri ainda na França, vai ser bom para ela ter companhia. Então está resolvido?

– Sim, acho que está – falei.

Donald ainda ficou mais dois dias conosco, depois disse que tinha de voltar para passar o fim de semana em Astbury Hall. Sua esposa iria dar uma festa para exibir a decoração nova, e ele precisava estar presente. Fiz o possível para não me importar – aquela era apenas a primeira de muitas ocasiões que eu precisaria suportar caso fosse fazer parte da vida dele no futuro. Despedi-me com um sorriso, pensando em Indira e como ela precisava cerrar os dentes e se curvar diante da primeira esposa do marido.

Lembro que as semanas de espera até nosso novo lar ser reformado foram tranquilas. Graças à oferta abundante de comida saudável, a um quarto limpo e quentinho e a um par de braços maternos menos exaustos para segurá-lo, você começou a vicejar. Ganhou peso em um mês e começou a engatinhar, e seu corpinho agora robusto o fazia atravessar depressa o piso do quarto.

O bebê de Selina chegou sem complicações no mês de outubro, e gostei de poder retribuir parte da sua gentileza cuidando dela e da filha, que Henri e ela haviam batizado de Fleur. Então, no início de dezembro, Donald nos levou de carro para Devon. Pude notar que ele estava animado com a perspectiva de vermos nosso novo lar pela primeira vez.

Uma picada aberta nas charnecas nos conduziu até uma depressão no terreno onde havia um chalé confortavelmente aninhado. Feito de uma pedra típica da região, tinha duas fachadas e era muito bonito, lembrando-me um pouco o presbitério de Charlotte em Oxenhope. O regato onde Donald e eu costumávamos conversar naquele verão tempos antes passava bem na frente.

Donald parou seu Crossley nos fundos da casa, então fechou o portão situado numa cerca de madeira alta atrás de nós, só para o caso de haver algum curioso olhando. Pegou-me pela mão, levou-nos até a porta dos fundos e abriu. Entramos numa cozinha de pé-direito baixo e, após um corredor estreito, chegamos a uma sala aconchegante e recém-pintada, equipada com uma lareira.

No andar de cima, no minúsculo segundo quarto que Donald astuciosamente havia transformado no do bebê, deitei você no berço para descansar. Então fui até o quarto maior, onde reparei nas cortinas floridas de cor viva e na grande cama de casal de metal coberta por uma alegre colcha de retalhos.

– Então, Anni, o que achou? – perguntou ele, ansioso.

– Achei lindo, Donald – respondi, genuinamente impressionada. Depois da miséria claustrofóbica de Keighley, aquilo equivalia ao paraíso.

– Mandei trocar as janelas e instalar luz elétrica, e construí um banheiro ao lado da área de serviço lá embaixo. E... isto aqui é para você. – Ele tirou um maço de papéis do bolso do sobretudo e me entregou.

Examinei rapidamente os documentos até compreender seu significado.

– O que eles dizem, meu amor, é que eu, lorde Donald Astbury, lhe concedo o usufruto vitalício desta casa. Isso significa que ninguém jamais poderá expulsá-la daqui, aconteça o que acontecer comigo. Enquanto você precisar desta casa, aqui será o seu lar.

Lágrimas inundaram os meus olhos. Desde que meu pai havia morrido e minha mãe se mudado para a zenana, eu nunca mais tivera um lar de verdade.

– Obrigada, Donald.

– Anni meu amor, não há de quê, mesmo. Você merece muito mais.

Ele me tomou nos braços e me estreitou, então começou a me beijar. Talvez por causa do alívio de enfim estar num lugar seguro, de ter alguém cuidando de mim de modo tão atencioso, senti meu corpo lhe ceder. Caímos juntos sobre a cama grande e confortável. Pode ter sido o tempo separados, ou então as muitas semanas de proximidade sem contato físico, mas nossa união pareceu ainda mais apaixonada do que antes. Quando terminou, ficamos deitados juntos, abraçados com força, enquanto nosso filho dormia tranquilamente no quarto ao lado. Fiz o possível para afastar da mente o pensamento dele fazendo a mesma coisa com a esposa.

Por ironia, foi ele quem mencionou o assunto.

– Agora lembrei como deve ser – falou, com um ar sonhador. – Eu a amo, Anni, tanto que você nem imagina.

– E eu amo você, Donald.

Então dormimos, e eu soube que ambos estávamos nos sentindo em paz pela primeira vez desde que eu viajara para a Índia. Fosse qual fosse o pacto com o diabo que tínhamos feito para estar ali juntos, e por mais moralmente errado que fosse, nada naquele momento poderia estar mais certo.

Bem mais tarde, quando eu estava dando de comer para você na cozinha, Donald me mostrou que tinha estocado comida nos armários.

– E tenho mais uma surpresa para você. Venha, vamos lá fora.

Com um xale bem enrolado em volta de você para protegê-lo do frio intenso, saímos com Donald de casa. No pátio quadrado junto ao celeiro havia um estábulo, e Donald abriu a porta e acendeu o lampião pendurado num prego.

– Venha, menina, venha conhecer sua nova dona.

Donald afagou o focinho da égua. Seu pelo brilhava feito mogno encerado, e havia uma estrela branca em sua testa.

– Ainda não a batizei. Pensei que fosse você quem devesse fazer isso, já que ela vai ser sua.

Acariciei o focinho macio da égua, e você, atento ao novo brinquedo, também estendeu as mãozinhas para tocá-la.

– Que linda, Donald. Obrigada. Vou chamá-la de Sheba, pois ela parece uma rainha.

– Perfeito. Ela não chega a ser o garanhão que você gostava de montar, mas é mansa o suficiente para Moh aprender quando for mais velho. Também tem uma carroça no celeiro, para você poder ir ao vilarejo quando precisar.

– Você parece ter pensado em tudo – falei. Voltamos depressa para dentro, e pus a chaleira no fogão para ferver água e preparar um bule de chá.

– Mas você sabe que os moradores aqui do entorno logo vão notar a minha presença, principalmente se eu for ao vilarejo numa carroça puxada por um pônei – assinalei.

– Sim, Anni, é claro que eles vão reconhecê-la. Sem dúvida muitos ficarão bem contentes em vê-la. E lembre-se: nada mais natural, considerando sua relação de longa data com a nossa família, do que nós lhe oferecermos um lar depois da triste morte do seu marido – reconfortou-me ele.

– E Violet? – indaguei. – E se ela ouvir os empregados falarem sobre mim e desconfiar de alguma coisa?

– Eu lhe garanto, a única coisa com a qual não estou preocupado é Violet. Ela atualmente é a coqueluche da sociedade, considerada a mulher mais linda de Londres, quiçá da Inglaterra. Jamais houve mulher mais segura nem mais confiante na própria aparência e posição. Duvido que ela vá pensar por um segundo sequer que o marido possa estar envolvido com uma viúva indiana que vive nas charnecas.

Donald reparou na minha tensão repentina ao escutar essas palavras.

– Desculpe, meu amor. – Ele afagou minha mão. – E no que diz respeito ao relacionamento dela com os empregados, é como se eles fossem invisíveis, tão pequeno é o seu interesse por eles ou sua vida pessoal. Eles só fazem desempenhar uma função, tirando isso seu envolvimento é zero. Há sempre muito a fazer. Ela toma banho duas vezes por dia. E os lençóis de sua cama são trocados toda santa manhã.

– Como uma rainha – sussurrei, recordando que a marani tinha hábitos parecidos. Mas na Índia, afinal, tudo sucumbia ao calor e à poeira.

– Sim, e nos Estados Unidos Violet é *mesmo* da realeza, e foi criada com tudo que havia de melhor. Acho que ela pensa que nós ingleses somos meio sujinhos, eu inclusive. – Donald sorriu. – O que estou tentando dizer é que quem ocupa o centro do mundo de Violet é a própria Violet. Duvido que ela vá dar alguma importância quando eu contar que você chegou.

– Você vai contar para ela?

– Claro. Mas ela anda envolvida na organização de um grande baile de Natal aqui em casa. Está convidando todos os seus amigos refinados de Londres. Tenho certeza de que não vai nem prestar atenção quando eu contar sobre você.

– Espero que você esteja certo, Donald. – Tive um calafrio involuntário. – Nada disso é culpa dela. Não devemos magoá-la.

– Eu sei – concordou ele, e olhou para o relógio de pulso. – E infelizmente o jantar é daqui a uma hora, e ela vai estar esperando eu chegar de Londres. Virei ver como vocês estão amanhã de manhã. Você vai ficar bem aqui sozinha? A casa é mesmo muito aconchegante. Queria com todo o meu coração poder ficar com vocês, mas não posso.

– Nós vamos ficar bem – respondi, observando você segurar a perna da mesa e fazer uma tentativa frustrada de se levantar.

– Moh em breve vai estar falando, não é, rapazinho? – Donald se abaixou e beijou de leve a sua testa. – Certo, é melhor eu ir andando – falou, abotoando o casaco e se encaminhando para a porta. – A boa notícia é que daqui eu posso atravessar as charnecas de carro, entrar na estrada principal e depois chegar na propriedade pelo portão da frente. Ou então basta arrear Glory e vir diretamente da casa pelas charnecas em quinze minutos. Você vai ficar cansada de tanto me ver, tenho certeza.

– Duvido – falei, beijando-o na boca. – Obrigada, Donald. Estou me sentindo segura pela primeira vez em muitos, muitos meses.

Ele me soprou um beijo de volta, articulou um até logo com os lábios e se foi.

Depois de pôr você para dormir no berço, percorri minha nova casa olhando encantada para cada detalhe que Donald havia providenciado com tanto amor para mim. Acendi a lareira da sala e examinei os livros nas prateleiras de um lado e outro. Ele havia escolhido alguns de meus romances preferidos, histórias que eu sabia que iria ler e reler nas noites que estavam por vir.

Durante aqueles primeiros longos meses de inverno, quando me vi presa no deserto branco em que as charnecas haviam se transformado e Donald lutava para atravessá-las montado em Glory para trazer comida, leite e amor, fui uma leitora voraz. No entanto, embora minha vida fosse solitária, peguei-me experimentando uma sensação cada vez mais forte de paz interior. Talvez a neve me desse uma falsa ideia de segurança: ela me isolava de Astbury Hall e de seus moradores, e eu vivia num vácuo, apenas com a sua companhia e a de Donald.

Em retrospecto, acho que aqueles primeiros meses foram exatamente aquilo de que precisava para curar minha alma ferida; houvera momentos no primeiro ano de sua vida em que eu quase perdera as esperanças. Em que não conseguia mais ver, sentir, escutar, ou mesmo *acreditar* nas coisas que sempre haviam me guiado. Em que desejara a morte mais do que a vida, e de fato compreendera o que significava estar só. Embora pudesse ficar alguns dias sem que eu visse Donald agora, eu tinha certeza de que era amada.

Lembro-me que o Natal foi um período difícil. Donald estava ocupado com as atividades na casa grande, onde muitos dos parentes americanos de Violet iam chegando para comemorar com ela; sendo assim, eu o via muito pouco. Na véspera do Natal, ele apareceu rapidamente com um cesto contendo um peru grande o suficiente para alimentar uma família de doze pessoas e presentes para nós dois. Na manhã do Natal, abri meu presente que estava debaixo da nossa árvore. Era uma fieira de pérolas cor de creme com um recado amoroso escondido dentro da caixa. Pus o colar naquela manhã do Natal de 1920 e ele até hoje continua no meu pescoço.

Quando a neve começou a derreter, no início de março, minha vida no chalé junto ao regato começou a mudar. Donald me disse que a mãe de Violet estava doente, e que sua esposa iria a Nova York para ficar com ela.

– Ela não pediu para você ir junto? – perguntei quando estávamos os dois sentados diante da lareira na sala vendo você tentar dar seus primeiros passos.

– Claro que pediu – disse Donald. – Mas eu assinalei que, se for para administrar Astbury como um negócio, que é o que o pai dela deseja que eu faça, a primavera é um momento particularmente ruim para me ausentar, por causa da época em que nascem os novos cordeiros. E Violet não pareceu se importar quando eu falei que precisava ficar.

Aquela primavera, depois de Violet ir para os Estados Unidos, foi uma época muito especial. Donald combinava com Selina para fingir que estava hospedado com ela em Londres. Nesses poucos dias, ia nos encontrar nas charnecas e escondia o carro atrás da casa, e nós três vivíamos juntos como uma família normal.

Conforme a paisagem ia ganhando vida em volta da casa, aproveitávamos ao máximo aquele nosso mundo tranquilo e isolado. A única tristeza era que você nunca poderia chamar seu pai de papai, e Donald e eu precisávamos tomar extremo cuidado para não cometer nenhum deslize na sua frente. Você inevitavelmente encontrou o próprio jeito de se referir ao homem que passou a ocupar uma parte tão grande da sua vida.

– Vem, Sr. Don, vem! – dizia você, erguendo os bracinhos para o seu pai para pedir um abraço.

Donald tinha começado a levá-lo para passear no pônei, e trotava pelo quintal enquanto você dava gritinhos de prazer. Muitas vezes ele trazia pequenos presentes, sorvete de frutas para você e mudas de flores coloridas tiradas do jardim de Astbury para eu plantar no meu.

– Tome – disse ele certo dia, apeando da garupa reluzente de Glory e me entregando uma planta pequenina coberta de espinhos. – Eu trouxe uma roseira para você. O jardineiro de Astbury estava replantando os canteiros e me disse que essa era uma espécie muito rara e exótica chamada rosa da meia-noite. Pensei na mesma hora em você. – Ele sorriu e me deu um beijo. – Vamos plantá-la? No jardim da frente, que tal? – sugeriu.

Após aqueles meses terríveis duvidando se Donald me amava, eu agora sabia com todo o meu coração que sim. Ao ouvi-lo se revoltar – contra a pobreza em que tantos na Inglaterra ainda viviam, contra a injustiça de tão poucos terem tanto e contra o fato de não poder mudar o mundo, mas contribuir reformando algumas das casas de seus funcionários – um respeito renovado por ele foi crescendo dentro de mim.

– David Lloyd George está fazendo o que pode, mas o medo da mudança entre os políticos vindos em sua maioria das classes dominantes torna as reformas difíceis de aprovar. – Ele deu um suspiro quando estávamos sentados juntos certa noite no jardim.

– Meu pai sempre dizia que empurrar uma grande rocha um centímetro a vida toda era o mesmo que jogar cem seixos no mar todo dia. As grandes mudanças ocorrem devagar, Donald, mas elas acabam acontecendo – garanti a ele. – Você hoje pensa diferente, mas muitas pessoas vão começar a ver o mundo como você.

– Minha mãe sempre me considerou esquisito, porque quando eu era mais novo era amigo do filho de um dos cavalariços. Lembro-me de insistir para que ele fosse comer conosco na casa grande, pois parecia estar sempre com fome. Eu costumava roubar comida na cozinha para lhe dar. Sempre achei inadmissível o sistema de classes, e até hoje acho.

– Estive pensando – interrompi-o, mudando de assunto. – Será que eu poderia ir à casa grande antes de a sua esposa voltar dos Estados Unidos? Queria ver se alguma das ervas medicinais que plantei na horta da cozinha ainda estão vivas. Queria pegar mudas e cultivar meu próprio jardim de ervas aqui.

– Claro! Lembre-se, Anni: o único segredo é o que há entre *nós*, não sua presença aqui em Astbury. Não há necessidade de você se esconder, agora que a primavera chegou. Na verdade, parecerá mais natural se você não fizer isso. – Ele estendeu a mão e acariciou com delicadeza o meu rosto. – Contanto que eu me lembre de nunca tocá-la na frente dos outros. – Ele sorriu e ergueu os olhos para o relógio da cozinha. – Certo, está na hora de eu também voltar para lá. – Ele suspirou. – Os cordeiros vão nascer a qualquer momento.

37

Alguns dias depois, peguei a carroça puxada a cavalo e fui com você até a casa grande, onde constatei que muitas das ervas que havia plantado no canto abrigado da horta da cozinha tinham vicejado. Ajoelhada e tentando impedir que você as arrancasse do chão com suas mãozinhas ansiosas, ouvi atrás de mim uma voz conhecida.

– Ora, vejam só quem está aqui!

– Sra. Thomas! – Sorri ao vê-la se aproximar de mim com seu cesto, pronta para colher os vegetais necessários para o jantar daquela noite.

– Ouvi dizer que tinha voltado, Srta. Anni. Tilly disse que a viu no vilarejo na semana passada mesmo, mas eu achei que ela estava vendo coisas.

– Estou aqui desde o inverno, mas a neve estava alta nas charnecas e eu não ando me sentindo muito bem – expliquei.

– Ouvi dizer isso também, e que o seu marido morreu. Eu sinto muito, querida. Deve ter sido difícil para você com um bebê. Mas que menino bonito – disse a Sra. Thomas, fixando os olhos em você. Você se virou, encarou-a, e deu um aceno simpático.

– Ah, ele tem olhos azuis! – comentou a cozinheira. – Ora, eu não sabia que os indianos podiam ter os olhos azuis!

– O pai dele tinha; alguns indianos têm – respondi, disfarçando a onda de pânico que me invadiu.

– Bem, eu não teria como saber, não é? Enfim, ele parece um rapazinho encantador, e a senhorita não deve mais ficar tão sumida. Quando terminar aqui fora, entre na cozinha para apresentar seu menino aos outros empregados. Eles vão ficar muito felizes em vê-la.

– A senhora é muito gentil. Irei num instante.

Quando ela virou as costas, baixei os olhos para você, aflita, e me dei conta de que os seus olhos azuis denunciavam na mesma hora o segredo que seu pai e eu guardávamos.

Na cozinha, os empregados se juntaram à nossa volta. Após tantos meses isolada, fiquei contente com a acolhida e simpatia genuínas deles. Eles lhe deram bolo e chocolate para comer até eu ser obrigada a recusar, com medo de você passar mal. Sentei-me à mesa com uma xícara de chá, e todos me cobriram de perguntas. Respondi-lhes da melhor maneira possível, e cheguei a inventar o nome "Jaival Prasad" para meu finado marido imaginário.

– Bem, acho que a senhorita já deve saber como as coisas mudaram aqui em Astbury Hall – disse a Sra. Tomas, arqueando as sobrancelhas. – Lorde Donald se casou com uma moça americana no ano passado, e tivemos todos que aprender os novos costumes de lady Violet.

– Não é mesmo? – falou Tilly entre os dentes.

– Bem, todos nós reconhecemos que a nova patroa trouxe com ela algumas vantagens – disse a Sra. Thomas. – Eu agora tenho um fogão novo... – Ela apontou com orgulho para o equipamento. – E todo um conjunto de panelas novas para cozinhar. Ela disse que as antigas eram anti-higiênicas, e eu falei que ninguém nunca tinha morrido na minha mesa. Mas admito que agora estou contente com minhas belas panelas reluzentes.

– A senhora gosta de lady Violet? – perguntei, sem conseguir me conter.

– Acho que ela é razoavelmente agradável, embora mal preste atenção em nós aqui de baixo – respondeu a cozinheira. – Não sabia nada sobre comida inglesa ou o que devia ser servido numa casa como esta, e tive de lhe ensinar. Agora ela deixa tudo a meu encargo. Não liga muito para o que entra no seu corpo. Importa-se mais com o que vai *por cima!* – Todos os empregados riram ao escutar isso.

– Nunca conheci uma mulher tão vaidosa – disse Tilly. – Mas andei conversando com uma criada pessoal que ficou hospedada aqui, e ela me disse que todas as ianques são assim. Lady Astbury mandou fazer uma parede inteira de armários, e eles já estão abarrotados de roupas.

– Mas ela é muito linda. Nunca vi uma pessoa tão bela – comentou timidamente a criada responsável por lavar a louça.

– Isso ela é mesmo – concordou a Sra. Thomas. – Mas todas nós seríamos, se dedicássemos o mesmo tempo que ela à aparência e tivéssemos dinheiro sobrando para nos embonecar com todos aqueles vestidos, não é mesmo?

– Ela é gentil? – insisti, pois tinha a sensação de não ter ouvido nada sobre Violet como pessoa, apenas sobre a riqueza e beleza dela.

– Razoavelmente – respondeu Tilly. – Quando subo à noite para ajudá-la a arrumar os cabelos e pôr o vestido, ela não tagarela nem fofoca sobre nada além de suas roupas e joias. Acho que nunca me fez uma única pergunta sobre a minha vida.

– Eu diria que poderíamos ter tido uma sorte pior – declarou a Sra. Thomas. – Pelo menos ela não é insensível como aquela que acabou de se mudar para a residência da viúva. E pelo menos a casa vive movimentada e cheia de gente jovem, no lugar de viúvas enlutadas. Astbury ressuscitou desde que lady Violet chegou, e todos nós devemos agradecer por isso.

Daquele dia em diante, nunca mais fiquei sem companhia. Você e eu éramos frequentemente convidados a visitar as casas dos empregados no vilarejo para tomar chá, ou então para ir com eles à feira da região, que ocorria de tantos em tantos meses no terreno da propriedade. Eu tomava cuidado para me certificar de que fôssemos *nós* quem os visitássemos, argumentando que era muito mais prático, uma vez que eu tinha um pônei e uma carroça e minha casa ficava a uns bons cinco quilômetros a pé do vilarejo. Mesmo assim, vivia apavorada que algum amigo aparecesse de surpresa enquanto Donald estivesse conosco.

A notícia de que eu estava de volta a Astbury começou a se espalhar pelo povoado, e com ela a dos remédios naturais à base de ervas que eu tinha recomeçado a usar para ajudar com a artrite da Sra. Thomas, com a bronquite de Tilly, e até mesmo com a gota do mordomo. As mudas que eu havia colhido na horta da cozinha e replantado em meu próprio jardim tinham pegado bem e estavam vicejando. Donald estava construindo uma pequena estufa para mim, de modo a protegê-las do gelo do inverno, e nas charnecas eu topava com muitas plantas medicinais locais que também fui acrescentando à minha coleção cada vez mais extensa.

Naquele verão, saí trotando na carroça muitas vezes, com você ao meu lado, em direção à casa de algum morador do vilarejo cujo filho ou filha estivesse com febre. Aquelas pessoas não tinham acesso a nenhum tipo de atendimento de saúde. O médico cobrava uma pequena fortuna por cada visita, e a maioria não tinha como pagar. Eu não cobrava nada; para mim bastava a expressão de alívio no rosto daquelas mães.

Também comecei a constatar que a minha experiência de enfermagem tradicional funcionava bem ao se combinar ao meu conhecimento das ervas ayurvédicas. Eu conseguia identificar quando meus remédios não iriam adiantar nada. E, se o paciente estivesse num estado grave demais para que eu pudesse ajudá-lo, aconselhava que o hospital da região era a única opção que lhe restava.

Em julho, num batizado no vilarejo, tornei a encontrar o médico da região. Não o via desde que ele chegara demasiado tarde para o parto de Selina, muitos anos antes.

– Permita-me lhe agradecer, Sra. Prasad – disse o Dr. Trefusis, fazendo uma pequena mesura para mim. – A senhora aliviou minha carga de trabalho, e seu conhecimento tem sido de grande valia para os moradores do vilarejo. Já pensou em retomar sua carreira de enfermagem? Uma enfermeira aqui no condado seria uma bênção para toda a região.

– Já pensei nisso, sim, mas tenho um filho para cuidar, e qualquer emprego de verdade ocuparia demasiadamente o meu tempo com ele ainda tão pequeno – respondi. – Além do mais, duvido que os profissionais da medicina fossem aprovar meu uso das ervas locais para ajudar os pacientes.

– Sim, a senhora provavelmente tem razão – concordou o médico. – Mas eu adoraria aprender mais sobre elas. Qualquer coisa que proporcione aos pobres uma cura gratuita deve ser algo positivo. De modo que continue com seu bom trabalho.

– Minha nossa, eu quase não a tenho visto ultimamente, entre uma e outra dessas suas missões de misericórdia – comentou Donald no fim de agosto. Como Violet iria voltar para casa a qualquer momento, Donald tinha "ido para Londres" e estava passando um tempo conosco em nossa casa.

– Elas me mantêm ocupada, e eu gosto de ajudar os outros – respondi.

– Eu sei que gosta – disse ele, tomando uma colherada do ensopado que eu havia preparado para nós dois. – Mas no inverno não vai ser tão fácil, não é?

– Sheba é um pônei robusto, e agora já está acostumada com as charnecas. Tenho certeza de que ela dará conta se nevar de novo este ano.

– Talvez eu deva pensar em instalar um telefone aqui – sugeriu Donald. – Assim pelo menos poderei entrar em contato com você se houver algum problema, e os moradores do vilarejo poderão usar o telefone da agência de correios se algum paciente precisar chamá-la com urgência.

– Você é muito gentil de oferecer isso, mas telefones são muito caros e eu preferiria não aceitar mais nenhum dinheiro seu.

– Anni, materialmente o seu sustento não tem custo algum – falou Donald, tentando me tranquilizar. – Olhe, se fôssemos casados, você sequer questionaria a minha sugestão. E nós somos casados, meu amor, em tudo menos no papel. Além do mais, é maravilhoso você estar assistindo a comunidade local, e eu tenho muito orgulho de você. Então instalar um telefone é o mínimo que posso fazer para ajudá-la.

– Está bem – assenti, com um suspiro. – Obrigada.

– Você é um enorme contraste em relação à minha esposa. – Donald também suspirou. – Violet não faz absolutamente nada para ajudar ninguém exceto ela mesma. Para ser franco, estou apreensivo com sua volta de Nova York. Nós temos só mais uma noite juntos. Não é muito satisfatório, não é?

– Sinto-me grata pelo que já tivemos, Donald – respondi, mas ao pronunciar as palavras de repente perdi o apetite.

– Talvez eu demore alguns dias para conseguir me liberar – alertou-me Donald ao partir na manhã seguinte. – Até logo, meu amor. Cuide-se, e cuide do nosso menino, sim?

– Claro – falei, e senti as lágrimas me brotarem dos olhos. Embora fosse vê-lo em breve, sabia que ele estava voltando para o seu outro mundo, e que não seria mais somente meu.

O inverno começou outra vez a se aproximar, e com a chegada do frio, as demandas dos meus pacientes aumentaram. E, apesar de tudo, fiquei grata por isso. Via Donald bem menos desde que Violet voltara para casa. Teria parecido estranho ele se ausentar com tanta frequência de Astbury após os dois passarem seis meses separados. Ele aparecia com a maior regularidade que conseguia, muitas vezes a caminho de Londres para alguma festa ou baile.

– A maior parte dos amigos dela é tão arrogante e chata que eu mal consigo suportar. – Ele suspirou. – Mas preciso fazer o que se espera de mim.

Numa noite, em meados de dezembro, Donald apareceu inesperadamente no chalé. Tinha um ar abatido e me encarou com uma expressão de medo no olhar.

– O que foi? – perguntei, percebendo na hora que havia algo errado.

– Tenho uma notícia para lhe dar – disse ele, sentando-se pesadamente numa cadeira diante da mesa da cozinha.

– Uma notícia ruim? – indaguei. Pus a chaleira no fogo para ferver água.

– Duvido que alguma outra pessoa fosse pensar assim, Anni, mas estou preocupado que você pense. E queria lhe contar antes de alguém mais fazê--lo. Você sabe como são as coisas por aqui: as fofocas se espalham como incêndio na mata, principalmente as dessa natureza. E tenho certeza de que a maioria dos empregados já sabe.

– Então me diga – pedi, mal me atrevendo a pensar no que poderia ser.

Donald respirou fundo, e então, sem conseguir me olhar nos olhos, baixou o olhar para os próprios pés.

– Violet... está esperando um bebê.

– Entendi. – Compreendi então por que ele achava que eu seria a única pessoa a não considerar aquilo uma boa notícia.

– Você se incomoda com isso, Anni?

É claro que eu me incomodava! Não com a criança que estava para nascer, mas com o processo íntimo que fora necessário para concebê-la. Apesar disso, quis me comportar com dignidade na frente de Donald. Eu já sabia quais seriam as circunstâncias quando aceitara aquele arranjo.

– É natural que você e sua esposa queiram formar uma família. E ter um herdeiro para o patrimônio – acrescentei, tentando não deixar a amargura transparecer na voz. – Eu não estou exatamente em condições de me sentir incomodada, não é mesmo?

– É claro que está – disse Donald, zangado. – Se fosse ao contrário e você estivesse me contando isso, duvido que eu fosse conseguir lidar com o fato.

– Eu não tenho alternativa. Vou ter que lidar com isso – falei, firme.

– E, Anni, você precisa saber também que o ato de conceber esse filho foi um dever, não um prazer.

Eu quis acreditar nas suas palavras, e na verdade não tive dúvidas de que ele estivesse dizendo a verdade, mas mesmo assim pensar naquilo me apunhalava a alma.

– E a pior parte é que Violet já está suportando mal a gravidez. Cancelou todos os compromissos das próximas semanas, pois diz estar se sentindo péssima e está de cama. Infelizmente, isso significa que pelo menos até segunda ordem ela não vai estar ocupada com outras coisas como em geral acontece. Terei de passar bem mais tempo em casa com ela. Eu sinto muito, Anni.

– Nós vamos dar um jeito de passar por isso, tenho certeza. Afinal, já passamos por isso antes.

– Sim, mas é que cada vez mais eu sinto que a vida que estou levando com Violet é uma mentira – admitiu ele, desconsolado.

– Bem, não há o que fazer, e nós dois simplesmente precisamos lidar com isso da melhor maneira possível. – Eu sabia que estava sendo dura com ele, mas ainda estava tentando processar as consequências do que ele acabara de me contar. Naquele momento eu não tinha condições de demonstrar empatia.

– Sim. – Ele entendeu e me encarou com um ar culpado. – Perdão, meu amor. Hoje era eu quem deveria estar reconfortando você. Infelizmente é melhor eu ir. O Dr. Trefusis vai passar para ver Violet daqui a pouco. – Donald se levantou e me deu um beijo no alto da cabeça. – Nos vemos assim que possível.

38

Donald me disse que o Dr. Trefusis havia declarado que Violet estava com uma saúde excelente. Tinha lhe prescrito carvão ativado para os enjoos e lhe receitado descansar até que o mal-estar passasse. A notícia seria anunciada ao mundo quando a gestação houvesse chegado à décima segunda semana, mas ambos já tinham contado para os pais.

– Minha mãe me pediu para visitá-la hoje à tarde para conversar sobre o que descreveu como sendo "uma questão delicada", então preciso ir andando – disse Donald em tom de desculpa quando foi nos visitar, poucos dias depois. – Só Deus sabe o que ela pode estar querendo.

Depois de ele sair, também fiquei pensando no que ela poderia estar querendo. Sabia que Maud Astbury era a minha nêmesis, o corvo negro pousado no meu ombro, esperando para bicar meu pedacinho de felicidade. No dia seguinte, quando Donald apareceu, pude ver pela sua cara que a conversa tivera a ver comigo. Preparei um chá para nós dois, e fomos para a sala a fim de aproveitar o calor da lareira.

– Então, o que ela falou? – perguntei.

– Ela me disse que estão circulando boatos sobre minhas andanças pela região. Parece que fui visto cavalgando regularmente pelas charnecas.

– Bem, isso não chega a ser crime, não é?

– Cavalgando numa direção específica – acrescentou Donald com ênfase.

– Entendo. Foi visto por quem?

– Parece que o pastor contou para sua esposa no vilarejo, que contou para sua amiga, a Sra. Thomas, que contou para Bessie, criada pessoal da minha mãe, que tinha me visto a cavalo perto deste chalé muitas vezes durante os meses da primavera e do verão. É claro que eu disse a ela que isso em si não era motivo para falação – acrescentou Donald. – Afinal de contas, eu sempre cavalguei por este trecho das charnecas, e sempre parei no regato para deixar Glory beber água.

Fiquei sentada sem dizer nada, escutando.

– Minha mãe fez um drama sobre eu ser o senhor da propriedade, e falou que cada suspiro meu é motivo de análise e fofoca entre os empregados – disse Donald com ar cansado. – Falou que o motivo que a levou a chamar minha atenção para isso agora é que Violet está grávida e o estado dela inspira cuidados. Disse que não desejaria que nenhum desses boatos, por mais falsos que fossem, chegasse aos ouvidos de Violet enquanto ela estivesse esperando o herdeiro de Astbury. Disse ainda que, por uma questão de decência, minhas visitas a você pelas charnecas deveriam cessar imediatamente, por enquanto.

– Entendo.

– Para dizer a verdade, Anni, ela fez eu me sentir um total cafajeste e falou que, não bastasse o fato de eu estar tendo um relacionamento debaixo do nariz da minha esposa, continuar fazendo isso enquanto Violet está esperando um filho é nojento.

– Bem, dessa vez, por mais que me doa dizer isso, eu acho que a sua mãe tem razão – concordei por fim. – Violet não sabe nada sobre o que está acontecendo. Na verdade, eu diria que isso a torna mais vítima do que qualquer um de nós dois.

– Eu sei. – Donald baixou a cabeça, envergonhado. – Ela não merece nada disso, principalmente agora.

– Não mesmo. E quer sua mãe esteja usando ou não a gravidez como uma alavanca para alcançar seu objetivo de nos destruir, nós dois precisamos ter compaixão por Violet. Não pense que eu também não sou assolada diariamente pela culpa por a estar enganando – acrescentei. – Neste momento precisamos agir com integridade e decência. De modo que você precisa parar de vir me visitar.

– Mas, Anni, o que você vai fazer? Como vai dar conta? E mais ainda, como é que eu vou dar conta?

– Talvez nós devêssemos recorrer outra vez à correspondência.

– Muito engraçado. – Ele deu uma risadinha sem humor.

– É o melhor a fazer.

– Mas como eu vou conseguir ficar longe?

– Você precisa ficar e pronto.

Ele estendeu a mão, pegou a minha e a beijou com carinho.

– Está bem. Pelo visto precisamos nos despedir mais uma vez. Mas é só por um tempo, até a criança nascer.

– Os meses vão passar depressa, tenho certeza – garanti.

– Meu Moh vai estar com quase 3 anos quando eu tornar a vê-lo – disse Donald com melancolia.

Nós dois nos levantamos e caminhamos juntos até a porta da cozinha, então nos abraçamos apertado.

– Vou dar um jeito de manter contato, minha Anni, não se preocupe. Eu amo você.

– Até breve, Donald – sussurrei.

E depois daquela conversa eu iniciei mais um período separada do homem que amava. No entanto, o fato de estarmos ambos juntos naquele pacto, igualmente decididos a fazer a coisa certa, tornou tudo um pouco mais fácil. Eu me mantinha ocupada com você e meus pacientes, e fazia o possível para não ficar ruminando a nossa separação forçada.

O Natal chegou, e pela manhã achei em frente à minha porta um cesto contendo mais um imenso peru, diversas guloseimas e presentes para mim e para você. À noite, fomos ao vilarejo comemorar a data com os outros moradores no centro comunitário. Foi maravilhoso ver o seu rostinho se iluminar ao ver os chamativos enfeites que tinham sido pendurados pelo recinto.

Na véspera do Ano Novo, Tilly e seu simpático marido Jim nos convidaram para ir à casa deles. Eles tinham uma filha chamada Mabel, praticamente da sua idade.

– Feliz Ano Novo, Donald – sussurrei bem baixinho quando os sinos da igreja anunciaram o novo ano. Por algum motivo, tudo era ainda mais difícil por ele estar tão próximo e ao mesmo tempo tão longe.

– Anni, você está bem? – perguntou Tilly, passando o braço pelo meu ombro. – Deve estar pensando no seu pobre marido.

– Sim – respondi.

– Tenho certeza de que um dia vai aparecer alguém para você, Anni. Você é linda e inteligente, duvido que fique sozinha por muito tempo.

Naquele instante senti o coração gritar, tamanha a vontade de contar para minha amiga a verdade sobre a minha situação, de me confidenciar com alguém; mas sabia que isso não era possível. Eu não tinha outra escolha senão carregar sozinha o meu segredo.

Mas o destino quis que eu voltasse a ver Donald bem antes do que imaginava.

Numa noite fria de janeiro, estava na cozinha dando banho em você na banheira junto ao fogão quando escutei o barulho dos cascos de um cavalo se aproximando no pátio. Como ninguém nunca ia me visitar à noite, supus que só podia ser Donald. Ele bateu educadamente na porta dos fundos que dava para a cozinha, então a abriu.

– O que está fazendo aqui? Pensei que tivéssemos combinado...

– Nós combinamos, e quero que você saiba que a minha mulher está ciente de que eu estou aqui – disse ele, ainda ofegante depois da cavalgada pelas charnecas.

– Como assim? O que quer dizer com isso?

– Posso entrar? – perguntou ele. – Assim explico tudo.

Dei um passo de lado para deixá-lo entrar.

– Sr. Don!

Seus olhos se iluminaram ao verem seu pai, e você agitou a água da banheira de tanta animação.

– Olá, rapazinho – disse ele, e abriu um sorriso ao beijar sua cabeça toda ensaboada. Então virou-se para mim. – A verdade é que infelizmente os enjoos da minha esposa não melhoraram. Pelo visto ela não tem conseguido suportar o cheiro de comida, então parou de se alimentar. O Dr. Trefusis não está muito preocupado e diz que vai acabar passando, mas Violet está arrasada.

– Algumas mulheres sofrem muito na gravidez – falei, hesitante, perguntando-me por que ele estava me dizendo tudo aquilo.

– E isso me leva ao motivo que me fez vir até aqui. Parece que Violet ouviu alguma coisa dos empregados sobre os milagres que você faz com seus remédios especiais à base de ervas. E pediu que fosse visitá-la para ver se consegue lhe dar alguma coisa capaz de ajudá-la com os enjoos.

Encarei-o como se ele tivesse perdido a razão.

– Você não pode estar falando sério!

– Estou, sim, Anni. A sua fama se espalhou, e o problema é que agora pareceria muito estranho se você se recusasse a atender lady Astbury em pessoa depois de ela pedir expressamente a sua ajuda. Eu sei. – Donald balançou a cabeça e deu de ombros, impotente. – A última coisa que eu pensei que fosse fazer era vir aqui falar com você por instruções explícitas da minha mulher.

– Ai, Donald...

Não sei se foi a descarga de tensão após semanas sem vê-lo, ou então a ironia da situação na qual agora estávamos, mas eu de repente comecei a rir. Por fim, aliviado, Donald fez o mesmo, e você, meu amor, ficou olhando seus pais da banheira com espanto.

– Na verdade não tem graça nenhuma – falei depois de algum tempo, enxugando os olhos com a toalha de banho.

– Não, nenhuma – disse Donald. – Ah, Anni, que maravilha ver você – emendou ele, puxando-me para si. – Sentiu tanta falta de mim quanto eu de você?

– Senti até mais – respondi, sincera, adorando a sensação de ser outra vez abraçada por ele. – Quer dizer então que lady Astbury está solicitando a minha presença – falei, desvencilhando-me do abraço para tirar você da banheira.

– Sim, está. Eu disse que não tinha certeza se você estaria em casa, mas que mesmo assim viria a cavalo até aqui deixar um recado. Ela gostaria que você fosse lá o quanto antes. Amanhã de manhã, talvez?

– Tenho de consultar minha agenda, claro – respondi. Meus olhos brilharam enquanto eu secava você no meu colo. – Mas tenho certeza de que consigo abrir um espacinho para a sua mulher.

– Obrigado, Anni – disse Donald agradecido. – E sério, qualquer coisa que você conseguir fazer já vai ser uma bênção. A pobrezinha está sofrendo horrores, e faz questão de que todo mundo saiba.

– Amanhã bem cedinho irei de carroça à sua casa. Diga a ela para me aguardar por volta das nove e meia – instruí. Você desceu do meu colo e cambaleou até seu pai com os braços erguidos para ele.

– Abraço, Sr. Don – pediu você, e ele o puxou para seu colo.

– Como ele cresceu em apenas poucas semanas – comentou Donald, e acariciou seus cabelos escuros e macios.

– Cresceu, sim. E agora também está falando pelos cotovelos. Vou pedir a Tilly para ficar com ele enquanto atendo a sua mulher. Você deve saber que ela não trabalha mais na casa grande. Jim, seu marido, acaba de ser promovido a assistente de carteiro.

– Perfeito. E aproveitando que eu estou aqui... – Donald levou a mão ao bolso e tirou algumas notas da carteira. – Tome. Pelo menos agora não precisarei usar o marido de Tilly para lhe entregar isto dentro de uma carta. – Ele sorriu.

– Obrigada. – Aquele era o instante que eu mais detestava, mas naquele momento pouco podia fazer para mudar a situação.

– Cavaio, Sr. Don? – perguntou você, animado.

– Hoje não, rapazinho – respondeu Donald com pesar. – Mas prometo levá-lo para passear com Sheba da próxima vez que vier. Agora preciso ir.

Você fez uma cara decepcionada e cambaleou atrás de Donald até a porta. Enquanto o pegava no colo para consolá-lo, eu perguntei:

– Você vai estar lá amanhã com Violet?

– Acho que, para o bem de todos nós, vai ser melhor eu manter distância.

– Sim – concordei.

Depois de Donald sair, pus você na cama e fiquei sentada em frente à lareira refletindo sobre aquela espantosa visita e seus motivos. Embora no início a ironia da situação tivesse me feito rir e eu tivesse feito pouco daquilo com Donald, meu sexto sentido me fez experimentar um outro tipo de emoção.

Naquela noite, ao tentar dormir, escutei o canto. Embora distante, ele estava presente. E me alertava de que o perigo não se encontrava muito longe.

No dia seguinte, após deixar você na casa de Tilly no vilarejo, fui de carroça até Astbury Hall. Ao atravessar o hall como de costume até a cozinha, fui recebida com sorrisos de boas-vindas.

– Estamos muito contentes em vê-la, Srta. Anni – disse a Sra. Thomas. – Eu disse à patroa que, se havia alguém capaz de ajudá-la, era a senhorita. Acha que consegue? Porque as minhas ideias para tentar fazê-la comer alguma coisa estão acabando.

– Espero conseguir, mas primeiro terei de vê-la – respondi. Ariane, a nova criada de quarto francesa de Violet, entrou na cozinha para me levar até lá em cima.

– Bem, vamos todos cruzar os dedos. Estamos ficando bem preocupados com ela – arrematou a Sra. Thomas.

– Prometo fazer o melhor que puder – garanti. Saí da cozinha e segui Ariane pelo labirinto de corredores que conduzia ao hall de entrada principal. Quando ela me acompanhou escada acima, fiquei estupefata com as mudanças na casa, e vi que Violet pelo visto conseguira se livrar dos retratos de família pendurados na grande escadaria. Todos tinham sido substituídos por lindas obras de arte moderna.

– Espere aqui, *s'il vous plaît* – pediu a empregada após entrarmos numa saleta suntuosamente mobiliada. – Vou avisar lady Astbury.

Reparei que a temperatura da sala estava igual a uma fornalha, tão sufocante que me fez recordar meus tempos na Índia.

– Lady Astbury vai recebê-la agora – disse Ariane, aparecendo na porta do quarto.

Segui-a com hesitação para dentro, e constatei que o quarto estava tão quente e abafado quanto a saleta anexa. Meu instinto imediato foi abrir as grandes janelas para deixar entrar um pouco de ar puro.

Na cama com dossel ladeada por duas pesadas cortinas de brocado estava deitada uma forma pálida e diminuta em relação ao tamanho da cama.

– Olá, lady Astbury. – Fiz uma mesura. – Meu nome é Anahita Prasad. Creio que a senhora mandou me chamar.

– Mandei, sim, depois de escutar todos os empregados falarem sobre os seus incríveis remédios naturais – disse ela com seu suave sotaque americano. – Chegue mais perto, por favor... Ariane, pode puxar uma cadeira para a Sra. Prasad se sentar ao meu lado?

Ariane assim o fez, e ao me sentar pude examinar direito a mulher que era a esposa de Donald. Violet tinha um aspecto muito jovem; parecia quase uma criança. Com seus cabelos louros, imensos olhos castanhos e lábios perfeitos em formato de coração num rosto de pele alva e sem marcas, me fez pensar numa frágil boneca de porcelana. Notei na mesma hora, pelo seu jeito de se movimentar, que ela estava fraca, provavelmente por falta de alimento.

– Estou muito contente que tenha vindo, Sra. Prasad. Até mesmo o Dr. Trefusis disse que não custava nada consultá-la.

– O prazer é todo meu, lady Astbury. Tenho certeza de que o Dr. Trefusis lhe disse que, além de praticar a medicina ayurvédica, eu também sou enfermeira.

– Qualquer uma das duas me serve se fizer eu me sentir melhor. – Ela suspirou. – Estou passando mal há semanas.

– A senhora se importaria se eu a examinasse?

– Fique à vontade. Fui tão apalpada e cutucada ultimamente que já perdi qualquer dignidade faz tempo.

Verifiquei sem pressa os sinais vitais de Violet e constatei que o seu pulso estava um pouco acelerado, o que era comum em muitas mulheres durante a gestação, mas sua temperatura estava normal e os batimentos, firmes e regulares. Apalpei a criança, que me pareceu pequena para o tempo de gravidez, mas com toda a certeza estava viva. Violet suava frio, mas deduzi que isso decerto tinha mais a ver com o calor opressivo do quarto do que com qualquer problema médico. Então examinei debaixo das pálpebras, e ali encontrei os sinais característicos de anemia.

Uma vez feito o exame, tanto do ponto de vista tradicional quanto holístico, lavei as mãos na bacia sobre a bancada, sequei-as e me sentei.

Violet se mantivera calada e dócil ao longo de todo o procedimento, mas eu agora podia ver que a sua expressão era de expectativa.

– Bem, lady Astbury, creio que posso ajudá-la.

– Ah, graças a Deus! Passei alguns dias deitada aqui achando que fosse morrer.

– Garanto-lhe que a senhora está muito bem. O Dr. Trefusis lhe disse alguma coisa sobre anemia?

– Não. – Violet balançou a cabeça. – Tudo que ele fez foi receitar canja de galinha, que eu detesto com todas as minhas forças. O que é anemia? É grave?

– Nem um pouco, se diagnosticada a tempo e tratada. É apenas o bebê exaurindo os estoques de ferro do seu corpo – expliquei. – Isso a deixa sonolenta e letárgica, mas é muito fácil de resolver, prometo. A senhora já ouviu falar em cerveja preta?

– Não é aquilo que os marinheiros bebem na estiva? – Violet franziu os lábios de repulsa.

– Sim, mas é também ótimo para grávidas porque contém muito ferro. Não é muito saboroso, mas eu lhe garanto que vai ajudar de verdade. Também vou pedir à Sra. Thomas que prepare toda a comida da senhora numa panela de ferro. O alimento absorve o ferro, e esse é um jeito natural de introduzir a substância no seu corpo.

– Mas o problema é justamente esse – lamentou Violet. – Eu não consigo comer! O simples cheiro de comida me deixa enjoada.

– Eu acho que podemos resolver isso também. Tenho gengibre plantado em casa, e vou trazer e pedir à Sra. Thomas que lhe prepare um chá. É maravilhoso para aliviar a náusea e a fará se sentir bem menos indisposta. Por enquanto a senhora precisa tomar o chá três vezes ao dia.

– Gengibre? – Violet torceu o nariz. – Puxa vida, os remédios que a senhora está me receitando estão fazendo eu me sentir ainda pior!

– Muito pelo contrário, eu prometo. E vou lhe preparar também uma poção de ervas que não só vai ajudar com os enjoos, mas também lhe dar mais energia, e quem sabe trazer de volta um pouco de cor à sua face. Vou escrever as instruções no frasco. E não – enfatizei, meneando a cabeça –, o sabor não será nem um pouco agradável. Por fim, lady Astbury, este quarto está quente demais. É preciso baixar a calefação e deixar entrar um pouco de ar puro. Além disso, uma caminhada curta pelo jardim diariamente para se exercitar um pouco não fará mal nenhum nem à senhora, nem ao bebê. Ficar deitada aqui, desanimada e sozinha, com certeza não a está ajudando nem um pouco.

– Mas lá fora está muito frio. – Violet estremeceu.

– Eu sei, mas a senhora pode se agasalhar – afirmei. – E se fizer tudo que estou sugerindo, em breve terá vontade de correr pelo jardim como um cordeiro de primavera.

– Tem certeza?

– Absoluta.

– Está bem. – Ela suspirou, resignada. – Acho que não tenho nada a perder em tentar o que a senhora sugere. Nenhuma dessas coisas é perigosa para o bebê, é?

– Se elas oferecessem algum perigo, eu não as receitaria para a senhora.

– Não, claro que não. – Violet corou ao perceber a falta de tato de seu comentário.

– Agora vou descer e falar com a Sra. Thomas. Juntas nós tentaremos pensar em algo mais saboroso do que canja de galinha, porém tão nutritivo quanto.

– Bem, isso já seria um progresso. – Violet trocou comigo um olhar cúmplice.

– Voltarei para vê-la daqui a alguns dias – falei, levantando-me. – Mas se precisar de mim antes disso mande me chamar.

– Sim. E não se preocupe em vir até aqui trazer todos os remédios que deseja que eu tome. Eu já lhe dei trabalho suficiente, e sei pelos empregados que a senhora tem um filho pequeno. Mandarei alguém buscá-los com a senhora hoje à tarde.

– Obrigada. É um prazer poder ajudar.

– Até logo, Sra. Prasad. – Violet me sorriu enquanto eu andava até a porta. – Pode deixar a conta lá embaixo com o mordomo.

– Ah, não, eu não cobro. Meus serviços são de graça. Tenha um bom dia, lady Astbury.

Lá embaixo, na cozinha, escrevi uma lista de instruções e as expliquei à Sra. Thomas.

– Bem, se todas essas coisas que a senhorita está receitando derem certo, eu viro o rei da Inglaterra, mas como já curou tantos de nós estou disposta a confiar na sua palavra.

– Obrigada, Sra. Thomas. Agora preciso ir pegar meu filho com Tilly. Ele deve estar querendo saber para onde eu fui.

Naquela mesma tarde, o próprio Donald foi até o chalé, e eu lhe dei o gengibre e a poção de ervas que havia preparado para Violet com a intenção de aumentar sua energia.

– Se ela começar a tomar tudo agora, vocês devem notar uma melhora já nos próximos dias – falei.

– Obrigado, Anni – disse ele, guardando o gengibre e o remédio no bolso do casaco. – Vou incentivar Violet a fazer o que você mandou. É muita bondade sua ajudá-la, levando em conta a situação.

– Ela é um ser humano e está sofrendo – argumentei, conduzindo-o até a porta. – É claro que eu quero fazer o que puder para ajudá-la.

Uma semana depois, quando voltei a Astbury Hall, fui conduzida ao andar de cima, mas dessa vez quem me recebeu na saleta foi uma Violet inteiramente vestida.

– Sra. Prasad! – Ela se levantou, foi até mim, e então, para meu constrangimento, deu-me um abraço. – A senhora faz milagres! Veja só como eu estou!

Eu olhei, e de fato vi o rubor em suas faces e uma vitalidade outrora ausente brilhando no seu olhar.

– A senhora parece ter melhorado muito. – Eu sorri.

– Sim! Mesmo que ainda não consiga de todo acreditar. No início tive certeza de que ficaria mais enjoada ainda bebendo todas aquelas coisas nojentas, mas não! Fiz o que a senhora mandou, todos os dias, à risca, e deu certo! Ah, Anni… posso chamá-la de Anni? Todos os empregados parecem chamá-la assim… como posso lhe agradecer?

– Imagine, não há necessidade alguma. Só fico feliz que a senhora esteja melhor.

Ela me indicou com um gesto para me sentar numa poltrona em frente à sua.

– O Dr. Trefusis veio me ver ontem e quase não acreditou na mudança. Contei-lhe sobre a sua visita, claro, e como você tinha me estimulado – disse Violet com um olhar cheio de admiração e gratidão. – Mandei um cabo para minha mãe em Nova York ontem... ela estava tão preocupada que quase embarcou num vapor para vir me visitar. Mas ela tampouco anda bem de saúde, então eu disse que agora não precisava mais vir e que eu estava me sentindo muito bem. Quando ela chegar para o nascimento do bebê, quem sabe você pudesse fazer a gentileza de dar uma olhada nela também, se ela não tiver melhorado até lá?

– Seria um prazer, se ela assim desejar, claro.

– Estou até sentindo vontade de convidar alguns de nossos amigos para virem se hospedar aqui outra vez. Desde que eu adoeci, a casa anda vazia.

Senti-me grata pela melhora de Violet, e percebi que a sua exuberância naquele dia fazia parte da sua personalidade. Isso me fez gostar dela.

– Bem, fico contente em lhe dizer que já pode parar de tomar o chá de gengibre. Tome apenas se sentir enjoo. Deixei algumas folhas de hortelã com a Sra. Thomas; elas também ajudam com a náusea, e talvez a senhora as ache mais palatáveis. Mas infelizmente vai precisar seguir tomando a cerveja preta.

– Ah, eu já estou acostumada. Donny acha engraçadíssimo me ver tomando isso – falou ela rindo. – Ah, Srta. Anni, ele tem se mostrado tão carinhoso, tão preocupado comigo. Acho que está com tanta vontade de lhe dar um abraço quanto eu!

Tentei manter minha expressão impassível ao ouvir esse comentário e me levantei.

– Preciso ir. Tenho de visitar com urgência um bebê no vilarejo.

– Claro. – Violet também se levantou. – Espero mesmo que consiga me visitar com frequência, e quem sabe um dia possa vir jantar conosco?

– Bem... – Gaguejei. – Infelizmente eu não conseguiria. Tenho um filho e não tenho com quem deixá-lo.

– Sim, Donny me contou que o seu marido morreu. Eu sinto muito. Se o seu menino for tão bonito quanto você, deve ser uma criança linda. Você tem um ar tão exótico que eu fico verde de inveja!

– Obrigada... a senhora é muito gentil. Agora tenho mesmo de ir.

– Quem sabe um dia eu possa ir visitá-la no seu chalé para conhecer seu filho também? – sugeriu ela, seguindo-me até a porta como um filhotinho de cachorro animado. – Eu conheço muito pouca gente por aqui. Todos os meus amigos moram em Londres.

– Eu saio muito – falei, abrupta. – Telefone primeiro.

– Vou telefonar. Até logo, Anni, e mais uma vez obrigada.

39

– Pelo visto minha esposa voltou ao que era antes – disse Donald uns dois dias depois, ao aparecer em mais uma missão a pedido de Violet para me presentear com um imenso buquê de flores, chocolates e champanhe. – E você ganhou uma nova admiradora. Ele sorriu. – Nunca, nem nos meus maiores desvarios, pensei que um dia fosse lhe trazer presentes da minha esposa. A vida é mesmo irônica.

– Sim, verdade – falei, enquanto tentava impedir você de pegar os chocolates.

– Você é incrível mesmo – disse Donald, e me deu um abraço. – Não posso dizer que os seus métodos sejam propriamente tradicionais, mas que eles tenham vida longa.

– Com certeza são tradicionais na Índia, e totalmente naturais – retruquei.

– Bem, você é extremamente inteligente. Mas eu temo que haja um lado ruim nisso tudo – comentou Donald. – Agora que recuperou a energia, Violet está com força total combinando visitas de Deus e o mundo à nossa casa. É óbvio que ela está tentando recuperar o tempo perdido. E você sabe o quanto os seus amigos me desagradam. Mas a boa notícia é que eu tive um motivo para vir visitá-la. – Ele me puxou para o seu colo.

Donald me deu um beijo e eu o enlacei pelo pescoço.

– Sim, isso é muito bom. Mas a sua esposa me perguntou se poderia vir aqui e conhecer Moh.

– É mesmo? – Ele franziu o cenho. – E o que você disse?

– Falei para ela me telefonar antes porque eu saía muito, mas não posso impedi-la de vir, posso?

– Não. Bem, isso vai complicar as coisas. Não me sinto nem um pouco à vontade com o fato de Violet saber exatamente onde você mora.

– E você acha que *eu* me sinto? Mas o que posso fazer?

– Nada, suponho. Embora talvez seja melhor tirar aquela fotografia de nós três da sua mesa de cabeceira. Ela pode achar isso estranho – brincou ele, tentando fazer graça.

– Por favor, não estou brincando. Violet sempre foi um peso na minha consciência desde o início, mas agora que preciso fingir ser sua amiga... – Estremeci. – Tudo me parece próximo demais. Além do mais, Donald, eu gosto dela. Ela é encantadora, e apesar de todo o dinheiro que tem, sinto que é muito vulnerável.

– Eu sei, Anni. Vamos torcer para o apego dela por você ser temporário. Como você parece ter sido a única pessoa capaz de ajudá-la, ela agora está muito agarrada a essa ideia. Você virou a fonte de conhecimento dela para tudo que tem a ver com gestação. – Ele sorriu. – Acho que o Dr. Trefusis está bastante contrariado.

– Na verdade, ele me ligou mais cedo e vem me visitar amanhã – falei. – Disse que gostaria de ver meu jardim de ervas e saber mais sobre o que eu ponho nos meus remédios.

– É mesmo? Muito me espanta. Sempre o considerei um tanto antiquado e preconceituoso.

– Bem, talvez ele seja mais receptivo a novas ideias do que você pensava.

– Fico me perguntando se você não deveria começar a cobrar por toda essa ajuda que dá aos outros – disse Donald. – Eu não iria querer que ninguém se aproveitasse.

– Talvez quando Moh for mais velho eu pense melhor no futuro e volte a praticar a medicina profissionalmente. Mas por enquanto estou feliz com o jeito como as coisas estão.

– Não se canse demais, sim, meu amor? – disse ele, acariciando delicadamente o meu rosto. – E não deixe minha esposa pressioná-la a fazer qualquer coisa que não queira. Ela pode ser muito insistente.

No dia seguinte, o Dr. Trefusis foi à minha casa. Levei-o até minha pequena estufa, e ele passou pelas bancadas repletas de espécimes diferentes e me fez perguntas sobre cada uma das ervas.

– Não são só os remédios em si – expliquei. – A questão é diagnosticar o paciente e descobrir qual é o seu *dosha*... se ele é *pitta*, *vata* ou *kapha*. Isso se descobre observando o biótipo e cor do rosto da pessoa, e também fazendo algumas perguntas simples para avaliar seu estado emocional e sua personalidade. Então é possível adequar o remédio certo para cada paciente. Os que eu utilizo fazem parte da cultura indiana há milhares de anos. Além de usar as plantas frescas, eu seco as folhas e as guardo em vidros, ou então as trituro até virarem pó. As raízes fornecem os remédios mais potentes.

– Fascinante, totalmente fascinante – murmurou ele. – Então qual é o *dosha* de lady Astbury?

– Ela é *vata*, doutor, ou seja: de ossatura delicada, com pouca gordura corporal e muito sensível ao frio. Possui também um sistema digestivo temperamental que se perturba com facilidade, o que provavelmente explica seus fortes enjoos.

– Entendo. Bem, a senhora se importaria se eu tirasse algumas mudas para tentar cultivá-las? E quem sabe pode me ensinar a preparar alguns remédios básicos. Algo para congestão do peito, por exemplo?

– Sim, por favor, pegue o que quiser. Com licença, preciso ir ver meu filho. Ele a esta altura já deve ter acordado da soneca da tarde.

– Claro – disse o Dr. Trefusis. – Vou ficar aqui tirando as mudas, depois entro para falar com a senhora.

O médico partiu dizendo que voltaria na semana seguinte para que eu lhe mostrasse como preparar um remédio. Nunca mais apareceu na porta da minha casa.

Violet, porém, apareceu, e deliciou-se com a atmosfera aconchegante do chalé, tecendo loas ao seu aspecto tipicamente inglês. Quando ela viu você pela primeira vez, prendi a respiração à espera do comentário sobre seus olhos azuis que iria denunciar todos nós. Mas felizmente ela não comentou.

– Ah, como ele é bonito! É a sua cara, Anni.

Você pareceu simpatizar com ela à primeira vista, embora talvez isso tenha tido algo a ver com os brinquedos e doces com os quais ela o cobria toda vez que ia nos visitar.

– Por favor – pedi-lhe eu certa tarde, quando seu motorista tirou do porta-malas do carro um triciclo vermelho reluzente no qual você começou na mesma hora a pedalar encantado pelo quintal. – A senhora o mima demais.

– Que bobagem! No meu entender nunca é demais mimar uma criança – disse Violet. – Além do mais, Anni, eu sei que você presta seus serviços de graça e tem pouca renda, então é o mínimo que posso fazer.

Ao longo das semanas seguintes, Violet e eu passamos muitas frias tardes de fevereiro sentadas juntas em frente à lareira, comendo os *crumpets* com manteiga que ela havia trazido.

– Eu agora estou pesada demais para ir a Londres, e é um tédio ficar enfurnada dentro daquela casa só na companhia dos empregados e de Donny – dizia ela. – Que bom que eu tenho você para vir conversar.

Apesar do fato de viver sempre tensa, sabendo que precisava ficar atenta, eu escutava com fascínio Violet discorrer sobre sua vida privilegiada nos Estados Unidos. Ela também se interessava em ouvir as histórias sobre minha infância na Índia. E, para dizer a verdade, peguei-me enfeitiçada pelo seu temperamento generoso e encantador, e sua ingênua certeza de que tudo na vida sempre daria certo fez eu me apegar a ela cada vez mais. Comecei a ansiar por nossos encontros, pois a vitalidade de Violet animava muitos longos dias de inverno. Chegaria até a dizer que nos tornamos de certa forma amigas.

Ela não se comportava de modo superior comigo em nenhum nível; na verdade, em mais de uma ocasião afirmou que meu parentesco com a realeza indiana a fazia parecer absolutamente plebeia.

– Como todo mundo nos Estados Unidos, eu só estou onde estou porque minha família teve sucesso nos negócios. Lá na minha terra o que compra nobreza é dinheiro, não berço. – Ela prosseguiu num tom de ironia. – Naturalmente, a desagradável mamãe de Donny nunca me deixa esquecer de onde eu venho. Você a conheceu?

– Sim. Ela morava na casa grande quando me hospedei lá anos atrás, durante as férias escolares – respondi.

– Eu sei que ela vive desaprovando tudo que faço. – Pensativa, Violet deu uma mordida em seu *crumpet* e sorriu para mim. – Mas achou ótimo eu gastar meu dinheiro para restaurar aquela ruína que era a casa da sua família. Que bom que Donny insistiu para que ela se mudasse para a residência da viúva quando nos casamos. Eu não suportaria viver debaixo do mesmo teto com aquela mulher.

– Ela tem um temperamento difícil – concordei, escolhendo com cuidado as palavras.

– Eu iria mais longe: diria que ela é uma bruxa! – Violet riu da própria grosseria.

– Isso vale para a maioria das sogras. Ela pertence a uma outra época e tem dificuldade para se adaptar a uma nova.

– Ah, Anni, você tem uma alma tão boa. É sempre tão gentil com todo mundo, apesar de ter sofrido tanto. Os empregados falam de você como se fosse uma santa. Tomara que eu consiga aprender com você a ser uma pessoa melhor.

Naquele momento, eu a estudei e vi que ela estava sendo genuinamente sincera, e mais do que nunca tive consciência da mentira que era minha vida.

Março chegou e, com ele, o gelo derreteu e o tojo amarelo tomou conta das charnecas, espalhando-se qual um tapete dourado pela frente do chalé. Donald aparecia de vez em quando para cumprir alguma incumbência de Violet e reclamava, meio brincando e meio a sério, que sua esposa me via mais do que ele próprio. Eu também passei a notar que, sempre que ele se referia a ela de forma negativa, eu me pegava defendendo-a. Na realidade, quando entrou o mês de abril, comecei a achar que eu gostava mais de sua esposa do que ele.

Quando Violet era uma desconhecida, que eu via apenas pelos olhos de Donald, era mais fácil lidar com a situação. À medida que meu apreço por ela aumentou, contudo, comecei a questionar por quanto tempo nós três conseguiríamos sustentar o eterno e monstruosamente traiçoeiro triângulo no qual estávamos enredados.

Certa manhã, recebi uma carta de Indira, encaminhada de Londres por Selina.

Palácio de Patna
Patna
Índia

29 de março de 1922

Anni, minha amiga mais querida e mais antiga,
Como está você? ONDE está você? Pelo menos fico feliz em saber que não está mais desaparecida, como Selina pensava que estivesse quando a vi na França. Por que não me escreveu???
Por favor, escreva-me e conte-me tudo o quanto antes.
Quanto a mim, Varun está na Europa e eu confinada na zenana junto com a odiosa Esposa Número Um. Minha Anni querida, eu lhe imploro, viaje até aqui e venha visitar a mim e meu lindo bebê. Ele é um menino que batizamos de Kunwar. Isso me agrada muito, pois a Esposa Número Um

teve apenas duas meninas, ou seja, nosso precioso filho será o príncipe da coroa quando Varun se tornar marajá depois da morte do pai. Ele prometeu vir me buscar em junho, quando o bebê tiver idade suficiente para viajar, e ficaremos numa casa no sul da França. Quem sabe você poderia ir nos visitar lá também?

Sinto sua falta. Por favor, escreva-me logo.
Indy

Na verdade eu não tinha escrito porque não sabia o que dizer. Indira e o marido frequentavam círculos próximos aos dos Astbury, e a discrição simplesmente não fazia parte da sua natureza.

Ao redigir uma carta neutra em resposta, contando o mínimo possível sobre mim e minha situação e perguntando sobre ela, fiquei impactada com o fato de não conseguir ser honesta nem com minha amiga mais antiga. Toda a minha existência era agora uma teia de mentiras; cada vez mais, a consciência do quão fundamentalmente *errado* aquilo tudo era pairava sobre mim feito uma nuvem negra. Por qualquer ângulo que eu olhasse, percebia que a nossa mentira, que tinha o potencial de ferir outro ser humano profundamente, estava acabando com toda a bondade intrínseca do amor que lhe dera origem.

Agora, sempre que alguém me agradecia pela ajuda no seu tratamento ou no de um parente e se derramava em elogios sobre a minha gentileza e generosidade, tudo que eu sentia era a culpa me cortando cada vez mais fundo a alma. Pois eu não era a pessoa que eles pensavam conhecer – não era uma viúva pobre cedendo à comunidade seu tempo e suas habilidades, alvo do apreço e da confiança de todos. Eu era uma mulher sustentada, uma concubina, que tivera um filho ilegítimo do amante e continuava a manter um relacionamento com ele bem debaixo do nariz da esposa. A mesma esposa que agora me tinha como amiga...

– O que foi, Anni? – perguntou-me Donald numa tarde de primavera. Violet estava tirando um cochilo na casa grande, e ele havia aproveitado a oportunidade para sair a cavalo sem ser visto e ir nos visitar. – Sei que tem alguma coisa incomodando você.

– Tem, sim. Eu me odeio! – exclamei e comecei a chorar.

Ele me tomou nos braços na mesma hora.

– Anni, calma. Tenho certeza de que quando o bebê nascer Violet vai voltar à vida de antes e ter muito com que se distrair. Ela deve querer ir a Nova York apresentar o bebê para os parentes, e também aproveitar a temporada de inverno em Londres. Detesto dizer isso, mas ela provavelmente vai esquecer você.

Aquelas banalidades ditas por ele tiveram sobre mim o mesmo efeito de gotas de chuva numa seca e não conseguiram alcançar minha parte mais íntima tão necessitada de redenção. Observei-o ir embora sem saber como lhe explicar que aquilo que ele mencionava eram questões práticas – arranjos que removeriam Violet fisicamente da minha vista, mas que sequer tocariam nas complexas e dolorosas emoções que me ocupavam o coração.

Naquela noite, depois de pôr você na cama, pensei pela primeira vez em ir embora de Devon. Talvez fosse melhor se nos mudássemos. Eu poderia viver abertamente como a pessoa que de fato era e ter a consciência limpa. Ao subir para ir dormir naquela noite, não tive certeza do que seria pior, mas sabia que a mentira estava me devorando por dentro.

Mais tarde, enquanto me revirava na cama, lembrei que Violet tinha me implorado para estar do seu lado no parto da criança.

– Minha cunhada Selina falou que você foi maravilhosa quando ela deu à luz – dissera ela.

O mínimo que eu lhe devia era fazer o que ela pedia. Mas, depois de a criança nascer, sabia que precisaria tomar uma decisão de verdade em relação ao futuro.

Para piorar as coisas, aquela voz que cantava estava ficando mais alta a cada dia, alertando-me de um perigo e de uma morte não muito distantes. Apenas torci para ela ser um reflexo do meu estado de espírito desesperado e tentei ignorá-la.

As últimas semanas da gravidez de Violet coincidiram com a violenta onda de calor do mês de julho, e ela me implorou para ir visitá-la na casa grande quase todos os dias. Ficávamos sentadas no fresco jardim de inverno, onde ela mandara instalar ventiladores elétricos de teto.

– Puxa vida – disse ela, baixando os olhos para o próprio corpo. – Eu agora estou imensa. Tem sido bem difícil dormir, principalmente com esse calor.

– Não falta muito agora – falei, tentando reconfortá-la.

– Você acha? Eu sinto que vou continuar grávida para sempre. Você vai ter de me ajudar a emagrecer depois para voltar a como era antes. Duvido que eu vá conseguir entrar outra vez num único vestido meu – reclamou ela.

– A melhor coisa a fazer para recuperar a forma, e também para o bebê, é amamentá-lo você mesma. A senhora cogitaria fazer isso?

– Ah, puxa! – disse Violet com cara de nojo. – É o que os selvagens fazem na África. – Ela estremeceu.

– Eu amamentei Moh – falei, suave, e ela enrubesceu.

– Anni, eu não quis ofendê-la. Afinal, você vem de outra cultura e...

– Violet, não tem problema – tranquilizei-a, dando um tapinha no seu joelho. – Eu compreendo.

Poucos dias depois, reparei que Violet estava com os tornozelos inchados e vinha reclamando de dor de cabeça. Sugeri que agora descansasse com as pernas levantadas para evitar o inchaço.

– Lady Astbury está realmente sentindo muito desconforto – comentou o Dr. Trefusis certa manhã comigo depois de vê-la, e de Violet insistir para eu ficar esperando na sua saleta. – Eu sempre acho que os piores bebês são os de agosto, mas imagino que lá de onde a senhora vem seja assim o ano todo.

Ignorei o comentário.

– Ela tem reclamado de dor de cabeça nos últimos dias. Isso o preocupa, doutor?

– Não muito – respondeu ele, guardando o estetoscópio na maleta. – Eu apalpei o bebê e auscultei seus batimentos cardíacos, que estão fortes e vigorosos. Lady Astbury ainda tem três semanas pela frente. Vamos torcer para o bebê não se atrasar mais do que isso. Talvez a senhora pudesse lhe dar um de seus remédios para apressar as coisas? – sugeriu ele.

– Nesse estágio eu não deveria interferir na natureza. Os bebês vêm quando estão prontos – respondi, com firmeza.

– Pensei que *tudo* que a senhora usasse fosse natural – retrucou Dr. Trefusis com ênfase. – Enfim, voltarei amanhã de manhã para ver como ela está passando.

– Claro.

Ele me sorriu e saiu do quarto. Entrei para ver Violet, que estendeu a mão e segurou a minha.

– Anni, a dor de cabeça está muito forte e estou enjoada. Pode me dar alguma coisa?

Olhei para ela e vi o quanto estava pálida. De repente, o canto começou a soar forte e alto em meus ouvidos. Afastei-o com determinação, sem querer lhe dar ouvidos.

– Vou pedir a sua criada que lhe traga compressas frias, e talvez possa lhe dar alguma coisa para a náusea. Por favor, tente descansar agora e ver se melhora.

– Pode ficar um pouco aqui comigo? Estou me sentindo péssima, Anni.

– Claro. Ficarei aqui sentada até a senhora dormir.

Por fim, depois de Violet pegar num sono inquieto, soltei minha mão da sua e desci a escada. Donald me recebeu lá embaixo.

– Como ela está?

– Não está se sentindo nada bem hoje – respondi. – Ela agora está dormindo, e eu vou para casa ver o que posso fazer para ajudá-la.

– O médico diz que não há nada com que se preocupar. Mas você está preocupada, Anni?

Enquanto ele me ajudava a subir na carroça, eu não lhe disse que já tinha visto aqueles mesmos sintomas antes, e que eles não eram um bom sinal.

Após colher algumas folhas frescas de hortelã e preparar um remédio com sementes de erva-doce, cominho e coentro para os tornozelos inchados de Violet, voltei à casa de Tilly no vilarejo para lhe pedir que cuidasse de você, e cheguei a lhe deixar uma muda de roupa para o caso de me demorar mais tempo.

– Lady Astbury está doente? – perguntou Tilly.

– Ela não está se sentindo bem hoje.

– Aquela ali sempre foi frágil – comentou ela. – Fique com ela o tempo que precisar, Anni. Eu posso pôr Moh para dormir no berço junto com Mabel.

– Obrigada.

Violet estava ainda mais agitada quando cheguei, dizendo não conseguir mais suportar a dor de cabeça e que continuava enjoada.

– Por favor, beba isto – falei, forçando-a a engolir o chá de hortelã.

Pus na sua testa um guardanapo perfumado com lavanda e verifiquei sua temperatura, que estava normal, e em seguida sua pulsação, que estava disparada. Se ela não se acalmasse dali a uma hora, eu mandaria chamar o Dr. Trefusis. Ela acabou se aquietando, e fiquei sentada na sua cabeceira enquanto ela dormia tranquila por duas ou três horas. Em determinado momento, alguém bateu à porta e vi Donald espichar a cabeça para dentro.

– Como ela está?

– Dormindo. Vamos ver como acorda.

– Sim, claro. – Ele me sorriu de um modo tão encantador e agradecido que fiquei com os olhos marejados. Não conseguia imaginar como era para ele ver a esposa e a amante juntas.

– Por favor me chame se alguma de vocês precisar de alguma coisa.

– Chamo sim, obrigada.

Violet acordou logo antes da meia-noite, e reparei que sua cor tinha mudado. Ela segurou a barriga de repente e deu um uivo de dor.

Levantei seus lençóis na mesma hora e lhe pedi para apontar de onde estava vindo a dor.

– É... é como uma faixa apertada em volta da minha barriga... – Ela foi traspassada por uma nova dor e não conseguiu continuar.

– Violet, eu acho que você entrou em trabalho de parto!

– Minha cabeça... minha cabeça... – gemeu ela.

– Ainda está doendo? – perguntei, baixando os olhos para ela e sentindo a temperatura de sua testa. Ela estava ardendo em febre.

– Está doendo muito... – A violenta contração prosseguiu e a impediu de falar.

– Não precisa ter medo – falei com firmeza ao mesmo tempo que tocava a sineta junto à cama para avisar sua criada. – O que a senhora precisa fazer agora é aquilo que o seu corpo mandar. Ele sabe exatamente o que fazer, e a senhora precisa escutá-lo.

– Que bom... que você está aqui...

– Agora vou chamar o Dr. Trefusis. Ele vai querer saber que a senhora entrou em trabalho de parto e estar aqui ao seu lado.

– Não me deixe sozinha! – suplicou ela, estendendo a mão e agarrando a minha com força.

– Violet, eu prometo demorar só alguns minutos – falei. Puxei minha mão de dentro da sua e desci correndo a escadaria às escuras para tentar encontrar alguém que pudesse dar o alarme. O canto dentro da minha cabeça não parava, e eu não estava tranquila com o estado atual de Violet. Nem um pouco tranquila.

Como não encontrei ninguém no térreo, atravessei correndo os aposentos de Violet e bati com força à porta do quarto de vestir de Donald.

– O que foi, Anni? – perguntou ele ao aparecer de pijama.

– Violet entrou em trabalho de parto, e eu quero que você ligue para o Dr. Trefusis agora mesmo. Ela está com febre e diz que a dor de cabeça não passou. Acho que ela deveria ser transferida para o hospital o quanto antes. Há algo errado – acrescentei. – Chamei a criada, mas ela ainda não chegou. Pode ir acordá-la e lhe pedir que traga água fervida, compressas frias e toalhas limpas enquanto esperamos o Dr. Trefusis chegar?

– Claro. Mas o médico ainda não tem telefone, então preciso mandar um dos lacaios ir chamá-lo.

Aquiesci e corri de volta para o quarto de Violet.

Enquanto eu estivera ausente, ela havia vomitado por cima das cobertas e estava gemendo de modo nada natural. O bebê estava vindo depressa – depressa demais – e novamente o canto soou em meus ouvidos.

Tirei as cobertas de cima dela e a ajudei a ficar sentada numa posição mais confortável enquanto murmurava palavras tranquilizadoras para tentar acalmá-la.

– Ariane, vá chamar lorde Astbury e traga-o aqui agora mesmo – falei, sentindo meu pânico aumentar diante da febre alta de Violet. Tudo em mim, tanto meus instintos quanto minha formação médica, dizia-me que ela corria perigo.

Donald apareceu quase na mesma hora.

– Meu Deus do céu! – exclamou ele, chocado ao ver a mulher.

– Se o Dr. Trefusis não chegar na próxima meia hora, você precisa levá-la de carro até o hospital. Não podemos esperar mais do que isso.

– Vou descer e mandar trazer o carro até a frente da casa de toda forma – disse ele, e saiu correndo do quarto.

Vinte minutos depois, mandei Ariane acordar a Sra. Thomas e lhe pedir que preparasse uma água com açúcar, em parte por não conseguir suportar a menina parada atrás de mim, horrorizada e fascinada ao mesmo tempo.

De repente, Violet ficou imóvel e abriu os olhos. Encarou-me.

– Tem alguma coisa errada, não tem?

– Não, não tem nada de errado. A neném quer chegar neste mundo muito depressa, mais depressa do que deveria, e a senhora precisa ser muito corajosa e ajudá-la.

– Ela? – Violet de repente sorriu. – É uma menina?

Meu comentário tinha sido instintivo, mas aquiesci com total certeza. E sabia que era importante lhe dizer.

– Sim, Violet, eu acho que é.

Ela fechou os olhos, e depois perdeu e recobrou a consciência repetidas vezes até o Dr. Trefusis finalmente chegar. Dali a mais vinte minutos, a filhinha de Violet e Donald Astbury veio ao mundo. Olhei para ela, vi que era minúscula e me perguntei se iria sobreviver. Mas foi a mãe quem exigiu nossa atenção. Violet estava perdendo muito sangue, e embora o Dr. Trefusis e eu tenhamos trabalhado nas duas horas seguintes fazendo tudo que podíamos, a hemorragia não cessou.

– Meu Deus – disse Donald, sentado ao lado de uma Violet imóvel e afagando seus cabelos. – Não há nada que possamos fazer? Com certeza podemos levá-la para o hospital, não?

– Lorde Astbury, sua esposa está em situação crítica demais para ser transportada – disse o médico.

– Mas pelo amor de Deus, não podemos ficar aqui vendo-a se esvair em sangue até morrer!

O Dr. Trefusis me lançou um olhar desesperado e balançou muito de leve a cabeça.

– Eu sinto muitíssimo, lorde Astbury, mas não há mais nada que possamos fazer para salvá-la. Acho que é melhor o senhor se despedir.

Olhei para Donald nessa hora, e ele pousou a cabeça sobre o peito de Violet e começou a soluçar.

Como não deveria ser eu a consolá-lo, peguei a minúscula bebê, que fora posta num moisés e praticamente esquecida enquanto tentávamos salvar a vida de sua mãe.

– Vou levar a neném, alimentá-la e limpá-la – sussurrei para ele.

Ele aquiesceu de leve e eu saí do quarto.

Às seis horas da manhã, a morte de lady Violet Astbury foi confirmada pelo Dr. Trefusis. Ela nunca mais acordou para ver a filha.

40

O vilarejo de Astbury entrou em luto. A morte trágica de lady Violet lançou uma mortalha que encobriu a propriedade inteira como uma densa névoa. Fiquei recolhida no chalé, atormentada por lembranças daquele dia. Nas suas últimas horas de vida, eu soubera que havia algo de muito errado. Tentei me reconfortar lembrando que o próprio médico estava convencido de que ela não corria perigo, mas mesmo assim não conseguia esquecer os olhos de Violet, tão cheios de confiança e da crença de que eu podia ajudá-la. E no fim, por não ter seguido minha intuição, eu havia falhado com ela da maneira mais terrível que se podia imaginar.

Não via Donald desde o dia da morte de Violet. Ele também havia confiado em mim para cuidar da sua esposa, assim como todo o vilarejo. Eles tinham confiado piamente em mim. O fato de o meu telefone não tocar com a mesma frequência de antes com pedidos para ir visitar os doentes me dizia tudo que eu precisava saber. De algum modo imutável, eu sabia que estava sendo culpada. Sim, eu era capaz de curar dor nas costas, gota, um resfriado comum... mas num momento realmente importante eu havia falhado.

Embora bem lá no fundo eu soubesse que nenhum ser humano na terra poderia ter ajudado Violet – afinal, o renomado Dr. Trefusis estava comigo quando tentamos salvar sua vida – não podia evitar me atormentar com a sua morte.

E Donald, é claro, agora era viúvo...

Pensar nele como um homem livre, algo que em outras circunstâncias teria me dado prazer, por algum motivo tornava tudo ainda mais insuportável.

Será que Donald me culpava?

Se a resposta era não, por que ele não tinha me ligado, nem atravessado as charnecas para vir me ver? Meu afeto por Violet tinha sido franco e genuíno, e eu havia expressado várias vezes isso para ele. Com certeza ele não achava que...?

Poucos dias depois da morte de Violet, recebi uma visita. Da janela do quarto, vi Maud Astbury saltar do carro e percorrer com cuidado o estreito caminho até minha porta da frente. Pus você no berço com brinquedos para mantê-lo ocupado, respirei fundo e desci para atender à sua batida.

– Olá, lady Astbury – cumprimentei-a.

– Posso entrar?

– Sim. – Ela me seguiu pelo hall até a sala. – Não quer se sentar? Aceita um chá? – perguntei enquanto ela se mantinha parada no meio do recinto, pouco à vontade.

– Não, obrigada. Esta não é uma visita de cortesia, como a senhorita pode imaginar.

– Não – concordei com um suspiro triste. – Em que posso ajudá-la?

– Vim lhe pedir para não comparecer ao enterro de lady Violet na semana que vem. Considerando as circunstâncias, sinto que a sua presença seria totalmente inadequada.

– Entendo.

– A senhorita certamente pensa o mesmo?

– Se a senhora estiver se referindo ao meu relacionamento com seu filho, então sim, posso entender que seria errado eu comparecer ao enterro da esposa dele. No entanto, com relação à própria lady Violet, ela era minha amiga e eu fiz tudo que pude para ajudá-la na noite em que ela morreu – respondi, com a maior calma de que fui capaz.

– *Ajudá-la?* É assim que a senhorita chama?

– Sim. Lady Violet foi acometida por uma doença muito grave chamada eclampsia. Mesmo que a tivessem levado para um hospital, é pouco provável que ela sobrevivesse. Pelo menos na minha opinião.

– Não acho que a sua experiência médica limitada e a morte subsequente de um de seus supostos pacientes lhe dê o direito de ter uma opinião – desdenhou Maud. – Seja como for, Srta. Chavan, não cabe a mim julgá-la. Deixo isso a cargo dos outros. O que vai fazer agora? – perguntou sem rodeios.

– Nem pensei nisso – menti. – Ainda estou em luto pela morte de lady Violet. Posso perguntar o que vai acontecer com a criança agora que a sua mãe não está mais entre nós?

– Eu me mudarei de volta para a casa grande, claro, e ajudarei Donald a supervisionar a sua criação. Isso nada mais é do que o meu dever. Donald insistiu para a menina ser batizada de Daisy, ao que parece ter sido a escolha de Violet.

Pude ver pela expressão de Maud que ela não aprovava o nome. Sabia também que ela não estava ali para comunicar simples detalhes ou amenidades.

– Lady Astbury, posso saber o verdadeiro motivo da sua presença aqui?

– Pode, sim. Eu desejo que a senhorita vá embora de Astbury agora mesmo. Já causou danos suficientes, e pelo bem do meu filho e da sua filha recém-nascida precisa entender que não há alternativa.

– Assim como não havia quando a senhora interceptou minhas cartas para Donald? – rebati.

– Eu estava fazendo o que era preciso para proteger minha família. Os outros podem até se deixar enganar pelo seu comportamento encantador e prestativo, mas assim que a conheci vi na mesma hora quem a senhorita é, Srta. Chavan.

– E quem sou eu? – sussurrei, sentindo o corpo inteiro começar a tremer de raiva e tensão.

– Nada além de uma reles vadia indiana. Não pense que eu já não vi mulheres do seu tipo porque eu já vi sim, ah, se vi. – Maud sacudiu o dedo para mim agressivamente. – Quando eu morava na Índia, vi o demônio que havia dentro daquela mulher que meu marido escondia de mim. Ele saía de fininho para seus sórdidos encontros no covil em que ela morava após deixar nossa casa onde antes trabalhava como criada. E ele pensava que eu não soubesse! Eu vi as lágrimas nos olhos dele quando fomos embora da Índia. Eram todas por causa dela.

Vi o nojo e a fúria arderem no seu olhar. E comecei a compreender seu ódio por mim.

– Tal pai, tal filho, não é mesmo? – Maud deixou escapar uma risada seca. – A senhorita até se parece um pouco com ela. Pensei isso no dia em que chegou aqui, tantos anos atrás. Mas todos os camponeses indianos se parecem, não é? E pelo visto o seu tipo exerce um poder de atração irresistível nos homens da família Astbury. Srta. Chavan, nós duas somos mulheres, e entendemos o quanto os homens são suscetíveis aos pecados da carne. Somos nós quem devemos tomar as decisões por eles. Com certeza, se a senhorita ama mesmo Donald como alega amar, vai entender que o seu envolvimento na morte de lady Violet torna a sua permanência aqui em Astbury insustentável para ele.

– Lady Astbury, eu não fui responsável pelo falecimento de lady Violet. Fiz tudo que estava ao meu alcance para salvá-la.

– A senhorita pode até pensar assim, minha cara, mas todos sabem que estava lá com ela na ocasião. As pessoas vão falar. Acha mesmo que agora pode haver algum futuro para vocês dois depois do que aconteceu? A senhorita precisa entender que qualquer relação entre vocês dois daqui para a frente, além de infrutífera, também destruiria a reputação dele na sociedade.

– Terei de perguntar a Donald o que ele acha. Ainda não conseguimos conversar sobre o futuro.

– Não conseguiram porque não existe nenhum futuro.

Por fim, fui forçada a utilizar meu trunfo.

– E nosso filho Moh? Ele também não existe? Me perdoe se eu estiver errada, mas eu poderia torná-lo herdeiro do patrimônio de Astbury.

Ao ouvir isso, Maud jogou a cabeça para trás e riu.

– Srta. Chavan, sabe quantos filhos ilegítimos foram gerados fora do casamento por homens em situação parecida com a de Donald? Minha cara, o seu filho nasceu do lado errado das cobertas, e jamais herdará Astbury.

Encarei-a, e de repente percebi exatamente do que ela sentia tanto medo.

– A senhora tem razão, claro. A menos que venhamos a nos casar um dia, como tínhamos planejado fazer três anos atrás.

Fiquei parada observando sua expressão de horror, e soube que minha intuição estava certa.

– Meu filho jamais se casaria com a senhorita – disse ela, sem olhar para mim.

– Bem, Donald já me pediu em casamento uma vez. Então quem sabe volte a pedir – acrescentei, e a vi se retrair. Agora quem estava sendo cruel era eu, mas eu já tinha sofrido demais nas mãos daquela mulher sem motivo algum exceto ser, na sua opinião, da cor e da nacionalidade erradas. – Lady Astbury, não deixarei de lhe avisar quando tivermos conversado sobre os nossos planos para o futuro. Agora estou ouvindo meu filho chorar lá em cima e quero ir cuidar dele. Mais alguma coisa?

– É dinheiro que a senhorita quer? Com certeza posso disponibilizar uma quantia se for embora agora mesmo.

– Donald sempre cuidou muito bem de mim, e tenho certeza de que vai continuar cuidando. Lady Astbury, por favor, vá embora.

Fui andando atrás dela até a porta e a abri quando chegamos lá.

– Então o que a senhorita quer? – perguntou ela me encarando.
– Nada, a não ser a felicidade do seu filho – respondi.
Ela não entendeu o que eu tinha querido dizer, e pude ver o desespero em seu olhar.
– Vai destruí-lo se ficar aqui; sabe disso, não sabe?
Não respondi. Ela saiu do meu chalé e voltou para o seu carro onde o motorista aguardava. Fechei a porta e, subitamente sem ar, subi correndo até o andar de cima, peguei você no berço e o abracei com força. Sabia que Maud estava certa, mas não lhe daria o prazer de compartilhar com ela meus planos para o futuro.

Nas longas e solitárias horas desde a morte de Violet, eu já tinha decidido que não restava mais esperança alguma para Donald e para mim. Ao dar seu último suspiro, Violet havia também decretado o fim de nós dois. Por mais forte que fosse o nosso amor, qualquer que fosse o ângulo pelo qual eu analisasse a situação, nada seria capaz de superar a culpa que ambos sentiríamos pelo resto da vida.

Maud tinha razão quanto às terríveis conclusões que poderiam e de fato seriam tiradas da minha participação nas últimas horas de Violet. Nem mesmo os amigos de Astbury que me conheciam e me amavam seriam capazes de abençoar qualquer futuro relacionamento que eu viesse a ter com Donald. Alguns poderiam até acreditar que eu houvesse bolado algum plano maquiavélico.

– Moh – falei, suspirando junto aos seus cabelos naquela tarde terrível. – Eu acho mesmo que não há esperança.

Nos dias seguintes, comecei a fazer planos. Tinha algum dinheiro guardado da quantia que Donald me dera ao longo do ano anterior para as despesas da casa. Se vendesse as pérolas que ele havia me dado de Natal, calculava que teria o bastante para nos comprar uma passagem de terceira classe até a Índia. Ainda tinha meu rubi maior enterrado no pavilhão do palácio em Cooch Behar. Se conseguíssemos chegar até lá, ele nos proporcionaria dinheiro suficiente para pôr um teto sobre nossas cabeças até eu entender como poderia ganhar a vida.

Naquelas longas e silenciosas noites, escrevi várias vezes para Donald tentando explicar por que estávamos indo embora. Rasguei todas as tentativas, pois me pareceram muito imperfeitas. E talvez fosse melhor não dizer nada, pensei comigo mesma. Se ele me amava e me conhecia como eu acreditava, iria entender tudo.

O enterro de Violet aconteceu três intermináveis semanas depois da sua morte, para dar tempo de os seus pais chegarem e tomarem todas as providências. Senti uma pena enorme deles: os dois já tinham zarpado de Nova York a fim de conhecerem a neta, apenas para receberem no meio do Atlântico a notícia de que sua amada filha estava morta. Foi Tilly quem me contou isso quando a encontrei no dia seguinte ao enterro na loja do vilarejo. Ela convidou a nós dois para irmos tomar chá no seu chalé.

– Ah, Srta. Anni, por favor, não chore – disse ela quando caí em prantos na sua frente, subjugada pela solidão daqueles dias passados sozinha com meus pensamentos. – Sei que a senhorita fez o melhor que pôde.

– Eu sei que você sabe e lhe agradeço por isso. Mas os moradores do vilarejo e os empregados me culpam.

– Ah, a senhorita não deveria lhes dar atenção. Não há nada de que eles gostem mais do que uma fofoca. Tudo isso vai se aquietar e eles vão voltar a procurá-la quando algum filho ficar resfriado ou com tosse e eles precisarem da sua ajuda, não se preocupe.

– Mas fizeram alguma fofoca a meu respeito?

– Bem, todos sabem que a senhorita estava lá, e é claro que o médico precisava pôr a culpa em alguém, não é?

– Como assim?

– Bem, aqueles que a viram cuidar de lady Violet naquela noite sabem como a senhorita a ajudou. Mas o médico não gostaria de reconhecer que a culpa foi dele por não ter identificado antes que ela estava em apuros.

Pude sentir meu coração virar chumbo conforme ela pronunciava aquelas palavras. Então eu me tornaria o bode expiatório do médico?

– Enfim, tudo isso vai se acalmar agora que ela foi enterrada. O mundo segue em frente, e outros assuntos de fofoca vão surgir. – Tilly deu tapinhas suaves na minha mão para tentar me reconfortar. – Não se preocupe com isso, Srta. Anni. Nós que a conhecemos sabemos que não havia mais nada que pudesse fazer para salvá-la.

– Não, não havia mesmo – falei com toda a honestidade.

Meu filho querido, estou prestes a lhe contar sobre a última vez que vi Donald, seu pai, e o que aconteceu comigo depois disso. Farei o possível para lhe transmitir apenas os fatos do que aconteceu, mas me perdoe se o relato dessa época terrível o deixar abalado.

Uma semana após o enterro de Violet, Donald apareceu à minha porta. Estava com um aspecto horrível. Nenhum de nós dois soube o que dizer, mas você, meu filho, que não sabia nada sobre o que tinha acontecido, pediu o abraço de sempre e subiu no colo dele. Preparei-lhe um chá e nos sentamos calados na cozinha.

– Você me culpa? – lembro-me de ter perguntado.

– Você disse naquele dia que ela ia ficar bem...

– Eu disse que se a dor de cabeça não melhorasse nós deveríamos chamar o médico. E pareceu melhorar, pelo menos por um tempo. Por favor, Donald, você se esqueceu de que entrou para nos ver e ela estava dormindo? – indaguei.

– Sim, sim – respondeu ele, mas pude ver que estava mergulhado em tristeza... ou culpa, não soube dizer. – Sinto muito não ter vindo visitá-la.

– Eu entendo.

– Ah, Anni, o que foi que nós fizemos? Eu...

Eu o tomei nos braços e ele chorou feito um bebê. Compreendi cada nuance do que ele estava sentindo, porque eu estava sentindo a mesma coisa. Ainda que fôssemos de fato inocentes na morte de Violet, nós dois nos *sentíamos* culpados, e só isso importava.

Coloquei você na cama logo depois disso, pois não queria que visse o seu amado Sr. Don tão abalado. Então desci e sugeri que ele tomasse a sopa que eu havia preparado mais cedo.

– Você parece que não come nada há semanas – falei enquanto a mexia.

– Não mesmo. – Ele então deteve a colher a meio caminho da boca. – Não tem nenhuma erva estranha aqui dentro, tem?

– Donald, por favor acredite, tudo que eu dei a Violet era inócuo. Não lhe dei nada que não teria dado a meu próprio filho ou a você... – Não terminei a frase.

– Não, desculpe. Foi um comentário de mau gosto – concordou ele. – Me perdoe.

Ao terminar a sopa, ele pareceu um pouco revigorado.

– Você tem conhaque?

– Acho que sim.

Ele me seguiu até a sala, e peguei no armário a garrafa que ele havia me dado numa das cestas de Natal. Retirei a rolha e servi uma dose num copo. Observei-o tomar um grande gole, depois outro, até secar o copo.

– Estou me sentindo melhor. – Ele me encarou de verdade pela primeira vez e estendeu as mãos para mim. – Me perdoe, Anni. Você não merece que eu a trate assim, e estou me sentindo péssimo pelo modo como tenho me comportado. São as fofocas, sabe. Admito que elas me afetaram.

– Sim, estou vendo – concordei com tristeza.

– Sei que você fez tudo que podia para ajudá-la, eu estava lá. Venha cá. – Ele me abriu os braços e eu me deixei abraçar, pois precisava desesperadamente sentir seu toque, seu calor e sua confiança. – Me perdoe – repetiu ele, e começou a me beijar. – Eu amo você, e a culpa que sinto por amá-la prejudicou meu raciocínio. – Ele começou a me tocar o corpo inteiro. – Eu amo você, Anni, amo, amo você...

Antes disso, eu só o conhecera como um amante delicado e atencioso. Naquela noite, porém, ele me possuiu no chão da sala, e quando gritou meu nome pude sentir toda a sua frustração, culpa e angústia se derramarem dentro de mim.

Quando terminou, ficamos deitados juntos no chão.

– Eu sinto muito – sussurrou ele. – Não estou no meu estado normal.

– Nenhum de nós está – falei, para reconfortá-lo.

– Anni, posso passar a noite aqui?

– Claro – respondi baixinho.

Passei a noite abraçada com ele querendo lhe contar que você e eu iríamos embora de Astbury dali a poucos dias. Mas sabia que, se o fizesse, ele tentaria me impedir, e minha determinação não resistiria à força do meu amor por ele. Fiquei observando-o dormir, e ao fazê-lo tornei a ouvir o canto me alertando de uma morte. Estava alto, ou seja, a morte estava muito próxima. Sem entender, convenci-me de que aquilo se devia ao fato de que nos próximos dias Donald estaria longe de mim, perdido para sempre. Nosso amor devia estar no fim.

Quando amanheceu, ele se levantou, vestiu-se, e disse que precisava voltar antes que os empregados notassem a sua ausência. Desci com ele para levá-lo até a porta. Ele então me abraçou com todo o carinho, estreitou-me com força junto ao peito, e senti seu coração bater junto ao meu pela última vez.

– Adeus, Donald – falei, traçando com a ponta dos dedos o contorno de seu rosto amado, decidida a gravar cada detalhe na lembrança.

– Eu a amo, Anni. Por favor, lembre-se sempre disso. – Ele ergueu meu rosto de encontro ao seu. – Lembre-se sempre disso.

Fiquei vendo-o partir, reprimindo o impulso de correr atrás dele. Meu coração se despedaçou ao vê-lo sair cavalgando pelas charnecas, mas eu precisava encontrar forças para amá-lo o suficiente a ponto de deixá-lo ir embora.

Passei o dia seguinte anestesiada, arrumando a mala com nossas roupas e poucos objetos de valor. Tinha decidido que iríamos para Londres, e que eu alugaria um quarto enquanto levava minhas pérolas até Hatton Garden e providenciava nossa viagem de volta à Índia por Southampton.

Na manhã seguinte, alguém bateu com força à minha porta da frente. Fui abrir, e dei com dois policiais postados na minha soleira.

– Sra. Anahita Prasad?

– Sim – respondi, cordial. – Em que posso ajudá-los?

– A senhora está presa por causar a morte de lady Violet Astbury. Não precisa dizer nada, mas se omitir algo sua defesa pode ser prejudicada quando questionada mais tarde no tribunal. Qualquer coisa que a senhora disser pode constituir uma prova, entendeu? Agora gostaríamos que nos acompanhasse até a delegacia.

41

Fiquei encarando os policiais como se eles tivessem perdido a razão. De tão chocada, não consegui encontrar as palavras, então fiquei parada, muda, incapaz de responder.

– Venha, Sra. Prasad. – Um dos agentes estendeu a mão, segurou meu braço e me puxou para longe da porta. – Não crie problemas.

Sua atitude agressiva me fez enfim recobrar a voz.

– Meu filho está dormindo no berço lá em cima. Preciso ir pegá-lo.

– Não precisa se preocupar com isso. Alguém virá buscá-lo mais tarde.

– Não! – gritei, tentando me desvencilhar. – Não posso deixá-lo aqui sozinho. Preciso ir pegá-lo agora!

A pressão no meu braço aumentou enquanto eu tentava me soltar. Na mesma hora, o segundo agente segurou meu outro braço e me forçou a sair pela porta. Eles então me empurraram para o banco de trás do carro e me levaram para longe de você.

Daquele momento em diante, minhas lembranças são vagas. Talvez, como qualquer pessoa, eu tenha bloqueado da minha mente a maior parte das memórias. Mas naquele trajeto horroroso pelas charnecas, acho que vi Donald montado em Glory logo antes de atravessarmos o vilarejo de Astbury. Virei-me para ele e, com todas as forças, gritei o seu nome antes de uma rude mão masculina tapar minha boca.

Lembro-me vividamente, porém, que o canto continuou nos meus ouvidos, alto e forte, mas eu o atribuí à minha própria e terrível aflição.

Depois de ser acusada oficialmente, fui enfim levada para Londres, à prisão de Holloway, o tipo de lugar que só se pode imaginar num pesadelo. O que mais recordo é o frio e a água da chuva entrando pela grade de ferro na parede da minha cela, e os barulhos incessantes de almas atormentadas mental e fisicamente à minha volta. Nos primeiros dias, tudo que conseguia pensar era em você e onde você estava, e eu também juntei-me à cacofonia e gritei seu nome incontáveis vezes. Pedia a qualquer um que entrasse na cela para tentar descobrir. Pensar em você sozinho e abandonado no chalé no meio da charneca assombrava cada segundo da minha existência.

Não sei quanto tempo demorou para eu receber minha primeira visita; talvez na realidade tenham sido só poucos dias, mas eles pareceram uma eternidade para uma mãe separada à força do filho, sem ter a menor ideia do seu paradeiro.

Quando Selina entrou na escura sala de visitantes parecendo um anjo de misericórdia, caí de joelhos e comecei a chorar, agarrada aos seus tornozelos.

– Graças aos deuses, graças aos deuses você está aqui! Meu filho, Selina, eu não sei o que eles fizeram com Moh!

Fui afastada dela à força por um agente penitenciário e recolocada na cadeira, com um alerta de que se fizesse alguma outra tentativa de tocá-la meus braços seriam amarrados atrás do encosto.

– Ah, Anni...

Pude ver que Selina também estava chorando.

– Eu sinto muito, muito – disse ela.

– Por favor, não se preocupe comigo. Só preciso que encontre meu filho – falei, e o desespero fez minha voz falhar.

– Anni, ai, meu Deus...

Lembro-me de sentir a histeria aumentar dentro de mim, e soube que precisava tentar me controlar para fazê-la entender.

– Selina, por favor, você sabe onde ele está? Talvez ainda esteja lá no chalé junto ao regato. Acho que vi Donald quando eles estavam me levando embora no carro de polícia, mas ele talvez não tenha escutado quando gritei. Selina, por favor, vá ver se Moh ainda está lá. Ele deve estar com tanta fome, e tão assustado... – Tornei a cair no choro e comecei a soluçar com a cabeça entre as mãos.

– Me perdoe, Anni. Henri e eu estávamos viajando pela Europa. Só voltamos para o *château* na França poucos dias atrás, e recebi os dois telegramas. É claro que vim para a Inglaterra na mesma hora. Ainda estou em choque. Que tragédia. Que terrível tragédia... Mal consigo acreditar.

– Selina, por favor acredite em mim, eu não matei Violet. Nada a poderia ter salvado. O Dr. Trefusis estava lá e ele também sabia. Eu não dei nada a ela que pudesse ter lhe feito mal.

– Tenho certeza de que fez tudo que podia, Anni – falou Selina.

– Eu fiz, juro que fiz. E Donald? Como ele está?

– Ah, Anni, ninguém lhe contou nada, não é?

– Ninguém me contou o quê? Não vi ninguém desde que cheguei a este lugar horrível.

Selina tocou a própria têmpora.

– Então eu preciso contar. Anni, sinto muitíssimo, mas Donald deve ter voltado para o chalé a cavalo para pegar Moh. E eu... meu Deus do céu, como vou dizer isso a você?

– Selina, por favor – supliquei. – Seja o que for, fale.

– Anni, ninguém sabe o que aconteceu, mas Donald e Moh foram encontrados juntos na margem do regato. Só podemos supor que Glory tropeçou e eles caíram. Quando foram encontrados, Donald já tinha... partido. Ele bateu com a cabeça numa rocha pontiaguda, e eles acham que morreu na hora. E Moh... – Selina tentou se controlar para dizer as palavras. – Eles acham que quando ele foi jogado de cima de Glory rolou até o regato e... se afogou.

Fiquei encarando-a como se ela estivesse louca.

– Está me dizendo que o meu filho morreu? E Donald também? Me diga que está mentindo, Selina, pelo amor de Deus... me diga...

– Não, Anni. Eu sinto muitíssimo, muitíssimo mesmo. Eu...

Um uivo gutural vindo lá do fundo ecoou pelas paredes quando desabei da cadeira e caí no chão. Vi a expressão horrorizada de Selina quando um dos agentes penitenciários me recolheu e me arrastou para fora da sala, carregando-me cambaleante pelo corredor e em seguida escada abaixo antes de me jogar na cela.

– Pode sair quando tiver se acalmado – disse ele, e bateu a porta.

O eco do uivo prosseguiu sem cessar nos meus ouvidos, e demorei um pouco para perceber que a sua origem era eu.

Depois disso, com o passar do tempo, a histeria acabou me abandonando, e tornei-me catatônica. Lembro-me que de vez em quando era levada à sala dos visitantes, onde estranhas silhuetas escuras tentavam falar comigo e me explicar o que estava acontecendo, mas eu não tinha como ser alcançada.

Desapareci nas profundezas de mim mesma, num vazio onde não havia nada. Eu simplesmente não existia, pois se existisse sabia que seria subjugada pela dor que estava sentindo. Desconhecidos me informavam das acusações que eu estava enfrentando e de como devia começar a me defender, ou seria provavelmente enforcada. Que se eu não começasse a reagir eles precisariam me internar num manicômio até o julgamento.

Meu filho, pode ser que você ache a sua mãe incrivelmente fraca por não ter se defendido. Mas a notícia da sua morte junto com a do seu pai me destruiu por completo. Eu ficava deitada na cela rezando apenas para a morte vir depressa a fim de que eu pudesse me juntar a vocês.

– Levante-se! Tem uma pessoa aqui para falar com você.

Lembro-me de um dos agentes penitenciários olhar para mim encolhida em meu catre. Balancei a cabeça com desânimo.

Ele me sentou, então mergulhou um trapo imundo, a única coisa que eu tinha para me limpar, numa tigela com água e passou no meu rosto.

– Não quero ninguém dizendo que não cuidamos das nossas prisioneiras aqui – disse ele, erguendo-me até uma posição de pé e em seguida me arrastando para fora dali como se eu fosse um boneco. – E nada daquela confusão de gritos na frente da sua visita dessa vez – ordenou-me ele.

O agente me jogou na cadeira da sala de visitantes e deixei minha cabeça pender até o peito, fraca demais para sustentá-la e sem um pingo de interesse em ver quem poderia ter ido me visitar. Quando aquele novo suplício tivesse acabado, poderia voltar para a solidão do meu vazio.

Ouvi alguém entrar no recinto e um cheiro conhecido invadiu minhas narinas, embora eu não tenha conseguido identificar de onde o conhecia.

– Anni? Anni, olhe para mim.

Reconheci a voz também, mas imaginei que fosse um sonho e continuei sem levantar a cabeça.

– Sou eu, Anni, Indira. Por favor, me diga que sabe quem eu sou.

Uma voz dentro da minha cabeça riu da ideia ridícula de que Indira estaria ali, naquele lugar atroz. Eu sabia que era minha mente mais uma vez me pregando peças cruéis, pois tudo relacionado à minha amiga me trazia recordações de calor, segurança e felicidade.

– Anni, por favor, olhe para mim – pediu a voz pela terceira vez.

– Não é você de verdade – sussurrei para mim mesma, puxando com os dedos o fino tecido que me cobria os joelhos. – É uma ilusão, é só uma ilusão...

Ouvi o som de passos andando na minha direção, e então um par de mãos cálidas segurou as minhas.

– Anni, abra os olhos! Você não está sonhando. Eu estou aqui. E por favor se apresse, ou vou começar a pensar que está tão louca quanto me disseram que está.

Por fim, reuni coragem para fazer o que a voz pedia, e me preparei para o fato de que, quando o fizesse, ela não fosse estar lá.

– Olá, Anni. Viu? Eu estou aqui.

Indira estava agachada na minha frente, com a expressão tomada de preocupação.

– Sim, sou eu! Por favor, Anni, me diga que sabe quem eu sou.

Aquiesci, ainda incapaz de falar.

– Bem, graças a Deus.

E quando os braços dela me envolveram num abraço, eu finalmente comecei a acreditar que era ela de verdade.

– Ah, Anni, o que fizeram com você... – sussurrou Indira, recuando e olhando para mim com lágrimas nos olhos. – Mas eu agora estou aqui, e você não precisa se preocupar com mais nada.

– Quem lhe contou? – sussurrei quando consegui recuperar a voz.

– Selina. Nos vimos na França logo antes de ela receber a notícia. Ela então telefonou para mim, desesperada, há cerca de uma semana, implorando para eu e minha família ajudarmos. Foi uma sorte ter me encontrado: estávamos prestes a zarpar para a Índia. Então aqui estou eu.

– Há quanto tempo... – Passei a língua pelos lábios secos para articular as palavras. – Há quanto tempo estou aqui?

– Umas três semanas, acho. Enfim, vamos poder conversar sobre tudo depois que a tirarmos daqui.

– Não, Indy. – Balancei a cabeça com pesar. – Eles não vão me deixar sair. Eu fui acusada de ter assassinado Violet Astbury. Acho que vão me enforcar em breve, mas eu não me importo. Moh... o meu filho morreu. Donald também. Eu não quero mais viver.

Ela me encarou com um ar severo.

– Anahita Chavan, você não se lembra de eu ter lhe dito essas mesmas palavras alguns anos atrás, quando você foi à Índia me ajudar?

– Sim, me lembro.

– Bem, estou aqui para fazer a mesma coisa por você, minha amiga mais querida.

– Não, Indy. É diferente. Moh se foi, e Donald também. Eu quero morrer, quero mesmo. Me deixe.

– Sim, concordo que é a situação mais pavorosa de todas. Mas Anni, eu a conheço desde que você era uma menina. Vi você dar força aos outros, a mim inclusive, e agora você precisa encontrar essa força *para si*. Você consegue, eu sei que consegue.

– Indy, obrigada, mas você não pode fazer nada – respondi, cansada. – Tenho certeza de que vou receber uma sentença de morte no julgamento.

– Anni, não vai haver julgamento. As acusações foram retiradas. Estou aqui para levar você para casa.

Encarei-a sem entender.

– Mas eu não posso voltar para o chalé na beira do regato, eles com certeza não vão deixar, vão?

– Não, Anni, eu vou levar você para casa. Para a sua verdadeira casa. Nós vamos voltar para a Índia.

Minhas lembranças de ser solta de Holloway e chegar à casa da família de Indira em Knightsbridge onde havia me hospedado quando criança também são vagas. Mais do que tudo, recordo-me da súbita e maravilhosa tranquilidade ao meu redor: mãos suaves, travesseiros de penas, vozes falando comigo em sussurros. Não havia mais gritos de agonia, apenas silêncio. Devo ter dormido sem parar – o modo que a natureza tem de curar o corpo e a mente.

Lembro-me de que toda vez que acordava Indira estava ali ao meu lado, sentada numa cadeira junto à cama. Com todo o carinho, insistia para que eu abrisse a boca de modo a me dar colheradas de canja, e eram as suas próprias mãos que me lavavam e cuidavam do meu corpo frágil coberto de feridas, causadas por semanas de imundície. Muitas vezes, enquanto cuidava de mim, ela recordava fatos engraçados de nosso passado, e perguntava se eu me lembrava de quando havia passado a noite com a elefanta Belezinha na véspera da nossa partida para o colégio interno na Inglaterra, ou da noite em que tínhamos enganado a Srta. Reid no navio e ela havia se trocado, posto o vestido de chiffon cor de pêssego e conquistado o coração do seu príncipe.

Eu não reagia, mas escutava.

Em retrospecto, tenho certeza hoje de que foi Indira e o amor que ela demonstrou por mim que me salvaram. E enfim entendi que não poderia mais me esconder atrás do meu véu de sono, mas que precisava encontrar forças e voltar para o mundo dos vivos.

– Anni, eu acho que você está melhorando – disse-me Indira certa manhã, quando peguei a sopa de suas mãos após anunciar que podia me alimentar sozinha.

– Sim, acho que estou – concordei.

– Graças a Deus. Para dizer a verdade, houve momentos em que eu me perguntei se melhoraria. Estava começando a duvidar das minhas habilidades de enfermeira. – Ela sorriu. – Cuidar dos outros nunca foi meu ponto forte.

– Indy... – Meus olhos se anuviaram. – Você tem sido maravilhosa. Se não fosse você... – As palavras ficaram suspensas no ar.

– Deixe isso para lá. Sei que você ainda está fraca, Anni, mas eu gostaria de reservar nossa passagem de volta para a Índia o quanto antes. Não confio que aquela bruxa de Astbury não vá tentar alguma outra coisa.

– Como assim? – perguntei, sentindo o terror me apertar o coração. Eu não tinha perguntado, nem ninguém tinha me contado ainda os detalhes da minha soltura.

– Ah, não se preocupe com ela. – Indira descartou o problema com um gesto vago. – A questão é que eu só quero levá-la para casa. Quando você estiver forte eu lhe conto a história toda.

– Sim – respondi, sabendo que por ora não estava forte. – Sua mãe sabe que eu estou aqui com você? – indaguei.

– É claro que sabe! Foi ela quem conseguiu sua liberdade.

– Quer dizer que ela me perdoou?

– Ah, Anni, é claro que perdoou. E a mim também. No instante em que ganhou um neto, ela não conseguiu resistir a ir visitá-lo. Escreve todos os dias, manda lembranças e diz que quer vê-la em breve. Anni, agora vamos ver se você consegue ficar em pé, e quem sabe dar uma pequena caminhada até o banheiro.

Ao longo dos dias seguintes, meu corpo jovem e forte começou a se curar depressa, e fisicamente eu soube que enfim estava bem. Concordei que

Indira reservasse nossa passagem para a Índia o quanto antes. No entanto, ainda estava insegura em relação à minha capacidade mental e emocional, e hesitava em fazer as perguntas cujas respostas sabia que precisava ouvir antes de deixar a Inglaterra.

Certa tarde, Indira entrou no meu quarto e me disse que eu tinha uma visita.

– É Selina, Anni, e acho que você deveria vê-la antes de partirmos.

Meu coração se encheu de medo, e pude sentir o sangue se esvair de minhas faces. Indira segurou minha mão.

– Ficarei com você o tempo todo, prometo. Mas você precisa falar com ela, pois viajamos daqui a dois dias.

Aquiesci, resignada, e cinco minutos depois Indira e eu descemos a escada até o salão.

– Anni. – Selina se levantou e veio até mim; tinha o rosto tão emaciado e pálido quanto o meu. – Como você está? – perguntou ela, e estendeu as mãos para segurar e apertar as minhas.

– Melhor, obrigada.

– Graças a Deus! Fiquei arrasada quando a vi naquele lugar terrível.

– Peço desculpas por ter causado tantos problemas – respondi com tristeza.

– Anni, não se atreva a se culpar pelo que aconteceu – disse ela com uma veemência inabitual. – Toda essa tragédia é obra de uma única pessoa. Venha... – Ela me segurou pelo braço. – Por favor, sente-se.

Sentamo-nos juntas no sofá de capitonê; Selina continuava segurando minhas mãos. Indira se acomodou numa poltrona à nossa frente, feito uma tigresa-mãe protetora que vigia e protege seu frágil filhote.

– Obrigada por ter me ajudado, Selina.

– Bem, não é a mim que você deve agradecer. Quem operou o milagre foram Indira e sua família.

– Selina, por favor me diga que sabe que eu não tentei assassinar Violet. Ela era minha amiga, eu cuidei dela, e no final, mesmo sabendo que não havia esperança, fiz tudo que podia por ela.

– É *claro* que eu sei, Anni. Você tem um coração repleto de bondade. Enfim, deixe-me começar pelo começo. Assim tudo vai ficar mais fácil de explicar. Quando recebi na França os dois telegramas me contando sobre a morte de Violet e a do meu irmão, voltei para Astbury na mesma hora. Só então fiquei ciente de que você tinha sido presa acusada de assassinato. Eu sabia que apenas uma pessoa podia ser responsável por aquilo. Então fui procurá-la.

– Está se referindo à sua mãe? – perguntei.

– Sim. Ela me disse, é claro, que não tinha absolutamente nada a ver com aquilo, e insistiu que o Dr. Trefusis fora o primeiro a expressar suspeita quanto aos remédios que você tinha dado para Violet tomar, tanto durante a gravidez quanto no dia em que ela morreu. A essa altura os pais de Violet já tinham chegado para o enterro, e o Dr. Trefusis conversou com eles a respeito das suas inquietações. Compreensivelmente, eles quiseram pôr a culpa em alguém, de modo que os dois e minha mãe aconselharam o médico a comunicar suas desconfianças à polícia.

– Mas ele sabia que o culpado era ele – interrompeu Indira. – Afinal, era ele o médico responsável.

– Os dois tinham muitos motivos para querer tirá-la do caminho, Anni – falou Selina com um suspiro. – O Dr. Trefusis a estava usando como bode expiatório, e a minha mãe... bem, todos nós sabemos por que ela queria se livrar de você.

– Ela foi me procurar poucos dias depois da morte de Violet – relembrei. – Estava apavorada que, com a morte de Violet, Donald pudesse se casar comigo como era o seu plano original.

– E se ele tivesse vivido poderia muito bem ter feito isso – disse Selina, tentando me reconfortar. – Ele a amava muito.

– E eu a ele... – Minha voz se extinguiu, e senti o pânico começar a brotar dentro de mim ao pensar em minha perda. Mas precisava me controlar para continuar a conversa sem ficar histérica. – Selina, preciso lhe dizer que, mesmo antes da visita da sua mãe, eu já tinha decidido ir embora de Astbury. Sabia que nenhum de nós dois jamais teria conseguido superar a morte de Violet. Mas como eles podem ter encontrado alguma prova de que eu a envenenei?

– Você se lembra de quando o Dr. Trefusis a visitou certa vez para pegar mudas das plantas e ervas que você cultivava?

– Ora, me lembro sim. Ele disse que estava interessado em aprender mais sobre suas propriedades medicinais.

– Infelizmente, o doutor tirou mudas não apenas de ervas inócuas, mas também de espécies aparentemente conhecidas por serem perigosas, sobretudo durante a gestação – falou Selina. – E ele as mostrou à polícia para servir de prova. Uma delas era o poejo, uma erva da família da hortelã comprovadamente prejudicial para as gestantes. No dia em que Violet morreu, você lhe levou um remédio que você mesma havia preparado para o inchaço nos tornozelos e lhe deu chá de hortelã para acabar com os enjoos.

— Ah, meu Deus. — Cobri a mão com a boca, e meus olhos se encheram de lágrimas. — Levei, sim, mas não era poejo! Eram folhas de hortelã normal, que também cresce no meu jardim. Selina, eu estudo medicina ayurvédica desde que aprendi a andar. Em geral o poejo pode ser tomado em forma de chá com segurança, em pequenas quantidades. Ele cresce naturalmente em Devon e é muito bom para tratar resfriados e gripes. Mas *é claro* que eu sei o quanto pode ser perigoso para uma gestante. Pode provocar partos prematuros, convulsões, sangramentos... — Minha voz falhou quando me dei conta de como tudo se encaixava.

— Anni, por favor, tente não se abalar. Todos nós sabemos que você nunca faria nada para prejudicar alguém — disse Indira, tentando me reconfortar.

— E para piorar as coisas o Dr. Trefusis conseguiu obter um artigo assinado por um renomado professor universitário americano. O artigo fornece detalhes específicos sobre os efeitos prejudiciais do poejo para as gestantes. O médico apresentou também uma amostra de erva-de-são-cristóvão, outra considerada perigosa na gravidez. Uma das empregadas que trabalha na cozinha disse que você tinha lhe dado recentemente um chá dessa erva para beber.

— Sim, porque ela é muito boa para reumatismo! — Eu podia sentir meu coração disparado.

— Então a polícia foi à sua casa, e viu que você de fato cultivava essas e outras ervas na sua estufa e no seu jardim — concluiu Selina.

— Mas com certeza, mesmo com as plantas retiradas do meu jardim, não podia haver prova alguma de que eu de fato as tinha dado para Violet, ou não?

— Anni querida, por favor, não seja ingênua. — Indira balançou a cabeça, exasperada. — Não era preciso mais nada, mesmo. Maud Astbury manda naquela região como uma rainha, e todas as autoridades comem na sua mão. Violet estava morta, e se Maud decidisse que queria alguém acusado do seu assassinato a polícia local acataria na mesma hora, por mais limitadas que fossem as provas.

— Sim. — Dei um suspiro impotente. — Acho que consigo entender isso. Mas então como as acusações foram retiradas?

– Fui imediatamente confrontar minha mãe e lhe implorei para convencer a polícia a abandonar as acusações. Ela não quis nem ouvir falar no assunto; disse que aquilo estava fora do seu alcance e que era preciso fazer justiça. – Selina fez uma careta. – Então perdi o controle nesse dia e disse exatamente o que vinha querendo lhe dizer havia muitos anos: que ela era uma mulher amargurada, preconceituosa, egoísta, e que para mim ela estava morta, exatamente como o coitado do meu irmão. Disse-lhe que nunca mais poria os pés em Astbury enquanto ela estivesse viva.

– E foi então que Selina me procurou. – Indira assumiu o relato. – E felizmente a minha mãe é muito mais inteligente, e tem amigos em círculos muito mais altos do que Maud – explicou ela com um brilho de triunfo no olhar. – Acho que bastou um telefonema para garantir que as acusações fossem retiradas. A única exigência foi você voltar para a Índia e nunca mais retornar à Inglaterra.

– Entendo. E os Drumners? Eles ainda acham que eu assassinei sua filha?

– Eu acho que eles têm os próprios problemas para cuidar – respondeu Selina. – Sissy não está nada bem, mas mesmo assim eles insistiram para que a neta fosse morar em Nova York com eles. Minha mãe recusou, claro, e disse que Daisy tinha de ficar em Astbury Hall sob os seus cuidados, uma vez que era a herdeira legal. Os Drumners voltaram para Nova York dispostos a dar início a todo tipo de batalha judicial para conseguir a guarda da neta.

– Quer dizer que aquela pobre neném será criada por Maud? – indaguei, horrorizada.

– Provavelmente – respondeu Selina. – Afinal, a pequena Daisy é cidadã britânica, e é improvável que até mesmo os imensos recursos financeiros dos Drumners os ajudem a obter a guarda. Naquele dia, supliquei à minha mãe que deixasse Daisy comigo para que eu mesma a criasse, junto com as primas, mas é claro que ela não quis nem ouvir falar nisso. Já tinha se mudado de volta para a casa grande e estava uma vez mais no comando de seu reino, com toda a liberdade para forjar a geração seguinte de acordo com o seu exemplo. Há anos eu não a via tão cheia de energia – disse Selina com amargura.

Ficamos as três sentadas em silêncio, e senti uma náusea me dominar. Maud Astbury tinha destruído uma geração, e agora haviam lhe dado o poder de destruir outra.

– Eu sempre a achei louca de pedra – falou Indira com um sorriso, como de hábito ansiosa para aliviar um clima pesado.

– Você pode estar falando de brincadeira, mas talvez tenha razão – concordou Selina. – Eu vi isso no olhar da minha mãe quando estávamos conversando. Algo que parecia loucura de verdade.

– Ela é o demônio encarnado – sussurrei, com um calafrio. – Me perdoe, Selina – emendei depressa.

– Por favor, diga o que quiser – tranquilizou-me ela. – Posso lhe garantir que eu sinto exatamente a mesma coisa. Tanto que Henri e eu decidimos nos mudar para a França com as crianças de vez. Não quero estar nem no mesmo país que ela.

– Pelo menos as bruxas não conseguem atravessar água corrente – falei, com um esboço de sorriso.

Selina olhou para o relógio acima da lareira.

– Eu sinto muito, mas agora preciso ir. Eu imploro a você, Anni: mantenha contato. Se tiver oportunidade, por favor vá nos visitar na França. Para onde vocês vão depois de chegarem à Índia?

– A princípio para o palácio dos meus pais em Cooch Behar – respondeu Indira. – Ma está louca para ver a pobre Anni, e assim não preciso voltar tão cedo para a zenana do palácio do meu marido. – Ela abriu para Selina seu sorriso atrevido.

Nós nos levantamos, e Selina me deu um abraço.

– Eu sinto muito, muito mesmo pela dor que você teve de suportar. Tenho certeza de que, estejam onde estiverem, Donald e o seu menininho estão protegendo e amando você.

– Obrigada, Selina, por tudo – sussurrei. Quando ela estava andando até a porta, eu soube que precisava fazer a pergunta que todas nós havíamos evitado desde a sua chegada.

– Selina, onde meu filho está enterrado?

Ela parou na porta, respirou fundo e se virou.

– Fiz a mesma pergunta quando voltei para Astbury. Anni, os moradores do vilarejo e os empregados não sabem sobre a morte de Moh. Disseram-lhes que ele foi com você quando a prenderam. Minha mãe obviamente não queria que soubessem que Donald tinha morrido indo a cavalo até o chalé resgatar o próprio filho. A única outra pessoa que sabe a verdade é o Dr. Trefusis, que me disse que Moh tinha sido sepultado discretamente num canto da igreja paroquial no vilarejo. Quando fui lá, havia terra fresca num túmulo, mas o pároco me falou que, quando ele executou o enterro e perguntou se haveria necessidade de uma lápide, o Dr. Trefusis respondeu que não. Ele foi informado de que a criança morrera no parto e não tinha nome. Eu sinto muito, Anni – disse ela com os olhos molhados.

– Mesmo morto, a existência dele precisou ser um segredo – sussurrei.

– Sei que não é nenhum consolo, mas ele está enterrado num lugar muito tranquilo. Coloquei rosas lindas no túmulo dele para você. Sei que você tem outra religião, mas espero ter feito o certo. Eu... não existem palavras para descrever o quanto isso deve ser terrível para você, Anni. Eu sinto muito.

Tive pena dela nessa hora, tropeçando nas palavras para tentar não me magoar ainda mais. Ela também era mãe.

– Obrigada, Selina. O que você fez foi perfeito.

– Também deixei com Indira uma cópia do atestado de óbito de Moh assinada pelo Dr. Trefusis – acrescentou ela. – Adeus, Anni. Cuide-se.

Quando ela saiu, vi a preocupação no semblante de Indira. Sabia que ela temia que encarar a realidade da morte do meu filho pudesse me derrubar outra vez. Afinal, era a primeira vez que eu mencionava o assunto.

– Vou subir para descansar – falei para ela.

– Você está bem, Anni?

– Estou – garanti, e me retirei do salão.

Em retrospecto, sei que, ao subir a escada e adentrar o quarto no qual Indira me trouxera de volta à vida, estava de fato calma.

Mas por quê?

Dois dias depois, quando zarpamos da costa da Inglaterra e o terror e a dor das semanas anteriores começaram a deixar aos poucos meu cérebro anuviado, entendi por quê.

Eu havia escutado o canto para Donald naquela última noite que tínhamos passado juntos. Mas nunca para você, Moh. Naquela última manhã, quando pus você para cochilar no seu berço e beijei sua testa como sempre fazia, logo antes de a polícia chegar, não senti nem escutei nada.

Todas as noites, de pé no convés, quando pedia orientação aos céus, eu apurava os ouvidos para escutar as vozes que me assaltavam os sentidos quando alguém tinha morrido, assim como havia acontecido tanto no caso de Violet quanto no de Donald, mas não conseguia escutar nenhuma para você.

Pouco antes de atracarmos, numa noite antes do jantar, Indira – que havia interpretado a minha calma recente como aceitação – entregou-me dois envelopes.

– Abra este aqui primeiro – disse ela num tom encorajador, apontando para o menor.

Assim o fiz, e lá dentro meus dedos reconheceram a textura fresca e sedosa das pérolas que Donald tinha me dado.

– Elas estavam junto com as suas roupas quando deixamos a prisão, mas achei que você poderia ficar abalada demais ao vê-las. Posso ajudá-la a colocar? – perguntou ela enquanto eu as tirava do envelope.

– Obrigada. – Sentir o peso do colar outra vez em volta do pescoço me reconfortou, e meus dedos se estenderam para tocar as pérolas como já tinham feito tantas vezes.

Indira apontou para o outro envelope.

– Aí dentro tem uma foto de você e Moh, E também o atestado de óbito dele, Anni. Pensei que você fosse querer guardar.

Detive-me por alguns segundos antes de responder. Sorri para mim mesma.

– Obrigada, Indy. Mas eu não preciso do atestado de óbito dele.

– Eu entendo – disse ela, compreensiva.

– Porque o meu filho não morreu. Eu sei que ele ainda está vivo.

Astbury Hall

Julho de 2011

42

Rebecca largou as folhas e olhou para o relógio ao lado da cama. Passava da meia-noite. Ficou encarando o quarto mal iluminado, sentindo o coração ainda acelerado de tanta adrenalina.

Violet Astbury dera à luz uma criança no mesmo lugar em que ela estava deitada agora. Violet era uma mulher de 20 e poucos anos totalmente saudável, que tinha reclamado de dores de cabeça e náuseas e pouco depois morrido.

– Pare com isso! – sussurrou ela para si mesma, sentindo o pânico aumentar. – Violet morreu no parto! – Ela se levantou e começou a andar pelo quarto, falando sozinha para tentar se acalmar. – Pelo amor de Deus, Rebecca, você não está grávida...

Mas então se lembrou do médico lhe perguntando se ela poderia estar, e lembrou também que ainda não havia recebido o resultado de seus exames. Começou a chorar de medo e frustração. Ainda que a sua imaginação a estivesse *mesmo* enganando, uma coisa era certa: ela não podia ficar nem um minuto a mais naquele quarto tão carregado de Violet e da sua tragédia. Tomada pelo pânico, decidiu ir em busca de Ari.

Saiu dos aposentos de fininho e percorreu os corredores escuros, onde bateu de leve e abriu cada uma das portas o mais silenciosamente possível para tentar examinar a penumbra em seu interior. Como todos os quartos no seu corredor pareciam estar vazios, ela atravessou o patamar da escada, foi até o outro lado e começou a abrir em silêncio as portas dos quartos ali.

Foi então que um som repentino e conhecido lhe chegou aos ouvidos. Estava muito fraco e vinha de longe, mas era o mesmo canto agudo que ela havia escutado em seus sonhos. Agora apavorada, mas sabendo que precisava confrontar quem quer que estivesse produzindo aquele estranho som que Anahita descrevera como um aviso de morte, começou a andar na sua direção.

Parou no corredor escuro. O canto vinha de trás da porta em frente à qual ela estava. Usando toda a sua coragem, tocou a maçaneta com a ponta dos dedos, girou-a sem fazer barulho, então a empurrou alguns centímetros para dentro.

Espiou dentro do quarto pela fresta. O interior estava iluminado por uma luz suave, e à sua esquerda havia uma silhueta sentada em frente a um espelho. Abriu um pouco mais a porta, e viu que a pessoa estava sentada diante de uma penteadeira escovando os longos cabelos louros e cantando enquanto o fazia. Mesmo ali de longe, pôde sentir o cheiro fresco do perfume que dominava seu quarto à noite – o perfume de Violet. Empurrou mais a porta para tentar ver o rosto da mulher no espelho, e o canto cessou abruptamente. Algo a havia alertado de sua presença.

Quando a cabeça da mulher começou a se virar para a porta, Rebecca saiu correndo pelo corredor com a respiração curta e ofegante. Quando estava quase chegando ao seu quarto, uma silhueta surgiu de repente na escuridão e a interceptou no meio de sua fuga.

Rebecca soltou um grito alto enquanto um par de braços agarrou os seus e a puxou pela porta até dentro do seu quarto.

– Shh! Sou eu, Ari – disse ele ao mesmo tempo que ela tentava se desvencilhar, arquejando para respirar e gemendo de tanto susto. – O que foi que aconteceu, Rebecca? Por que está assustada? Por favor, tente se acalmar – disse ele.

Ela apoiou as mãos na cama e se inclinou para a frente de modo a acalmar a respiração.

– Ari, por favor, você precisa me tirar daqui... acho que estou sendo envenenada como Violet foi, e acabei de ver uma mulher estranha sentada num quarto escovando os cabelos e cantando. Eu... – Ela sorveu mais algumas golfadas de ar para conseguir continuar. – Não sei se ela está viva ou se é um fantasma, mas, Ari, eu juro que a vi. E sei que ela já entrou no meu quarto enquanto eu dormia... ai, meu Deus... Violet morreu aqui dentro! – Rebecca desabou no chão. – Ari, você precisa me tirar daqui agora, hoje ainda! Estou com tanto medo, tanto – choramingou ela.

Com hesitação, Ari se ajoelhou ao seu lado.

– Rebecca, você acabou de sofrer um choque, ainda não está se sentindo bem e talvez esteja com febre, o que pode provocar todo tipo de alucinação e...

– Não! Eu a *vi* com meus próprios olhos e a ouvi com meus próprios ouvidos. Por favor, Ari, você tem que acreditar em mim – suplicou ela. – Eu não estou ficando louca. Aquela mulher era real!

– Está bem, eu acredito em você – disse ele. – Então vamos refletir racionalmente sobre isso. Esta é uma casa imensa, com sabe-se lá quantos quartos, e pode ser que Anthony tenha algum outro hóspede aqui. Quer dizer, ele não necessariamente nos diria, certo?

– Sim, mas eu já a senti e já a escutei antes – insistiu Rebecca. – E às vezes à noite sinto o cheiro do perfume que ela usa... que *Violet* usava. Se houver alguma outra mulher nesta casa, ela já está aqui há algum tempo. Mas por que não a teríamos visto e por que ela esteve no meu quarto à noite? Eu sei que ela entrou, Ari. Passei tão mal nessa última semana, com essas dores de cabeça horríveis e esse enjoo, igualzinho a Violet. Alguém está tentando me matar, eu juro. Só quero sair daqui!

– Rebecca... – Ari ficou olhando seus ombros se agitarem de medo e de emoção. – Eu entendo que, depois de ler a história de Anahita hoje à noite, você ache estranhas as semelhanças entre você e Violet. Mas não existe lógica alguma na sua presença aqui ter sido arquitetada por alguém que deseje lhe fazer mal. O fato de você andar se sentindo indisposta não ajudou, mas acho que você está se deixando levar pela imaginação. Confie em mim, por favor. O que eu estou lhe dizendo faz sentido.

– Ari, pouco me importa o que faz sentido. Eu quero sair desta casa, e quero sair *agora* – decretou ela.

– Eu sei, mas você sabe que todos os hotéis das redondezas vão estar fechados. É quase uma da manhã. É melhor esperar para ir embora amanhã.

– Meu Deus, nem tranca na minha porta eu tenho – gemeu ela. – Qualquer um poderia entrar e...

– Rebecca – disse Ari pacientemente. – Você se sente segura comigo? Você confia em mim?

Ela pensou antes de responder.

– Acho que hoje à noite não sei em quem confiar.

– Bem, posso passar o resto da noite na saleta anexa ao seu quarto. Por que você precisa, mais do que tudo, dormir um pouco.

– Meu Deus do céu, se alguém mais me disser isso vou enlouquecer – falou ela com um suspiro.

– Mesmo que a pessoa tenha razão? – Ari lhe sorriu. – Quer ajuda para se levantar?

– Não, eu consigo me levantar sozinha – disse ela. Pôs-se de pé tremendo e caminhou até a cama. – E, sim, eu ficaria grata se você dormisse no sofá do outro quarto.
– Com prazer. Boa noite, Rebecca.
– Obrigada. Desculpe por estar sendo tão medrosa.
– Tudo bem. É compreensível.
– Ari?
– Sim? – Ele parou junto à porta e lhe sorriu.
– Amanhã quero lhe fazer algumas perguntas sobre a história da sua bisavó.
– Claro. Mas por enquanto durma um pouco.

Rebecca acordou na manhã seguinte com um sobressalto, sentindo-se desorientada. Ao recordar a noite anterior, saiu da cama na hora, correu até a saleta e viu que estava vazia. Então saiu para o corredor e começou a percorrê-lo.

No alto da escadaria principal estavam a Sra. Trevathan e Ari. Os dois conversavam em voz baixa, e se viraram ao vê-la.

– Bom dia, dorminhoca – disse Ari. – Já passa do meio-dia.
– Ai, meu Deus! Preciso estar no set hoje à tarde, e tenho de fazer as malas e me mudar daqui, e…
– Rebecca, meu bem, por favor se acalme – disse a Sra. Trevathan. Ari veio atrás dela. – Ari me disse quem a senhorita viu ontem à noite, e existe uma explicação muito simples, eu juro. Venha, vamos voltar para o seu quarto.
– Sério, Rebecca, existe mesmo – acrescentou Ari num tom tranquilizador.
– Bem, eu gostaria muito de saber qual é. Eu sei o que vi e não estou maluca – arrematou ela, na defensiva, enquanto os três tornavam a entrar no seu quarto. Sentou-se na beirada da cama e cruzou os braços. – Certo, quem era aquela mulher? E por que ela entrou no meu quarto algumas vezes enquanto eu estava dormindo? Porque ela entrou, Sra. Trevathan, eu sei que entrou!
– Sim, meu bem, eu acredito – disse a governanta. – A mulher que a senhorita viu ontem à noite é Mabel, minha mãe. Ela trabalhou aqui como babá de lorde Anthony, e cuidou dele desde que ele era recém-nascido.
– Sua mãe? Mas por que ela está aqui?
– Rebecca, por favor, deixe-me explicar. Meu pai morreu vinte anos atrás e, depois de se aposentar daqui, mamãe vivia tranquilamente sozinha no

vilarejo. Mas uns dois anos atrás ela começou a sofrer algumas quedas, e sua cabeça começou a falhar. Afinal de contas, está com 91 anos.

– Claro – disse Rebecca.

– Então eu disse a lorde Anthony que não tinha alternativa a não ser me demitir e voltar a morar no vilarejo para cuidar dela. Bem, ele arrumou uma solução. Propôs transformar dois dos cômodos do sótão num confortável apartamento para ela. No início deu certo, e eu conseguia cuidar ao mesmo tempo dela e dele, mas nesse último ano a saúde da minha mãe se deteriorou. Lorde Anthony então fez a gentileza de contratar uma enfermeira para ela em tempo integral. Talvez a senhorita a tenha visto na cozinha no dia em que chegou, meu bem.

– Vi, sim, e uma vez lá fora também – admitiu Rebecca. – Ela estava empurrando uma senhora de idade numa cadeira de rodas. Para ser sincera, pensei que fossem figurantes do filme.

– Bem, era a minha mãe. O problema é que às vezes a mente dela vagueia, e ela também. Principalmente à noite, quando a enfermeira está dormindo. O quarto em que a senhorita a viu ontem à noite era o que ela costumava ocupar, o antigo quarto de criança de lorde Anthony. Não é a primeira vez que a encontro lá. Então, meu bem, saber isso a faz se sentir um pouco melhor?

– Mas tenho certeza de que a mulher que eu vi ontem à noite não era uma velha senhora. – Rebecca franziu o cenho. – Não a vi de frente, mas ela tinha cabelos louros compridos e estava cantando sozinha enquanto os escovava – relatou.

– Minha mãe com certeza tem cabelos compridos, mas eu diria que são mais brancos do que louros – disse a Sra. Trevathan. – Sinto muito a senhorita ter levado alguns sustos nas últimas semanas, mas juro que nesta casa não tem nenhum fantasma nem ninguém tentando lhe fazer mal. Apenas uma velha senhora inocente, que às vezes se confunde em relação a onde está.

– Acho que fiquei abalada com a história de Violet Astbury que Ari me deu para ler, só isso – admitiu Rebecca. – Ela teve fortes dores de cabeça, igualzinho a mim, e depois de morrer acharam que tivesse sido envenenada.

– Rebecca ficou muito abalada ontem à noite – revelou Ari. – Ela não acha que ninguém esteja tentando envená-la. Acha, Rebecca?

– Não, claro que não – respondeu ela depressa, compreendendo a expressão dele.

– Entendo – disse a Sra. Trevathan. – Bem, que tal o senhor ficar aqui fazendo companhia a ela enquanto eu vou buscar uma bandeja de café da manhã? Sugiro ovos mexidos com torradas. E a senhorita pode pedir ao Sr. Malik que prove primeiro, meu bem, só para o caso de estar preocupada – retrucou a governanta antes de sair.

– Ai, puxa – falou Rebecca. – Eu a deixei chateada.

– Tenho certeza de que ela vai superar – disse Ari, sem conseguir reprimir um sorriso. – Mas agora a pergunta é: visto que a Sra. Trevathan lhe deu uma explicação muito plausível, você aceita ficar aqui, ou quer que eu peça a Steve para lhe arrumar um hotel?

– Não sei. Acho que exagerei um pouquinho ontem à noite.

– Certo. Bem, me avise o quanto antes. Se for preciso, eu faço o que alguns dos meus antepassados costumavam fazer quando estavam a serviço dos ingleses e fico deitado no chão em frente à porta do seu quarto para proteger você.

– Ari, pare de gozar da minha cara! Mas, meu Deus, que tragédia eu li ontem à noite – disse ela com um suspiro. – Que mulher tenebrosa essa Maud Astbury. E foi ela quem criou a pobre Daisy, mãe de Anthony. Não é de espantar que ele seja meio esquisito.

– Bom, eu estava pensando que, para uma grande família e um patrimônio como este sobreviverem por quatro séculos, com certeza quem estava no comando precisava ser implacável. Maud Astbury vislumbrou o fim da linhagem e se dispôs a fazer o que fosse preciso para salvá-la.

– Mas não salvou, né? A menos que Anthony tenha filhos, a linhagem acaba nele.

– É, tem razão, acaba mesmo. Eu li o diário de Donald ontem à noite, aliás; por isso fiquei acordado até tão tarde, e ouvi você no corredor do lado de fora. Estava no banheiro quando você bateu à porta do quarto – explicou ele. – O diário também preencheu algumas lacunas para mim, então obrigado.

– Acha que deveríamos entregar o diário para Anthony?

– Para ser sincero, jantei com ele ontem à noite e sinto que ele se fechou ainda mais. Não sei muito bem se iria adiantar. Está óbvio que ele não quer saber. E eu compreendo.

– Eu também – disse ela, emocionada.

– Rebecca, posso lhe perguntar uma coisa? Agora que leu a história, você acha que Moh morreu afogado no regato naquele dia?

Rebecca respirou fundo antes de responder.

– Não sei. Afinal, não existe prova nem de que sim nem de que não, né?

– Não, mas depois de duvidar tanto da história de Anahita, minha intuição agora me diz que não – sussurrou Ari. – Estou louco para descobrir a verdade antes de ir embora.

– Bem, você percebeu que Tilly, a amiga de Anahita do vilarejo, era a avó da Sra. Trevathan, certo? Ou seja: a mãe dela de 91 anos que pelo visto me deu aquele susto ontem à noite brincou com Moh quando eles eram bebês.

– Sim, claro, tem razão! Ela provavelmente era nova demais para se lembrar de alguma coisa, mas nunca se sabe. Talvez eu vá visitá-la mais tarde.

– E tenho certeza também de que a Sra. Trevathan sabe mais do que está revelando.

– Pode ser, mas ela é leal demais a lorde Anthony e aos Astbury para dizer qualquer coisa. Mesmo assim, Rebecca, acho que você está segura aqui. Detestaria que fosse embora por acreditar em fantasmas, ou por se considerar o espírito reencarnado de Violet Astbury.

– Tudo bem, pode me criticar. – Ela lhe abriu um leve sorriso resignado. – À luz do dia tudo pareceu loucura minha.

– Ótimo. Agora com licença, tenho umas coisas a fazer. A menos que você queira que eu fique para provar sua comida.

– Ari!

– Brincadeira. Nos vemos mais tarde.

Rebecca comeu obedientemente toda a comida que a Sra. Trevathan lhe mandou, muito embora não estivesse com fome alguma nem fosse muito fã de ovos mexidos. Quando Steve foi vê-la depois do almoço, afirmou que estava recuperada o bastante para filmar sua cena naquela mesma tarde, ainda que a dor de cabeça continuasse.

Ao chegar ao set, recebeu muitos abraços de boas-vindas do elenco e da equipe. Não soube ao certo se aquela calorosa acolhida era porque eles todos sabiam sobre o fim de seu relacionamento com Jack ou pelo fato de ela ter estado adoentada.

Robert foi lhe falar em particular antes da filmagem.

– Querida, você é uma guerreira, e todos nós só temos a lhe agradecer. Vamos tentar fazer essa cena o mais depressa possível, e depois quero que volte direto lá para cima e descanse. Amanhã sua agenda está cheia.

James lhe deu o abraço mais apertado de todos enquanto eles esperavam para começar a cena.

– Sinto muito pelo lance com o Jack – disse ele. – É mesmo o fim?

– A menos que ele dê um jeito no seu problema, com certeza.

– Me sinto meio culpado por ter participado no fato de ele ter se prejudicado com você. Estou longe de ter sido uma vítima inocente em nossas noites de farra juntos em Ashburton.

– E a garçonete? – perguntou Rebecca, ferina.

James enrubesceu, e ela soube que tinha acertado em cheio.

Bem nessa hora Robert gritou:

– Ação!

– Na verdade eu não me lembro muito bem – respondeu James depois de Robert se declarar satisfeito com o take. – Não estou tentando pôr a culpa em Jack, porque me deixei levar com facilidade, mas aquele cara sabe se divertir. – Rebecca foi poupada de ter que responder quando Robert gritou novamente "Ação!".

Após cerca de meia hora filmando por partes, Robert disse que estava bom, e Rebecca fugiu para o departamento de figurino. Quando saiu, dez minutos mais tarde, a Sra. Trevathan a chamou.

– Rebecca, que bom que a encontrei. Lorde Anthony perguntou se estaria disposta a jantar com ele hoje. Disse que não a vê há alguns dias.

– Sim, claro – concordou ela, sentindo-se culpada por ter negligenciado seu anfitrião.

– Ótimo. Tenho certeza de que ele vai se alegrar. Não tem andado muito bem ultimamente. – Ela franziu o cenho, preocupada.

– Ele está doente?

– Não, meu bem, não exatamente. É que, com a equipe de filmagem aqui na casa e depois essa história sobre os seus avós com a chegada do Sr. Malik, isso tudo tem sido um pouco demais para ele. Ah, falando nisso, o Dr. Trefusis ligou e disse que vai trazer os resultados dos seus exames amanhã.

– Obrigada, Sra. Trevathan. Nos vemos mais tarde.

Enquanto ela subia as escadas, o nome "Trefusis" ficou ecoando na sua mente até ela estabelecer o vínculo com o médico mencionado na história de Anahita. A confusão entre passado e presente naquele lugar parecia não ter fim...

Após descansar por uma hora, ela acordou sentindo-se um pouco melhor e tomou um banho de banheira. Às sete, quando estava decidindo o que vestir para o jantar, alguém bateu à porta. Ela abriu e deu de cara com Ari.

– Oi, entre.

– Como está se sentindo? – perguntou ele.

– Tudo bem. Vou jantar com Anthony. – Rebecca arqueou uma das sobrancelhas. – Para ser sincera, não estou muito a fim.

– A boa notícia é que ele nunca fica acordado depois das nove e meia, então pelo menos a sua noite não vai ser longa.

– Estou sem graça por causa da confusão com Jack, então vou ter uma chance de explicar e pedir desculpas. Janta conosco? – Rebecca adotou um ar esperançoso.

– Não, na verdade eu não fui convidado – disse Ari.

– Ah, a propósito – lembrou Rebecca. – Me dei conta hoje de que o médico que veio me atender no outro dia deve ser parente daquele que estava mancomunado com Maud Astbury. Pelo menos eles têm o mesmo sobrenome: Trefusis.

– Sério? – indagou Ari. – Mais uma linha de investigação possível para mim... então obrigado. Certo, vou deixar você se arrumar. Tenha um bom jantar com Anthony, e se por acaso precisar de mim, meu quarto fica logo ali à direita.

– Tenho certeza de que eu vou ficar bem. Steve me disse que a equipe vai filmar lá fora até no mínimo meia-noite. O cronograma atrasou porque um cavalo genioso esqueceu suas falas. Pelo menos hoje não fui eu quem causou o problema – disse ela com um esboço de sorriso.

– Tudo bem, nos vemos mais tarde.

Quando Ari saiu, Rebecca olhou para o relógio e viu que estava na hora de se aprontar para o jantar com Anthony.

Vinte minutos depois, entrou na sala de jantar e se espantou ao ver o dono da casa aparentemente usando um paletó de tweed novo. Anthony tinha lavado e penteado bem os cabelos, e tinha também se barbeado.

– Boa noite, Rebecca. – Ele lhe abriu um de seus raros sorrisos. – Entre, sente-se.

– Obrigada.

– Como a Sra. Trevathan me disse que você ainda não está se sentindo muito bem, aceitei a recomendação dela e vamos comer peixe. Nada muito pesado para um estômago delicado.

– É muita gentileza sua, Anthony – disse ela, sentando-se.

– E permita-me dizer que você está absolutamente encantadora hoje.

– Obrigada – agradeceu Rebecca, achando um pouco estranho aquele seu esforço nada sutil para agradar.

– Então, totalmente recuperada do drama de ter de mandar seu namorado embora?

– Estou me sentindo melhor em relação a isso, sim. Não era algo que eu quisesse fazer, mas infelizmente ele não me deixou muita escolha.

– Bom, quando o amor acaba é preciso fazer a coisa certa.

– Bem, não é assim tão simples, mas, sim, estou bem com relação a isso.

– Façamos um brinde a mares mais calmos e a uma volta à normalidade – disse ele, pegando a garrafa de vinho.

– Vou ficar na água hoje, obrigada – insistiu Rebecca, cobrindo sua taça.

A Sra. Trevathan entrou e começou a servir o peixe.

– Isto está com uma cara muito saudável – comentou Anthony. – Vocês americanos adoram peixe, não é? Sei que Violet mandava buscar peixe fresco em Lynmouth quando estava aqui. Nós britânicos somos mais carnívoros.

– A maioria dos americanos também gosta de um bom bife – respondeu Rebecca.

– Então... – Anthony empunhou seu garfo e faca. – Só mais uma semana, e suponho que vá voltar para Nova York.

– É, mais ou menos isso, embora ainda tenhamos um ou dois dias de pós-produção em Londres. Acho que vai ser esquisito voltar para Nova York. Vou sentir falta da paz e do silêncio de Astbury Hall.

– Vai mesmo?

– Vou, sim. Foi maravilhoso ficar aqui, Anthony. Nem sei como agradecer sua generosa hospitalidade e sua gentileza comigo.

– Não precisa agradecer, foi um prazer recebê-la.

Eles passaram um tempo comendo em silêncio.

– Bem, estava uma delícia – disse Anthony ao terminar, limpando a boca com o guardanapo.

– Estava mesmo – concordou Rebecca.

– Minha cara, você tem certeza absoluta de não ter nenhum parentesco com minha avó Violet? – perguntou Anthony de repente. – Porque eu tenho realmente a sensação de que foi de alguma forma enviada para Astbury por um motivo.

– Tenho certeza absoluta. Acho que é só uma coincidência.

Ela lhe sorriu, tentando aliviar a súbita tensão que sentiu quando ele pousou o garfo e a faca e a encarou com intensidade.

– Bem, eu não creio que seja.

Anthony uniu as mãos, entrelaçou os dedos compridos e ficou contraindo e relaxando as mãos.

– O fato, Rebecca, é que...

– O quê? – perguntou ela, vendo que ele estava louco para dizer alguma coisa.

– Me perdoe se não for o momento certo, mas achei que devesse falar com você antes que começasse a pensar em ir embora. É que... bem, desde o instante em que a vi pela primeira vez, eu soube que você tinha sido mandada para mim. Você, a imagem viva da minha avó americana, Violet. Rebecca, você acredita em reencarnação?

– Para dizer a verdade, nunca pensei muito no assunto – respondeu ela, nervosa e apreensiva em relação ao rumo que aquela conversa estava tomando.

– Pois eu, sim – afirmou Anthony. – Minha mãe sempre disse que eu me parecia com Violet quando pequeno, e de fato eu tenho muita semelhança com ela. Mas você, que veio lá dos Estados Unidos, tão jovem e tão linda, é idêntica a ela... – De repente, ele estendeu a mão, segurou a de Rebecca e apertou com força. – Não vê que é o destino?

– Destino? – perguntou ela, sem entender aquilo e pouco à vontade com ele segurando a sua mão.

– Você e eu, claro! Donald e Violet, ambos mortos tão cedo e de modo tão trágico, não conseguiram garantir o futuro de Astbury. Mas agora tenho certeza de que nós dois juntos vamos conseguir.

– Eu...

– Sei que você deve estar chocada, mas naturalmente, como cavalheiro que sou, não podia revelar meus sentimentos enquanto você estivesse noiva de outro homem – continuou Anthony com urgência, atropelando as palavras. – Mas agora que ele se foi é como se o destino houvesse decretado o fato. O caminho à nossa frente está livre. Rebecca, será que você não vê? – instou ele.

– Anthony... eu não sei o que dizer. – Rebecca olhou para a porta em busca da geralmente onipresente Sra. Trevathan, que entraria para tirar a mesa e aliviar a tensão.

– Eu disse à Sra. Trevathan para nos deixar a sós até ser chamada – informou Anthony, acompanhando seu olhar e lendo seus pensamentos. – Então não precisa ter medo de sermos interrompidos. O motivo que me fez lhe dizer isso hoje à noite é porque eu sabia que você precisaria de uns dias para pensar no assunto. – Ele pôs a mão no bolso e pegou uma caixinha de couro gasto. – Rebecca Bradley, eu gostaria de lhe pedir que me concedesse a honra de tê-la como minha esposa.

Rebecca o viu abrir a caixa e revelar uma esplêndida aliança de noivado de safira e diamante.

– Este foi o anel que Donald deu para Violet quando a pediu em casamento. Ela o usou desde aquele dia até a data de sua morte. Nada mais justo do que ele agora passar para o seu dedo. Me dê sua mão, Rebecca, vamos ver se cabe.

Ele pegou sua mão e, num transe, ela o viu pôr a aliança no próprio dedo. Coube perfeitamente.

– Pronto! – Anthony sorriu satisfeito. – De volta ao lugar que sempre foi seu.

Rebecca olhou para a aliança, que reluziu ao refletir a luz do lustre do teto.

– Então, Rebecca, o que me diz? – perguntou Anthony, ansioso. – Vai pensar no assunto?

Ela sabia que precisava escolher com cuidado as palavras.

– Me perdoe, Anthony. Fico muito lisonjeada com o seu pedido, mas como você mesmo disse, até ontem eu estava noiva de outro homem. Não acho que consiga seguir em frente ainda. Além do mais, eu mal o conheço... ou você a mim.

– Entendo que você precise de um tempo para pensar, Rebecca, mas nós passamos muitas horas juntos desde a sua chegada, e eu a acolhi em minha casa quando você precisou de abrigo. Não tenho dúvida de que você é a mulher pela qual eu esperei a vida inteira. Pense em como poderíamos reconstruir Astbury juntos! A sua presença aqui reavivou a casa, assim como a de Violet na sua época. Com você ao meu lado como a nova lady Astbury, eu teria a força e a confiança necessárias para devolver esta casa à sua antiga glória para a futura geração que iremos criar juntos. Por favor, Violet, diga que sim – concluiu ele, insistente.

– Anthony, meu nome é Rebecca – retrucou ela com firmeza.

– Peço desculpas. – Ele lhe sorriu suavemente. – É que este é um erro fácil de cometer.

– Sim, mas...

– Venha cá.

Anthony esticou o corpo por cima da mesa, segurou-a pelos ombros e a puxou na sua direção. Antes que ela conseguisse detê-lo, a boca dele já estava sobre a sua, forçando seus lábios a se abrirem de maneira violenta e agressiva. Ela lutou para se soltar, mas as mãos que lhe seguravam os ombros eram fortes demais. De repente, ele se afastou e a soltou. Rebecca se levantou depressa e começou a andar em direção à porta, mas no meio do caminho ele agarrou sua mão e a deteve.

– Por favor, aceite minhas desculpas. Eu me deixei levar por um instante. Você é tão linda... – acrescentou ele com um ar arrependido. – Me perdoe por ter perdido o controle.

Ela se virou de frente para ele e puxou a mão de volta. Anthony soltou sem resistir, com uma expressão desesperada e os ombros subitamente caídos. Rebecca sentiu um misto de empatia e repulsa. Devagar, aproximou a mão direita da esquerda, tirou a aliança de Violet e lhe devolveu.

– Eu sinto muito, Anthony, mas não posso me casar com você. Acho melhor eu ir embora desta casa o quanto antes – arrematou. – Obrigada pela sua hospitalidade nas últimas semanas. Adeus. – Rebecca virou as costas e andou depressa até a porta.

– Por favor, não vá embora, Violet, não me deixe...

Ela saiu da sala de jantar e subiu correndo a escada rumo ao porto seguro do seu quarto. Chegando lá, deixou-se afundar numa poltrona, ofegante.

Agora sabia, sem sombra de dúvida, que precisava sair de Astbury imediatamente. Aquele pobre homem iludido achava mesmo que ela fosse Violet. Atordoada, jogou seus pertences dentro da mala e ficou pensando como poderia sair da casa sem que Anthony tentasse impedi-la. Primeiro iria ver se Ari estava no seu quarto e, caso contrário, sabia que a equipe do filme estava em algum lugar da propriedade filmando noturnas.

Abriu a porta com hesitação e espiou o corredor. Como este lhe pareceu deserto, foi bater à porta do quarto de Ari e, quando não recebeu resposta, abriu-a e constatou que não havia ninguém. Sem querer passar mais nem um segundo naquela casa, voltou depressa para o outro lado da escadaria principal e seguiu em direção à escada dos fundos que a levaria até a cozinha e o lado de fora. Quase tropeçando nos degraus estreitos enquanto arrastava sua mala atrás de si, abriu de supetão a porta da cozinha deserta. Atravessou correndo o hall e suspirou aliviada ao sair para o pátio lateral da casa, onde pôs-se a ziguezaguear por entre os caminhões usados para armazenar os equipamentos de filmagem.

A noite havia caído e estava muito escuro, sem nenhuma lua a iluminar o céu. Escondida atrás da cerca-viva que delimitava um dos lados do pátio, Rebecca parou para recuperar o fôlego e escutar qualquer ruído que a orientasse em relação ao local em que a equipe estava filmando. Tudo era silêncio. Vasculhou a mente para tentar se lembrar que cena era – algo a ver com o cavalo – e deduziu que eles deviam estar em algum lugar perto do acesso de carros na frente da casa. Atravessando o cascalho do modo mais silencioso possível, encaminhou-se para lá, mantendo-se próxima aos arbustos para se proteger de olhares curiosos. Ao dar a volta na quina da casa e pisar o terreno que se estendia de um lado e outro do acesso, viu que tinha se enganado. Dali, mal era possível discernir as fortes luzes usadas numa filmagem noturna nas charnecas para lá do jardim dos fundos.

Após deixar a mala no meio de um arbusto – podia pegá-la mais tarde, pois agora ela a estava atrapalhando – Rebecca começou a voltar por onde tinha vindo, ziguezagueou até os fundos da casa, em seguida margeou a lateral escura do jardim murado. Depois da alta sebe de teixo que separava o jardim das charnecas, poderia seguir as luzes até a equipe e um lugar seguro. Dobrou a velocidade nessa direção. Ao chegar à cerca-viva, atravessou a abertura, e ali, a menos de trezentos metros de distância, viu o set de filmagem.

– Graças a Deus – murmurou num suspiro, e parou alguns segundos para recuperar o fôlego e reunir energias para correr as últimas centenas de metros que faltavam.

Um farfalhar repentino se fez ouvir atrás dela. Rebecca começou a se virar, mas antes de conseguir ver quem era, sua boca e nariz foram tapados com força com um pano. Quando ela lutou para respirar, um cheiro forte invadiu suas narinas, e na mesma hora ela ficou tonta.

Poucos segundos depois, perdeu os sentidos.

43

Foi preciso procurar um pouco para encontrar a escada que conduzia ao sótão de Astbury, e Ari acabou indo dar num corredor escuro e estreito. Então avançou pelo labirinto de corredores pensando em que quarto Anahita teria passado seu primeiro verão ali.

O barulho de uma televisão lhe avisou qual parte do sótão se encontrava atualmente ocupada, e ele bateu à porta. Poucos segundos depois, esta foi aberta por uma mulher de uniforme de enfermeira.

– Posso ajudá-lo? – perguntou ela, desconfiada.

– Sim. Eu gostaria de saber se poderia falar com a mãe da Sra. Trevathan. Creio que ela more aqui em cima.

– Mora, sim. Mas posso saber do que se trata?

– Eu estou hospedado aqui na casa e estou fazendo uma pesquisa sobre a história da família Astbury. Sei que ela já trabalhou aqui, e gostaria de saber se ela poderia me ajudar com uma ou duas coisinhas.

– Entendo. – A enfermeira hesitou.

– Quem é, Vicky querida? – perguntou de dentro do quarto uma voz com um forte sotaque de Devon.

– Um cavalheiro querendo falar com você sobre quando trabalhava aqui na casa, Mabel – respondeu-lhe a enfermeira.

– Então mande entrar – disse a voz.

A enfermeira se afastou para Ari passar. Ele adentrou uma sala de estar aconchegante e excessivamente aquecida, e viu uma velha senhora sentada numa poltrona diante de uma TV com o volume no máximo. Seus cabelos brancos estavam presos num coque na nuca, e Ari reparou que ela possuía os mesmos olhos verdes curiosos da filha.

– Olá – cumprimentou ela. – E quem seria o senhor?

– Meu nome é Ari Malik. Sua filha me disse que a senhora morava aqui em cima. Eu sou hóspede de lorde Astbury aqui na casa.

– Ah, sim. Acho que minha filha Brenda comentou comigo sobre o senhor, embora não tenha me dito que eu iria receber uma visita – disse a velha senhora. – Pouco importa. Eu já o vi no jardim da minha janela. Vicky, desligue isso, não estou conseguindo ouvir nada – ordenou ela à enfermeira. – Mas o que deseja me perguntar, meu caro?

– Posso me sentar? – pediu Ari.

– Claro. E aliás, eu me chamo Mabel Smerden.

– Bem, é um prazer conhecê-la, Sra. Smerden, e obrigado por me deixar conversar com a senhora. Eu vim a Astbury porque descobri que um antepassado meu passou os três primeiros anos da sua vida aqui nesta propriedade. O nome dele era Moh Prasad, e acho que a mãe dele, Anahita, foi amiga próxima da sua mãe Tilly. E acredito que a senhora mesma tenha chegado a brincar com Moh quando era pequena.

Conforme ele ia falando, o sorriso de Mabel foi desaparecendo e ela tornou a afundar na poltrona.

– Minha mãe já morreu e eu não me lembro de nada.

– É provável que não se lembre mesmo – respondeu Ari suavemente, sentindo seu incômodo. – Mas qualquer coisa que a senhora conseguir lembrar, mesmo que seja só um pequeno detalhe, pode me ajudar na minha busca sobre o que aconteceu com ele. Fiquei pensando, por exemplo, se algum dia foi tirada alguma fotografia de Moh. Sei que ele frequentava o seu chalé quando a mãe da senhora ficava cuidando dele.

A mulher soltou o ar pelo nariz.

– Pode ser que haja alguma foto, sim, no meio das tralhas da minha mãe – concordou ela.

– Eu adoraria vê-la – respondeu Ari.

– Vicky – disse ela para a enfermeira num tom imperioso. – Vá pegar debaixo da minha cama aquela velha caixa de papelão.

A enfermeira obedeceu e voltou para o quarto trazendo a caixa.

– Entregue ao Sr. Malik, Vicky. Talvez o senhor encontre uma ou duas fotos do seu parente aí dentro. Pelo menos tem algumas minhas quando bebê.

– Obrigado.

Ari abriu a caixa e deparou com os resquícios em preto e branco de uma outra época. As mais recentes estavam por cima e mostravam várias imagens da Sra. Trevathan quando criança. Ari as percorreu com cuidado, e pôs-se a murmurar fascinado conforme a qualidade e o tema das fotos iam remontando a tempos cada vez mais antigos. Sentiu estar vendo uma versão em miniatura das imensas mudanças ocorridas nos últimos cem anos. E no meio delas, já quase no fim, havia a foto de uma mulher que era inconfundivelmente sua bisavó Anahita, na companhia de outra que devia ser Tilly. As duas estavam sentadas com as costas muito rígidas em cadeiras dispostas diante de um chalé de pedra, e cada uma tinha um bebê no colo – Mabel e Moh. Ari encarou o filho de Donald e Anahita. Como qualquer bebê, Moh parecia um querubim, e seus cabelos escuros e olhos imensos se assemelhavam muito com os da mãe. Havia também outras fotos de Anahita com Moh numa comemoração de Natal. Ari as estudou e viu que a sua bisavó tinha sido uma verdadeira beldade.

– Encontrou uma, então? – perguntou Mabel.

– Sim. Eles parecem muito felizes – disse Ari, estendendo a mão para lhe mostrar.

– Parecem mesmo. Pode ficar, se quiser. Não preciso delas.

– Obrigado – agradeceu ele. – Isso é muito importante para mim, mais do que a senhora pode imaginar.

– Aceita beber alguma coisa, meu bem? Eu em geral tomo um chocolate quente neste horário. Não é toda hora que recebo visitas hoje.

– Uma xícara de chá seria muito bem-vinda.

– Certo, então. Vicky poderia pôr água para ferver, por favor?

Quando a enfermeira se retirou, Ari disse:

– Mabel, eu sei que a senhora ainda era bebê quando isso tudo aconteceu, mas a sua mãe algum dia comentou sobre os detalhes da morte de Moh? Sei que ele caiu de um cavalo perto do chalé na charneca onde morava com a mãe.

– O senhor sabe sobre isso? – Mabel o encarou, abismada. – Como?

– Pouco antes de morrer, Anahita me entregou a história da sua vida. Lady Selina lhe disse que Donald tinha ido buscar Moh no chalé pouco depois de ela ser presa, e que pai e filho tinham morrido juntos após serem derrubados pelo cavalo de Donald. Parece que Moh se afogou no regato.

– A...i, ai... – Os olhos de Mabel se encheram subitamente de lágrimas. – Sr. Malik, o senhor sabe que está abrindo uma caixa de Pandora, não sabe? – disse ela enquanto a enfermeira voltava com as bebidas. – Obrigada. – Mabel se recompôs e pegou seu chocolate quente. – Por que não vai para o quarto enquanto eu converso com o Sr. Malik? – pediu ela à enfermeira.

– Me chame se precisar – falou Vicky, e retirou-se.

– A senhora sabe exatamente do que eu estou falando, não sabe?

– Infelizmente sei, sim – respondeu ela após uma pausa. – Eles precisavam dizer alguma coisa para a pobre da mãe dele, não é? Caso contrário ela nunca teria descansado até o encontrar. Nenhuma mãe teria.

– A triste verdade, Mabel, é que Anahita nunca descansou mesmo. Apesar de terem lhe entregado o atestado de óbito de Moh antes do seu regresso à Índia, ela se recusou a acreditar que ele tivesse morrido junto com Donald naquele dia.

Mabel deixou o olhar se perder ao longe, então deu um pesado suspiro.

– Nada impedia aquela mulher de conseguir o que queria – falou, por fim.

– Está se referindo a lady Maud?

– Sim, meu caro, estou. Apesar de todo o tempo que passou naquela capela, ela tinha muito pouco de Deus dentro de si, a verdade é essa – resmungou Mabel. – Vi isso com meus próprios olhos quando Daisy me chamou para cuidar do pobre Anthony quando ele era bebê. Todos nós sofremos nas mãos dela.

– Sim, é o que parece, pelo que estou descobrindo – concordou Ari, sombrio. – A história de Anahita me pintou um quadro bem claro de quem era Maud Astbury.

– Bem, posso lhe dizer que ela não melhorou com a idade – disse Mabel. – Depois que Donald e Violet morreram, lady Maud ficou livre para criar a filha deles como bem entendesse. Coitadinha da menina, criada sozinha nesta casa imensa. Daisy era obrigada a rezar na capela de três a quatro vezes por dia, e sua avó lhe dizia que todos os homens eram maus. Não é de espantar que ela tenha errado tanto na criação do próprio filho... ou seja, lorde Anthony – esclareceu Mabel. – Fui contratada para ser babá dele, e depois tive de assistir a tudo sem poder dizer nada. Pobre menino... – Ela suspirou. – Ele não entendia mesmo o modo como Daisy o tratava. E tudo isso remonta a uma única mulher má, que conseguiu destruir a própria família e se justificava dizendo que essa era a vontade de Deus. A vontade do diabo, isso sim – resmungou ela, sombria.

– Mabel – disse Ari. Sabia que precisava ter cuidado agora. – A senhora não pareceu se espantar quando eu disse que Moh tinha morrido junto com Donald na beira do regato naquele dia. Se o vilarejo e os empregados foram informados de que ele tinha ido com a mãe quando ela foi presa, como a senhora sabia a verdade?

– Eu nunca soube – revelou ela pouco à vontade, e deu de ombros. – Eram só fofocas e boatos de quando eu era pequena. O senhor sabe como são os empregados.

– Bem, Moh *não foi* levado com Anahita naquela manhã. Não a deixaram levá-lo quando a polícia foi prendê-la, e ela nunca mais o viu depois disso. Mas acho que isso a senhora já sabe – disse ele baixinho.

– Eu falei que não tenho certeza de nada – repetiu ela.

– Mabel... – Ari tentou uma última cartada. – Eu vou voltar para a Índia daqui a poucos dias. Nunca mais vou pôr os pés em Astbury Hall. O último desejo da minha bisavó foi que eu descobrisse a verdade sobre o seu filho perdido. Eu já topei com vários becos sem saída. Anthony se recusa a dizer algo, mesmo que *saiba* alguma coisa, e...

– Lorde Anthony não sabe de nada! – interrompeu ela com veemência. – É claro que ele não sabe, e não vá o senhor incomodá-lo com isso, Sr. Malik. Ele é frágil, e ele já dá trabalho suficiente para minha filha.

– É claro que não vou fazer isso, mas a senhora é minha última esperança. Mabel, por favor, se a senhora souber o que realmente aconteceu com Moh naquele dia, eu lhe imploro, conte para mim. Eu juro não dizer nada, mas acho que depois do que Anahita sofreu nas mãos dos Astbury, nada mais justo do que a senhora me contar. Me diga, Mabel: Moh morreu naquele dia na beira do regato, ou Anahita estava certa durante todos esses anos e ele continuou vivo?

A velha senhora ficou parada movendo os olhos nervosamente, e Ari entendeu que estava se lembrando.

– Não, o pequeno Moh não morreu naquele dia – admitiu ela por fim, com um suspiro. – Mas que Deus o amaldiçoe se o senhor comentar uma palavra deste assunto com qualquer outra pessoa. Brenda não sabe de nada, nem lorde Anthony, entendeu?

– Entendi – assentiu Ari, subitamente engasgado de emoção agora que enfim sabia que a intuição de Anahita estivera certa durante todos aqueles anos. – Obrigado, Mabel – falou baixinho.

– Não fique assim, meu bem – disse Mabel, tentando reconfortá-lo. – O senhor precisa entender que eu só soube disso no leito de morte da minha mãe, Tilly. Ela queria se confessar com alguém, entende? Tinha guardado o segredo a vida inteira, e sentia ter traído sua amiga Anahita. Mas o que mais ela poderia ter feito? Se houvesse repetido uma só palavra do que o meu pai viu, eles teriam ficado sumariamente sem casa e sem ganha-pão.

– Seu pai viu alguma coisa? – perguntou Ari, agora sem entender mais nada.

– Sim. E talvez o destino tenha *querido* que a minha mãe me contasse e que agora o senhor viesse atrás de Moh. Então meu coração está me dizendo que devo lhe contar o que meu pai viu naquele dia no regato. Ele era assistente de carteiro...

O chalé à beira do regato

Agosto de 1922

44

Jim Fenton pedalava pelas charnecas aproveitando o calor do sol de meio-dia nas costas. Em dias como aquele, sentia que o seu emprego de carteiro era o melhor do mundo, mas no inverno, quando vinha a neve, a história era outra. Gostava sobretudo das raras ocasiões em que tinha algo a entregar para a Srta. Anni, que de vez em quando vinha até a porta no momento em que ele chegava, e os dois conversavam tomando chá. Ele em geral não aceitava gestos de hospitalidade, mas o chalé dela ficava tão isolado que era improvável que alguém o visse tendo uns quinze minutos de intervalo.

Além do mais, Jim sentia pena dela, que morava ali apenas com o filhinho pequeno para lhe fazer companhia. Tilly muitas vezes dizia achar que a amiga deveria se mudar para o vilarejo e conviver com outras pessoas, mas Anni parecia inteiramente satisfeita em ficar onde estava.

Ao escutar o ruído incomum de um motor de carro rugir atrás de si, ele se virou e olhou para a trilha de terra batida. Ver automóveis atravessando as charnecas era algo raro, e quando o veículo o ultrapassou ele viu que era um carro de polícia. Perguntou-se para onde estaria indo. Só havia um chalé por aquelas bandas, o da Srta. Anni. Dito e feito: alguns minutos depois, ao chegar, ele viu o carro parado em frente à casa dela.

Então escutou o barulho de vozes exaltadas vindo lá de dentro. Bem na hora em que estava apoiando sua bicicleta na cerca, a porta da frente se abriu e ele assistiu, chocado, a dois policiais arrastarem a Srta. Anni aos gritos de dentro do chalé.

– Não posso deixar meu filho! Por favor, me deixem levá-lo! Ele vai ficar morto de medo... não posso deixá-lo sozinho, *por favor*...

Por instinto, Jim se escondeu atrás da cerca alta enquanto Anni era jogada no banco de trás do carro, gritando histericamente. Ouviu quando o motor foi ligado, e o carro deu marcha a ré e partiu a toda velocidade de volta em direção ao vilarejo. Na verdade não entendeu o que tinha acabado de ver e ouvir, mas a única coisa que sabia é que pelo visto o pequeno Moh estava sozinho no chalé.

Espiou de trás da cerca e viu o carro desaparecer no horizonte em meio a uma nuvem de poeira. Localizou a porta dos fundos do chalé, correu até lá e a abriu. Viu algo sendo preparado no fogão e um cesto de roupa lavada para estender em cima da mesa da cozinha. O que quer que houvesse acontecido, a Srta. Anni com certeza não estava planejando sair às pressas. Ele tirou a panela do fogão, desligou o fogo e entrou pela porta da cozinha atravessando pelo corredor estreito para ver se Moh estava na sala. Como a encontrou vazia, subiu a escada e espichou a cabeça para dentro de um pequeno quarto de dormir. E ali no berço estava Moh, em um sono tranquilo, sem se incomodar com a confusão que tinha acontecido lá embaixo.

Jim decidiu que o melhor a fazer seria usar o telefone da Srta. Anni e pedir a Doreen, da agência de correios do vilarejo, que corresse até a casa de Tilly, situada na mesma rua, e pedisse a sua mulher que telefonasse para a casa de Anahita. Ela saberia o que fazer, mas ele não se sentia à vontade para deixar o pobre menino sozinho. Desceu a escada em direção à mesa do hall onde ficava o telefone. Estava apenas no meio do caminho quando escutou o barulho de outro carro parando em frente ao chalé. Sem conseguir ver quem era, e dando-se conta de que não tinha nenhum motivo para estar dentro da casa de Srta. Anni uma vez que ela não se encontrava, Jim girou nos calcanhares, tornou a subir correndo a escada e entrou no quarto da frente para ver quem era o outro visitante.

Seu coração quase parou quando ele viu lady Maud Astbury em pessoa saltar do carro acompanhada pelo Dr. Trefusis. Lady Maud subiu marchando pelo caminho do jardim até a porta da frente, e Jim, agora apavorado com a possibilidade de ser descoberto, ajoelhou-se e se enfiou debaixo da grande cama de metal. Ouviu a porta da frente ser aberta e fechada, e o ruído de vozes lá embaixo.

– O menino deve estar dormindo lá em cima. Vá pegá-lo, sim?

Jim ouviu os passos pesados do médico subindo a escada, e prendeu a respiração quando a porta do quarto em que estava escondido se abriu. Viu um par de grandes sapatos pretos brilhantes que se deteve alguns instantes a poucos metros dele antes de sumir outra vez no patamar da escada lá fora.

– Ele está aqui, lady Astbury. Devo pegar algumas coisas para ele? – Jim ouviu o médico perguntar do outro quarto. – Ele vai precisar de uma muda de roupa e de algumas fraldas para a viagem.

– Pegue o que quiser, mas o senhor precisa ser rápido – escutou lady Maud responder com irritação do pé da escada.

Ouviu o barulho do médico se movimentando no quarto ao lado seguido por um grito alto de Moh, e então passos descendo outra vez a escada.

– Shh, menino – escutou o médico dizer para tentar acalmar Moh, que naturalmente protestava por ter sido acordado de modo tão abrupto por um desconhecido. – Eu deveria pegar mamadeiras para ele, lady Astbury. Tenho certeza de que a mãe tem algumas na cozinha.

– Se o senhor insiste, mas acho que a criança não vai morrer de fome durante a viagem até Londres – respondeu lady Maud. – Por favor, depressa!

O coração de Jim agora batia disparado. Será que eles estavam levando o menino para encontrar a Srta. Anni em Londres? Ensinado desde que nascera a nunca questionar os atos da aristocracia, Jim continuou escondido escutando.

– Estamos prontos, finalmente? – indagou Maud poucos minutos depois.

– Sim, lady Astbury.

– Ótimo. Agora deixe-me na residência da viúva e depois siga para Londres com a criança.

– Sim, lady Astbury. Trata-se de um estabelecimento honrado, e eles cuidam muito bem das crianças que vão para lá.

– E o senhor, é claro, dirá que o menino foi abandonado e que não faz ideia de onde ele vem ou de quem são seus parentes.

– Claro, lady Astbury – respondeu o médico.

Jim os ouviu abrir a porta da frente, sair e tornar fechá-la. Então soltou a respiração que não percebera estar prendendo enquanto tentava escutar cada palavra que os dois diziam.

Ouviu o motor do carro ser ligado, seguido pelo barulho da difícil manobra para virar na grama em frente à casa. Em seguida, saiu de baixo da cama e arriscou um olhar discreto pela janela, e ao fazê-lo viu uma silhueta a cavalo vindo em disparada em direção ao chalé.

Jim se agachou para esconder o rosto parcialmente atrás da cortina, obtendo assim uma visão do alto que lhe permitiu também escutar todas as palavras que foram ditas, já que a janela estava entreaberta para arejar o recinto.

A pessoa que apeou do cavalo às pressas era lorde Donald Astbury. Quando o carro se preparou para partir, ele se posicionou na sua frente para impedir.

– Mãe, onde está Anni? – perguntou ele, abrindo com violência a porta do carona. – E para onde a senhora está levando Moh? Que diabos está acontecendo aqui?

Donald estendeu a mão para dentro do carro, arrancou Moh de sua mãe e o pegou no colo. O menino a essa altura estava histérico, mas quando ele viu a pessoa que agora o segurava um sorriso se estampou no seu rosto.

– Sr. Don! – disse ele todo feliz com sua vozinha infantil.

– Sim, sou eu, Moh, o Sr. Don. Eu estou aqui e vou cuidar de você, assim que tiver entendido que raio está acontecendo!

Lady Maud agora havia saltado do carro, e Donald se virou para encará-la.

– Acabei de ver Anni atravessando o vilarejo no banco de trás de um carro de polícia. Ela estava histérica, aos prantos, e gritou-me o nome de Moh. Para onde está levando o meu filho?

– Donald, eu soube o que aconteceu com a Srta. Chavan, então vim imediatamente buscar o menino com o Dr. Trefusis para levá-lo comigo e cuidar dele até sabermos o que vai acontecer.

– É mesmo, mãe? Bem, nesse caso Moh pode voltar para a casa grande a cavalo com o pai, não é, rapazinho? – Donald tornou a montar na sua égua e ajeitou Moh na sela consigo.

– Você enlouqueceu? – gritou Maud de repente. – Não pode levar esse... esse *bastardinho* para Astbury Hall. Pelo amor de Deus, Donald, raciocine! Sua mulher acaba de morrer, e sua amante foi presa pelo assassinato dela e levada embora pela polícia uma hora atrás! Você não entende o que isso significa, entende? Qualquer indício da sua ligação com aquela indiana e com... com *isso daí* precisa acabar. – Ela apontou para o neto. – Se qualquer boato a esse respeito vazar, você ficará desgraçado! E o nome Astbury será arrastado na lama.

Donald a encarava sem acreditar.

– Anni foi presa pelo assassinato de Violet? Como? Por quê? Isso é totalmente ridículo... uma obscenidade!

– Donald, uma vez na vida, pare de se deixar cegar pela luxúria. O Dr. Trefusis encontrou umas ervas perigosas na estufa dela. Como já tinha suspeitas, ele as entregou à polícia, e por consequência ela foi acusada. Infelizmente a questão agora fugiu por completo ao meu controle, Donald.

– Não fugiu, não, mas tenho certeza de que foi assim que começou, mãe – disse ele com uma voz gelada de ódio. – Então, antes de eu ir tentar tirar a mãe do meu filho da prisão, para onde *exatamente* a senhora estava pensando em levar meu filho? Talvez estivesse cogitando eliminar Moh de vez? Eu realmente acho que seria capaz.

– Não seja ridículo! O Dr. Trefusis me disse que conhece um orfanato muito bom em Londres, onde eles aceitam casos como esse.

– "Casos como esse"? Meu Deus, mãe! – explodiu Donald, encarando-a. – A senhora só pode ter enlouquecido. Mas cheguei bem a tempo. Agora, se me dão licença, vou voltar para Astbury Hall com o meu filho.

– Não! – gritou Maud quando Donald bateu com o calcanhar nos flancos de Glory para partir. – Não posso deixar você levar o menino. – Ela deu um pulo e se postou na frente da égua. – Me dê essa criança! Eu sei o que deve ser feito.

– Mãe, saia da frente, porque senão eu simplesmente vou passar por cima, e a senhora terá merecido!

Ainda agachado junto à janela, Jim assistia com horror e fascínio ao impasse entre mãe e filho.

– Doutor, mova o carro e o impeça – ordenou Maud.

– Pela última vez, saia da frente!

Os cascos de Glory se moviam nervosos enquanto a mulher na sua frente se recusava a sair do lugar. Donald tentou guiar a égua para a direita, mas quando o fez, o Dr. Trefusis deu uma guinada com o carro para impedi-los de passar. Glory relinchou apavorada e empinou até sua altura máxima, arremessando seu cavaleiro da sela com Moh ainda no colo.

Um baque pavoroso soou quando Donald, sem conseguir usar as mãos para aparar a queda, aterrissou numa pedra afiada que despontava do chão ali perto. Pai e filho ficaram deitados imóveis juntos, com a cabeça de Moh ainda pousada no braço do pai.

O Dr. Trefusis deu um salto do carro e foi na mesma hora ver como eles estavam enquanto Maud olhava, paralisada.

– Lady Astbury, eu quase não estou conseguindo sentir o pulso dele. Lorde Astbury deve ter batido com a cabeça na pedra ao cair. Está saindo sangue da sua orelha. Precisamos colocá-lo no carro e levá-lo para um hospital o quanto antes.

– E o menino? – perguntou Maud. – Está vivo?

Como se desejasse provar que sim, Moh de repente se mexeu e soltou um grito de dor.

– É preciso levá-lo para o hospital também. Não tenho ideia de quais ferimentos internos ele pode ter sofrido.

– Não seja tolo, homem! Esse menino nunca deveria ter nascido, e o senhor vai levá-lo agora para Londres conforme o planejado.

– Lady Astbury, eu lhe imploro, não há tempo a perder. Precisamos levar lorde Astbury para um hospital agora mesmo! – repetiu o Dr. Trefusis.

– O senhor vai fazer o que eu estou mandando. Agora pegue o menino e vamos.

– Não estou entendendo... – Jim pôde ver a agonia no rosto do médico. – A senhora vai deixar seu filho aqui sozinho? Lady Astbury, ele pode morrer se não for atendido imediatamente.

– Vamos, homem! Pegue o menino.

Com relutância, o Dr. Trefusis pegou no colo um Moh choroso e em choque e o recostou no banco de trás do carro enquanto lady Maud se sentava no banco da frente. Eles partiram na velocidade máxima para longe do chalé.

Horrorizado demais para se afastar da janela, Jim ficou encarando o corpo imóvel de Donald, com a égua a vigiá-lo a alguns metros de distância.

– Meu Deus – sussurrou, atônito.

Com os membros dormentes de choque, ele se virou dentro do quarto. Viu então a fotografia de Moh, Anni e Donald na mesa de cabeceira. Se precisava de mais alguma prova do que já havia escutado, era aquilo. Pegou a foto na mesinha junto à cama onde ela estava, desceu correndo a escada e saiu para ver se conseguia ajudar Donald.

– Lorde Astbury, lorde Astbury, está me ouvindo? – perguntou com urgência, agachando-se ao lado dele e desejando ter algum conhecimento de primeiros socorros. De repente, Donald se mexeu e abriu os olhos. – Isso, lorde Astbury, fique acordado até chegar ajuda. Pelo amor de Deus, fique acordado! – suplicou Jim.

Donald o encarou. Um sorriso repentino surgiu em seus lábios.

– Anni – murmurou ele.

E fechou os olhos pela última vez.

Astbury Hall

Julho de 2011

45

Quando a história de Mabel chegou ao fim, Ari constatou que seus olhos estavam molhados de lágrimas.

Olhou para a velha senhora, que observava o crepúsculo se aproximar pela janela.

– É... é mais chocante do que se pode compreender – falou, pigarreando. – Uma mãe abandonar o filho à morte sozinho na charneca... realmente não dá para acreditar.

– Verdade – concordou Mabel. – Minha mãe me contou que, quando meu pai chegou em casa depois, dizendo que lorde Astbury tinha morrido nos seus braços e Moh sido levado, ela achou que ele tivesse bebido.

– A senhora acha que Maud queria que o filho morresse?

– Meu pai disse que levou mais de duas horas para o socorro chegar. É claro que, quando isso aconteceu, meu pai desapareceu dali sem ser notado. Não podia deixar ninguém descobrir que ele tinha visto alguma coisa. Lady Maud provavelmente teria se livrado dele também. Que história terrível. – Mabel estremeceu. – Ela assombrou tanto meu pai quanto minha mãe até o fim de seus dias.

– Tenho certeza de que assombrou mesmo. Que segredo para se carregar. A senhora tem alguma ideia de para onde o médico levou Moh?

– Só sei que meu pai achava que ele tinha sido levado para um orfanato em Londres.

– Fico espantado que Maud não o tenha afogado ali mesmo no regato – comentou Ari.

– Meu pai sempre achou que ela teria feito isso caso o doutor não estivesse presente.

– Que grande ajuda ele foi – disse Ari com um suspiro.

– Sr. Malik, o senhor precisa entender que naquele tempo a aristocracia da região mandava e desmandava em quem trabalhava para ela. Ninguém se atreveria a lhe desobedecer. O Dr. Trefusis não teve alternativa a não ser fazer o que lhe pediam. Sabia que ela o arruinaria se não o fizesse, de uma forma ou de outra.

– Foi ele quem assinou o atestado de óbito que Selina Astbury deixou com Indira para entregar a Anahita – concluiu Ari. – Isso certamente constitui um crime, não?

– Mas quem estava lá para saber que ele não estava dizendo a verdade? – indagou Mabel. – Meu pobre e velho pai, ninguém mais. Depois disso, mesmo depois que eu cresci, minha mãe se recusou a voltar a trabalhar na casa grande, e eu nunca soube por quê. Eles teriam se mudado daqui se pudessem, mas naquela época isso era fácil de falar, mas difícil de fazer.

Uma batida à porta fez ambos olharem naquela direção.

– Perdoem a interrupção, mas está ficando tarde e não quero que você se canse, Mabel – disse a enfermeira, entrando pela porta empurrando uma cadeira de rodas. – Quem sabe vocês podem retomar a conversa amanhã, Sr. Malik?

– Sim – assentiu Mabel. A enfermeira a ajudou delicadamente a se acomodar na cadeira. – Mas não acho que haja muito mais a dizer, a não ser pedir-lhe que cumpra sua promessa de guardar para si o que lhe contei.

– Claro. E lhe agradeço muitíssimo mesmo por ter me contado, Mabel – respondeu Ari.

– Bem, era a coisa certa a fazer. Sinto que pelo menos um malfeito foi reparado. Boa noite, Sr. Malik. Passe para se despedir antes de ir embora, e quem sabe podemos falar sobre tempos mais felizes.

– Farei isso. – Ari se levantou, e estava andando em direção à porta quando um pensamento lhe ocorreu. – Mabel, a senhora consegue andar?

– Ultimamente não. Minha abençoada artrite acabou com as minhas pernas. O único jeito de eu me locomover é na cadeira de rodas. Às vezes lorde Anthony me carrega até lá embaixo, para Vicky me levar para passear no jardim e pegar um pouco de ar fresco. Ele é bom comigo, é sim. – Ela sorriu. – Mas a minha massa cinzenta ainda funciona, não funciona, Vicky querida?

– Com certeza, Mabel. – Vicky lhe sorriu. – Essa daí não deixa passar nada.

– Não tenho dificuldade alguma de acreditar nisso. Bem, boa noite – disse Ari. Então saiu e fechou a porta.

Desceu a escada com a mente fervilhando com as novas informações que conseguira obter. Ainda estava tomado por uma sensação de euforia ao pensar que Anahita estivera certa o tempo todo. Mas quem poderia saber o que havia acontecido com Moh depois de ir embora de Devon?

Ele de repente pensou em alguém que talvez soubesse...

A outra coisa que o estava incomodando era a suposição resoluta da Sra. Trevathan de que fora Mabel quem Rebecca vira no quarto na noite anterior. A própria Mabel acabara de lhe dizer que não conseguia andar, então como poderia ter conseguido zanzar pela casa na calada da noite? Quanto a descrever a mãe como parcialmente senil, Ari sabia que, além de Anahita, não conhecia outra velha senhora tão lúcida quanto Mabel. A Sra. Trevathan obviamente estava mentindo. A pergunta era: por quê?

Rebecca estava sonhando, sonhando outra vez com o canto, com o cheiro do perfume de flor, sonhando que fugia de Astbury Hall e com todos os perigos que isso apresentava...

Acordou sobressaltada, abriu os olhos e constatou que sua visão estava embaçada. Tentou erguer uma das mãos para esfregar os olhos, mas seus braços pareciam estar bem presos nas costas, e ela quis soltá-los porque doíam. O cheiro estava forte, mais forte do que nunca, e sob a luz débil a mesma mulher que ela tinha visto antes estava lá outra vez.

Eu estou sonhando, pensou ela. *Estou dormindo e vou acordar, e então ela terá sumido.*

Algum tempo depois, seus sentidos lhe informaram que ela estava *mesmo* acordada, e ela forçou os olhos a se abrirem. Felizmente sua visão tinha clareado, e dessa vez ela pôde ver as costas da mulher que vira na noite anterior, sentada diante da penteadeira escovando os cabelos. Dobrou o pescoço e viu os próprios joelhos. Estava sentada numa cadeira de espaldar alto e, ao ensaiar algum movimento, descobriu que tinha os braços amarrados nas costas e os tornozelos presos um ao outro. Ainda um pouco tonta, e com uma dor de cabeça que superava em muito as que havia tido recentemente, Rebecca fez força para organizar os pensamentos e descobrir onde estava. Quando olhou para cima devagar, seus instintos lhe informaram na mesma hora que aquele não era o seu quarto em Astbury Hall.

Ela fechou os olhos. Aos poucos, seu cérebro drogado foi liberando as informações: o pedido de casamento de Anthony, o beijo súbito e agressivo, sua fuga de Astbury Hall em busca da equipe de filmagem nas charnecas, o pano que lhe cobrira o rosto, e depois... escuridão.

Abriu os olhos com cuidado e examinou a mulher. Respirou fundo, pois sabia que quanto mais oxigênio inspirasse, mais depressa o seu cérebro iria se livrar de fosse lá que droga tivessem lhe dado. Fosse quem fosse, a pessoa sentada diante da penteadeira na sua frente com certeza não era uma frágil senhora com mais de 90 anos. Vista de costas, tinha um físico largo e forte.

Rebecca observou as próprias pernas e constatou que não estavam mais cobertas pela calça jeans, mas pela seda macia de uma saia que lhe batia nos tornozelos. Passou o olhar discretamente pela frente do corpo e viu que o mesmo tecido também lhe cobria o tronco.

Estava de vestido. Ou seja: fosse lá quem fosse, aquela mulher tinha trocado a sua roupa.

Um estremecimento de pavor lhe desceu pela espinha.

Vou morrer, da mesma forma que Violet, eu sei que vou...

Fechou os olhos e sentiu a cabeça e o coração latejarem. Apesar de todo o esforço para conter qualquer som, um suspiro instintivo lhe escapou.

– Eu sei que você está acordada. Estou vendo suas pálpebras tremerem. – Uma risada tilintou subitamente. – Abra os olhos e me mostre a sua beleza. Ninguém vai lhe fazer mal algum, eu juro. Meu nome é Alice, aliás. Como *Alice no País das Maravilhas*.

De posse de cada partícula de força mental que lhe restava, Rebecca obedeceu e viu que Alice tinha se virado de frente para ela. Deu um arquejo horrorizado, pois aquilo não era uma mulher, mas sim uma horripilante paródia de feminilidade. Os cabelos louros compridos emolduravam um rosto coberto por uma grossa camada de maquiagem mal aplicada. Pálpebras azuis, cílios postiços cobertos de rímel, delineador preto ao redor de todo o olho. Um batom vermelho berrante vazava para dentro dos pequenos sulcos de uma pele envelhecida, e círculos vívidos de um blush cor-de-rosa reluziam em cada bochecha.

– Pronto – disse Alice, sorrindo para ela. – Viu? – Ela levou a mão aos cabelos. – Sou tão assustadora assim?

Rebecca convenceu a própria boca a articular um "não".

– Bem, peço desculpas por ter de tomar medidas tão drásticas para mantê-la comigo. De fato não teria sido correto você ir embora. Espero que entenda isso. Você é minha nova amiga.

Rebecca soube por intuição que deveria concordar com tudo que Alice dissesse enquanto tentava entender o que estava acontecendo e se situar.

– Coitadinha, como você está pálida. Vou descer e lhe preparar uma boa xícara de chá.

Rebecca tornou a aquiescer.

– Me responda, querida. Mamãe sempre dizia que era falta de educação não responder.

– Sim, por favor – ela conseguiu dizer.

– Ótimo.

Alice se levantou, e Rebecca reparou em como ela era alta. Vista de baixo, a mulher lhe parecia um gigante. Acompanhou Alice com os olhos enquanto ela saía do quarto e viu que ela estava usando um vestido de seda antiquado não muito diferente do que fora posto nela própria. Esticando a cabeça ao máximo para observá-la partir, viu dois pés imensos metidos num par de sapatos de seda.

– Ai, meu Deus. Ai, meu Deus... – arquejou, implorando ao cérebro entorpecido que desse sentido ao que acabara de ver.

Por fim, olhou em volta e viu que estava num quarto de dormir desconhecido. A cama de metal antiquada estava coberta por uma colcha de retalhos, e as cortinas fechadas tinham uma estampa de florezinhas desbotada. O tampo de mármore da penteadeira estava abarrotado de cosméticos. Havia um frasco aberto do mesmo perfume que ela vira no quarto de Violet.

Pense, Rebecca, pense...

Ela deu um soluço desesperado. Não entendia o que estavam querendo dela.

E *quem* era Alice?

Ouviu as fortes pancadas de passos se aproximando, e tornou a virar a cabeça até a posição anterior.

– Aqui está, preparei-lhe uma boa xícara de chá. Vou desamarrá-la para você poder beber sozinha – disse Alice. Ao pousar duas xícaras de chá sobre a penteadeira, derramou a maior parte do líquido. Foi até Rebecca e se posicionou atrás dela para lhe soltar os pulsos, então deu a volta na cadeira e se curvou para desamarrar seus tornozelos. – Espero não ter machucado você; foi só para não cair da cadeira enquanto estava dormindo. Usei um lenço de seda para não marcar seus pulsos. Pronto, melhor assim, não é?

E quando Alice a encarou à espera de uma resposta, Rebecca entendeu exatamente quem ela era.

Por falar no diabo, pensou Ari ao ver a Sra. Trevathan aparecer no corredor dos quartos e o encarar com um ar aflito.

– O senhor viu Rebecca? – perguntou ela.

– Pensei que ela estivesse jantando com lorde Anthony.

– E estava, mas depois sumiu. Fui olhar no quarto e ela parece ter ido embora, porque todas as suas coisas sumiram e a mala também.

– É mesmo? – Ari franziu o cenho. – Talvez ela tenha enfim decidido que preferia ficar em um hotel. Eu não a culparia, considerando o susto que levou ontem à noite.

– Sim, ocorreu-me a mesma coisa – disse a Sra. Trevathan. – Mas pensei que ela pudesse ter lhe pedido para levá-la.

– Bom, com certeza a melhor pessoa para responder a essa pergunta é o próprio lorde Anthony, não? Afinal, foi ele quem jantou com Rebecca.

– Sim. Mas em geral depois de jantar ele se recolhe no quarto, e eu não gosto de incomodá-lo.

Ari podia ver que a Sra. Trevathan parecia nervosa.

– Bem, quem sabe neste caso a senhora possa abrir uma exceção? Se me mostrar onde fica o quarto dele, eu mesmo vou lá e pergunto.

– Tenho certeza de que não vai ser necessário – respondeu ela. – Talvez eu primeiro deva ligar para Steve e saber se ele teve notícias dela. Ele já deve ter chegado ao hotel.

– Boa ideia – concordou Ari.

Ele a observou descer até o escritório de Anthony para usar o telefone. Entrou no quarto de Rebecca e constatou que o lugar estava de fato deserto: as coisas dela tinham sumido. Saiu de lá e desceu atrás da Sra. Trevathan para ver se Steve tinha alguma notícia, mas a testa enrugada da governanta denunciou na hora que não.

– Infelizmente ele não sabe de nada – informou ela.

– Se a senhora me der uma lista telefônica, eu posso ligar para os hotéis das redondezas e ver se ela arrumou um quarto sozinha – sugeriu Ari.

Quinze minutos depois, não tivera sucesso em nenhum estabelecimento num raio de trinta quilômetros. Steve telefonara dizendo que fizera o mesmo, também em vão.

Ari pôs-se a andar de um lado para outro do pequeno escritório. Se

Rebecca tivesse *mesmo* resolvido ir embora, certamente ela teria lhe deixado um recado no seu quarto, ou no mínimo avisado à Sra. Trevathan. Era educada demais para sumir assim. Além do mais, quem fora buscá-la? Steve dissera que Graham tampouco tivera notícias. A menos que ela houvesse chamado um táxi.

– Alguma novidade? – indagou a Sra. Trevathan ao voltar para o escritório.

– Não. Ela parece ter evaporado. Agora estou seriamente preocupado, e acho que não há alternativa senão perguntar a lorde Anthony. Afinal de contas, ele foi a última pessoa a vê-la.

– Ele me disse que não queria ser incomodado durante o jantar – lembrou a Sra. Trevathan de repente.

– É mesmo? Que estranho, não?

– É... – A Sra. Trevathan suspirou. – Nunca se sabe o que pode estar passando pela cabeça de lorde Anthony.

– Onde fica o quarto dele? – perguntou Ari. Saiu do escritório pisando firme em direção à escada. – Porque se a senhora não me disser, eu vou derrubar todas as portas deste maldito mausoléu até encontrá-lo.

– Está bem, está bem – disse a governanta, quase às lágrimas. – Vou levá-lo até ele.

Ela seguiu pelo corredor do lado oposto da escadaria ao do quarto de Ari e o de Rebecca, passou por diversas portas, e parou em frente a uma quase no final.

– Os aposentos dele ficam aqui – afirmou. – Agora, por favor, espere no corredor enquanto eu bato. Não quero que ele o veja aqui caso abra a porta. Ele realmente não gosta de ser incomodado por desconhecidos à noite, e isso pode me custar o emprego.

Ari deu alguns passos para trás. Satisfeita, a Sra. Trevathan bateu na porta.

– Lorde Anthony? Sinto muito incomodá-lo, mas preciso falar com o senhor com urgência – disse ela em voz alta.

Ninguém respondeu.

– Talvez ele esteja dormindo – conjecturou ela, olhando para Ari com um ar apreensivo. – Vou tentar outra vez. – Ela bateu de novo, mas continuou sem resposta.

– A senhora vai ter de entrar e acordá-lo – ordenou Ari.

Pôde ver o medo no semblante da Sra. Trevathan quando ela hesitou.

– Ele não gosta mesmo que ninguém entre no seu quarto sem a sua permissão.

– Pelo amor de Deus, diga a ele que é uma emergência! E, se a senhora não disser, digo eu. – Ari deu um passo em direção à porta, e na mesma hora a governanta a abriu.

– Espere aqui – orientou ela, desaparecendo lá dentro e fechando a porta atrás de si.

Poucos segundos depois, tornou a aparecer.

– Ele não está no quarto.

Ari a encarou, nada convencido.

– Escute aqui, rapaz, eu estou tão preocupada com o sumiço de Rebecca quanto o senhor, e estou lhe dizendo que lorde Anthony não está aqui. Embora não seja raro ele sair para caminhar à noite.

– E para onde ele geralmente vai?

– Ah, ele anda pela propriedade.

– Sra. Trevathan! – A paciência de Ari se esgotou. – Já passa e muito da meia-noite, e Rebecca continua sumida. E agora Anthony pelo visto também sumiu. Estou preocupado e vou chamar a polícia agora mesmo.

A governanta o encarou horrorizada.

– Por favor! Não faça isso. Tenho certeza de que ela está bem. Talvez tenha ido com lorde Anthony... – Ela não completou a frase.

– Entendo que a senhora esteja em conflito com relação à sua lealdade, mas ambos temos ciência de que sabe mais do que demonstra. Estive com a sua mãe mais cedo, a mulher que a senhora me convenceu que passeava pela casa à noite. Ela mesma me disse que não consegue se locomover sem uma cadeira de rodas. Não foi ela que Rebecca viu ontem à noite, foi? A senhora mentiu. De modo que tem exatamente trinta segundos para me dizer onde posso encontrar lorde Anthony antes que eu chame a polícia!

Ari avançou depressa pelo patamar da escada, desceu e tornou a entrar no escritório pisando firme. A governanta se apressou para alcançá-lo e entrou no recinto, ofegante. Viu Ari tirar o fone do gancho e imobilizar os dedos acima dos números. Houve um impasse de alguns segundos, e a Sra. Trevathan então capitulou.

– Pare, por favor... – Sua voz se extinguiu quando ela desabou aos prantos numa poltrona. – Eu sabia que perturbar a rotina dele iria lhe fazer mal. Contanto que ele tenha uma vida tranquila e privacidade, nós conseguimos levar. A culpa foi dessa confusão toda. Eu deveria ter previsto que isso iria acontecer.

– Olhe aqui, diga-me onde eles podem estar e tenho certeza de que conseguimos resolver isso tudo sem chamar a polícia.

A Sra. Trevathan deu um último suspiro e se rendeu.

– Vamos ter que pegar o seu carro.

46

Enquanto Rebecca cumpria o ritual de tomar chá com Alice, mil pensamentos passaram por sua cabeça. Ela deu as respostas educadas que Alice parecia exigir para se manter satisfeita, e sua mente foi acordando aos poucos, refletindo sobre as últimas semanas e encaixando as respostas no lugar.

– Não é divertido? Nós duas tomando chá juntas!

– Sim.

– Mamãe idolatrava você, sabia, Violet? – disse Alice. – Mantinha os seus aposentos impecáveis, fazia questão de que os empregados os espanassem diariamente, mandava pôr roupa de cama limpa e flores em todos os vasos. Você estava morta, claro, mas ela sempre dizia que eu um dia iria conhecê-la. Acho que ela queria dizer no céu, mas aqui está você, na terra! Não é maravilhoso?

– Sim – respondeu Rebecca, obediente.

– Claro, enquanto você não estava aqui, enquanto estava lá em cima, mamãe gostava de fingir que *eu* era Violet. – Alice afagou seus cabelos. – Ela sempre dizia que eu era a sua cara quando criança. Deixou meu cabelo crescer, e o enfeitava com lindas fitas de seda. Costumava comprar para mim na Harrods os vestidos mais lindos, iguaizinhos a este que estou usando agora.

– É muito lindo – falou Rebecca; tinha aprendido depressa que Alice gostava de elogios.

– Obrigada. É bom estar aqui sentada tendo uma conversa agradável com outra jovem. Mamãe nunca gostou de meninos… nem de homens, aliás. Dizia que eram umas criaturas desagradáveis, agressivas e malcheirosas. Muito melhor ser menina. Lembro-me de ela me dizer que eles só serviam para uma coisa, e eu acho, minha cara, que ambas sabemos qual é. – Alice riu, e um rubor genuíno lhe coloriu as faces.

– Tenho certeza de que a sua mãe tinha razão – concordou Rebecca. Quanto mais Alice falava, mais ela começava a entender.

– Eu fui uma criança muito solitária, sabe? Mamãe não me deixava chamar nenhuma outra menina para brincar, então eu não tive amigas. Queria que você tivesse aparecido nessa época – refletiu Alice com tristeza. – Nós nos damos bem, não é? Somos muito parecidas, não somos?

– Sim – respondeu Rebecca. – E sinto muito por você ter sido solitária.

– Bem, para dizer a verdade eu inventei uma amiga imaginária chamada Amy. Nós passávamos horas conversando, mesmo eu sabendo que ela não era real. Mas agora tenho você. Quero que fique comigo para sempre. Você não vai me abandonar, vai? – Os olhos de Alice ficaram subitamente marejados.

– Não, é claro que não.

– Minha mãe me abandonou, entende, e depois disso eu fiquei sozinha. E sabe, eu realmente não acho que ela gostasse muito de mim. Vivia gritando comigo. Eu...

Rebecca viu Alice começar a chorar, e as lágrimas fizeram pequenos rios de rímel preto escorrerem por suas faces.

– Posso pegar um lenço para você? – perguntou Rebecca, agarrando a oportunidade para se levantar da cadeira.

– Obrigada, você é um amor – respondeu Alice, agradecida. – Os lenços estão ali, na gaveta ao lado da cama.

Rebecca se deu conta de que era agora ou nunca. Levantou-se, andou o mais depressa que conseguiu até a porta do quarto, abriu-a e desceu aos tropeços a escadaria estreita. Chegou à porta da frente e girou a maçaneta desesperada, mas estava emperrada.

– Aonde você está indo? Volte aqui!

Enquanto Rebecca tornava a descer o corredor em direção aos fundos do chalé, rezando para haver outra saída, ouviu Alice descer a escada atrás dela.

– Socorro! – gritou ela, apavorada, quando se viu na cozinha.

Bateu a porta na cara de Alice e tateou no escuro para tentar encontrar uma porta dos fundos. Podia ouvir que Alice agora estava no mesmo recinto, tropeçando nos móveis.

– Violet, cadê você? Por favor, não estou gostando dessa brincadeira. Eu tenho medo do escuro...

Sem conseguir encontrar uma saída, Rebecca se encolheu num canto e escorregou pela parede enquanto ouvia Alice vir na sua direção.

– Aqui está você! – As imensas mãos a puxaram para pô-la de pé. – Eu não gosto dessa brincadeira. Por que não sobe de novo comigo? Podemos brincar de nos fantasiar.

– Por favor... me solte – gemeu Rebecca enquanto Alice a arrastava de modo canhestro pela cozinha. Então escutou uma porta se abrir em algum lugar do recinto.

– Vamos, querida, agora pare de ser levada e solte a sua amiga – disse uma suave voz familiar. – Sei que está só brincando, mas mamãe não vai ficar nada contente com você se souber disso, não é?

Houve uma pausa, e então as mãos que seguravam Rebecca a soltaram. Ela desabou no chão feito uma boneca de pano descartada.

– Pode acender a luz por favor, Sr. Malik? Essas duas crianças levadas estavam brincando de "assassinato no escuro".

De repente, o recinto se iluminou e Rebecca viu, atordoada, Ari e a Sra. Trevathan ali na cozinha.

– Eu sinto muito, Brenda – disse Alice. – Me comportei mal, não foi?

– Um pouco, sim, mas se for boazinha e vier comigo com calma prometo que não conto para a mamãe. Agora vamos, querida. – A Sra. Trevathan estendeu a mão. – Está na hora de a sua nova amiga voltar para casa.

– Mas eu não quero que ela vá. Brenda, por favor, ela não pode ficar? Eu...

Rebecca e Ari viram o lábio inferior de Alice tremer e ela cair no choro.

– Se você for boazinha, talvez sua nova amiga possa voltar amanhã para brincar.

– Ela pode, por favor? Eu me sinto tão sozinha sem mais ninguém, tão sozinha...

– Eu sei, querida, mas está muito tarde. – Ela se virou para Ari. – Agora vou levar esta menina lá para cima e arrumá-la para dormir. Por que o senhor não leva sua menina para casa, e quem sabe elas podem brincar juntas outro dia? Está bem?

Ari, que encarava chocado a criatura segurando a mão da governanta, assentiu sem dizer nada.

– Então boa noite, e obrigada por terem vindo – disse a Sra. Trevathan com firmeza.

Enquanto Ari ajudava Rebecca a se levantar e praticamente a carregava porta dos fundos afora até o carro, os dois ouviram a Sra. Trevathan seguir falando com calma. Ari acomodou Rebecca com cuidado no banco do carona.

– Está machucada? – perguntou, sentando-se ao volante e dando a partida no motor. – Quer que eu a leve direto para o hospital?

– Só me tire daqui – gemeu ela. – Para longe daquela... daquela *criatura* horrorosa.

– Ele machucou você? Sério, mesmo tendo prometido à Sra. Trevathan que eu não chamaria a polícia se ela me dissesse para onde ele a tinha levado, o que eu acabo de ver vai muito além.

– Eu não estou machucada, mesmo, é sério. Só me tire daqui! – repetiu Rebecca com um soluço.

– Certo – assentiu ele. – Não se preocupe, vou levar você para um lugar seguro.

Enquanto eles atravessavam as charnecas, Ari pegou o celular e ligou para Steve.

– Rebecca está comigo. Não vou entrar em detalhes, mas preciso levá-la para um hotel e gostaria que você ligasse para o médico com quem ela se consultou no outro dia e lhe pedisse para vir dar uma olhada nela.

– Ela está machucada?

– Acho que não, mas com certeza precisa ser analisada por um médico.

– Está bem. Bom, traga-a para o meu hotel aqui em Ashburton, vou ligar agora mesmo para a recepção. Tenho certeza de que eles vão arrumar um quarto. Caso contrário, ela pode ficar no meu.

– E mande o médico chegar aí assim que puder.

Steve lhe deu o endereço, e Ari inseriu o código postal no GPS.

Quando eles chegaram ao hotel, Ari ficou aliviado por Steve ter conseguido um quarto para Rebecca. Ele tinha deixado recado na recepção dizendo-lhe para entrar em contato se houvesse mais alguma coisa que ele pudesse fazer.

Rebecca deixou Ari guiá-la até o elevador, em seguida por um corredor até seus aposentos.

– Eu não trouxe nada – falou com um suspiro cansado enquanto ele a ajudava a subir na cama.

– Onde está sua mala? – perguntou ele.

– No meio de um arbusto em algum lugar do terreno de Astbury. – Ela lhe abriu um sorriso débil.

– Deixe estar. Amanhã eu pego. Você não precisa de nada com urgência, precisa?

Antes que ela pudesse responder, alguém bateu na porta. Ari foi atender.

– Boa noite – cumprimentou o Dr. Trefusis. – Ou será que eu deveria dizer bom dia? Desculpe a demora, eu estava com outro paciente. Como ela está?

– Pelo que posso ver, fisicamente ilesa, mas muito abalada – respondeu Ari. – Quer que eu explique o que aconteceu?

– Não é necessário – respondeu o médico, baixinho. – O paciente com quem eu estava era lorde Astbury. A Sra. Trevathan mandou me chamar.

– Entendo. Onde ele está agora?

– Ainda no chalé na charneca. Dei um sedativo forte a ele, ou seja, vai dormir profundamente, o suficiente para eu organizar tudo pela manhã. A Sra. Trevathan o está vigiando. O mais provável é que ele acorde amanhã sem se lembrar de nada do que aconteceu hoje. Enfim, deixe-me ver a Srta. Bradley.

– Claro. Vou lhes dar um pouco de privacidade.

Com muito tato, Ari se retirou. O Dr. Trefusis foi até Rebecca.

– Soube que a senhorita passou poucas e boas hoje – disse ele suavemente, sentando-se na beirada da cama e segurando a mão dela para sentir a pulsação. – Ele a machucou?

– Não. – Rebecca estava tão exausta que mal conseguia formular uma frase. – Mas pôs um pano com um cheiro forte no meu rosto e eu desmaiei, depois acordei numa casa. Ainda não sei onde fica.

– Tenho quase certeza de que ele usou clorofórmio. Era o que os médicos usavam anos atrás para anestesiar os pacientes. É inofensivo e não tem nenhum efeito a longo prazo. A Sra. Trevathan acha que ele encontrou no armário de remédios na despensa. Nem ouso pensar em quantos anos tem. Ela me deu o frasco, e vou mandar analisar o conteúdo amanhã, só para me certificar.

– Eu pensei... – Rebecca passou a língua pelos lábios secos. – Pensei que nunca fosse escapar.

– Imagino. Foi um choque terrível para a senhorita. Tudo que posso fazer é tranquilizá-la e dizer que estou ciente do distúrbio de lorde Astbury desde que assumi o consultório do meu pai. E é extremamente improvável que ele fosse machucá-la, por mais abalado e confuso que estivesse.

– Ele achou que eu fosse sua avó Violet – murmurou Rebecca.

– Sim, foi o que a Sra. Trevathan me disse.

– Ai, meu Deus! Ele não sabe onde eu estou, sabe? Não vai vir atrás de mim, vai?

Ela agarrou o braço do médico, os olhos expressando pavor.

– Você está totalmente segura, Rebecca, confie em mim. Ele não faz ideia de onde a senhorita está, e no presente momento está tão sedado que tampouco sabe onde ele próprio está. Não vou fazê-la reviver o que aconteceu hoje, mas vamos dar uma olhada na senhorita.

Rebecca não se mexeu enquanto o médico a examinava e verificava seus sinais vitais. Havia muitas perguntas que desejava lhe fazer, mas seu cérebro confuso e exaurido não conseguia encontrar energia para pronunciar as palavras.

– E a dor de cabeça? – perguntou ele enquanto auscultava seu coração.

– No momento está horrível.

– Bem, o clorofórmio usado por lorde Astbury não deve ter ajudado. Na verdade eu ia passar para vê-la amanhã de manhã, porque acho que descobri o que a tem feito se sentir tão mal.

– É mesmo?

– Sim. E pelo menos em relação a isso posso tranquilizá-la: não há absolutamente nada com que se preocupar – disse ele sorrindo.

– Eu estou grávida?

– Não. Na verdade todos os exames deram negativo. Enfim, explicarei minha teoria amanhã. Por enquanto, sugiro que tome isto aqui. – Ele pegou dois comprimidos na maleta. – É um sedativo leve, que vai acalmá-la e ajudá-la a dormir.

– O que Anthony tem? Por que ele estava vestido como uma menina? Ele disse que se chamava Alice. Eu...

– É uma longa história, Srta. Bradley, que eu terei prazer em lhe explicar com calma amanhã, depois que tiver descansado um pouco. Por enquanto, minha indicação é: descanse. A senhorita está bem fisicamente e está segura aqui. – O médico se levantou. – Direi ao rapaz lá fora que ele já pode entrar. Boa noite.

Fora do quarto, Ari andava de um lado para outro.

– Como ela está?

– Como o senhor disse: ilesa, mas muito abalada. E com razão.

– Eu o vi com a... fantasia, e até eu fiquei apavorado – admitiu Ari. – Sei que Rebecca só vai se sentir segura depois que ele estiver atrás das grades. Precisamos chamar a polícia depois do que aconteceu com ela hoje, não? Afinal, ele a raptou.

– Se for essa a decisão da Srta. Bradley, então sim, ela deve chamar a polícia – concordou o Dr. Trefusis. – Mas eu gostaria de conversar com ela antes que faça isso. Voltarei para vê-la amanhã de manhã. Boa noite.

Ari observou o médico sair e tornou a entrar no quarto. Sentou-se na beirada da cama e segurou a mão de Rebecca.

– Como você está?

– Bem – articulou ela com os lábios, de olhos fechados.

– Tudo bem se eu ficar aqui com você hoje? Posso dormir de novo no sofá da saleta ao lado.

– Não! – Ela apertou a mão dele e abriu os olhos. – Por favor, Ari, não me deixe sozinha. Por favor, fique aqui no quarto.

– Claro, se você preferir assim.

– Eu prefiro, obrigada – consentiu ela, e relaxou a pressão. – Tenho tantas perguntas... – afirmou, com um suspiro.

– Eu sei – disse ele, tentando reconfortá-la. – Mas elas não são para agora. Por favor, Rebecca, tente dormir um pouco – falou ele enquanto ia até a poltrona no canto do quarto.

– Ari? – chamou ela timidamente.

– Sim?

– Poderia ficar abraçado comigo? Assim vou saber se você for embora.

– Sim, mas então você se importa se eu ficar na cama ao seu lado? Daqui não dá para fazer isso. – Ele lhe sorriu.

– Claro.

Ari subiu na cama, e Rebecca se virou e se aninhou nos seus braços feito uma criança.

– Obrigada por estar aqui – murmurou, cansada.

– Não há de quê. Durma bem, Rebecca – sussurrou ele.

Na manhã seguinte, enquanto Rebecca, pálida porém calma, segurava uma xícara de café sentada em seu quarto, o Dr. Trefusis conversou com ela.

– Lorde Astbury foi diagnosticado com esquizofrenia aos 30 e poucos anos. Entrou em crise depois que a mãe morreu e exibiu um comportamento parecido com o que a senhorita viu ontem à noite. Não é de espantar que tenha perdido a razão... A mãe, Daisy, o controlava por completo, praticamente não o deixou sair da sua vista durante sua vida inteira. Por fim, ele foi levado para o hospital psiquiátrico da região e passou quase um ano sendo tratado com remédios e terapia. Ninguém sabe ao certo qual é o gatilho do distúrbio dele, nem se é algo genético ou fruto da sua criação, mas, considerando sua infância difícil, com certeza a criação teve influência.

– Ele conversou comigo enquanto estava... – Rebecca engoliu em seco. – ... enquanto estava travestido. Disse que a mãe lhe comprava lindos vestidos da Harrods. Isso não pode ser verdade, pode?

– Infelizmente, é a mais pura verdade. A mãe de lorde Astbury, Daisy, foi criada pela avó acreditando que todos os homens eram maus. Portanto, quando ela própria foi forçada a se casar e gerar um herdeiro para o patrimônio, e quando esse herdeiro se revelou um menino, ela se recusou a aceitar – explicou o Dr. Trefusis. – Pode perguntar para a Sra. Trevathan, ou até mesmo para a mãe dela, Mabel; as duas o conhecem desde pequeno. Ela punha fitas nos cabelos compridos do filho, e ele usou vestidos durante a infância inteira.

– Ai, meu Deus, coitado desse menino – lamentou Rebecca. – Agora, pensando bem, vi no seu escritório a foto de uma menina pequena igualzinha a ele. Pensei que fosse sua irmã, mas devia ser o próprio Anthony. E o pai dele? – indagou. – Ele não dizia nada sobre isso?

– Pelo que disse o meu pai, que assumiu o lugar do meu avô e era médico de Daisy na época, o pai de lorde Astbury foi um marido e um pai ausente. O casamento desde o início não passava de um arranjo prático. Por mais que Maud Astbury odiasse os homens, admitia que era preciso um deles para que sua neta gerasse um herdeiro. O homem que ela escolheu para Daisy se revelou um beberrão notório e passava a maior parte do tempo em Londres gastando o dinheiro da esposa. Morreu lá quando lorde Astbury era muito novo.

– Sim, Anthony me contou isso uma vez. Quer dizer que quando ele era pequeno moravam apenas ele, Maud e Daisy no casarão?

– Isso. Então Maud morreu, o que deveria ter ajudado, mas àquela altura o estrago já estava feito. – O Dr. Trefusis balançou a cabeça devagar, lamentando. – Daisy se recusou a mandar Anthony para a escola. Em vez disso, arrumou uma sucessão de preceptoras para lhe dar aulas. Sua obsessão por Violet, sua linda porém finada mãe, tampouco cessou. Lorde Astbury foi criado para idolatrar a avó.

– É, isso eu percebi – disse Rebecca em tom irônico.

– Enfim, depois do surto, quando foi considerado estável o suficiente para voltar para o convívio social, ele retornou para Astbury sob os cuidados da Sra. Trevathan, que trabalhava lá havia anos como governanta e o entendia. Essa mulher é uma santa, Srta. Bradley, eu lhe juro. – O médico suspirou. – E contanto que tudo estivesse calmo e nada viesse perturbar a tranquilidade e a privacidade de Astbury Hall, lorde Astbury conseguia viver perfeitamente bem. Adorava cuidar do jardim, o que era uma terapia. Os remédios que tomava diariamente o mantinham estável e ele podia pelo menos levar um esboço de uma vida normal. De vez em quando desaparecia e ia até o chalé na charneca fazer o que a Sra. Trevathan costumava chamar de "brincar de casinha" e "se fantasiar". Nós dois achávamos que era melhor ele encarnar seu alter ego num lugar isolado onde não fosse visto. Eu ia com frequência ver como ele estava, claro, assim como o seu psiquiatra, e a Sra. Trevathan entrava em contato caso houvesse algum motivo para se preocupar. Ele passou vários anos sem ter recaídas.

– Entendo – falou Rebecca.

– Mas, no início deste ano, ele decidiu liberar a casa para a filmagem. Tinha pouco dinheiro e precisava de recursos para pagar umas contas. A Sra. Trevathan desde o início foi contra. Ela o conhecia bem o suficiente para saber que ele provavelmente não conseguiria lidar com a situação, mas o que podia fazer?

– Nada, imagino eu. – Rebecca deu de ombros.

– E então a senhorita chegou. E na mesma hora Anthony viu uma semelhança com Violet, sua falecida avó, que ele cresceu ouvindo da mãe ser a mulher perfeita, e que é o modelo do seu alter ego.

– Na primeira vez que Anthony me viu com minhas roupas normais, ele não esboçou reação alguma – refletiu Rebecca. – Foi só quando me viu com os cabelos tingidos de louro e usando um figurino dos anos 1920 que ele me disse que eu era igual a ela.

– Sim, tenho certeza de que ele pensou estar vendo um fantasma. E ao mesmo tempo... isso é em parte suposição minha, porque eu ainda não li o parecer do psiquiatra... ele também estava tendo uma reação *masculina* normal à senhorita como mulher. E isso lhe causou a mais completa confusão. As duas personalidades entraram em conflito, e ambas se desestabilizaram. Enquanto a parte principal de Anthony, a parte masculina, se apaixonou, a "menininha" não entendeu por que Violet tinha voltado, pois ela supostamente estava morta. Está entendendo, Srta. Bradley?

– Sim, infelizmente estou – respondeu Rebecca devagar. – E tudo o que o senhor está me dizendo se encaixa com o que ele me disse ontem à noite. Eu também o vi travestido uma noite dessas na casa grande. A Sra. Trevathan jurou que eu só tinha visto a sua mãe idosa, mas era ele. E eu também já o tinha ouvido cantar numa voz estranha e aguda. Além disso, tenho quase certeza de que ele entrou no meu quarto à noite – arrematou Rebecca com um calafrio. – Senti o cheiro do seu perfume.

– Eu sinto muito, Srta. Bradley. Sei que a Sra. Trevathan se sente muito culpada por ter deixado a situação chegar a esse ponto sem tomar nenhuma atitude. Em geral o alter ego de lorde Astbury nunca aparece na casa grande. E, para ser justo com a Sra. Trevathan, ela estava só tentando protegê-lo – arrematou ele.

– Bem, ela com certeza percebeu no dia seguinte que eu o tinha visto no quarto. Fiquei completamente apavorada. Ela mentiu para mim, doutor – repetiu Rebecca.

– Eu sei, Srta. Bradley, mas tente perdoá-la. Ela estava tentando proteger lorde Astbury porque sabia que, se ele estivesse *mesmo* tendo uma recaída, acabaria voltando para o hospital psiquiátrico. E ele odiou aquele lugar.

– Eu entendo, mas nada disso isenta Anthony, ou quem quer que ele pensasse ser ontem à noite, de ter me drogado, raptado e depois me mantido amarrada num chalé no meio do nada! – Rebecca levou a mão à testa. – Estou tentando entender os motivos pelos quais eu deveria simplesmente deixar isso tudo para lá, afinal eu achei que fosse morrer mesmo ontem à noite!

– Tenho certeza de que a senhorita ficou apavorada. Eu lamento muitíssimo. Sinto-me responsável também, já que eu deveria ter visto os sinais de alerta antes – admitiu o médico, em tom culpado. – Saiba que, neste momento, lorde Astbury está trancafiado num hospital psiquiátrico de segurança máxima, que vai lhe prover a ajuda de que ele precisa. Quanto a chamar a polícia, essa decisão cabe à senhorita. Mas decerto, se a senhorita prestasse queixa, lorde Astbury apenas iria acabar exatamente no mesmo lugar em que está agora. Além do mais, vocês dois teriam de lidar com uma cobertura horrível da imprensa – alertou ele.

– Eu sei – falou Rebecca. – Quanto tempo ele vai passar no hospital?

– Ele vai ficar lá até seu psiquiatra considerá-lo estável outra vez. Considerando seu estado atual, eu diria que pode levar muitos meses, se não anos. Infelizmente, talvez ele nunca se recupere o suficiente para sair.

– Sempre achei que Anthony tinha algo de infantil, sabe? Mesmo quando estava sendo ele mesmo. Tinha a sensação de querer protegê-lo de certa forma… – Rebecca se pegou com os olhos subitamente marejados. – Era um homem tão gentil, mas a criatura horripilante em que o vi se transformar ontem à noite… Meu Deus, não consigo nem expressar como foi horrível.

– Srta. Bradley, para o seu bem e também para o de lorde Anthony, por favor tente se lembrar dele como o homem gentil e extremamente inteligente que conheceu, não como a aberração da natureza que viu ontem à noite. Considerando o que sofreu quando criança, ele merece a sua compaixão. Na verdade ele nunca teve a chance de ter uma existência normal. E pode ficar descansada: ele não vai causar mais problemas para ninguém por muito tempo.

– Eu já entendi. E sinto mesmo muita pena dele – concordou ela.

– Agora, antes que eu me esqueça, quero conversar sobre a possível causa das suas dores de cabeça. – O Dr. Trefusis pegou uns documentos na maleta. – Como eu lhe disse ontem à noite, todos os seus exames de sangue deram negativo. Mas um deles mostrou que sua taxa de adrenalina está levemente acima do normal. Diga-me uma coisa: a senhorita tem rinite alérgica?

– Tenho, sim. – Rebecca se espantou. – Nos Estados Unidos sofro muito com isso. Reparei que meus olhos estavam coçando, e a Sra. Trevathan disse que era uma reação à erva-de-santiago que cresce aqui por perto.

– Certo. Próxima pergunta: a senhorita por acaso tem tomado chá de camomila?

– Sim. A Sra. Trevathan me dava sempre esse chá para beber; dizia que era bom para relaxar. Tenho tomado de duas a três xícaras por dia.

– Então talvez tenhamos encontrado a causa do problema – disse o médico aliviado. – A erva-de-santiago e a camomila são plantas da mesma família, e às vezes uma reação alérgica às duas ingeridas ao mesmo tempo pode gerar um efeito adverso na corrente sanguínea… principalmente se o chá for fresco, preparado com uma espécie local endêmica. E pode causar sintomas como os que a senhorita descreveu. Dores de cabeça fortes e enjoos constantes são os mais frequentes. Suponho ser isso que vem causando o seu problema. Sendo assim, da próxima vez que eu vir a Sra. Trevathan, vou lhe dizer que, sem querer, ela a estava envenenando, *sim!* – exclamou ele com os olhos brilhando. Em seguida, fechou sua maleta e sorriu para ela. – Pare de tomar o chá de camomila por enquanto, e vamos ver se os seus sintomas melhoram. Deixei-lhe mais uns sedativos caso a senhorita precise, e se tiver mais algum problema, claro, volto para vê-la com todo o prazer.

– Obrigado por toda a ajuda, doutor – disse ela enquanto ele se encaminhava para a porta. – Vou pensar sobre o que fazer quanto à situação com Anthony.

– Claro. Até logo.

O Dr. Trefusis chegou ao elevador e desceu até a recepção.

– Como ela está? – perguntou Ari, que ficara andando de um lado para outro enquanto esperava o médico voltar.

– Muitíssimo bem, considerando as circunstâncias – comentou ele. – Ela pode parecer frágil, mas é uma jovem resistente.

– Ela tem sido mesmo incrível – arrematou Ari. – Antes de o senhor ir embora, doutor, tenho só mais um assunto sobre o qual gostaria muito de lhe falar.

– Relacionado a quê?

O médico ficou escutando enquanto Ari começava a explicar.

Após se certificar de que Rebecca almoçasse, Ari sugeriu que ela descansasse um pouco. Uma hora depois, alguém bateu na porta e ele foi abrir.

– Como ela está? – perguntou James Waugh. – Posso entrar?

– É claro que pode – respondeu Rebecca, e adentrou a saleta sorrindo.

– Ah, que bom! – James saltou para dentro da saleta e foi lhe dar um abraço.

– Já que você agora tem visita, Rebecca, tudo bem se eu sair por uma horinha? – perguntou Ari.

– Tudo bem, sim – concordou ela.

– Não vou demorar, e na volta pego sua mala na casa grande – disse ele.

– Obrigada.

– Esse daí pelo visto já está comendo na palma da sua mão – comentou James depois de Ari sair. – Enfim, me conte tudo. Você pode imaginar como as fofocas estão correndo soltas pelo set sobre o que aconteceu exatamente com você ontem à noite. Ouvi histórias de que você foi arrastada por lorde Astbury para algum chalé perdido no meio das charnecas.

– Quem lhe contou isso? – perguntou Rebecca, horrorizada.

– Sabe-se lá onde começou essa história, mas tenho certeza de que ela foi totalmente exagerada. Não foi?

Como o Dr. Trefusis havia judiciosamente comentado, a última coisa de que Rebecca precisava era que a história chegasse à imprensa. Era o tipo de coisa que ninguém jamais iria esquecer; as pessoas lhe perguntariam sobre aquilo para sempre nas entrevistas. Tudo que ela queria era esquecer e tocar a vida.

– Ele me pediu em casamento e não reagiu bem quando eu disse que não – respondeu, sucinta, com um viés de ironia na voz.

– Minha nossa – disse James, sentando-se na cama e roubando algumas uvas da fruteira. – Você parece um pote de mel e os homens, abelhas! E esse belo indiano que tem bancado seu protetor? É mais um dos seus pretendentes?

– Ari tem sido maravilhoso – respondeu Rebecca, na defensiva. – Mas ele é só um amigo.

– Como queira... – retrucou James com um sorrisinho irônico. – Enfim, querida, que bom ver você voltando à velha forma.

– Sim. Eu disse a Steve que podemos retomar as filmagens amanhã sem problemas.

– Bem, da minha parte, não me importo nem um pouco com o atraso. Como todas as cenas que faltam para mim são com você, tirei umas boas folgas nos últimos dias.

– Na companhia da garçonete?

– *Touché!* – James abriu um sorriso. – Ela agora está me perseguindo, vive atrás de mim no hotel. Acho que ela quer ser mãe dos meus filhos. Infelizmente isso por ora não está nos meus planos. Bem, vou deixar você descansar, mas, se quiser um jantar leve mais tarde, eu terei prazer em acompanhá-la.

– Obrigada, James, mas acho que vou ficar por aqui e dormir cedo – respondeu ela.

Ele a encarou com os olhos estreitados.

– Então, qual é a minha posição atual na fila dos seus pretendentes? Eu devo estar subindo conforme você vai despachando os outros aos poucos.

Rebecca lhe deu um soquinho de brincadeira no braço.

– Você é um safado, James. Eu sei que não está falando sério.

– É, provavelmente não – concordou ele. – Mas espero que a gente mantenha contato quando você voltar para os Estados Unidos. Falando sério, Rebecca, eu gostei muito da sua companhia. Foi muito divertido. Robert disse que nós dois temos uma baita química na tela. Nunca se sabe, vai ver viramos os novos Laurence Olivier e Vivien Leigh, ou os novos Brad Pitt e Angelina Jolie! Enfim, vou ver se a minha garçonete preferida me serve um bom chá com creme lá embaixo. – James a beijou com afeto e se levantou. – Nos vemos mais tarde, querida.

Ao chegar à casa do Dr. Trefusis, Ari o acompanhou até a cozinha.

– Aceita uma xícara de chá? Estava prestes a pôr a chaleira no fogo.

– Aceito, sim.

– Como o senhor pediu, olhei todos os históricos de pacientes do meu avô do ano de 1922 e não encontrei nenhum detalhe sobre a morte de uma criança chamada Moh Chavan ou Moh Prasad, nem nas datas que o senhor me informou, nem em datas próximas.

– Bem, para ser sincero isso não me espanta – disse Ari com um suspiro.

– Não entendi muito bem o que aconteceu com o seu parente. O senhor disse que emitiram um atestado de óbito em nome dele, foi isso? – perguntou o médico, tirando duas xícaras do armário.

– Sim. – Ari pegou o documento dentro da pasta de plástico. – Como pode ver, ele foi assinado pelo seu avô. Mas eu já procurei em todos os cartórios paroquiais e públicos aqui da região, e não parece haver nenhum registro em lugar algum.

– Que esquisito. – O médico se debruçou por cima do ombro de Ari para examinar o atestado. – Sim, é a assinatura do meu avô, mas por lei ele teria de mandar a cópia para ser oficialmente registrada.

– Também já verifiquei todos os registros públicos na internet, e nem sinal. É natural que a mãe de Moh nunca tenha acreditado que ele tivesse morrido naquele dia.

– É mesmo? – O médico estava obviamente surpreso. – Mas ele morreu, afinal?

– Não. Mabel Smerden confirmou que ele não morreu. Ela tem certeza de que Moh foi levado naquele dia para um orfanato em algum lugar de Londres.

– Por quem? – indagou o Dr. Trefusis, sentando-se em frente a ele.

– Pelo seu avô, lamento dizer.

Ari estava esperando uma reação defensiva e ficou surpreso quando o médico só fez baixar os olhos.

– Infelizmente isso não me espanta. Não tenho certeza quanto às circunstâncias do nascimento do seu parente, mas posso confirmar que o meu avô ajudou várias jovens em apuros. Quando os bebês nasciam, ele os levava discretamente para um dos vários orfanatos administrados pela Igreja. Imagino que o senhor entenda, Sr. Malik, que o mundo era um lugar muito diferente na época.

– Com certeza estou começando a entender.

– Meu avô não era um homem mau – continuou o médico. – Ele fazia o que podia para ajudar. Na verdade eu posso auxiliá-lo lhe dando os nomes dos orfanatos a que ele costumava recorrer. Sabe-se lá quais deles ainda estarão em atividade, mas vale a pena tentar. Espere aqui.

O Dr. Trefusis se retirou e voltou instantes depois com um fino volume em couro.

– Este aqui era o caderno de endereços médicos do meu avô, com o endereço e o telefone de hospitais da região, nomes de cirurgiões e coisas assim. No fim estão os endereços dos orfanatos. Apenas um deles fica em Londres. Quer que eu anote os detalhes para o senhor?

– Quero sim, obrigado. Mas, como o senhor disse, sabe-se lá se ainda vai estar funcionando. – Ari suspirou. – Também não faço ideia se Moh manteve ou não o nome que sua mãe lhe deu, embora possa dizer a data exata em que ele teria sido levado para o orfanato. Foi no mesmo dia em que Donald Astbury morreu.

– É mesmo? Bem, tenho certeza de que o senhor poderá verificar na internet – sugeriu o Dr. Trefusis. – E, se não conseguir, por favor fique à vontade para me ligar, e verei o que mais posso fazer para ajudar. Confesso que agora fiquei curioso para saber mais sobre essa história.

– É para Mabel Smerden que deve perguntar, embora ela tenha me feito jurar segredo. Enfim, não vou tomar mais o seu tempo. – Ari se levantou. – Eu lhe aviso se descobrir o que aconteceu com ele.

– Faça isso, por favor. A propósito, como vai aquela minha paciente encantadora?

– Muito bem, obrigado – respondeu Ari enquanto o médico o acompanhava até a porta da frente.

– Preciso reconhecer que fiquei encantado com ela. Não me espanta nada o mesmo ter acontecido com lorde Astbury. Considere-se um homem de muita sorte, Sr. Malik. – O médico lhe sorriu. – Boa noite.

No caminho de volta para Ashburton, Ari dobrou no acesso que conduzia a Astbury Hall, parou o carro no pátio e partiu à procura da mala de Rebecca. Levou um bom tempo para encontrá-la no meio dos arbustos onde ela a havia jogado, mas, quando a encontrou, guardou no porta-malas do carro. Então entrou na casa e subiu até o sótão para se despedir de Mabel Smerden.

Ela sorriu ao vê-lo.

– Tem tempo para uma xícara de chá, meu caro? – perguntou-lhe.

– Não, Sra. Smerden, infelizmente não. Queria só me despedir. Vou embora para Londres amanhã e estive com o Dr. Trefusis hoje à tarde. Ele me deu o nome de um orfanato na capital, então vou investigar a informação enquanto estiver lá.

– Que bom. Avise-me se descobrir o que aconteceu com ele, sim?

– Avisarei. E obrigado por ter confiado em mim.

– Fico satisfeita que a verdade tenha enfim vindo à tona. Minha mãe, Tilly, achava Anahita uma mulher maravilhosa.

– Ela era mesmo – disse Ari com orgulho.

– Ah, e aliás, achei isto aqui para o senhor. – Mabel estendeu a mão para uma foto num porta-retratos na mesa ao seu lado e a entregou para Ari. – É um retrato do finado lorde Astbury, Anahita e Moh que meu pai tirou no chalé junto ao regato.

Ari encarou assombrado as três pessoas na imagem. Sua história agora fazia parte dele; podia sentir isso até o âmago.

– Obrigado, Mabel. Vou guardar isso pelo resto da vida. Adeus.

Ari desceu e foi buscar suas coisas no quarto. Levou a bolsa de viagem até o hall de entrada principal e se deteve por alguns segundos debaixo da grande cúpula, pensando em Anahita e em tudo que ela havia sofrido nas mãos dos Astbury. Ainda não sabia ao certo por que fora o escolhido pela sua bisavó para investigar aquela história.

Foi então que escutou, bem suave no início – tanto que se perguntou se os seus ouvidos não estariam apitando –, um canto que foi ganhando força.

O som puro e perfeito parecia subir em direção ao imenso domo lá em cima, e Ari foi tomado por uma estranha, porém maravilhosa euforia.

    Ali parado, olhando para cima, ele sentiu os olhos úmidos e por fim compreendeu tudo, percebendo então que Anahita tinha lhe transmitido bem mais do que apenas a sua história.

47

Nessa noite, Ari e Rebecca jantaram juntos nos aposentos dela.

– Você é incrível – disse ele enquanto lhe servia uma pequena taça de vinho. – Se eu tivesse passado pelo que passou ontem à noite, tenho certeza de que estaria um caco.

– Bem... – Rebecca deu de ombros. – Acho que eu meio que entendo os comportamentos bizarros. Embora minha mãe não fosse esquizofrênica como Anthony, quando ela bebia podia se comportar de maneira agressiva. Logo, estou acostumada com o lado estranho da natureza humana. O herói é você, Ari, por ter se recusado a ouvir um não como resposta e insistido para que a Sra. Trevathan lhe dissesse para onde ele tinha me levado. Graças a Deus! – Ela estremeceu.

– Não me espanta Anthony não ter deixado que eu investigasse o chalé junto ao regato. Quando lhe perguntei, ele me disse que aquilo lá era uma ruína. É claro que a grande questão é saber se você tem *mesmo* algum parentesco com Violet.

– Como eu não sei quem é meu pai, provavelmente nunca conseguirei descobrir. Mas sabe de uma coisa? – disse Rebecca. – Nem quero. O passado já passou. Quero me concentrar no futuro agora.

– Tem razão, não adianta viver no passado. Preciso seguir seu exemplo, ser forte e tocar meu futuro, seja lá qual for. – Ari deu um suspiro.

– Bem, eu pelo menos vou fazer o possível. Reconheço que chorei baldes quando vi a foto de Jack com a namorada nova no jornal que entregaram aqui no quarto. Doeu de verdade. – Rebecca se levantou, foi até o sofá e, encabulada, tirou de baixo dele um jornal. – "É o fim! Jack dá o fora em Becks e exibe novo amor!" Acho que eu não esperava nada menos do que isso – falou, resignada.

– Eu sinto muito, Rebecca.

– Não precisa. Foi melhor assim. Quando eu disse a Jack para ficar sóbrio, sabia que não teria volta. O orgulho dele não teria conseguido lidar com isso.

– E os abutres da mídia não estão rodeando você para ouvir a sua versão da história?

– Parece que sim. Meu agente ligou enquanto você tinha saído. Pelo menos por enquanto eles não sabem que estou aqui. Mas alguém com certeza vai dar com a língua nos dentes... alguém sempre dá.

– Meu Deus, Rebecca, sua vida não é moleza, hein?

– Meu agente quer que eu dê uma declaração, e sabe de uma coisa? Eu disse não. Estou de saco cheio de jogar o jogo deles. Quem se importa com o que os outros acham? Eu sei o que aconteceu e isso basta. Estou tão cansada disso tudo... – Ela balançou a cabeça. – Você não vai acreditar, levando em conta as últimas 24 horas, mas acho que estou sentindo falta da paz e da tranquilidade de Astbury Hall. Lá ninguém conseguiria me afetar com esse tipo de merda. Eu vivo numa ciranda em que a minha vida serve de comida para o público, e não quero mais isso.

– Entendo – disse Ari.

– Na verdade estou apavorada de ter que voltar para isso.

– Falando em voltar, preciso ir embora amanhã de manhã. Tenho umas coisas para fazer em Londres antes do meu voo de volta para a Índia no fim da semana.

– Você precisa mesmo ir? Quer dizer, eu entendo, claro.

– Você vai estar segura agora, disso eu tenho certeza. Anthony foi neutralizado, você está aqui no hotel junto com a equipe de filmagem, e daqui a poucos dias vai embora também.

– É, vou sim. Quer dizer que esta é a nossa despedida?

– Acho que é.

– Bem, só posso agradecer por tudo que você fez para me ajudar nos últimos dias. Nunca vou esquecer.

– Nem vai me esquecer, espero. – Ari lhe sorriu.

– Não, eu não poderia esquecer você – disse ela baixinho. – Alguns dias atrás estava realmente convencida de que tinha de algum modo um parentesco com Violet, sabe? E talvez tenha mesmo, mas não existe a menor chance de eu descobrir.

Ari a encarou e perguntou:

– Ué, você não pode perguntar para os seus pais?

– Não. Minha mãe já morreu e eu não faço ideia de quem seja meu pai. Enfim, por mais que eu deteste dizer isso, tenho um dia cheio no set amanhã e preciso me preparar. E sei que você também tem malas a fazer – arrematou ela.

– Está bem. Vou deixar você em paz.

Ambos se levantaram.

– Bem – disse ela com um sorriso radiante. – Acho que é isso, então.

– É isso.

Eles foram até a porta em silêncio.

– Bom, boa noite. E cuide-se – disse ele.

– Pode deixar. – Rebecca sentiu uma vontade súbita de chorar. – Vou acompanhá-lo até o elevador.

Eles saíram do quarto lado a lado e foram até o elevador. Nenhum dos dois disse nada até o elevador chegar.

– Tchau, Ari – despediu-se ela quando ele entrou e as portas começaram a fechar.

Ele apertou o botão para fazer a porta parar.

– Rebecca?

– Sim? – perguntou ela com os olhos baixos.

– Olhe para mim.

Ela ergueu o rosto, e ele viu a emoção impressa nos seus olhos. Era uma imagem espelhada dos seus.

– Quero dizer uma coisa antes de ir. Nós dois temos coisas a resolver nos próximos dias, e eu preciso voltar para a Índia. Mas acho que deveríamos nos reencontrar em breve. Você concorda?

As portas começaram a se fechar outra vez. Dessa vez foi Rebecca quem apertou o botão para impedi-las.

– Concordo – falou.

– Quero dizer também que, se algum dia você resolver ir à Índia, por favor me avise.

– Aviso, sim.

– Promete?

– Prometo.

As portas começaram a se fechar e Ari sumiu.

Ao voltar para Astbury Hall no dia seguinte para filmar suas cenas, Rebecca sentiu certo nervosismo.

– Tente não se preocupar, nós estamos aqui para protegê-la de qualquer pretendente amoroso à espreita nos corredores escuros – disse Steve num tom tranquilizador quando a estava acompanhando até o setor de maquiagem. – Faltam só mais um ou dois dias.

– Eu vou ficar bem – respondeu ela, constrangida com o fato de que, ao que parecia, uma versão da sua história já ser do conhecimento do elenco e da equipe.

Felizmente a maior parte das cenas foi externa, e um motorista a levou de volta para o hotel assim que elas terminaram.

Outra vez no hotel, ela se deu conta de que, agora que não estava mais hospedada em Astbury Hall, não via a hora de ir embora de Devon. Sentia-se claustrofóbica naqueles aposentos, ainda que fossem os maiores do hotel, e ansiava pelos espaços abertos com os quais havia se acostumado.

– Deus me ajude quando eu voltar para Nova York – ponderou, pensando em seu apartamento num andar alto de um arranha-céu de aço reluzente, onde ela seria encurralada pelos paparazzi assim que chegasse.

Mas não eram só os espaçosos jardins e as vastas charnecas selvagens de Astbury que iriam lhe fazer falta, reconheceu ela. Tampouco era Jack. Um vazio que ela estava achando difícil descrever a havia dominado nas últimas 24 horas. Era como se alguma parte de si houvesse sumido, e no seu lugar restasse uma dor latente. No momento, ela se recusava a reconhecer exatamente o que poderia ser.

No último dia de filmagem, depois de o diretor se declarar satisfeito, elenco e equipe foram tomar champanhe no terraço sob o glorioso sol de fim de tarde.

– Está triste que acabou, Becks? – indagou James.

– Sob muitos aspectos, sim. Foi uma experiência incrível. Acho que cresci tanto como pessoa quanto como atriz.

– Cresceu mesmo – concordou Robert, passando o braço à sua volta. – Você fez um trabalho maravilhoso, querida, realmente maravilhoso. Prepare-se para uma penca de prêmios ano que vem.

– Obrigada, Robert. Espero não ter decepcionado você.

– Nem um pouco, querida. E espero que possamos voltar a trabalhar juntos muito em breve.

Rebecca olhou para o outro lado do terraço e viu a Sra. Trevathan servindo o champanhe. Tinha evitado falar com a governanta nos últimos dois dias, pois não queria confrontá-la sobre o ocorrido. Mas nessa hora entendeu que precisava ir se despedir. O que quer que houvesse acontecido, a Sra. Trevathan tinha sido muito gentil com ela.

Enquanto a equipe começava a arrumar tudo pela última vez, foi até o salão e partiu à procura da governanta. Encontrou-a na cozinha lavando copos.

– Olá – falou, tímida. – Vim só dizer tchau.

Viu a Sra. Trevathan secar as mãos no avental e se virar para encará-la com uma expressão angustiada.

– Rebecca, eu lamento muito mesmo o que aconteceu com a senhorita. Considero-me inteiramente responsável. Eu era a única pessoa que deveria ter visto para onde tudo aquilo estava caminhando.

– Por favor, Sra. Trevathan, não se culpe. Eu não a culpo. Acho que a senhora foi maravilhosa ao cuidar de Anthony por tantos anos.

– Bem, nós fazemos o que é preciso por quem amamos. – Ela suspirou.

– Enfim, espero que não vá se lembrar da sua estadia em Astbury como totalmente ruim.

– É claro que não. Tirando o que aconteceu poucos dias atrás, eu adorei ficar aqui. E a senhora? – perguntou-lhe Rebecca. – O que vai fazer agora que Anthony vai passar um tempo sem morar no casarão?

– Astbury agora está nas mãos dos membros do *trust*, meu bem. Eles precisarão decidir o que fazer com a propriedade. Mesmo que optem por vender, vai levar algum tempo.

– Os membros do *trust* podem fazer isso? Achei que só Anthony pudesse tomar a decisão de vender.

– Sim, mas infelizmente lorde Anthony vai ser declarado incompetente. Eu ia lhe escrever, meu bem, porque tenho ido visitá-lo todos os dias no hospital e ele quer que a senhorita saiba o quanto lamenta a ter assustado. O problema foi que ele se apaixonou pela senhorita, e isso o deixou muito confuso, coitado.

– Eu sei, o Dr. Trefusis me explicou. Eu sinto muito.

– Não precisa se desculpar. A senhorita não tem culpa de ser quem é, meu bem, nem do efeito que teve sobre ele. Enfim, se algum dia quiser lhe escrever, sei que ele vai gostar do seu perdão. Talvez isso o ajude.

– Vou escrever, sim. – Rebecca viu o rosto da governanta se iluminar com a sua aquiescência. – Quer dizer então que ele está um pouco melhor?

– Ainda é cedo para dizer. Tem sido um pouco difícil ir visitá-lo; ele chora muito, sabe, e fica pedindo para vir para casa porque ainda não entende onde está. Está muito confuso, pobrezinho. Só espero que consigam estabilizá-lo em breve. É por isso que seria maravilhoso se a senhorita escrevesse. Ele não tem mais ninguém, entende, a não ser eu.

– Prometo escrever. Mas agora é melhor eu ir andando. Vou direto daqui para Londres.

– Aposto que vai ficar contente em voltar para sua vida de verdade em Nova York.

– Neste exato momento não, para ser sincera – admitiu Rebecca. – Vou sentir sua falta, Sra. Trevathan, de verdade.

– Ah, pare com isso, meu bem! Assim quem vai chorar sou *eu*. Você é um amor, meu bem, um amor. Agora venha cá me dar um abraço.

A Sra. Trevathan abriu os braços e Rebecca se deixou envolver.

– Quantas aventuras tivemos desde que a senhorita chegou – disse a governanta com um suspiro ao soltá-la. – Vai rever aquele rapaz indiano?

– Não sei.

– Bem, não é da minha conta, mas achei que vocês dois combinavam bem. E a longo prazo ele é melhor para a senhorita do que um ator pouco digno de confiança – arrematou ela, e as duas passaram alguns instantes caladas recordando Jack.

– Pode ser – assentiu Rebecca.

– Bem, agora vá andando e me deixe orgulhosa.

– Vou tentar, prometo, e se algum dia... *se algum dia* a senhora quiser ir a Nova York me visitar, saiba que terá um lugar no meu apartamento pelo tempo que quiser.

– Obrigada, meu bem. Mas nós duas sabemos que eu nunca poderei abandonar lorde Anthony, nem mesmo por alguns dias. Escreva para mim também, ouviu? E me conte o que anda fazendo.

– Vou escrever, sim, prometo.

– Ah, me lembrei agora. Eu ia lhe perguntar se quem sabe a senhorita não gostaria de levar isto aqui como recordação do tempo que passou em Astbury.

Rebecca a observou estender a mão por cima da pia até o peitoril da janela e pegar a muda de rosa que Anthony havia tirado para ela dos jardins da propriedade.

– Acredita que ela continuou florida desde a primeira vez que a pus no seu quarto, muitas semanas atrás? – disse a Sra. Trevathan. – E alguns dias depois que a senhorita foi embora, a primeira pétala caiu. Mas ela tem uma cor linda. Quem sabe não a seca e guarda dentro de um livro? Talvez ela a ajude a recordar lorde Anthony como ele era antes.

– Sim – assentiu Rebecca, e pegou a rosa. Entendia por que a governanta queria lhe dar aquilo. Levou-a ao nariz e inalou o perfume ainda forte. – Adeus, Sra. Trevathan.

– Adeus, meu bem.

Rebecca saiu da cozinha e atravessou o hall de entrada principal. Parou debaixo da grande cúpula e lembrou-se da primeira vez que tinha visto Anthony em pé junto à porta.

– Adeus – sussurrou para o silêncio.

48

Ari olhou pela janela para o verde do jardim público que rodeava a casa vitoriana. Podia ouvir a algaravia das vozes das crianças brincando lá fora.

– A arquivista Srta. Kent vai recebê-lo agora – disse a recepcionista.

– Obrigado – respondeu Ari.

Levantou-se e foi seguindo a mulher por um corredor estreito, onde o cheiro muito específico de comida cozida além do ponto o fez recordar seus próprios dias de colégio interno na Inglaterra. Foi conduzido até uma sala pequena e abarrotada, onde uma mulher impecável e diminuta de 70 e poucos anos estava sentada a uma mesa.

– Boa tarde, Sr. Malik. Preciso lhe dizer que isso vai contra as regras. O senhor precisaria passar pelo processo de entrar em contato com uma agência de adoção oficial, que em seguida entraria em contato conosco e nos informaria os dados do seu antepassado.

– Me perdoe, Srta. Kent, mas por diversos motivos, sendo o primeiro deles que eu não tenho certeza de que nome ele teria recebido, e em segundo lugar porque volto para a Índia amanhã, resolvi recorrer à sua boa vontade.

– Entendo. Posso saber há quanto tempo o senhor acha que seu parente foi trazido para o orfanato?

– Faz 89 anos, eu acho. Em 1922, no dia 22 de agosto.

– Bem, pelo menos a data é precisa – disse a Srta. Kent. – Quantos anos ele teria?

– Por volta de 3 anos. Ele era mestiço, anglo-indiano. E tinha olhos azuis. Acredito que tenha sido trazido por um tal de Dr. Trefusis, mas não faço ideia se ele também usava o sobrenome verdadeiro.

– O senhor me parece muito bem-informado. Mas eu devo lhe avisar que era raro uma criança dessa idade ser aceita aqui, especialmente de sangue mestiço. Me perdoe a analogia um tanto bruta mas, assim como filhotes de cachorro, era mais fácil arrumar um novo lar para recém-nascidos do que para crianças mais velhas. E encontrar famílias sempre foi o objetivo desta instituição para as crianças sob nossos cuidados. O mundo naquela época era cruel, Sr. Malik.

Ari se deu conta de que aquela mulher não tinha meias palavras.

– A família era rica, então pode ser que eles tenham oferecido dinheiro.

– Pode ser.

Ele observou os olhos da arquivista avaliarem-no enquanto ela sopesava na mente aquela situação incomum.

– Bem, apesar do fato de o senhor ter decidido contornar o sistema, Sr. Malik, fico feliz em informar que a nossa instituição está autorizada a liberar informações de arquivo para os parentes após oitenta anos. O senhor compreende, claro, que isso acontece porque partimos do pressuposto de que a pessoa em questão já morreu, portanto não vai ser ameaçada caso esses dados pessoais sejam divulgados. Em outros lugares o prazo é de noventa, ou até mesmo 110 anos para esse tipo de informação ser liberada. Estamos todos vivendo bem mais hoje, o senhor entende.

– Basta dizer que é provável que o parente que eu estou buscando já tenha morrido, embora se na infância ou apenas dez anos atrás é mais uma pergunta a que eu no momento não consigo responder.

– Bem, por que não começamos com a data que o senhor me deu e vemos o que os arquivos contêm?

A Srta. Kent pegou o telefone e solicitou o registro relevante. Instantes depois, uma jovem apareceu trazendo um grande volume encadernado em couro.

– Obrigada, Heather. Certo, então, vamos ver.

Ari ficou observando, angustiado de tanta expectativa, enquanto ela virava as páginas até encontrar a data correta. Sabia que, se aquilo não desse em nada, não tinha nenhum outro recurso possível.

– Certo, aqui está, 22 de agosto...

Prendendo a respiração, ele aguardou ela ler o que estava escrito, grato pelo menos pelo fato de haver algo anotado naquelas páginas.

– Um menino foi trazido para o orfanato às dez horas da noite por um certo Dr. Smith. Ao que parece, a criança era de pais desconhecidos e tinha sido abandonada na porta da casa do médico.

– Até parece – resmungou Ari.

– Sr. Malik... – A Srta. Kent o espiou por cima dos óculos. – Posso lhe garantir que esse era um comportamento bastante normal para mulheres desesperadas. Em geral quem recebia o pacotinho de felicidade que precisava ser despachado era o cura ou o médico da paróquia. E eles faziam o melhor que podiam para ajudar.

– Claro.

– E o senhor tem razão. – Ela tornou a concentrar a atenção no livro. – A criança não tinha nome. A descrição aqui diz que ele tinha "aspecto eurasiano e olhos azuis. Saudável, aparentemente bem-nutrido e com aproximadamente 3 anos. Nenhum sinal característico. Uma doação foi feita." – Ela espiou Ari por cima dos óculos. – A descrição bate?

– Sim. – Ari sentiu uma onda de emoção, mas fez o possível para contê-la.

– Não comece a soluçar ainda, Sr. Malik – disse a arquivista com um esboço de sorriso. – Tem mais.

– Ele recebeu um nome?

– Recebeu, sim.

– Qual?

– Eles o batizaram de Noah, a versão inglesa de Noé. Não me pergunte por quê... Vai ver houve um dilúvio em Londres nesse dia. As crianças daqui já foram batizadas por menos do que isso, e eu acho esse um nome bem especial.

– É, sim. E o sobrenome?

– Adams. Um nome bom, um nome bíblico também, que remete a Adão. E sabe o que mais... isso me faz pensar numa coisa bem importante...

– Noah Adams – repetiu Ari para si mesmo. – Ele ficou muito tempo aqui?

– Calma, Sr. Malik. Estou só verificando uma coisa.

A Srta. Kent tinha se levantado e ido até um arquivo. Sacou dele uma pasta e a examinou. Então virou-se para ele, pelo visto ela própria emocionada.

– Minha nossa! – exclamou.

– O que foi?

– Parece que ele se tornou o estimado membro do nosso conselho que eu conheci como Dr. N. Adams.

– A senhorita o conheceu?

– Conheci, sim. Um homem maravilhoso. Fez muito por esta casa em matéria de arrecadação de fundos e melhoria das condições para as crianças. Aposentou-se com quase 80 anos, por conta de problemas de saúde, e morreu poucos anos depois. Ele era um baluarte daqui, isso posso lhe afirmar.

Ari pegou dentro da sua pasta de plástico o envelope que Anahita tinha lhe mandado por intermédio do advogado e retirou os documentos nele contidos.

– Por acaso sabe a data exata da morte dele?

A Srta. Kent voltou a examinar a pasta e pegou a cópia de um obituário.

– Olhe aqui, isto saiu no *The Times*. Nós guardamos o recorte porque o texto menciona que ele era um membro do conselho daqui.

Ari pegou o papel e leu a data da morte de Noah Adams. Então a comparou à data que Anahita havia anotado dez anos antes com sua caligrafia enfraquecida e fina, logo antes de morrer também.

– Meu Deus do céu.

As datas eram idênticas.

– Sr. Malik, está se sentindo bem? O senhor parece abalado.

– E estou mesmo, me perdoe.

– Bem, a boa notícia é que agora, graças ao *The Times*, o senhor tem tudo de que precisa para descobrir mais sobre a vida dele. Que coisa mais estranha – refletiu a Srta. Kent enquanto andava até a copiadora. – Eu sabia que o Dr. Adams tinha estado aqui ele próprio quando criança, mas nunca tive nenhum motivo para investigar mais a fundo. Gostava imensamente dele... todos nós gostávamos. Aqui está. – Ela entregou a Ari uma cópia do obituário.

– Obrigado.

Ari olhou para a fotografia em preto e branco de um homem bonito de idade avançada. E não lhe restava na mente mais nenhuma dúvida de que estava diante dos traços da sua *própria* linhagem. Ainda atordoado, tentou se acalmar para pensar no que mais poderia perguntar à arquivista de modo a preencher as lacunas que o obituário não lhe informava.

– Ele era um homem gentil?

– Ah, sim. Costumava visitar as crianças toda semana, às quartas-feiras, e lhes trazia bolo. Eles tomavam chá juntos e ele as escutava, Sr. Malik, em vez de falar com elas. E como éramos uma instituição privada, e não pública, o Dr. Adams fez tudo que pôde para angariar fundos e melhorar as condições daqui. Ele também patrocinava e incentivava as crianças mais inteligentes a cursarem a universidade como ele próprio tinha feito. Era uma inspiração para elas.

– Minha bisavó nunca acreditou que o filho tivesse morrido como haviam lhe dito. A senhorita por acaso sabe se o Dr. Adams algum dia tentou encontrar sua mãe biológica?

– Eu não sei, Dr. Malik, e infelizmente a pessoa que talvez pudesse ter lhe respondido, a esposa dele, Samantha, também morreu faz alguns anos.

– Eles tiveram filhos?

– Infelizmente não. O Dr. Adams costumava dizer que as crianças daqui eram a sua família. Na verdade, quando a esposa dele morreu, descobrimos que eles haviam deixado tudo que tinham para a instituição. É o que tem nos mantido, Sr. Malik, isso eu posso lhe afirmar.

– Eles tinham um bom casamento?

– Acho que era um casamento de amor de verdade, e os dois com certeza pareciam muito dedicados um ao outro quando vinham aqui nos visitar. Mas o senhor pode ler os detalhes no obituário.

– Claro. Obrigado por toda a ajuda, Srta. Kent. Não vou mais tomar seu tempo.

– Imagine. Fico feliz por ter podido ajudar. Aqui está meu cartão com meu e-mail. Se lhe ocorrer mais alguma pergunta, não hesite em me procurar.

– Farei isso. – Ari guardou o cartão na carteira e se levantou. – Adeus, Srta. Kent.

Após fazer ele próprio uma doação, Ari saiu do prédio para a tarde de sol de julho. Num dos lados ficava um parquinho infantil onde duas crianças pequenas estavam sentadas numa caixa de areia com baldinhos e pás. Ari escutou seus gritos de alegria, viu os jardins bem-cuidados e a pintura impecável da velha casa.

Aquele era o legado de Moh, pensou. Encontrou um banco e sentou-se ao sol para ler o obituário. Anahita teria ficado extremamente orgulhosa do filho, que pelo visto havia herdado o dom da medicina da mãe e o temperamento filantrópico do pai.

Dr. Noah Adams, médico e cirurgião por Oxford, membro do Real Colégio de Obstetrícia e Ginecologia, detentor da Ordem do Império Britânico

24 de fevereiro de 2001

O renomado obstetra Dr. Noah Adams foi criado no Orfanato Randall em Walthamstow, no East End londrino. Apesar da infância nada fácil, conseguiu uma bolsa para estudar medicina em Oxford. Seus estudos foram interrompidos pela Segunda Guerra Mundial, e ele se juntou ao corpo médico do Exército, com o qual serviu na França e posteriormente na África Oriental. De volta a Oxford para concluir sua formação, casou-se com Samantha Marshall, enfermeira britânica que conhecera quando estava na França. O Dr. Adams então se transferiu para Londres e trabalhou no Hospital Saint Thomas, concluindo em seguida os exames necessários para ser aceito no Real Colégio de Cirurgiões. Sua especialidade era a obstetrícia, em especial o acompanhamento das gestantes. Foi pioneiro no estudo das causas da pré-eclâmpsia, distúrbio grave que pode levar à morte das mães e de seus bebês ainda no útero. Escreveu muitos artigos respeitados sobre o tema e sobre a saúde materna em geral. Era membro do conselho do orfanato no qual foi criado e um defensor incansável dos órfãos. Foi agraciado pela Rainha com a Ordem do Império Britânico por suas obras de caridade e suas pesquisas na área da obstetrícia. O Dr. Adams deixa a esposa, Samantha.

Ari só percebeu que estava chorando ao ver as manchas molhadas que borravam as palavras da folha. Enxugou os olhos e ficou sentado ao sol vendo as crianças brincarem felizes.

Tirou o atestado de óbito de Moh Chavan da pasta de plástico, rasgou-o, e deixou os pedacinhos de papel flutuarem até o chão à sua volta.

– Eu o encontrei, Anahita – sussurrou, olhando para o céu.

49

– Eu já disse que vou dar um tempo, Victor – repetiu Rebecca para o seu empresário. – E só volto daqui a no mínimo seis meses, talvez até um ano.
– *Talvez nunca mais*, pensou.
– Mas, Becks, você agora está na crista da onda! Entendo que precise de um tempo, mas será que não poderia voltar para casa e quem sabe planejar isso para daqui a um ano ou algo assim?
– Não. Eu viajo amanhã – respondeu ela com firmeza.
– Bem, eu pessoalmente acho que você enlouqueceu. A mídia vai deduzir que você está na fossa por causa de Jack, e vai compartilhar com o mundo essa opinião.
– Eles que façam isso. Sabe o que mais, Victor? Estou pouco me lixando.
Fez-se silêncio do outro lado da linha.
– Eu não entendo, Becks, não mesmo. Passamos todos esses anos trabalhando juntos e planejando sua carreira, escolhendo os filmes certos... Aí chegamos até aqui e você diz que está pulando fora! Não está grávida, está?
– Não, Victor, eu não estou grávida – respondeu Rebecca, querendo que aquela conversa acabasse. – Como já falei, preciso de um tempo, só isso.
– Certo, então para onde você vai?
– Eu não vou dizer. Compreendo que você não entenda isso, mas não existe absolutamente nada que possa fazer para que eu mude de ideia. Então sugiro que a gente encerre esta conversa. Se puder me transferir tudo que entrar na minha conta nos próximos meses, eu agradeço.
– É, e talvez seja o último dinheiro que você vai receber como atriz se for em frente com esse plano. Você sabe tão bem quanto eu quão rápido o telefone pode parar de tocar, e aí você vai virar passado.
– Tchau, Victor, e obrigada mesmo por tudo.
Rebecca largou o telefone e tornou a se jogar na cama, aliviada. Talvez houvesse *mesmo* enlouquecido, mas pela primeira vez na vida não queria

agradar a mais ninguém. Precisava tirar um tempo para aprender sobre o mundo e sobre o seu lugar nele. Ela não era uma mercadoria para ser comprada e vendida, era um ser humano. E se a sua carreira sofresse no período que ela passaria afastada, paciência.

Como Marion Devereaux tinha lhe dito naquele dia, o que realmente melhoraria sua capacidade como atriz seria *se conhecer* e acumular experiências de vida. Era provável que não tivesse nada disso caso continuasse a viver naquele mundo exclusivo e de privilégios, interpretando mulheres de faz de conta que tinham sempre um final feliz e sendo tratada como uma princesa. Correu os olhos pela suíte no hotel Claridge e sorriu com ironia, sabendo que não haveria nada disso no lugar para onde iria no dia seguinte.

Tinha deixado dois recados para Ari mais cedo pedindo a ele que lhe telefonasse, mas até agora ele não o fizera. Seu silêncio doía mais do que ela queria admitir, mas fizesse ele parte do pacote ou não, ela não mudaria de ideia. Sabia que os homens e as suas demandas haviam tido um papel grande demais na sua vida até agora. Já estava na hora de ela conquistar um pouco de respeito por causa de sua opinião e inteligência, em vez de apenas por sua beleza. Quem sabe então conseguisse começar a construir um relacionamento sincero e saudável com outra pessoa.

Assim sendo, quer Ari Malik retornasse ou não seu telefonema, na manhã seguinte ela pegaria um avião para a Índia.

Ari voltou ao hotel, comeu algo rápido no restaurante e subiu para o quarto. Desabou ainda vestido na cama, exaurido pela tensão e pelas emoções dos últimos dias. Acordou às seis na manhã seguinte e se deu conta de que precisava sair imediatamente se quisesse pegar seu avião. Jogou tudo dentro da bolsa de viagem, fez o checkout e chamou um táxi para levá-lo até o aeroporto. Olhou para o celular, viu que estava sem bateria e praguejou contra si mesmo por ter pegado no sono na noite anterior sem pôr o aparelho para carregar. Queria ter se despedido de Rebecca e repetido o quanto adoraria tornar a vê-la, mas agora teria de esperar até chegar em casa para fazer isso.

Na fila da classe executiva, pensou naquilo para que estava voltando. Não lhe apeteceu nem um pouco. Seu apartamento grande, mas sem alma, seguido por um dia no escritório recuperando o tempo perdido, era uma perspectiva que não lhe agradava nem um pouco. Na verdade, nas últimas

24 horas ele vinha pensando se não deveria vender a empresa e acabar com aquilo. Queria fazer algo que valesse a pena, como Anahita e o Dr. Adams, não apenas conquistar segurança financeira.

Talvez fosse direto visitar a mãe, contar o que tinha descoberto na Inglaterra e pedir seu conselho. E naturalmente daria o diário de Donald para sua avó Muna. Pedira à Sra. Trevathan para pegá-lo emprestado por um tempo até mostrar para ela, e a governanta tinha autorizado.

– Bem, lorde Anthony não vai sentir falta do diário nas próximas semanas – respondera ela com tristeza.

Ao receber o cartão de embarque, ele olhou para a fila da classe econômica e pensou que pelo menos o seu trabalho árduo havia lhe proporcionado alguns luxos. Ao fazê-lo, viu uma moça na fila de mochila nas costas, camiseta, calça jeans desfiada e chinelos. Ela estava com os cabelos escuros presos num rabo de cavalo curto e cobertos por um boné, e sem maquiagem nenhuma. Pareceu-lhe vagamente familiar, mas ele não soube dizer de onde.

Estava prestes a virar as costas quando o débil som do canto que havia escutado pela última vez em Astbury Hall lhe acariciou delicadamente os ouvidos. Tornou a olhar com mais atenção, e dessa vez levou um susto ao ver a moça dar passos vagarosos em direção ao guichê do check-in.

Enquanto andava até lá, abriu um sorriso, pois, ao se aproximar, já sabia que era ela. Estendeu a mão por cima da faixa que separava a classe executiva da econômica e a tocou no ombro.

A moça se virou, espantada.

– Oi. O que está fazendo aqui? – perguntou ele. – Quase não a reconheci com esse cabelo escuro e o boné. E vou dizer uma coisa... – Ele sorriu. – Você agora não está nem um pouco parecida com Violet.

– Pois é. – Rebecca deu de ombros. – Me dei conta de que era tudo uma ilusão. – Ela o encarou e franziu a testa. – Não recebeu meu recado?

– Não. Fiquei sem bateria no celular. Mas o que você está fazendo aqui? – repetiu ele.

– Como pode ver, estou indo para a Índia. – Ela lhe sorriu, e ambos riram.

– De econômica?

– É – respondeu ela com firmeza. – Quero fazer as coisas direito.

– Eu entendo – disse ele, meneando a cabeça. – Mas não acha que só desta vez poderia me deixar convencê-la a vir comigo na executiva? Lembre-se, eu sou nativo, e seria uma pena não poder passar as próximas nove horas ajudando você a entender para onde deveria olhar se quiser se encontrar, você não acha?

Ela pensou por um ou dois segundos, então disse:

– Acho que sim.

– E quem sabe eu poderia acompanhar você numa parte da viagem? E continuar meu papel de guia e protetor espiritual? A Índia pode ser um lugar bem perigoso para uma moça sozinha, sabe.

– É mesmo? Tanto quanto Astbury Hall? – perguntou com ironia.

– Duvido muito. Bom, vem comigo?

Ele estendeu a mão até o outro lado da faixa e ela a segurou. Os dois ficaram assim por alguns segundos, sorrindo um para o outro.

– Vou – respondeu ela.

– Me dê isso aqui – disse Ari. Soltou sua mão, retirou delicadamente a mochila dos seus ombros e a passou para o outro lado. – Agora você.

Ficou parado esperando Rebecca se abaixar e passar por baixo da faixa que os separava.

– Oi. – Ari sorriu.

– Oi.

E ele então a tomou nos braços.

Epílogo

Índia, 1957
Anahita

E assim minha história termina, meu filho. Tudo que me resta é lhe contar o que aconteceu depois que voltei para a Índia. A marani me recebeu de braços abertos como se eu nunca houvesse partido. Encontrei o último rubi são e salvo em seu esconderijo debaixo do pavilhão e soube que, por baixo do seu exterior opaco e enlameado, estava a chave de minhas futuras liberdade e independência.

Indira estava louca que eu voltasse com ela para o seu palácio e assumisse meu antigo papel de acompanhante, juntando-me a ela em suas viagens para a Europa, mas recusei a proposta.

Pois o seu pai tinha me deixado um último presente antes de morrer, meu Moh. Só os céus são capazes de explicar como a minúscula parcela de vida plantada dentro de mim na última noite que passamos juntos conseguiu resistir às intempéries da minha prisão, da minha tristeza e da minha subsequente enfermidade, mas ela sobreviveu. Quando retornei a Cooch Behar, minha velha amiga, a sábia Zeena, confirmou que eu estava grávida de quatro meses.

Dessa vez não houve medo, somente paz. Embora meu coração estivesse partido por ter perdido você, fosse por meio da ausência física ou da morte, senti que pelo menos uma nova vida estava brotando das cinzas da tragédia.

Indira voltou para o seu palácio, marido e filho pouco depois da nossa chegada, mas eu fiquei em Cooch Behar. Uma calma estranha e sonolenta se apoderou de mim conforme fui engordando, como uma égua prenhe num campo repleto de feno recém-ceifado.

Sua irmã, Muna, nasceu no dia 5 de junho de 1923, com a ajuda de Zeena. E meu segundo bebê se mostrou tão relaxado e tranquilo quanto foi sua chegada a este mundo. Às vezes eu me perguntava, enquanto a amamentava em meu colo de madrugada observando seu rosto, se ela teria herdado o meu dom. Mas quando ela cresceu vi que não. No entanto, sei que, em algum momento, um de seus filhos ou um dos filhos de seus filhos vai herdá-lo. E que vou reconhecer isso imediatamente quando a hora chegar.

Quando Muna estava com 5 anos, senti que finalmente precisava começar a construir minha própria vida, correr atrás dos meus sonhos e me afastar do escudo protetor do palácio.

Graças principalmente à minha antiga enfermeira-chefe no The Royal Hospital, que encaminhou meu histórico de enfermeira da época da Primeira Guerra acompanhado por uma carta de recomendação escrita de próprio punho, recebi o convite de um hospital da região e iniciei a formação oficial necessária para me tornar enfermeira. Meu sonho, é claro, sempre foi ser médica, mas na Índia de 1928 isso era muito raro para uma mulher.

Mesmo assim, tirei o melhor proveito da minha situação, e conforme a Índia começou a mudar, também tive novas oportunidades. Tornei-me uma apoiadora ferrenha de Gandhi, em especial no que tangia aos direitos da mulher. Talvez se possa dizer, meu filho querido, que comecei a adquirir uma baita reputação.

No momento em que escrevo isto, já faz dez anos que nos tornamos independentes dos britânicos. O país ainda luta para encontrar sua verdadeira identidade, para se acreditar capaz de tomar decisões sozinho após tantos anos com outra nação as impondo a nós. Mas acredito de verdade que chegaremos lá. Atualmente, com o apoio de Indira e sua mãe, estou montando o primeiro hospital para mulheres da Índia. Com a ajuda das conexões reais das duas, estamos recebendo consultoria de alguns dos mais renomados obstetras do mundo inteiro.

Um deles em especial, um médico da Inglaterra, tem me ajudado muito. O Dr. Noah Adams trabalha nas enfermarias femininas do Hospital Saint Thomas e proporcionou, portanto, uma ajuda prática vital à minha luta para montar cada passo do atendimento às pacientes. Espero que um dia, quando o hospital ficar pronto, ele tenha tempo de me visitar aqui.

Meu querido Moh, cheguei ao final da minha história. Se você estiver vivo, como sempre acreditei que estivesse, desejo-lhe felicidade, paz e contentamento. E posso apenas rezar para que, senão enquanto vivermos, quando formos para o outro lado, tornemos a nos encontrar.

Meu filho, saiba sempre que você foi amado de verdade.

Sua mãe,

Anahita

Agradecimentos

Gostaria de agradecer a meus editores mundo afora, em especial Peter Borland, da Atria Books, que me inspirou a ter a confiança necessária para encarar uma empreitada tão desafiadora quanto *A rosa da meia-noite*. Espero ter estado à altura. Um obrigada especial a Catherine Richards, da Pan Macmillan, que tão pacientemente organizou o manuscrito, a Jeremy Trevathan, Almuth Andreae e Georg Reuchlein, a Judith Curr, Jorid Mathiassen e Knut Gorvell, a Fernando e Milla Baracchini, Annalisa Lottini e Donatella Minuto. Sem a sua amizade, incentivo e apoio, meus livros não estariam chegando ao seu público leitor.

Muitas pessoas me ajudaram em minhas pesquisas, entre elas Raj Chahal, Dra. Preema Vig, Rachel Jaspar da Coram, Line Prasad, Pallavi Narayan, Mark da "All Experts", Radhika Artlotto, Greg e sua equipe no Dhara Dhevi Hotel em Chiang Mai, por terem me proporcionado não apenas a paz de que eu precisava para escrever a história de Anahita, mas também um curso rápido de medicina ayurvédica.

À minha maravilhosa assessora de imprensa, Olivia Riley (quem disse que parentes não podem trabalhar bem juntos?), a meus fantásticos amigos que torcem por mim: Jacquelyn Heslop, Susan Boyd e Rita Kalagate, à minha mãe, Janet, e à minha irmã, Georgia. E, claro, ao meu marido, Stephen, e aos meus filhos: Harry, Isabella, Leonora e Kit. Todos eles fazem o trabalhão valer a pena.

Por fim, a todos os novos e maravilhosos amigos e leitores que fiz em minhas viagens pelo mundo, cujo entusiasmo e apoio me inspiram para continuar escrevendo.

Bibliografia

A rosa da meia-noite é uma obra de ficção ambientada num contexto histórico. As fontes que usei para pesquisar a época e os detalhes das vidas de meus personagens estão listadas abaixo:

BARNETT, Lionel D. *Hindu Gods and Heroes: Studies in the History of the Religion of India*. Londres: Crest Publishing, 1995.

CHOPRA, Deepak. *The Complete Book of Ayurvedic Home Remedies*. Londres: Piatkus Books, 1999.

DEVI, Gayatri. *A Princess Remembers: The Memoirs of the Maharani of Jaipur*. Nova Délhi: Rupa Publications, 1995.

FORSTER, E.M. *A Passage to India*. Londres: Penguin Books, 1995.

KIPLING, Rudyard. *Rewards and Fairies*. Londres: Folio Society, 1999.

MOORE, Lucy. *Maharanis: The Lives and Times of Three Generations of Indian Princesses*. Londres: Penguin Books, 2004.

JHABVALA, Ruth Prawer. *Heat and Dust*. Londres: Abacus Books, 2011.

ROYLE, Trevor. *Last Days of the Raj*. Londres: Michael Joseph Ltd., 1989.

SCOTT, Paul. *The Raj Quartet*. Londres: Arrow, 1996.

STEWART, Amy. *Wicked Plants*. Nova York: Algonquin Books, 2010.

CONHEÇA A SAGA DAS SETE IRMÃS

"O projeto mais ambicioso e emocionante de Lucinda Riley. Um labirinto sedutor de histórias, escrito com o estilo que fez da autora uma das melhores escritoras atuais. Esta é uma série épica." – *Lancashire Evening Post*

"Lucinda Riley criou uma série que vai agradar a todos os leitores de Kristin Hannah e Kate Morton." – *Booklist*

Com a série As Sete Irmãs, Lucinda Riley elabora uma saga familiar de fôlego, que levará os leitores a diversos recantos e épocas e a viver amores impossíveis, sonhos grandiosos e surpresas emocionantes.

No passado, o enigmático Pa Salt adotou suas filhas em diversos recantos do mundo, sem um motivo aparente. Após a sua morte, elas descobrem que o pai lhes deixou pistas sobre as origens de cada uma, que remontam a personalidades importantes. Assim é que começam as jornadas das Sete Irmãs em busca de seus passados.

Baseando-se livremente na mitologia das Plêiades – a constelação de sete estrelas que já inspirou desde os maias e os gregos até os aborígines –, Lucinda Riley cria uma série grandiosa que une fatos históricos e narrativas apaixonantes.

Conheça a série:

As Sete Irmãs (Livro 1)
A irmã da tempestade (Livro 2)
A irmã da sombra (Livro 3)
A irmã da pérola (Livro 4)
A irmã da lua (Livro 5)
A irmã do sol (Livro 6)
A irmã desaparecida (Livro 7)
Atlas (Livro 8)

LEIA UM TRECHO DO PRIMEIRO LIVRO

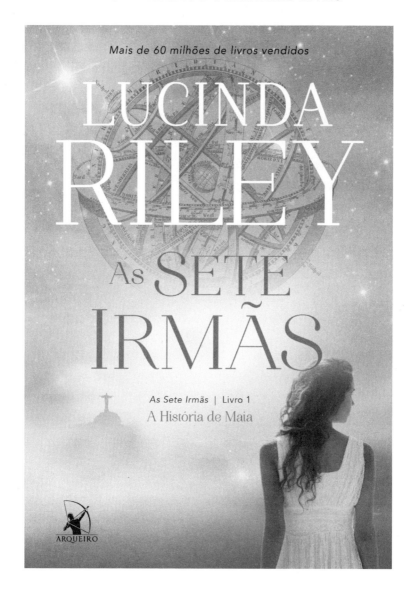

Personagens

ATLANTIS

Pa Salt – *pai adotivo das irmãs [falecido]*
Marina (Ma) – *tutora das irmãs*
Claudia – *governanta de Atlantis*
Georg Hoffman – *advogado de Pa Salt*
Christian – *capitão da lancha da família*

AS IRMÃS D'APLIÈSE

Maia
Ally (Alcíone)
Estrela (Astérope)
Ceci (Celeno)
Tiggy (Taígeta)
Electra
Mérope [desaparecida]

Maia

Junho de 2007

Quarto crescente

13; 16; 21

1

Sempre vou lembrar exatamente onde me encontrava e o que estava fazendo quando recebi a notícia de que meu pai havia morrido.

Estava sentada no lindo jardim da casa da minha velha amiga de escola em Londres, com um exemplar de *A odisseia de Penélope* aberto no colo, mas sem nenhuma página lida, aproveitando o sol de junho enquanto Jenny buscava seu filho pequeno no quarto.

Eu estava tranquila e feliz por ter tido a bela ideia de sair de casa um pouco. Observava o florescer da clematite. O sol, tal qual um parteiro, a encorajava a dar à luz uma profusão de cores. Foi quando meu celular tocou. Olhei para a tela e vi que era Marina.

– Oi, Ma, como você está? – falei, esperando que ela conseguisse notar o calor em minha voz.

– Maia, eu...

Marina fez uma pausa e, naquele instante, percebi que havia algo terrivelmente errado.

– O que houve?

– Maia, não existe uma maneira fácil de dizer isto. Seu pai teve um ataque cardíaco aqui em casa, ontem à tarde, e hoje cedo ele... faleceu.

Fiquei em silêncio, enquanto um milhão de pensamentos diferentes e ridículos passavam pela minha mente. O primeiro era o de que Marina, por alguma razão desconhecida, tivesse resolvido fazer uma piada de mau gosto.

– Você é a primeira das irmãs para quem estou contando, Maia, já que é a mais velha. Queria saber se você quer contar para suas irmãs ou prefere que eu faça isso.

– Eu...

Eu ainda não conseguia fazer nada coerente sair dos meus lábios, agora que começava a me dar conta de que Marina, minha querida Marina, o mais próximo de uma mãe que eu conhecera, nunca me falaria algo assim *se não fosse verdade*. Então tinha que ser verdade. E, naquele momento, meu mundo inteiro virou de cabeça para baixo.

– Maia, por favor, me diga que você está bem. Esta é a pior ligação que já tive que fazer, mas que opção eu tinha? Só Deus sabe como as outras garotas vão reagir.

Foi então que ouvi o sofrimento na voz *dela* e percebi que Marina precisava me contar aquilo não apenas por mim, mas também para dividir aquela tristeza. Então passei à minha zona de conforto usual, que era tranquilizar os outros.

– É claro que conto para minhas irmãs se você preferir, Ma, embora não tenha certeza de onde todas estão. Ally não está longe de casa, treinando para uma regata?

E, enquanto falávamos sobre a localização de cada uma de minhas irmãs, como se tivéssemos que reuni-las para uma festa de aniversário e não para o enterro de nosso pai, a conversa foi me parecendo cada vez mais surreal.

– Quando você acha que deve ser o funeral? Com Electra em Los Angeles e Ally em algum lugar em alto-mar, com certeza não podemos pensar nisso até semana que vem – disse eu.

– Bem... – Ouvi a hesitação na voz de Marina. – Talvez seja melhor conversarmos sobre isso quando você estiver em casa. Não há nenhuma pressa agora, Maia, por isso, se preferir passar seus últimos dias de férias em Londres, não tem problema. Não há mais o que fazer por ele aqui... – Sua voz falhou, tomada pela tristeza.

– Ma, é claro que vou estar no primeiro voo para Genebra que eu conseguir! Vou ligar para a companhia aérea imediatamente e depois vou fazer o máximo para entrar em contato com todas elas.

– Sinto tanto, *chérie* – disse Marina com pesar. – Sei como você o adorava.

– Sim – falei, a estranha tranquilidade que eu sentira enquanto debatíamos o que fazer me abandonando como a calmaria antes de uma tempestade violenta. – Ligo para você mais tarde, quando souber a que horas devo chegar.

– Por favor, cuide-se, Maia. Você passou por um choque terrível.

Apertei o botão para encerrar a ligação e, antes que as nuvens em meu coração derramassem uma torrente e me afogassem, subi até o quarto para pegar minha passagem e entrar em contato com a companhia aérea. Enquanto esperava ser atendida, olhei para a cama em que eu tinha acordado naquela manhã para mais *um dia como outro qualquer*. E agradeci a Deus por os seres humanos não terem o poder de prever o futuro.

A mulher intrometida que acabou atendendo não era nem um pouco prestativa, e eu sabia, enquanto ela falava sobre voos lotados, multas e detalhes do cartão de crédito, que minha barragem emocional estava prestes a se romper. Finalmente, quando consegui que me garantisse, com muita má vontade, um lugar no voo das quatro horas para Genebra – o que significava ter que jogar tudo na minha mala imediatamente e pegar um táxi para Heathrow –, sentei-me na cama e olhei por tanto tempo para a ramagem que decorava o papel de parede que o padrão começou a dançar diante dos meus olhos.

– Ele se foi... – sussurrei. – Se foi para sempre. Nunca mais vou vê-lo.

Esperando que dizer essas palavras fosse provocar uma torrente de lágrimas, fiquei surpresa em ver que nada aconteceu. Em vez disso, permaneci ali sentada, paralisada, a cabeça ainda cheia de questões práticas. Seria horrível ter que contar às minhas irmãs – a todas as cinco –, e revirei meu arquivo emocional para decidir para qual ligaria primeiro. Tiggy, a segunda mais jovem de nós e de quem eu sempre fora mais próxima, foi a escolha inevitável.

Com dedos trêmulos, toquei a tela para achar seu número e liguei. Quando caiu na caixa postal, não soube o que dizer além de algumas palavras confusas lhe pedindo que me ligasse de volta com urgência. Ela estava em algum lugar das Terras Altas, na Escócia, trabalhando em uma reserva para cervos selvagens órfãos e doentes.

Quanto às outras irmãs... Eu sabia que as reações iam variar, pelo menos externamente, da indiferença ao choro mais dramático.

Como não sabia bem para que lado *eu* penderia na escala de emoção quando falasse de fato com alguma delas, escolhi o caminho covarde de mandar para todas uma mensagem pedindo que me ligassem assim que pudessem. Então arrumei apressadamente a mala e desci a escada estreita que levava à cozinha para escrever um bilhete para Jenny explicando por que tive que partir tão de repente.

Resolvi arriscar a sorte e pegar um táxi na rua, então saí de casa andando rapidamente pela verdejante Chelsea Crescent como qualquer pessoa normal faria em qualquer dia normal de Londres. Acho que cheguei a dizer oi para um cara com quem cruzei, que passeava com um cachorro, e até consegui esboçar um sorriso.

Ninguém poderia imaginar o que tinha acabado de acontecer comigo, pensei enquanto entrava num táxi na movimentada King's Road, instruindo o motorista a seguir para Heathrow.

Ninguém poderia imaginar.

❈ ❈ ❈

Cinco horas depois, quando o sol descia vagarosamente sobre o lago Léman, em Genebra, eu chegava a nosso pontão particular na costa, de onde eu faria a última etapa da minha viagem de volta.

Christian já esperava por mim em nossa reluzente lancha Riva. Pela expressão em seu rosto, dava para ver que ele já sabia o que acontecera.

– Como você está, mademoiselle Maia? – perguntou, e percebi a compaixão em seus olhos azuis enquanto ele me ajudava a embarcar.

– Eu... estou feliz por ter chegado aqui – respondi sem demonstrar emoção.

Caminhei até a parte de trás do barco e me sentei no banco de couro cor de creme que formava um semicírculo na popa. Normalmente eu me sentava com Christian na frente, no banco do passageiro, enquanto atravessávamos as águas calmas na viagem de vinte minutos até nossa casa. Mas, naquele dia, queria um pouco de privacidade. Quando ele ligou o potente motor, o sol cintilava nas janelas das fabulosas casas que ladeavam as margens do lago. Muitas vezes, quando fazia esse trajeto, sentia que entrava num mundo etéreo, desconectado da realidade.

O mundo de Pa Salt.

Notei a primeira vaga evidência de lágrimas arder em meus olhos quando pensei no apelido carinhoso de meu pai, que eu tinha criado quando era mais nova. Ele sempre adorou velejar e, às vezes, quando voltava para nossa casa à beira do lago, cheirava a mar e ar fresco. De alguma forma, o nome pegou e, à medida que minhas irmãs mais novas foram chegando, passaram a chamá-lo assim também.

Conforme a lancha ganhava velocidade, o vento quente passando pelo meu cabelo, pensei nas centenas de viagens que eu tinha feito para Atlantis, o castelo de conto de fadas de Pa Salt. Como ficava em um promontório particular, atrás do qual se erguia abruptamente uma meia-lua de montanhas, inacessível por terra: só se podia chegar lá de barco. Os vizinhos mais próximos ficavam a quilômetros de distância pelo lago, então Atlantis era nosso reino particular, isolado do resto do mundo. Tudo o que havia naquele lugar era mágico, como se Pa Salt e nós – suas filhas – tivéssemos vivido ali sob algum encantamento.

Cada uma de nós tinha sido adotada por Pa Salt ainda bebê, vindas dos quatro cantos do mundo e levadas até lá para viver sob sua proteção. E cada uma de nós, como Pa sempre gostava de dizer, era especial, diferente... éramos *suas* meninas. Ele tirara nossos nomes das Sete Irmãs, sua constelação preferida. Maia era a primeira e a mais velha.

Quando eu era criança, ele me levava até seu observatório com cúpula de vidro no alto da casa, me levantava com suas mãos grandes e fortes e me fazia olhar o céu noturno pelo telescópio.

– Ali está – dizia enquanto ajustava a lente. – Olha, Maia, aquela é a linda estrela brilhante que inspirou seu nome.

E eu a *via*. Enquanto ele explicava as lendas que eram a origem dos nomes das minhas irmãs e do meu, eu mal escutava, simplesmente desfrutava da sensação de seus braços apertados à minha volta, completamente atenta àquele momento raro e especial quando o tinha só para mim.

Com o tempo percebi que Marina, que eu imaginava enquanto crescia que fosse minha mãe – eu até encurtara seu nome para "Ma" –, era apenas uma babá, contratada por Pa para cuidar de mim porque ele passava muito tempo fora. Mas é claro que Marina era muito mais do que isso para todas nós, garotas. Era ela quem secava nossas lágrimas, nos repreendia pelo mau comportamento à mesa e nos orientara tranquilamente durante a difícil transição da infância para a idade adulta.

Ela sempre estivera por perto, e eu não a teria amado mais se tivesse me dado à luz.

Durante os três primeiros anos da minha infância, Marina e eu moramos sozinhas em nosso castelo mágico às margens do lago Léman enquanto Pa Salt viajava pelos sete mares cuidando de seus negócios. E então, uma a uma, minhas irmãs começaram a chegar.

Normalmente, Pa me trazia um presente quando voltava para casa. Eu escutava o motor da lancha chegando e saía correndo pelos vastos gramados e por entre as árvores até o cais para recebê-lo. Como qualquer criança, eu queria ver o que ele tinha escondido em seus bolsos mágicos para me encantar. Em uma ocasião especial, no entanto, depois de me presentear com uma rena de madeira primorosamente esculpida, assegurando que vinha da oficina do Papai Noel no polo Norte, uma mulher uniformizada apareceu saindo de trás dele, e em seus braços havia um pequeno embrulho envolto em um xale. E o embrulho se mexia.

– Desta vez, Maia, eu lhe trouxe o mais especial dos presentes. Agora você tem uma irmã. – Ele sorrira para mim enquanto me pegava nos braços. – E não vai mais ficar sozinha quando eu tiver que viajar.

Depois disso, a vida mudou. A enfermeira que Pa trouxera com ele foi embora em algumas semanas, e Marina assumiu os cuidados da minha irmãzinha. Eu não conseguia entender como aquela coisinha vermelha que berrava e que por vezes cheirava mal e desviava a atenção de mim poderia ser um presente. Até que, certa manhã, Alcíone – que recebeu o nome da segunda estrela das Sete Irmãs – sorriu para mim de sua cadeira alta no café da manhã.

– Ela sabe quem eu sou – falei fascinada para Marina, que lhe dava comida.

– É claro que sabe, querida. Você é a irmã mais velha, aquela que ela vai admirar. Caberá a você lhe ensinar tudo que ela não sabe.

À medida que crescia, ela ia se tornando minha sombra, seguindo-me para todos os lugares, o que me agradava e me irritava em igual medida.

– Maia, me espere! – pedia gritando enquanto cambaleava atrás de mim.

Apesar de Ally – como eu a apelidara – ter sido originalmente um acréscimo indesejado à minha vida de sonho em Atlantis, eu não poderia ter desejado uma companhia mais doce e adorável. Ela raramente chorava e não tinha os ataques de pirraça das crianças de sua idade. Com seus cachos ruivos caindo pelo rosto e os grandes olhos azuis, Ally tinha um encanto natural que atraía as pessoas, incluindo nosso pai. Quando Pa Salt voltava de suas viagens longas ao exterior, eu notava como seus olhos se iluminavam quando ele a via, de uma maneira que eu tinha certeza que não brilhavam por mim. E, enquanto eu era tímida e reticente com estranhos, Ally tinha um jeito sempre receptivo, sempre disposta a confiar nos outros, e isso encantava todos.

Ela também era uma daquelas crianças que parecem se sobressair em tudo – especialmente na música e em qualquer esporte que tivesse a ver com água. Lembro-me de Pa ensinando-a a nadar na nossa ampla piscina. Enquanto eu lutava para me manter na superfície e odiava ficar embaixo d'água, minha irmãzinha parecia uma sereia. E, enquanto eu não conseguia me equilibrar direito nem no *Titã*, o imenso e lindo iate oceânico de Pa, quando estávamos em casa Ally implorava que ele a levasse para dar uma volta no pequeno Laser que mantinha atracado em nosso cais particular. Eu me agachava na popa estreita do barco, enquanto Pa e Ally assumiam o controle e cruzávamos rapidamente as águas cristalinas. Aquela paixão comum por velejar os conectava de uma forma que eu sentia que nunca conseguiria.

Embora Ally tenha estudado música no Conservatório de Genebra e fosse uma flautista altamente talentosa, que poderia ter seguido carreira em uma orquestra profissional, desde que deixara a escola de música tinha escolhido ser velejadora em tempo integral. Agora participava regularmente de regatas e representara a Suíça em diversas competições.

Quando Ally tinha quase 3 anos, Pa chegou em casa com nossa próxima irmã, a quem deu o nome de Astérope, como a terceira das Sete Irmãs.

– Mas vamos chamá-la de Estrela – disse Pa, sorrindo para Marina, Ally e para mim, que observávamos a recém-chegada deitada no berço.

Naquela época, eu tinha aulas todas as manhãs com um professor particular, por isso a chegada da minha mais nova irmã me afetou menos do que a de Ally havia afetado. Então, apenas seis meses depois, outra bebê se juntou a nós, uma garotinha de doze semanas chamada Celeno, nome que Ally imediatamente reduziu para Ceci.

Havia uma diferença de apenas três meses entre Estrela e Ceci e, desde que me lembro, as duas forjaram uma estreita ligação. Pareciam gêmeas, conversando em uma linguagem de bebê só delas, e continuavam se comunicando desse jeito. Elas viviam em seu próprio mundo particular, que excluía todas nós, suas outras irmãs. E mesmo agora, na casa dos 20 anos, nada havia mudado. Ceci, a mais nova das duas, era sempre a chefe, atarracada e morena, em contraste com Estrela, pálida e muito magra.

No ano seguinte, outra bebê chegou – Taígeta, que apelidei de "Tiggy", porque seu cabelo escuro e curto nascia em ângulos estranhos de sua cabecinha e me fazia lembrar do porco-espinho da famosa história de Beatrix Potter.

Eu tinha então 7 anos e me liguei a Tiggy desde o primeiro momento em que coloquei os olhos nela. Ela era a mais delicada de todas nós e, na infância, enfrentara uma doença atrás da outra, mas, mesmo ainda bem pequena, fora sempre serena e complacente. Depois que Pa trouxe para casa, alguns meses mais tarde, outra neném, que recebeu o nome de Electra, Marina, exausta, muitas vezes me perguntava se eu me importaria de ficar com Tiggy, que continuamente tinha febre ou tosse. Depois que a diagnosticaram como asmática, raramente a tiravam do quarto para passear em seu carrinho, de modo que o ar frio e a névoa pesada do inverno de Genebra não atingissem seu peito.

Electra era a mais nova das irmãs, e seu nome combinava perfeitamente com ela. Eu já estava acostumada com bebês e toda a atenção que exigiam, mas minha irmã mais nova era, sem dúvida, a mais desafiadora de todas. Tudo relacionado a ela *era* elétrico. Sua habilidade natural de mudar em um instante da água para o vinho e vice-versa fazia nossa casa, antes tão tranquila, reverberar diariamente com seus gritos agudos. Os ataques de pirraça ressoavam na minha cabeça de criança e, quando ela cresceu, sua personalidade impetuosa não se suavizou.

Ally, Tiggy e eu tínhamos, secretamente, nosso próprio apelido para ela: nossa irmã caçula era chamada entre nós três de "Difícil". Todas pisávamos em ovos perto dela, tentando não fazer nada que pudesse deflagrar uma repentina mudança de humor. Sinceramente, havia momentos em que eu a odiava por toda a perturbação que trouxera a Atlantis.

Porém, quando Electra sabia que uma de nós estava em apuros, ela era a primeira a oferecer ajuda e apoio. Assim como era capaz de um enorme egoísmo, sua generosidade em outras ocasiões era igualmente marcante.

Depois de Electra, toda a família esperava a chegada da Sétima Irmã. Afinal, tínhamos recebido nossos nomes em homenagem à constelação preferida de Pa Salt e não estaríamos completas sem ela. Até sabíamos seu nome – Mérope – e nos perguntávamos como ela seria. Mas um ano se passou, depois outro, e outro, e nosso pai não trouxe mais nenhum bebê para casa.

Lembro-me claramente de um dia em que estava com ele no observatório. Eu tinha 14 anos, e entrava na adolescência. Esperávamos para assistir a um eclipse, que, explicara Pa, era um momento seminal para a humanidade e geralmente trazia alguma mudança.

– Pa – disse eu –, o senhor nunca vai trazer para casa nossa sétima irmã?

Ao ouvir isso, sua figura grande e protetora pareceu congelar por alguns segundos. De repente, parecia que ele carregava o peso do mundo nos ombros. Embora não tivesse se virado, pois estava ajustando o telescópio para o eclipse que ia acontecer, percebi instintivamente que o que eu dissera o deixara angustiado.

– Não, Maia, não vou. Porque eu nunca a encontrei.

❋ ❋ ❋

Quando pude enxergar Marina de pé no cais, perto da cerca viva de abetos que escondia nossa casa de olhares curiosos, finalmente senti o peso da verdade inexorável que era a perda de Pa.

Então percebi que o homem que tinha criado o reino em que todas havíamos sido princesas não estava mais lá para conservar o encantamento.

CONHEÇA OS OUTROS LIVROS DA SÉRIE

A IRMÃ DA TEMPESTADE

Ally D'Aplièse é uma grande velejadora e está se preparando para uma importante regata, mas a notícia da morte do pai faz com que ela abandone seus planos e volte para casa, para se reunir com as cinco irmãs. Lá, elas descobrem que Pa Salt – como era carinhosamente chamado pelas filhas adotivas – deixou, para cada uma delas, uma pista sobre suas verdadeiras origens.

Apesar do choque, Ally encontra apoio em um grande amor. Porém, mais uma vez seu mundo vira de cabeça para baixo, então ela decide seguir as pistas deixadas por Pa Salt e ir em busca do próprio passado. Nessa jornada, ela chega à Noruega, onde descobre que sua história está ligada à da jovem cantora Anna Landvik, que viveu há mais de cem anos e participou da estreia de uma das obras mais famosas do grande compositor Edvard Grieg. E, à medida que mergulha na vida de Anna, Ally começa a se perguntar quem realmente era seu pai adotivo.

A IRMÃ DA SOMBRA

Estrela D'Aplièse está numa encruzilhada após a repentina morte do pai, o misterioso bilionário Pa Salt. Antes de morrer, ele deixou a cada uma das seis filhas adotivas uma pista sobre suas origens, porém a jovem hesita em abrir mão da segurança da sua vida atual.

Enigmática e introspectiva, ela sempre se apoiou na irmã Ceci, seguindo-a aonde quer que fosse. Agora as duas se estabelecem em Londres, mas, para Estrela, a nova residência não oferece o contato com a natureza nem a tranquilidade da casa de sua infância. Insatisfeita, ela acaba cedendo à curiosidade e decide ir atrás da pista sobre seu nascimento.

Nessa busca, uma livraria de obras raras se torna a porta de entrada para o mundo da literatura e sua conexão com Flora MacNichol, uma jovem inglesa que, cem anos antes, teve como grande inspiração a escritora Beatrix Potter. Cada vez mais encantada com a história de Flora, Estrela se identifica com aquela jornada de autoconhecimento e está disposta a sair da sombra da irmã superprotetora e descobrir o amor.

A IRMÃ DA PÉROLA

Ceci D'Aplièse sempre se sentiu um peixe fora d'água. Após a morte do pai adotivo e o distanciamento de sua adorada irmã Estrela, ela de repente se percebe mais sozinha do que nunca. Depois de abandonar a faculdade, decide deixar sua vida sem sentido em Londres e desvendar o mistério por trás de suas origens. As únicas pistas que tem são uma fotografia em preto e branco e o nome de uma das primeiras exploradoras da Austrália, que viveu no país mais de um século antes.

A caminho de Sydney, Ceci faz uma parada no único local em que já se sentiu verdadeiramente em paz consigo mesma: as deslumbrantes praias de Krabi, na Tailândia. Lá, em meio aos mochileiros e aos festejos de fim de ano, conhece o misterioso Ace, um homem tão solitário quanto ela e o primeiro de muitos novos amigos que irão ajudá-la em sua jornada.

Ao chegar às escaldantes planícies australianas, algo dentro de Ceci responde à energia do local. À medida que chega mais perto de descobrir a verdade sobre seus antepassados, ela começa a perceber que afinal talvez seja possível encontrar nesse continente desconhecido aquilo que sempre procurou sem sucesso: a sensação de pertencer a algum lugar.

A IRMÃ DA LUA

Após a morte de Pa Salt, seu misterioso pai adotivo, Tiggy D'Aplièse resolve seguir os próprios instintos e fixar residência nas Terras Altas escocesas. Lá, ela tem o emprego que ama, cuidando dos animais selvagens na vasta e isolada Propriedade Kinnaird.

No novo lar, Tiggy conhece Chilly, um cigano que altera totalmente seu destino. O homem conta que ela possui um sexto sentido ancestral e que, segundo uma profecia, ele a levaria até suas origens em Granada, na Espanha.

À sombra da magnífica Alhambra, Tiggy descobre sua conexão com a lendária comunidade cigana de Sacromonte e com La Candela, a maior dançarina de flamenco da sua geração. Seguindo a complexa trilha do passado, ela logo precisará usar seu novo talento e discernir que rumo tomar na vida.

Escrito com a notável habilidade de Lucinda para entrelaçar enredos emocionantes e nos transportar para épocas e lugares distantes, *A irmã da lua* é uma brilhante continuação para a aclamada série As Sete Irmãs.

A IRMÃ DO SOL

Electra D'Aplièse parece ter a vida perfeita: uma carreira de sucesso como modelo, uma beleza inegável e uma vida amorosa agitada com homens bonitos e influentes.

No entanto, longe dos holofotes, Electra está desmoronando. Com a morte do pai adotivo, Pa Salt, e o recente término de um relacionamento, ela afunda em seus vícios, incapaz de pedir ajuda à família e aos amigos.

É nesse momento conturbado que Electra recebe uma carta inesperada. Uma mulher chamada Stella Jackson afirma ser sua avó... e ela tem uma longa história para contar.

É assim que Electra mergulha numa saga emocionante que envolve as turbulências da guerra, a militância por direitos civis e um amor que ultrapassa barreiras sociais. Todo o seu passado se revela para ajudá-la a entender o presente e, quem sabe, mudar seu futuro.

CONHEÇA OS LIVROS DE LUCINDA RILEY

A garota italiana
A árvore dos anjos
O segredo de Helena
A casa das orquídeas
A carta secreta
A garota do penhasco
A sala das borboletas
A rosa da meia-noite
Morte no internato
A luz através da janela
Beleza oculta

Série As Sete Irmãs
As Sete Irmãs
A irmã da tempestade
A irmã da sombra
A irmã da pérola
A irmã da lua
A irmã do sol
A irmã desaparecida
Atlas

Série Anjos da Guarda
Graça e o Anjo do Natal
Gui e o Anjo dos Sonhos
Rosa e o Anjo da Amizade
Fred e o Anjo das Coisas Perdidas

editoraarqueiro.com.br